Témoin muet

La Dernière énigme

Agatha Christie

Témoin muet

Nouvelle traduction d'Élisabeth Luc

La Dernière énigme

Nouvelle traduction de Jocelyn Warolin

ÉDITIONS FRANCE LOISIRS

Titre de l'édition originale : *Dumb Witness*

© 1937, by Agatha Christie Mallowman.
© Librairie des Champs-Élysées, 1992, pour la nouvelle traduction.

Titre de l'édition originale : *Sleeping Murder : Miss Marple's Last Case*

© Agatha Christie Limited, 1976.
© 1980, Librairie des Champs-Elysées.
© 2002, Agatha Christie Limited, a Chorion Company. All rights reserved.
© Éditions du Masque-Hachette Livre, 2000, pour la nouvelle traduction.

Édition du Club France Loisirs,
avec l'autorisation des Éditions du Masque.

Édition France Loisirs,
123, boulevard de Grenelle, Paris
www.franceloisirs.com

ISBN : 978-2-298-01104-3

Témoin muet

A mon cher Peter,
le plus fidèle des amis et le plus merveilleux,
des compagnons, un dieu comme on n'en fait pas.

1

La propriétaire de Littlegreen

Miss Arundell mourut le 1ᵉʳ mai. Si sa maladie fut brève, son décès n'étonna guère à Market Basing, petite bourgade provinciale où elle vivait depuis l'âge de seize ans. Dernière survivante de ses cinq frères et sœurs, Emily Arundell avait plus de soixante-dix ans et on lui connaissait des problèmes de santé depuis belle lurette. Quelques dix-huit mois plus tôt, elle avait d'ailleurs bien failli succomber à une crise semblable à celle qui venait de l'emporter.

Mais si le fait qu'Emily Arundell ait en fin de compte rendu l'âme ne surprit pas grand monde, il en alla tout autrement de son testament. Les dernières volontés de la défunte suscitèrent en effet les réactions les plus diverses : stupeur, commentaires hilares, vertueuse réprobation, fureur, désespoir, colère et commérages à n'en plus finir. Pendant des semaines – voire des mois ! –, il ne devait plus être question que de ça à Market Basing. Chacun tenait à y aller de son grain de sel, de Mr Jones, l'épicier, qui clamait à tous les échos que « les liens du sang, c'est tout de même sacré », jusqu'à Mrs Lamphrey,

11

la receveuse des postes, qui répétait jusqu'à plus soif : « Ça cache quelque chose, je vous en fiche mon billet. Ça cache quelque chose et vous m'en direz des nouvelles. »

Que le testament n'ait été rédigé que sur le tard, le 21 avril, ajoutait encore aux spéculations. Si l'on se remémore de surcroît que les proches d'Emily Arundell étaient venus passer le week-end pascal avec elle juste avant la date fatidique, on comprendra sans peine que les populations aient pu échafauder les théories les plus scabreuses – heureuse diversion dans le morne train-train quotidien de Market Basing.

Quelqu'un était à juste titre soupçonné d'en savoir sur la question plus long qu'elle ne voulait bien l'admettre. C'était miss Wilhelmina Lawson, la dame de compagnie de la défunte. Miss Lawson déclarait cependant à qui voulait l'entendre qu'elle se perdait en conjectures comme tout un chacun. Et elle se plaisait à avouer que la teneur du testament l'avait laissée pantelante.

Beaucoup, on s'en doute, n'en croyaient pas un traître mot. Néanmoins, que miss Lawson fût ou non aussi ignorante qu'elle le prétendait, une seule personne eût pu le dire. Et la personne en question c'était la morte. Selon une habitude bien ancrée, miss Arundell avait gardé le fond de sa pensée pour elle. Même à son notaire elle n'avait rien laissé entrevoir des motifs qui la poussaient à agir ainsi qu'elle le faisait. Et ses dernières volontés, elle s'était contentée de les décréter – sans fioritures.

Cette propension au mutisme était le trait

dominant du caractère d'Emily Arundell, créature en tous points typique de sa génération. Elle en possédait les qualités et les défauts. Autoritaire et volontiers arrogante, elle pouvait se montrer parfois des plus chaleureuses. Capable de vous dire vos quatre vérités en face, elle savait faire preuve d'une gentillesse extrême. Sous des dehors d'un sentimentalisme bêlant, elle cachait des trésors de perspicacité. Ses innombrables dames de compagnie, elle les avait certes malmenées sans pitié, mais toujours récompensées avec le maximun de générosité. Son sens de la famille, enfin, était poussé au plus haut degré.

Peu avant sa mort, le vendredi de Pâques, Emily Arundell trônait encore dans le hall de Littlegreen et donnait ses instructions à miss Lawson.

Ravissante jeune fille en son temps, Emily Arundell avait encore de beaux restes. Bon pied bon œil, elle se tenait droite comme un i. Son teint, seul, tirait un peu vers le jaune et signalait qu'elle ne pouvait se laisser impunément aller à des excès alimentaires.

Miss Arundell en vint tout naturellement à s'enquérir :

— A propos, Minnie, comment avez-vous prévu de les installer ?

— Je... j'espère n'avoir pas commis d'impair : le Dr et Mrs Tanios dans la chambre de Chêne, Theresa dans la chambre Bleue et Mr Charles dans l'Ancienne Nurserie...

Miss Arundell la coupa :

— Theresa pourra parfaitement se contenter de l'Ancienne Nurserie, et vous mettrez Charles dans la chambre Bleue.

— Oh ! pardonnez-moi… Je m'étais dit que l'Ancienne Nurserie était moins confortable et que…

— Elle est bien assez confortable pour Theresa.

Du temps de miss Arundell, les femmes étaient quantité négligeable. Dans la société, c'étaient les hommes qui comptaient.

— Je suis tellement navrée que les chers petits ne viennent pas, larmoya miss Lawson.

Elle adorait les enfants – dont elle était parfaitement incapable de se faire obéir.

— Quatre personnes à la maison, ce sera bien suffisant, assura miss Arundell. D'ailleurs Bella pourrit ses enfants. Il ne leur viendrait jamais à l'idée de faire ce qu'on leur demande.

— Mrs Tanios est une mère très dévouée, murmura Minnie Lawson.

Bella est une femme remarquable, approuva miss Arundell avec un sérieux imperturbable.

Miss Lawson soupira :

— Ce doit être parfois très dur, pour elle… vivre ainsi au bout du monde… à Smyrne.

— Comme on fait son lit on se couche, rétorqua Emily Arundell sur un ton sans réplique.

Et, sur cette déclaration très Grand Siècle, elle ajouta :

— Maintenant, je vais au village passer les commandes pour le week-end.

— Oh, miss Arundell, laissez-moi faire. Je veux dire…

— Ne soyez pas sotte ! Je préfère y aller moi-même. Rogers a besoin d'être secoué. Le problème avec vous, Minnie, c'est que vous n'êtes pas assez ferme. Bob ! Bob ! Où est encore passé ce chien ?

Un terrier à poils durs dévala l'escalier en trombe. Il se mit à tournicoter autour de sa maîtresse, remuant la queue et jappant frénétiquement.

Maîtresse et chien franchirent la porte d'entrée et s'éloignèrent dans l'allée qui menait au portail.

Miss Lawson resta sur le perron à les suivre du regard, la bouche entrouverte en un sourire niais.

— Ces taies d'oreiller que vous m'avez données, m'selle, eh ben elles font pas la paire, déclara soudain dans son dos une voix revêche.

— Quoi ? Oh ! que je suis bête…

Arrachée à ses rêves, Minnie Lawson dut se replonger, une fois de plus, dans ses tâches domestiques.

Quant à miss Arundell, flanquée de Bob, c'est avec des airs de souveraine qu'elle descendait la rue principale de Market Basing.

Et cela évoquait en effet beaucoup une visite royale.

Dans tous les magasins où elle entrait, le patron – ou la patronne – se précipitait pour s'occuper d'elle.

C'était miss Arundell de Littlegreen House. C'était « l'une des plus anciennes clientes ». C'était « quelqu'un de la vieille école. Au jour d'aujourd'hui les gens comme ça on les compte sur les doigts de la main ».

— Bonjour, miss. Que vais-je avoir le plaisir de

vous servir ?... Pas tendre ? Vraiment, si je m'attendais à entendre ça… Et moi qui me disais qu'une jolie petite selle d'agneau comme ça… Oui, bien sûr, miss Arundell. Si vous le dites, c'est parole d'Evangile… Non, vous pensez bien ! Jamais il ne me viendrait à l'idée de vous livrer du Canterbury à vous, miss Arundell. Mais oui, bien sûr ! j'y veillerai personnellement, miss Arundell.

Grondant en sourdine, poil hérissé, Bob et Spot, le chien du boucher, se tournaient autour avec lenteur. Spot était un solide molosse d'ascendance plébéienne. Il savait qu'il ne devait pas se battre avec les chiens des clients, mais il s'autorisait à leur faire comprendre, de manière subtile, qu'il était prêt à les réduire en chair à pâté pour peu que l'occasion lui en fût donnée.

Bob, qui ne manquait pas de cran, lui répondait sur le même registre.

Emily Arundell lança un « Bob » définitif et quitta la boutique.

Chez le marchand de légumes siégeait une auguste assemblée. Une autre vieille personne, aux formes quelque peu sphériques mais dotée du même air de royale distinction, l'accueillit comme chez elle :

— Comment va, Emily ?

— Bonjour, Caroline.

— Vous attendez la jeune classe ? demanda Caroline Peabody.

— Oui. Ils viennent tous. Theresa, Charles et Bella.

— Ainsi donc, Bella est rentrée, c'est ça ? Son mari aussi ?

— Oui.

Un mot, un seul – mais il évitait de s'étendre sur une situation que les deux femmes ne connaissaient que trop.

Car Bella Biggs, la nièce de miss Arundell, avait épousé un Grec. Or, dans la famille d'Emily Arundell, gens de bon ton s'il en fut, on n'était pas censé épouser des Grecs.

D'un ton qui se voulait discrètement réconfortant – bien entendu, un tel sujet ne pouvait être évoqué en public –, miss Peabody ajouta :

— Le mari de Bella est très intelligent. Et puis il a de si bonnes manières :

— Des manières exquises, voulut bien admettre miss Arundell.

Une fois dans la rue, miss Peabody s'enquit :

— Qu'est-ce que c'est que cette histoire de fiançailles de Theresa avec le petit Donaldson ?

Miss Arundell haussa les épaules.

— La jeune génération est d'une insouciance ! J'ai bien peur que ce ne soient des fiançailles qui tirent en longueur – si toutefois elles se concrétisent. Il n'a pas le sou.

— En revanche, Theresa possède une certaine fortune personnelle, dit miss Peabody.

— Un homme ne peut sérieusement songer à vivre aux crochets de sa femme, répliqua sèchement miss Arundell.

Miss Peabody laissa échapper un petit rire de gorge.

— Ça n'a plus l'air de les déranger, de nos jours. Nous sommes vieux jeu, Emily. Toutes les deux. Moi, ce que je n'arrive pas à comprendre, c'est ce que cette petite peut bien lui trouver. Dans le genre grand dadais, on ne fait pas mieux.

— C'est un excellent médecin, je crois.

— Ces besicles… et ce ton guindé ! De mon temps, on l'aurait traité de raseur !

Il y eut un silence, au cours duquel les pensées de miss Peabody vagabondèrent dans le passé, avec son cortège de sémillants gommeux à favoris…

Elle ajouta en soupirant :

— Dites à ce chien fou de Charles de passer me voir – s'il vient.

— Bien sûr. Je n'y manquerai pas.

Les deux femmes se séparèrent.

Elles se connaissaient depuis cinquante ans bien sonnés. Miss Peabody n'ignorait rien de certaines frasques regrettables du général Arundell. Le père d'Emily. Elle savait exactement quel choc le mariage de Thomas Arundell avait été pour ses sœurs. Et elle avait une idée très précise des problèmes de la jeune génération.

Mais les deux femmes n'avaient jamais évoqué aucune de ces questions. Elles possédaient toutes deux un sens trop aigu de la dignité et de la solidarité familiales, pour ne pas observer en ce domaine une discrétion de bon aloi.

Miss Arundell rentra chez elle, Bob trottinant à pas menus sur ses talons. En son for intérieur, elle devait bien admettre ce qu'elle n'eût jamais avoué

à quiconque : à savoir qu'elle désapprouvait hautement la jeune génération Arundell.

Theresa, par exemple. Elle n'avait plus aucun
pouvoir sur Theresa depuis que celle-ci était rentrée, à vingt et un ans, en possession de son héritage. Depuis lors, la jeune fille avait acquis une
certaine notoriété. On voyait souvent sa photo
dans les journaux. Elle appartenait à un groupe de
jeunes Londoniens m'as-tu-vu et brillants qui donnaient des fêtes invraisemblables et se retrouvaient
plus souvent qu'à leur tour devant les tribunaux de
simple police. C'était le genre de publicité qu'Emily
Arundell réprouvait pour un membre de sa famille.
En fait, elle n'était absolument pas d'accord avec le
style de vie de Theresa. Quant à ses fiançailles, elle
ne savait trop qu'en penser. D'un côté, elle considérait qu'un arriviste comme le Dr Donaldson n'était
pas assez bon pour une Arundell. Mais d'autre part,
elle ne pouvait s'empêcher de se dire que Theresa
n'était pas, et de loin, l'épouse idéale pour un paisible médecin de campagne.

Elle soupira et ses pensées se portèrent sur Bella.
Elle n'avait rien à reprocher à Bella. C'était quelqu'un de bien, Bella – bonne épouse, mère dévouée,
conduite exemplaire –, et puis elle était tellement
insignifiante ! Cependant, même Bella ne pouvait
recueillir une totale approbation. Car Bella avait
épousé un étranger – et pas seulement un étranger :
un Grec ! Dans l'esprit de miss Arundell, bourré
de préjugés, un Grec ne valait guère mieux qu'un
Argentin ou un Turc. Que le Dr Tanios fût homme
de bonne compagnie et, affirmait-on excellent

médecin, ne faisait qu'accentuer les préventions de la vieille demoiselle à son encontre. Elle se méfiait du charme et des compliments faciles. C'était aussi pourquoi elle avait du mal à aimer vraiment les deux enfants du couple. Tous deux ressemblaient à leur père – il n'y avait rigoureusement rien d'anglais, chez eux.

Et puis il y avait Charles…

Oui, Charles…

A quoi bon refuser de regarder la réalité en face ? Charles, aussi adorable fût-il, n'était pas digne de confiance.

Emily Arundell soupira derechef. Elle se sentait soudain fatiguée, vieille, déprimée…

Elle songea qu'elle n'en avait plus pour bien longtemps…

Elle repensa au testament qu'elle avait rédigé quelques années plus tôt.

Des legs aux bonnes – à des œuvres de charité – et le plus gros de sa considérable fortune à diviser en parts égales entre ces trois-là, ses seuls parents en ce bas monde.

Elle estimait toujours qu'elle avait fait ce qu'il fallait et agi équitablement. L'espace d'un instant, elle se demanda s'il n'y avait pas un moyen de protéger la part de Bella, pour que son mari n'y touchât pas… Il faudrait poser la question à Mr Purvis.

Elle parvint au portail de Littlegreen House et entra.

Charles et Theresa Arundell arrivèrent en voiture – les Tanios, par le train.

Le frère et la sœur débarquèrent les premiers. Charles, grand garçon séduisant, lança de son ton gentiment moqueur :

— Salut, tante Emily ! Comment va ma tantine bien-aimée ? Vous m'avez tout l'air en pleine forme.

Et il lui sauta au cou.

Theresa posa une joue fraîche et indifférente contre celle, toute flétrie, d'Emily.

— Comment allez-vous, tante Emily ?

Theresa, estima sa tante, semblait fort loin d'aller bien. Sous une tartine de maquillage, son visage était quelque peu défait, et elle avait les yeux cernés.

Le thé fut servi au salon. Bella Tanios, mèches rebelles s'échappant d'un chapeau dernier cri incliné du mauvais côté, dévorait sa cousine Theresa – des yeux dans un effort désespéré pour assimiler les détails de sa toilette et se les fixer en mémoire. C'était son drame, à Bella, que d'être aussi folle de mode que totalement dépourvue de goût. Les vêtements de Theresa, jeune femme aux formes parfaites, étaient coûteux et quelque peu excentriques.

Bella, à son retour de Smyrne, s'était désespérément appliquée à copier l'élégance de Theresa, mais à moindre prix – et pour un piètre résultat.

Le Dr Tanios, bon gros barbu jovial, bavardait avec miss Arundell. Il avait la voix chaude et pleine – une voix attirante, capable d'envoûter n'importe qui à son corps défendant. Et miss Arundell, quoi qu'elle en eût, ne pouvait s'empêcher de succomber comme tout le monde.

Miss Lawson ne tenait pas en place. Elle vire-voltait, passait les assiettes, s'agitait autour de la table. Charles, dont les manières étaient parfaites, se leva plus d'une fois pour l'aider sans qu'elle lui en témoigne une quelconque gratitude.

Quand, après le thé, tout le monde alla faire un tour dans le jardin, Charles murmura à sa sœur :

— La mère Lawson ne peut pas m'encaisser. Bizarre, non ?

— Très bizarre, répondit Theresa, moqueuse. Il existe donc une personne au monde qui puisse résister à ton charme fatal ?

Charles eut un large sourire – un sourire rava-geur – et dit :

— Dieu merci, il ne s'agit que de Lawson…

Dans le jardin, miss Lawson, qui marchait à côté de Mrs Tanios, lui demanda des nouvelles des enfants. Le visage plutôt morne de Bella Tanios s'illumina. Elle en oublia de s'hypnotiser sur Theresa. Et elle se mua en moulin à paroles. Mary avait dit quelque chose de tellement cocasse sur le bateau…

Elle avait en Minnie Lawson une auditrice capti-vée par avance.

On vit bientôt un jeune homme blond, visage grave et pince-nez, sortir de la maison et s'avancer dans le jardin. Il semblait du genre à ne jamais très bien savoir où se mettre. Miss Arundell le salua avec infiniment de courtoisie.

— Salut, Rex ! s'exclama Theresa.

Elle glissa son bras sous le sien. Ils s'éloignèrent d'un pas nonchalant.

Charles se fendit d'une grimace. Et il s'échappa pour aller bavarder avec le jardinier, un complice d'autrefois.

Lorsque miss Arundell regagna la maison, Charles jouait avec Bob. Planté en haut de l'escalier, sa balle dans la gueule, le chien remuait doucement la queue.

— Vas-y, mon vieux ! dit Charles.

Bob s'avachit sur son arrière-train et, du bout du museau, poussa lentement, très lentement, la balle jusqu'au bord de la première marche. Lorsqu'elle dégringola enfin, il se remit d'un bond sur ses pattes, tout frétillant de joie. La balle descendit comme au ralenti, en rebondissant de marche en marche. Charles la récupéra et la renvoya à Bob qui l'attrapa dans sa gueule avec adresse. Puis ils recommencèrent leur manège.

— C'est son jeu préféré, dit Charles.

Emily Arundell sourit.

— Oui, il pourrait continuer des heures comme ça.

Elle passa au salon, et Charles lui emboîta le pas. Bob laissa échapper un aboiement, déçu.

— Vous avez vu Theresa et son potache ? s'exclama Charles en regardant par la fenêtre. Quel drôle de couple ils font !

— Tu crois que Theresa songe vraiment à l'épouser ?

— Elle est folle de lui ! répondit Charles avec conviction. C'est incroyable, mais c'est comme ça. J'ai l'impression que ça vient de la façon qu'il a de la considérer comme un spécimen scientifique et pas comme une femme de chair et de sang. Pour Theresa, c'est plutôt une nouveauté. Dommage que ce type soit tellement fauché. Theresa a des goûts de luxe.

— Je suis certaine qu'elle peut changer son train de vie – si elle en a vraiment envie ! répliqua vertement miss Arundell. Et après tout, elle possède une fortune personnelle.

Charles jeta à sa tante un coup d'œil quasi coupable.

— Hein ? Oh, oui, oui, bien sûr…

Ce soir-là, tandis que tout le monde attendait au salon l'heure du dîner, on entendit soudain un affreux vacarme dans l'escalier, suivi d'un chapelet de jurons. Et Charles apparut, le visage apoplectique.

— Désolé, tante Emily, je suis en retard ? J'ai bien failli me casser la figure à cause de votre satané clebs ! Il a encore laissé traîner sa fichue balle en haut de l'escalier.

— Le vilain petit chien-chien étourdi ! bêla miss Lawson, en se penchant vers Bob.

L'animal lui lança un regard méprisant et détourna la tête.

— Je sais, dit miss Arundell. C'est très dangereux. Minnie, ramassez-moi cette balle et rangez-la.

Miss Lawson s'empressa d'obéir.

Pendant le dîner, le Dr Tanios monopolisa la conversation. Il raconta des anecdotes amusantes sur sa vie à Smyrne.

Tout le monde alla se coucher tôt. Miss Lawson récupéra les pelotes de laine, les lunettes, le grand sac de velours et le livre de sa patronne, puis l'accompagna jusqu'à sa chambre en pépiant joyeusement.

— Il est vraiment im-pay-able, ce Dr Tanios. Quel hôte mer-veil-leux ! Non que j'apprécierais ce genre de vie, certainement pas… Il doit falloir faire bouillir de l'eau, j'imagine… Et ce lait de chèvre, je m'interroge… ça doit avoir un goût épouvantable…

— Cessez de débiter des âneries, Minnie, la coupa miss Arundell. Vous avez rappelé à Ellen de me réveiller à 6 heures et demie ?

— Bien sûr, miss Arundell. Je lui ai dit pas de thé, mais ne pensez-vous pas qu'il serait plus raisonnable de… Vous savez, le pasteur de Southbridge – un homme des plus scrupuleux – m'a bien précisé qu'il n'était pas indispensable du tout de venir à jeun…

Miss Arundell l'interrompit de nouveau.

— Je n'ai jamais rien pris avant l'office du matin, et ce n'est pas maintenant que je vais commencer. *Vous* pouvez faire comme bon vous semble.

Miss Lawson en bredouilla.

— Oh ! non… Je ne voulais pas dire… Je vous assure…

— Otez son collier à Bob, lui ordonna alors miss Arundell.

L'esclave s'empressa d'obéir,

Et, toujours soucieuse de plaire, elle s'exclama :

— Quelle dé-li-cieuse soirée ! Ils ont l'air tellement ravis d'être là !

— Bof !…, marmonna Emily Arundell. Ils sont venus pour ce qu'ils pourront tirer de moi.

— Oh ! chère miss Arundell…

— Ma pauvre Minnie, je suis tout sauf une imbécile ! Simplement, je serais curieuse de savoir qui sera le premier à mettre le sujet sur le tapis.

Elle n'eut pas longtemps à attendre. Miss Lawson et elle revinrent de l'office peu après 9 heures. Le Dr Tanios et sa femme avaient déjà investi la salle à manger, mais les deux Arundell ne s'étaient pas encore manifestés. Après le petit déjeuner, lorsque tout le monde fut parti, Emily Arundell resta seule, et en profita pour noter quelques chiffres dans un petit carnet.

Charles apparut sur les coups de 10 heures.

— Désolé d'être en retard, tante Emily. Mais Theresa l'est encore plus. Elle n'a pas encore ouvert un œil ?

— La table du petit déjeuner sera desservie à 10 heures et demie, répondit miss Arundell. Je sais qu'il est de bon ton, de nos jours, de ne plus avoir la moindre considération pour les domestiques, mais ce n'est pas ainsi que ça se passe sous *mon* toit.

— Bravo ! Voilà du bon vieil autoritarisme à tous crins ou je ne m'y connais pas !

Charles se servit de rognons et s'assit à côté d'elle. Son sourire, comme d'habitude, était des plus ravageurs. Emily Arundell se surprit bientôt à le lui rendre avec bienveillance. Enhardi par ce qu'il prit pour une approbation, Charles se jeta à l'eau.

— Ecoutez, tante Emily, pardonnez-moi de vous barber avec ça, mais je suis dans un pétrin de tous les diables. Est-ce que vous ne pourriez pas me donner un petit coup de main ? Cent livres, c'est pas grand-chose – et ça me tirerait une drôle d'épine du pied.

L'expression de sa tante n'eut rien d'encourageant. Une inflexibilité manifeste se lisait sur son visage.

Emily Arundell n'avait pas pour habitude de mâcher ses mots. Elle ne les mâcha pas plus que d'ordinaire.

Miss Lawson, qui passait dans le vestibule, faillit entrer en collision avec Charles quand il quitta la pièce. Elle lui lança un regard plein de curiosité. Et lorsqu'elle pénétra dans la salle à manger, elle trouva Miss Arundell, raide comme la justice et le visage rouge de colère.

2

LA FAMILLE

Charles grimpa les escaliers quatre à quatre et frappa à la porte de sa sœur. Theresa répondit aussitôt « Entrez ! » – ce à quoi il obtempéra.

Assise dans son lit, elle bâillait à se décrocher la mâchoire.

Charles se laissa tomber à côté d'elle.

— Quelle belle plante tu peux faire, ma vieille ! remarqua-t-il en connaisseur.

— Qu'est-ce qui te prend ? lui répondit-elle d'un ton sec : Tu as besoin de quelque chose ?

Charles lui adressa un grand sourire.

— Ce que tu peux être de mauvais poil, quand tu t'y mets ! Eh bien, j'ai pris une longueur d'avance sur toi, ma poule. Je me suis dit que j'avais intérêt à lancer mon offensive avant que toi, tu t'y mettes.

— Et alors ?

Charles abaissa les mains en un geste de dénégation.

— Rien de rien ! Tante Emily m'a envoyé paître. Elle m'a signifié qu'elle ne se faisait aucune illusion sur les raisons qui ont réuni ici son affectueuse famille. Et elle a ajouté que ladite affectueuse famille courait à la déception. La seule chose qu'elle soit prête à nous donner, c'est son amour – et encore, avec parcimonie.

— Tu aurais pu attendre un peu, gronda Theresa.

— J'ai eu peur que Tanios ou toi ne preniez les devants. Ma petite Theresa, je suis au regret de t'annoncer qu'il n'y a rien à faire cette fois-ci. La vieille Emily est loin d'être une gourde.

— Je n'en ai jamais douté.

— J'ai été jusqu'à essayer de lui flanquer la frousse.

— Qu'est-ce que tu racontes ?

— Je lui ai dit que si elle continuait comme ça, c'était le meilleur moyen de se faire liquider. Après tout, elle n'emportera pas son fric dans la tombe. Pourquoi ne pas se montrer un peu plus coulante ?

— Charles, tu es un crétin !

— Mais non. Au contraire : je suis du genre psychologue, à ma façon. Rien ne sert de lui lécher les bottes, à la vieille. Elle préfère de beaucoup qu'on se rebiffe. D'ailleurs, ce que je lui ai raconté est logique. A sa mort, à nous le pognon – alors, autant nous en donner un peu à l'avance ! Dans le cas contraire, la tentation de l'aider à passer l'arme à gauche risquerait un beau jour de devenir trop forte.

— Et elle a admis ton point de vue ? demanda Theresa, dont les lèvres délicates se retroussèrent avec mépris.

— J'en sais rien. En tout cas, elle n'a pas voulu reconnaître que j'avais raison. Elle m'a juste remercié – d'un ton plutôt hargneux –, et a ajouté qu'elle était assez grande pour se débrouiller toute seule. « Bon, j'ai dit. Au moins, je vous aurais prévenue. » Ce à quoi elle s'est contentée de me répondre : « Je m'en souviendrai. »

— Vraiment, Charles, tu es le roi des imbéciles ! s'exclama Theresa, furieuse.

— Bon sang, Theresa, j'étais plutôt de mauvais poil, moi aussi ! La vieille roule sur l'or – ouais, sur l'or ! Je parie qu'elle ne dépense pas un dixième de ses revenus – à son âge qu'est-ce qu'elle pourrait bien faire de son argent, de toute façon ? Et nous, nous sommes là – jeunes, décidés à dévorer la vie à belles dents. Et rien que pour nous contrarier, elle est bien capable de devenir centenaire… Moi, c'est tout de suite que je veux profiter de l'existence… Et toi aussi…

Theresa acquiesça d'un signe de tête.

Puis elle murmura, d'une voix basse et fiévreuse :

— Ils ne comprennent pas… Les vieux ne comprennent pas… Ils en sont incapables… Ils n'ont aucune idée de ce que c'est que vivre !

Le frère et la sœur restèrent silencieux un moment.

Charles, finalement, se leva.

— Bon, ma chérie, je te souhaite d'avoir plus de succès que moi. Mais j'ai mes doutes.

— Je compte sur Rex pour emporter le morceau, décréta Theresa. Si j'arrive à faire comprendre à la vieille Emily qu'il est brillant, qu'il faut à tout prix qu'on lui donne sa chance et qu'il ne doit pas

végéter toute sa vie comme simple généraliste…
Oh ! Charles, si on avait quelques milliers de livres
là, tout de suite, ça changerait tout !

— J'espère que tu les auras, mais je n'y crois pas.
Ces dernières années, tu as un peu trop gaspillé ton
capital avec ta vie de bâton de chaise. Dis-moi,
Theresa, tu ne crois tout de même pas, n'est-ce pas,
que cette sinistre Bella et son douteux Tanios en
tireront quelque chose de la vieille peau ?

— Je ne vois pas ce que Bella ferait de cet argent.
Elle est troussée comme l'as de pique et ne s'intéresse qu'à sa progéniture.

— Bof !…, fit Charles, j'imagine qu'elle a envie
d'"un tas de trucs pour ses affreux morpions –
études, appareils dentaires, leçons de musique, tout
le bataclan… Et de toute façon, ce n'est pas Bella,
le problème, c'est Tanios. Je te fiche mon billet que,
lui, il le renifle le fric ! Il n'est pas Grec pour rien.
Tu sais qu'il a déjà claqué la fortune de Bella ? Il a
spéculé avec, et il a tout perdu.

— Et d'après toi il va tirer quelque chose de la
vieille bique ?

— Pas si je peux l'en empêcher, répondit Charles,
d'un air résolu.

Il quitta la chambre de sa sœur et descendit sans
se presser. Bob, qui était dans le hall, lui fit la fête
en le voyant. Les chiens adoraient Charles.

Bob trottina jusqu'à la porte du salon et tourna la
tête vers le jeune homme.

— Qu'est-ce qu'il y a ? dit Charles, en le suivant
d'un pas nonchalant.

Bob s'engouffra dans la pièce et courut s'asseoir, tout frétillant, devant un petit secrétaire.

Charles s'approcha.

— Mais qu'est-ce que tu veux ?

Bob remua la queue, fixa le meuble et émit un jappement engageant.

— Un truc qui est là-dedans ?

Charles ouvrit le tiroir du haut. Ses yeux s'écarquillèrent.

— Tiens, tiens, murmura-t-il.

Le tiroir contenait une pile de billets de banque.

Charles s'empara du paquet et les compta. Avec un petit sourire, il préleva trois billets d'une livre et deux de dix shillings, qu'il fit aussitôt disparaître dans sa poche. Puis il replaça soigneusement le reste où il l'avait trouvé.

— C'était une bonne idée, Bob, dit-il. Comme ça, tonton Charles pourra couvrir ses menus frais. Un peu de monnaie, il ne faut jamais cracher dessus.

Bob poussa un aboiement réprobateur lorsque Charles referma le tiroir.

— Oh, excuse-moi, mon vieux.

Il ouvrit alors le tiroir du dessous. La balle y était rangée dans un coin. Il la prit.

— Tiens, fit-il. Amuse-toi avec ça.

Bob attrapa la balle et quitta la pièce. On entendit bientôt le plop-plop-plop caractéristique dans les escaliers.

Charles gagna le jardin. C'était une belle matinée ensoleillée. L'air embaumait le lilas.

Miss Arundell était flanquée du Dr Tanios. Il vantait les mérites de l'éducation anglaise – la meilleure de toutes –, et déplorait de n'avoir pas les moyens de l'offrir à ses enfants.

Un rictus mauvais passa sur les lèvres de Charles. Il se joignit à la conversation et, d'un ton léger, s'arrangea pour la faire dévier.

Emily Arundell lui adressa un sourire presque amène. Le jeune homme eut même l'impression que son manège l'amusait et qu'elle l'encourageait discrètement.

Il reprit espoir. Peut-être, finalement, qu'avant son départ…

Charles était un incorrigible optimiste.

Dans l'après-midi, le Dr Donaldson vint chercher Theresa en voiture pour la conduire à Worthem Abbey, l'une des curiosités touristiques de la région. De là, ils partirent marcher dans les bois.

Rex Donaldson parla longuement à Theresa de ses théories et de ses travaux récents. Elle n'y comprenait goutte, mais l'écoutait, fascinée.

« Rex est d'une intelligence ! pensait-elle. Et, avec ça, il est chou comme tout ! »

A un moment, son fiancé s'interrompit et dit, d'une voix hésitante :

— J'ai bien peur de t'ennuyer avec mes histoires, Theresa.

— Mais non, chéri, au contraire, c'est palpitant au possible ! répondit-elle d'un ton convaincu. Continue. Ainsi, tu as prélevé du sang sur ce lapin malade et… ?

Un peu plus tard, elle ajouta dans un soupir :

— Ton métier à l'air de vraiment compter beaucoup pour toi, mon trésor.

— Naturellement, répondit le Dr Donaldson.

Mais justement, cela ne paraissait pas du tout naturel à Theresa. Très peu de ses amis travaillaient, et ceux qui y étaient contraints en faisaient tout un foin.

Elle songea une fois encore que c'était vraiment curieux d'être tombée amoureuse de Rex Donaldson. Pourquoi vous arrivait-il ces choses-là, ces coups de folie bizarres et ridicules ? Vaine question. Ça lui était arrivé un point c'est tout.

Elle fronça les sourcils. Elle s'étonnait elle-même. Son entourage avait toujours été si insouciant et tellement cynique ! Bien sûr, l'amour était indispensable à l'existence, mais pourquoi diable le prendre au sérieux ? On s'aimait et puis on se quittait, voilà tout.

Mais ses sentiments pour Rex Donaldson étaient différents, ils devenaient même plus forts chaque jour. Son instinct lui disait qu'il ne s'agissait pas d'une passade… Son besoin de lui était simple et profond. Tout, chez cet homme, la fascinait : son calme et son détachement – si étrangers à sa propre existence, avide de plaisirs et trépidante –, la froideur pénétrante et logique de son esprit scientifique, et quelque chose d'autre, quelque chose d'indéfinissable, mais qu'elle sentait inconsciemment… comme une force secrète dissimulée derrière ses manières tout à la fois un peu pédantes et résolument sans prétention.

Il y avait du génie en Rex Donaldson – et que

sa profession fût la principale préoccupation de sa vie, alors qu'elle-même n'occupait qu'une part minime, quoique nécessaire, de l'expérience de cet homme, ne donnait que plus de prix à l'intérêt qu'il lui montrait. Pour la première fois, dans sa vie facile de jeune femme, elle se contentait de ne tenir que la seconde place. Et cette idée l'enivrait. Pour Rex, elle était prête à tout – à tout !

— Quelle plaie, ces questions d'argent ! s'excla-ma-t-elle avec humeur. Si seulement tante Emily mourait, nous pourrions nous marier tout de suite, et tu t'installerais à Londres, avec des tas d'éprou-vettes et de cobayes, et tu n'aurais plus jamais à perdre ton temps avec les oreillons de ces sales gosses et les crises de foie de ces vieilles mochetés.

— Il n'y a pas de raison pour que ta tante ne vive pas encore de longues années – si elle fait attention, dit Rex Donaldson.

— Je sais…

Et Theresa, découragée, souffla.

Dans leur grande chambre à lits jumeaux et aux vieux meubles de chêne, le Dr Tanios dit à sa femme :

— Je pense que j'ai suffisamment préparé le ter-rain. Maintenant, c'est à toi de jouer, ma chérie.

Avec un broc de cuivre ancien, il versait de l'eau dans la cuvette de porcelaine décorée de roses.

Bella Tanios, assise devant la coiffeuse, se deman-dait pourquoi, malgré tous ses efforts pour se coif-fer comme elle, ses cheveux ne ressemblaient pas à ceux de Theresa.

Elle ne répondit pas immédiatement.

— Je ne crois pas que j'ai envie… de demander de l'argent à tante Emily, dit-elle enfin.

— Ce n'est pas pour toi, Bella, mais pour le bien des enfants. Nos investissements ont été si désastreux…

Comme il lui tournait le dos, il ne vit pas le coup d'œil rapide qu'elle lui lança – un coup d'œil furtif, craintif, même.

Elle reprit, avec une douce obstination :

— Peu importe, je préfère ne rien demander. Tante Emily n'est pas commode. Elle peut se montrer très généreuse, mais elle a horreur qu'on mendie.

Tout en s'essuyant les mains, Tanios s'écarta du lavabo.

— Vraiment, Bella, ça ne te ressemble pas de te montrer si têtue. Après tout, pourquoi est-ce que nous sommes ici ?

— Je n'ai pas… non, je n'ai pas pensé un instant que… que c'était pour lui soutirer de l'argent, murmura-t-elle.

— Et pourtant tu as toujours reconnu que notre seul espoir de donner une bonne éducation aux gosses, c'est que ta tante nous vienne en aide.

Bella Tanios ne répondit pas. Elle s'agita sur sa chaise, mal à l'aise.

Mais son visage avait ce petit air buté dont les hommes intelligents mariés à des femmes idiotes font constamment les frais.

— Peut-être que tante Emily nous le proposera d'elle-même…, souffla Bella.

— C'est possible, oui, mais jusqu'ici rien ne le laisse prévoir.

Si encore nous avions pu amener les enfants…, geignit Bella. Tante Emily aurait forcément adoré Mary. Et Edward est tellement intelligent !

— Je ne crois pas que ta tante ait un penchant prononcé pour les gosses, rétorqua Tanios avec brusquerie. Et il vaut probablement beaucoup mieux qu'ils ne soient pas là.

— Oh ! Jacob, mais…

— Oui, oui, chérie. Je sais ce que tu penses. Mais ces vieilles filles anglaises rabougries… Pouah ! Elles n'ont rien d'humain. Notre souci, c'est de faire de notre mieux pour Mary et Edward, pas vrai ? Ça ne compliquerait pas vraiment l'existence de sa seigneurie miss Arundell de nous aider un peu.

Bella Tanios se retourna, les joues en feu.

— Oh, Jacob, je t'en prie, je t'en supplie ! Pas cette fois-ci. Ce serait adroit, j'en suis sûre. Je préférerais tellement, tellement, ne pas le faire.

Tanios se tenait dans son dos, tout contre elle. De son bras, il lui entourait les épaules. Elle trembla un peu, puis se calma – comme pétrifiée.

Il lui murmura alors, la voix toujours affable :

— De toute façon, Bella, je suis persuadé… intimement persuadé que tu feras ce que je te demande de faire… C'est généralement comme ça que ça finit, tu le sais très bien… Oui, je suis persuadé que tu feras ce que je te dis de faire…

3

L'ACCIDENT

On était mardi après-midi. La petite porte donnant sur le jardin était ouverte. Miss Arundell se tenait sur le seuil et, visant l'extrémité de l'allée, lançait la balle à son chien. Le fox-terrier se précipitait à toutes jambes pour la ramasser.

— Maintenant, c'est la dernière, Bob, dit Emily Arundell. Va la chercher, mon chien !

Une fois encore, la balle roula à toute vitesse sur le sol, et, une fois encore, Bob courut à perdre haleine pour l'attraper.

Miss Arundell se pencha, ramassa la balle que Bob avait déposée à ses pieds et rentra dans la maison, le chien sur les talons. Elle pénétra dans le salon, Bob toujours derrière elle, et rangea la balle dans le tiroir du secrétaire.

Elle jeta alors un coup d'œil rapide à la pendule qui trônait sur la cheminée. 18 h 30.

— Je crois qu'on va se reposer un peu avant le dîner, Bob.

Elle monta à sa chambre. Bob l'accompagna. Allongée sur son grand lit recouvert de chintz, Bob à ses pieds, miss Arundell soupira. Elle n'était pas mécontente : ses invités s'en allaient le lendemain. Ce week-end n'avait fait que confirmer ce qu'elle savait déjà. Pire il ne lui avait pas laissé le loisir de l'oublier.

« Je dois devenir vieille... », se dit-elle à elle même. Et soudain, avec un petit sursaut d'étonnement : « Je suis vieille. »

Elle resta une bonne demi-heure allongée, les yeux fermés, puis Ellen, sa vieille femme de chambre, lui monta de l'eau chaude ; alors elle se leva et se prépara pour le dîner.

Le Dr Donaldson était convié ce soir-là. Emily Arundell voulait avoir l'occasion de l'étudier de plus près. Il lui semblait pour le moins incroyable que cette folasse de Theresa voulût épouser ce jeune homme pédant et un peu guindé. Et il lui paraissait aussi un peu bizarre que ce jeune homme pédant et un peu guindé désirât se marier avec Theresa...

Pendant cette soirée, elle sentit qu'elle n'en apprendrait pas davantage sur le Dr Donaldson. Il était très poli, très cérémonieux, et, à son avis, mortellement ennuyeux. Elle se dit que le jugement de miss Peabody était fondé. Une pensée lui traversa l'esprit : « De mon temps, les hommes c'était autre chose ! »

Le Dr Donaldson ne s'attarda pas. Il prit congé vers 10 heures. Après son départ, Emily Arundell annonça à son tour qu'elle allait se coucher. Elle monta dans sa chambre, et la jeune génération l'imita. Ils semblaient tous un peu éteints, ce soir-là. Miss Lawson resta encore un moment en bas, pour finir son travail – elle fit sortir le chien, couvrit les braises, installa le garde-feu et roula le bord du tapis pour éviter tout risque d'incendie.

Quelques minutes plus tard, elle pénétrait, un peu essoufflée, dans la chambre de sa patronne.

— Je crois que je n'ai rien oublié, fit-elle en posant la laine, le sac à ouvrage et un livre qu'elle avait pris à la bibliothèque. J'espère que ce roman vous plaira. Elle n'avait aucun de ceux que vous aviez notés sur votre liste, mais elle m'a assuré que vous aimeriez celui-ci.

— Cette fille est une idiote, répondit Emily Arundell. Je n'ai jamais rencontré quelqu'un qui ait d'aussi mauvais goûts en littérature.

— Oh, mon Dieu ! Je suis désolée. Peut-être aurais-je dû…

— Mais non, ce n'est pas votre faute, ajouta plus gentiment Emily Arundell. J'espère que vous avez passé un bon après-midi ?

Le visage de miss Lawson s'éclaira. Elle parut soudain enthousiaste, et comme rajeunie.

— Oh, oui. Merci beaucoup. C'était si gentil à vous de me donner congé. J'ai vécu des heures pas-sion-nan-tes. Nous avons utilisé le oui-ja, et vraiment… il nous a envoyé quelques messages fas-ci-nants. Il y en a eu plusieurs… Bien sûr, ce n'est pas tout à fait comme lorsqu'on fait tourner les tables… Julia Tripp a eu aussi beaucoup de succès avec l'écriture automatique. Plusieurs communications de Ceux Qui Sont Passés de l'Autre Côté. Ce… c'est une véritable bénédiction que… que de telles choses soient possibles…

— Il vaudrait mieux que le pasteur ne vous

entende pas…, dit miss Arundell avec un petit sourire.

— Oh, vraiment, chère miss Arundell, je suis convaincue – absolument convaincue – qu'il n'y a aucun mal à ça. Que ne donnerais-je pas pour voir ce cher Mr Lonsdale s'in-té-resser à la question… Cela me semble la preuve d'une telle étroitesse d'esprit que de condamner quelque chose sans avoir pris la peine de l'é-tu-dier. Julia et Isabel Tripp sont toutes les deux des femmes d'une telle pu-re-té.

— Presque trop pures pour être vraies, répliqua miss Arundell.

Elle n'aimait guère Julia et Isabel Tripp. Elle trouvait ridicules leurs toilettes et absurde leur régime végétarien à base de fruits crus, et elle n'appréciait pas non plus leur affectation. Ces femmes n'avaient ni traditions ni racines. En fait, elles manquaient de savoir-vivre ! Mais la façon dont elles se prenaient au sérieux l'amusait, et son fond de gentillesse l'empêchait de leur reprocher le plaisir évident que leur amitié procurait à cette pauvre Minnie.

Oh, oui, pauvre Minnie ! Emily Arundell considéra sa dame de compagnie avec un mélange d'affection et de mépris. Elle avait vu défiler chez elle tant de ces godiches vieillissantes – toutes les mêmes : gentilles, tatillonnes, serviles et presque entièrement dépourvues de cervelle.

Vraiment, cette pauvre Minnie avait l'air bien surexcitée, ce soir ! Ses yeux brillaient et elle s'agitait dans la chambre, tripotant vaguement les objets de-ci de-là, sans la moindre idée de ce qu'elle faisait, avec son regard d'illuminée…

— Je… j'aurais aimé que vous soyez là, balbutiait miss Lawson avec fièvre. Je sens bien, voyez-vous, que vous n'y croyez pas encore. Mais cet après-midi, il y a eu un message : « pour E.A. », les initiales parlaient d'elles-mêmes. Il émanait d'un homme décédé il y a des années – un militaire très séduisant, Isabel l'a vu comme je vous vois. Ce devait être ce cher général Arundell. Un si beau message, plein d'amour et de réconfort, expliquant qu'avec de la patience on arrivait à bout de tout.

— Ce genre de sentiments ne ressemble pas du tout à papa, dit miss Arundell.

— Oh ! mais ceux qui nous sont chers changent tellement… de l'autre côté. Tout, là-bas, n'est qu'amour et tolérance. Ensuite le oui-ja a écrit quelque chose au sujet d'une clé. Je pense qu'il s'agissait de la clé de votre Boulle. Pas vous ?

— La clé du Boulle ?

La voix d'Emily Arundell dénota soudain son intérêt et parut plus aiguë.

— Il me semble bien. Je me suis dit qu'il s'agissait peut-être de papiers importants. Il y a eu un cas dont l'authenticité a été prouvée : un message a conseillé un jour d'aller voir dans un meuble donné, et on y a bel et bien retrouvé un tes-ta-ment.

— Il n'y avait aucun testament dans mon Boulle dit miss Arundell. Allez vous coucher, Minnie, ajouta-t-elle avec brusquerie. Vous êtes fatiguée. Et moi aussi. Nous inviterons les Tripp un de ces prochains soirs.

— Oh, ce serait mer-veil-leux ! Bonne nuit. Vous êtes sûre que vous avez bien tout ce qu'il vous faut ? J'espère que tous ces invités ne vous ont pas épuisée. Il faut que je pense à dire à Ellen d'aérer le salon, demain, et de secouer les rideaux. Le tabac laisse une telle odeur ! A mon avis, vous êtes trop gentille de les autoriser à fumer au salon !

— Je suis bien obligée de faire quelques concessions à la modernité, répondit Emily Arundell. Bonne nuit, Minnie.

Comme miss Lawson se retirait, Emily Arundell se demanda si toutes ces histoires de spiritisme étaient vraiment bonnes pour Minnie. Ce soir, sa gouvernante avait les yeux qui lui sortaient de la tête, et elle paraissait si exaltée !

Cette anecdote à propos du Boulle est tout de même bizarre, songea Emily Arundell en se couchant. Avec un petit sourire triste, elle se souvint de ce qui s'était passé, il y avait longtemps. On avait retrouvé la clé après la mort de son père. Et lorsque l'on avait ouvert le meuble, une montagne de bouteilles de brandy vides s'était écroulée dans la pièce ! C'était ce genre de détails – que ni Minnie Lawson, ni Isabel, ni Julia Tripp ne pouvaient connaître – qui faisait qu'on se demandait si, après tout, il n'y avait pas quelque chose de vrai dans ces histoires de spiritisme…

Allongée dans son grand lit à baldaquin, elle ne trouvait pas le sommeil. Ces temps-ci, elle avait de plus en plus de mal à s'endormir. Mais elle rejetait les timides suggestions du Dr Grainger, qui lui conseillait de prendre un somnifère. Les somnifères, c'était fait pour les poules mouillées, les gens incapables de supporter un bobo au doigt, le moindre petit mal aux dents, ou l'ennui d'une nuit sans sommeil.

Il lui arrivait souvent de se relever et d'errer sans bruit dans la maison, pour feuilleter un livre, caresser un bibelot, réarranger un bouquet de fleurs, écrire quelques lettres. Au cours de ces heures nocturnes, elle goûtait le rythme tranquille de cette demeure où elle rôdait. Ces promenades au cœur de la nuit n'avaient rien de désagréable. Elle avait l'impression que des fantômes l'accompagnaient, les fantômes de ses sœurs, Arabella, Matilda, et Agnes, et celui de son père Thomas, qui était un si gentil garçon avant que « cette femme » ne lui mette le grappin dessus ! Et même le fantôme du général Charles Laverton Arundell, ce tyran domestique aux manières néanmoins charmantes, qui criait et malmenait ses filles tout en restant pour elles un objet de fierté avec ses récits de la Révolte des Cipayes et ses connaissances du vaste monde… Et qu'importe s'il y avait eu des moments où il n'était pas « si bien que ça », comme ses filles l'insinuaient !

Soudain, elle songea de nouveau au fiancé de sa nièce. « Je suis prête à parier que lui, il ne sombrera jamais dans l'alcool ! Ça se prétend un *homme*, et ce soir il n'a bu que de l'*orgeat* ! De l'orgeat ! Et moi qui avais ouvert une des bonnes bouteilles de porto de papa ! »

Charles, lui, avait fait honneur au porto. Oh ! si

seulement on pouvait faire confiance à Charles ! Si seulement on n'était pas sûr qu'avec lui…

Le fil de ses pensées se rompit… Son esprit revint aux événements du week-end…

Il flottait sur ces deux jours une atmosphère quelque peu inquiétante.

Elle s'efforça de chasser ces idées noires.

En vain.

Alors, elle se redressa sur un coude et, à la faible lueur de la veilleuse qui brûlait toujours dans une soucoupe à son chevet, elle regarda l'heure.

1 heure du matin. Et elle ne s'était jamais sentie si éveillée.

Elle se leva, enfila ses pantoufles et sa robe de chambre fourrée. Elle décida de descendre jeter un œil aux livres de comptes de la semaine écoulée, pour payer les factures le lendemain.

Telle une ombre, elle sortit de sa chambre et se glissa dans le corridor, où une seule ampoule électrique restait allumée toute la nuit.

Elle arriva au bord des marches, tendit la main pour attraper la rampe et soudain, sans raison apparente, elle trébucha, essaya – mais sans succès – de retrouver son équilibre et, la tête la première, dégringola l'escalier jusqu'en bas.

Le bruit de sa chute et le hurlement qu'elle poussa tirèrent du sommeil toute la maisonnée. Des portes s'ouvrirent, des lampes s'allumèrent.

Miss Lawson surgit de sa chambre, en haut des escaliers.

Avec de petits couinements désespérés, elle s'empressa de rejoindre sa maîtresse. Les autres arrivèrent un à un – Charles, bâillant, dans un superbe peignoir. Theresa, en négligé de soie noire. Bella, dans un kimono bleu marine, les cheveux retenus par des peignes à cranter.

Hébétée, Emily Arundell était affalée au pied des marches. Son épaule lui faisait mal, ainsi que sa cheville – en fait, tout son corps était douloureux. Elle réalisa qu'il y avait des gens autour d'elle, que cette idiote de Minnie pleurait et gesticulait dans le vide, que les grands yeux noirs étonnés de Theresa étaient fixés sur elle, que Bella, bouche bée, paraissait attendre quelque chose, et que Charles parlait – de très loin, lui sembla-t-il.

— C'est la balle de ce satané chien ! Il a dû la laisser là, et tante Emily aura glissé dessus. Vous voyez ? La voilà !

Puis elle eut conscience d'une présence pleine d'autorité, qui écartait les autres, s'agenouillait à côté d'elle, l'examinait avec des gestes de professionnel, sans la moindre maladresse.

Elle se sentit soulagée. Tout irait bien, maintenant.

— Non, ça va, expliquait le Dr Tanios d'un ton ferme et rassurant. Rien de cassé… Elle aura juste des bleus – et bien sûr, elle est choquée ! Mais elle a eu de la chance, elle s'en tire bien.

Il les avait fait s'écarter un peu, l'avait soulevée sans peine, portée jusqu'à sa chambre, où il lui avait pris le pouls un instant, avait compté, hoché la tête et demandé à Minnie qui pleurait toujours et empoisonnait tout le monde – d'aller chercher du brandy et de faire chauffer de l'eau pour préparer une bouillotte.

Encore bouleversée et tout endolorie, Emily Arundell éprouvait, en cet instant, une infinie gratitude envers Jacob Tanios. Se trouver en de si bonnes mains la rassurait. Il lui donnait ce sentiment de confiance et de sécurité que l'on attendait d'un médecin.

Il y avait pourtant quelque chose – quelque chose de vaguement inquiétant qu'elle ne parvenait pas à saisir –, mais elle n'avait pas envie d'y réfléchir immédiatement. Non, pour le moment, elle allait avaler cette boisson et dormir comme on le lui ordonnait.

Mais, c'était sûr, il manquait quelque chose – où plutôt… quelqu'un.

Oh, et puis, elle refusait d'y penser. Son épaule l'élançait. Elle but ce qu'on lui donnait.

Elle entendit la voix merveilleusement rassurante du Dr Tanios :

— Ça ira, maintenant.

Elle ferma les yeux.

Elle fut tirée du sommeil par un son qu'elle connaissait bien – un aboiement étouffé.

En un instant, elle fut pleinement réveillée.

Bob… ce vilain Bob ! Il aboyait devant la porte d'entrée – de ce ton spécial « J'ai passé la nuit dehors et ne suis pas fier de moi ». Une voix contenue, mais têtue et pleine d'espoir.

Miss Arundell tendit l'oreille. Oui, c'était bien ça. Minnie descendait pour le faire entrer. Miss

Arundell entendit ensuite le grincement de la porte, puis un murmure indistinct, les reproches inutiles de Minnie – « Vilain petit toutou à sa maman… très méchant Bobbychounet. » La porte de l'office s'ouvrit. Le panier du chien se trouvait sous la table.

Alors Emily sut ce qui lui avait manqué au moment de son accident. Bob. A tout ce remue-ménage – sa chute, les gens qui couraient – Bob aurait normalement dû répondre depuis l'office par des aboiements de plus en plus violents.

C'était donc cela qui l'avait tracassée, au fond d'elle-même. Mais tout s'expliquait, maintenant. Pendant sa promenade du soir, Bob avait, sans vergogne, pris la liberté de découcher. Il commettait parfois ce genre d'entorse à la vertu, mais ses repentirs, le lendemain, étaient toujours parfaits.

Ainsi, tout allait bien… Mais était-ce si sûr ? Dans ce cas, qu'est-ce qui l'ennuyait encore, – qu'est-ce qui harcelait son subconscient ? Son accident. Oui, c'était quelque chose qui avait à voir avec son accident.

Ah ! oui. Quelqu'un – Charles – avait dit qu'elle avait glissé sur la balle de Bob. Il prétendait que le chien l'avait laissée traîner en haut des escaliers…

Et la balle était bien là, en effet – Charles l'avait tenue dans sa main.

Emily Arundell avait mal à la tête. Son épaule l'élançait. Tout son corps meurtri la faisait souffrir…

Mais la douleur ne l'empêchait pas d'être lucide. Elle n'était plus du tout sous le choc. Elle se souvenait du moindre détail de l'accident.

Elle repensa à tout ce qui s'était passé la veille, depuis 6 heures du soir. Elle revit nettement chacun de ses pas, cette nuit-là… Jusqu'au moment où elle était arrivée en haut de l'escalier et s'était préparée à s'y engager…

Un frisson d'horreur la parcourut. C'était impossible…

Elle se trompait certainement – certainement… On se fait souvent de drôles d'idées, après un accident de ce genre. Elle essaya – de toutes ses forces – de se souvenir de la sensation de la balle de Bob, ronde et mouvante, sous son pied.

Mais elle ne se rappelait rien de tel.

Au lieu de cela…

— Mes nerfs me jouent des tours ! dit Emily Arundell. Je me fais des idées ridicules.

Mais son caractère victorien, raisonnable et perspicace, se refusa à l'admettre. Les sujets de la reine Victoria n'étaient pas d'un fol optimisme. Ils n'avaient aucun mal à croire au pire.

Et Emily Arundell croyait au pire.

4

On était vendredi.

La famille était partie.

Ils avaient pris congé le mercredi, comme prévu, non sans avoir proposé de prolonger leur séjour, ce qu'Emily Arundell avait fermement refusé, prétextant qu'elle préférait être « vraiment tranquille ».

Au cours des deux jours qui avaient suivi leur départ, Emily Arundell demeura plongée dans ses réflexions, à un point tel que c'en devenait inquiétant. Il lui arrivait même souvent de ne pas entendre ce que lui disait miss Lawson. Elle la regardait d'un œil fixe, puis lui ordonnait sans ménagement de répéter.

— C'est le *choc*, la pauvre ! assurait miss Lawson.

Et, avec cette espèce de délectation morose pour le malheur qui, d'ordinaire, illumine le regard des gens dont la vie est minable, elle ajoutait :

— J'imagine qu'elle ne sera plus jamais tout à fait la même…

Le Dr Grainger, de son côté, taquinait gentiment sa patiente.

Il lui assurait qu'elle serait sur pied d'ici à la fin

de la semaine, et qu'elle devrait avoir honte de ne s'être rien cassé. Elle était décidément une bien mauvaise cliente pour un pauvre médecin dans le besoin ! Si tous ses patients étaient comme elle, il vaudrait mieux qu'il prenne sa retraite tout de suite.

Emily Arundell lui donnait la réplique avec humour. Tous deux se connaissaient depuis longtemps. Il la houspillait et elle lui rendait la monnaie de sa pièce – ils avaient toujours pris beaucoup de plaisir à leur compagnie réciproque !

Mais à présent, après le départ de son médecin, la vieille demoiselle était allongée dans son lit, soucieuse, perdue dans ses pensées. Elle réagissait machinalement aux mille et un petits soins bien intentionnés de Minnie Lawson, puis, reprenant soudain ses esprits, elle la rabrouait d'un ton hargneux.

— Pauvre petit Bobbychounet, pépiait miss Lawson en se penchant sur le chien auquel elle avait installé une couverture au pied du lit de sa maîtresse. N'est-ce pas qu'il serait malheureux, le petit Bobbychounet, s'il savait ce qu'il a fait à sa pauvre, pauvre mamounette ?

— Ne soyez pas stupide, Minnie ! s'emporta miss Arundell. Où est donc passé votre sens tout britannique de la justice ? Avez-vous oublié que, dans ce pays, tout accusé est présumé innocent jusqu'à ce qu'on ait la preuve de sa culpabilité ?

— Oh ! mais nous savons bien que…

— Nous ne savons rien du tout ! répliqua Emily. Restez donc un peu tranquille, Minnie ! Arrêtez de tout tripoter. Avez-vous oublié comment on se comporte au chevet d'une malade ? Allez-vous-en et envoyez-moi Ellen.

Docile, miss Lawson s'éclipsa sans bruit.

Emily Arundell la regarda partir et soupira. Elle se sentait un peu coupable. Minnie était exaspérante, mais elle faisait de son mieux.

Son visage reprit bientôt son air soucieux.

Elle était terriblement malheureuse. Comme toutes les vieilles personnes alertes et décidées, elle détestait l'inaction en toutes circonstances. Et dans le cas présent, elle ne savait pas quoi entreprendre.

A certains moments, elle doutait de ses facultés et de sa mémoire. Et elle n'avait personne, absolument personne, à qui se confier.

Une demi-heure plus tard, de légers craquements annoncèrent miss Lawson, qui s'approcha sur la pointe des pieds, avec une tasse de bouillon. Elle s'immobilisa, sans trop savoir quoi faire, lorsqu'elle vit sa maîtresse allongée, les yeux fermés. Emily Arundell prononça soudain deux mots avec une telle violence que la demoiselle de compagnie faillit en lâcher sa tasse.

— Mary Fox, avait dit miss Arundell.

— *Fausse*, ma chère ? fit miss Lawson. Vous dites qu'elle est fausse ? Qui est fausse ?

— Vous devenez sourde, Minnie. Je n'ai pas dit fausse. J'ai parlé de Mary Fox. La femme que j'ai rencontrée à Cheltenham, l'année dernière. La sœur d'un des chanoines de la cathédrale d'Exeter. Donnez-moi cette tasse. Vous en avez renversé la moitié dans la soucoupe. Et cessez de marcher sur la pointe des pieds quand vous entrez dans une pièce. Vous ne pouvez pas imaginer comme c'est énervant. Et maintenant descendez me chercher l'annuaire de Londres.

— Voulez-vous que je vous trouve un numéro ? Ou une adresse ?

— Si je le voulais, je vous l'aurais dit. Faites ce que je vous demande. Amenez-le-moi ici et mettez-moi de quoi écrire sur la table de chevet.

Miss Lawson s'exécuta.

Et lorsque celle-ci quitta la pièce après avoir fait tout ce qu'il fallait, Emily Arundell lui dit à brûle-pourpoint :

— Vous êtes quelqu'un de bon et de dévoué, Minnie. Ne faites pas attention à mes éclats de voix. Je montre les dents, mais je ne mords pas. J'apprécie votre patience et votre dévouement.

Rouge d'émotion, miss Lawson prit congé en marmonnant des paroles inintelligibles.

Alors, assise dans son lit, miss Arundell écrivit une lettre. Elle la rédigea lentement, avec beaucoup de soin, s'interrompant souvent pour réfléchir et souligner certains passages. Elle écrivit aussi dans les marges, car on lui avait appris à l'école qu'il ne fallait jamais gaspiller le papier. Enfin, avec un soupir de satisfaction, elle signa et glissa sa missive dans une enveloppe, sur laquelle elle écrivit un nom. Ensuite, elle prit une autre feuille. Cette fois, elle fit un brouillon, le relut, y apporta certaines modifications, et le recopia au propre. Elle lut la version définitive encore une fois, très soigneusement, et, satisfaite d'avoir correctement exprimé ce qu'elle voulait, elle adressa cette seconde lettre à Mr William Purvis, chez Purvis, Purvis, Charlesworth & Purvis, notaires, Harchester.

Puis elle reprit sa première lettre, qui était destinée à M. Hercule Poirot, et ouvrit l'annuaire. Lorsqu'elle trouva l'adresse, elle l'inscrivit sur l'enveloppe.

On frappa à la porte.

Miss Arundell s'empressa de dissimuler l'enveloppe où elle venait juste de noter l'adresse – la lettre destinée à Hercule Poirot – dans la poche de son sous-main.

Elle n'avait aucune envie d'éveiller la curiosité de Minnie, qui était bien trop indiscrète à son goût.

— Entrez ! dit-elle, en se laissant retomber sur ses oreillers avec un soupir de soulagement.

Elle venait de prendre les dispositions qu'il convenait pour faire face à la situation.

5

HERCULE POIROT REÇOIT UNE LETTRE

Les événements que je viens de relater ne me furent bien sûr connus que beaucoup plus tard. Mais, après avoir soigneusement interrogé divers membres de la famille, je crois les avoir rapportés avec exactitude.

Poirot et moi ne nous intéressâmes à cette affaire qu'au reçu de la lettre de miss Arundell.

Je me souviens parfaitement de ce jour-là. C'était une matinée chaude et étouffante de la fin juin.

Poirot observait un rituel immuable pour le dépouillement de son courrier. Il prenait chaque enveloppe, l'examinait avec un soin maniaque, puis l'ouvrait d'une incision bien nette de son coupe-papier. Il lisait alors attentivement chaque lettre avant de la classer sur l'une des quatre piles qui s'entassaient derrière sa chocolatière. (Poirot buvait toujours du chocolat au petit déjeuner – habitude écœurante.) Le tout avec la régularité d'un mécanisme d'horlogerie.

Avec une telle régularité, d'ailleurs, que le moindre hiatus éveillait l'attention.

Assis près de la fenêtre, je regardais passer les

voitures. J'étais rentré depuis peu d'Argentine, et ne me lassais pas du plaisir éprouvé à me retrouver dans l'agitation londonienne.

Me tournant vers Poirot, je lui dis avec un sourire :

— Poirot, en humble Watson que je suis, je vais me permettre une déduction.

— Vous m'en voyez ravi, mon tout bon. De quoi s'agit-il ?

Je pris une pose théâtrale et déclarai sur un ton solennel :

— Vous avez reçu ce matin une lettre d'un intérêt tout particulier !

— Vous êtes Sherlock Holmes en personne ! Oui, vous avez entièrement raison.

J'éclatai de rire.

— Voyez-vous, Poirot, je connais vos méthodes. Si vous prenez la peine de relire une lettre, c'est qu'elle est d'un intérêt évident.

— Jugez-en par vous-même, Hastings.

Mon ami me tendit en souriant la lettre en question.

Je la saisis sans chercher à dissimuler ma curiosité, mais ne pus, dès le premier coup d'œil, réprimer une légère grimace. J'avais devant moi deux pages d'écriture tarabiscotée à l'ancienne mode, soulignée et raturée de surcroît par endroits. Pour couronner le tout, les mêmes arabesques fleuries couraient en diagonale sur les marges disponibles.

— Dois-je vraiment lire ça, Poirot ? demandai-je avec un soupir.

— Non, rien ne vous y oblige, cela va de soi.

— Vous ne pourriez-pas me dire de quoi il retourne ?

— Je préférerais que vous vous forgiez votre opinion vous-même. Mais ne vous donnez pas cette peine si cela vous ennuie.

— Si, si, je veux savoir de quoi il retourne ! protestai-je.

— Ça, c'est une autre paire de manches, me fit remarquer mon ami, pince-sans-rire. Car, en réalité, cette lettre ne dit rien du tout.

Pensant qu'il exagérait, je me plongeai sans plus attendre dans le texte en question.

A monsieur Hercule Poirot.
Cher monsieur,
Après bien des hésitations, je vous écris (ces deux derniers mots étaient raturés, et la lettre reprenait :), *je me permets de vous écrire en espérant que vous pourrez m'apporter votre aide dans une affaire strictement domestique.* (Les mots « strictement domestique » étaient soulignés trois fois.) *Je me dois d'avouer que votre nom ne m'est pas inconnu. Une miss Fox, d'Exeter, m'a parlé de vous, et, bien que cette miss Fox ne vous connaisse pas personnellement, elle m'a confié que la sœur de son beau-frère (dont hélas, le nom ne me revient pas) avait évoqué votre gentillesse et votre discrétion dans les termes les plus élogieux* (« les plus élogieux » souligné une fois.) *Je ne me suis pas renseignée, bien sûr, sur la nature* (« nature » souligné) *de l'enquête dont elle vous avait chargé, mais miss Fox m'a laissé entendre qu'il s'agissait, d'une histoire pénible*

et confidentielle. (Ces cinq derniers mots soulignés plusieurs fois.)

J'interrompis mon déchiffrage laborieux de ces pleins et de ces déliés.

— Poirot, dis-je, dois-je continuer ? Va-t-elle finir par en venir au fait ?

— Poursuivez, mon bon ami. Patience et longueur de temps…

— De la patience ! marmonnai-je. On dirait qu'une araignée est tombée dans un encrier pour aller ensuite sur cette feuille de papier ! Ça me rappelle l'écriture de ma grand-tante Mary !

Je me replongeai néanmoins dans cette épître.

Vu mon problème actuel, il me semble que vous pourriez entreprendre pour moi les recherches nécessaires. Comme vous le comprendrez aisément, cette affaire requiert la plus totale discrétion et je peux, en fait – dois-je ajouter que j'espère sincèrement et que je prie (« je prie » souligné deux fois) *pour que ce soit le cas – oui, je peux, en fait, me tromper du tout au tout. On accorde parfois trop d'importance à certains faits dont l'explication est au bout du compte très simple.*

— Ai-je sauté une page ? murmurai-je, perplexe.
Poirot gloussa.

— Non, non.

— Parce que tout ça me semble n'avoir ni queue ni tête, ajoutai-je. De quoi diable parle-t-elle ?

— Continuez, mon tout bon, donnez-vous de la peine…

Comme vous le comprendrez aisément, cette affaire requiert. (Non, j'en étais plus loin. Ah ! voilà, nous y sommes.) *Étant donné les circonstances, et, j'en suis sûre, vous en serez le premier conscient, il m'est tout à fait impossible de consulter quelqu'un à Market Basing* (Je revins à l'en-tête de la lettre. Littlegreen House, Market Basing, Berks.), *mais en même temps, vous comprendrez sans peine que je me sente troublée* (« troublée » souligné). *Au cours de ces derniers jours, je me suis reproché de me laisser trop emporter par mon imagination* (« imagination » souligné trois fois), *et pourtant mon tourment n'a cessé de grandir. Il se peut que j'attache trop d'importance à ce qui n'est, après tout, qu'une bagatelle* (ce mot souligné deux fois), *mais mon inquiétude demeure. Il m'est nécessaire d'en avoir le cœur net. Car cette histoire me ronge vraiment et affecte ma santé, et naturellement ma situation est d'autant plus pénible que je ne puis me confier à personne* (« me confier à personne » souligné de plusieurs traits épais). *Bien sûr, avisé comme vous l'êtes, vous direz peut-être que tout ceci n'est que songe-creux. Les faits peuvent avoir une explication parfaitement innocente* (« innocente » souligné). *Néanmoins, aussi insignifiante que cette question puisse sembler, mes soupçons et mon inquiétude ne cessent d'augmenter depuis l'incident de la balle du chien. C'est pourquoi j'aimerais avoir votre avis et vos conseils sur cette affaire. Cela, j'en suis certaine, m'ôterait un grand poids. Auriez-vous l'amabilité de me faire connaître le montant de vos honoraires et de me dire ce que vous me suggérez ?*

Il faut que vous compreniez bien que personne, ici, n'est au courant. Les faits sont, je le sais, futiles et sans véritable importance, mais ma santé n'est pas brillante et mes nerfs (« nerfs » souligné trois fois) *ne sont plus ce qu'ils étaient. Me faire un tel souci, j'en suis convaincue, est fort mauvais pour moi, et plus je pense à cette histoire, plus je suis certaine que j'ai raison et qu'il n'y a pas d'erreur possible. Evidemment, il n'est pas dans mes intentions de raconter quoi que ce soit* (souligné) *à quiconque* (souligné).

J'espère avoir très bientôt vos conseils sur ce problème.

Je vous prie d'agréer, Monsieur, mes salutations distinguées.

Emily Arundell

Je retournai la lettre dans tous les sens et examinai chaque page avec soin.

— Mais enfin, Poirot, protestai-je, de *quoi* s'agit-il ?

— Je me le demande, répondit mon ami en haussant les épaules.

Je tapotai les feuilles avec impatience.

— Qu'est-ce qui nous a fichu une bonne femme pareille ! Pourquoi cette Mrs... ou cette miss Arundell...

— *Miss*, d'après moi. Cette lettre est typique d'une vieille fille.

— Oui, fis-je. La vieille fille tatillonne dans toute sa splendeur ! Pourquoi ne peut-elle pas dire simplement de quoi il retourne ?

Poirot soupira.

— Vous avez raison – regrettable incapacité à

réfléchir avec ordre et méthode. Et sans ordre ni méthode, Hastings…

— Tout à fait, l'interrompis-je un peu hâtivement. Absence presque totale de petites cellules grises.

— Je ne dirais pas ça, mon bon ami.

— Moi, oui. A quoi rime une lettre pareille ?

— A pas grand-chose, c'est exact, admit Poirot.

— Tout ce galimatias pour rien, continuai-je. Sans doute un quelconque problème avec un chien-chien-à-sa-mémère trop gras. Un petit roquet asthmatique ou un pékinois qui passe son temps à japper ! (J'observai mon ami avec curiosité.) Et cependant vous avez lu cette lettre deux fois. Je ne vous comprends pas, Poirot.

Il m'observa en souriant.

— Vous, Hastings, vous l'auriez mise directement au panier ?

— Plutôt deux fois qu'une. (Je regardai les feuilles en fronçant les sourcils.) Je suppose que je suis un peu obtus, comme d'habitude, mais moi, je ne vois rien d'intéressant là-dedans !

— Et pourtant, il y a quelque chose d'important ici – quelque chose qui m'a immédiatement frappé.

— Attendez ! m'exclamai-je. Ne me dites rien. Laissez-moi regarder si je ne peux pas le découvrir tout seul.

C'était peut-être puéril de ma part. Je relus la missive avec beaucoup d'attention, puis je secouai la tête.

— Non, je ne vois pas. Cette vieille chouette a peur, je le comprends – mais bon, c'est le cas de beaucoup de vieilles chouettes ! Elle se fait peut-être des idées, ou peut-être pas, d'accord, mais je ne vois pas ce qui vous permet de l'affirmer. A moins que votre instinct ne…

Poirot leva la main pour protester.

— L'instinct ! Vous savez à quel point je déteste ce mot. « Quelque chose me dit que… » C'est ça que vous entendez par là. *Jamais de la vie !* Moi, je *raisonne*. J'utilise mes petites cellules grises. Il y a un aspect intéressant de cette lettre qui vous a complètement échappé, Hastings.

— Bon, répliquai-je d'un ton las. J'achète.

— Vous achetez ? Vous achetez quoi ?

— Façon de parler. Je veux dire que je vais vous permettre d'avoir la satisfaction de m'expliquer en quoi j'ai été un imbécile.

— Pas un imbécile, Hastings. Vous n'avez pas été assez observateur, simplement.

— Eh bien, finissons-en. Quel est donc cet « aspect intéressant » ? J'imagine qu'il vient justement de ce qu'il n'y a rien d'intéressant dans tout cela – comme pour « l'incident de la balle du chien » !

Poirot ne tint aucun compte de ma boutade. Il répondit, très calmement :

— L'aspect intéressant, c'est la date.

— La date ?

Je pris la lettre. Dans le coin gauche, en haut, était noté : 17 avril.

— Oui, murmurai-je. C'est curieux. Le 17 avril.

— Et nous sommes le 28 juin, aujourd'hui. Curieux, en effet, n'est-ce pas ? Plus de deux mois…

Je secouai la tête d'un air dubitatif.

— Ça ne veut probablement rien dire. Une erreur. Elle aura pensé « juin » et écrit « avril ».

— Même dans ce cas, la lettre remonterait à dix ou onze jours. Ce qui est bizarre. Mais en réalité, vous vous trompez. Regardez la couleur de l'encre. Ces lignes ont été écrites il y a bien plus qu'une dizaine de jours. Non, le 17 avril est certainement la bonne date. Mais en ce cas, pourquoi ne l'a-t-on pas postée ?

Je haussai les épaules.

— Facile. La vieille bique aura changé d'avis.

— Et pourquoi n'a-t-elle pas déchiré la lettre ? Pourquoi l'avoir conservée plus de deux mois et l'expédier maintenant ?

Je devais reconnaître qu'il était difficile de répondre à ça. En effet, j'étais incapable de trouver une explication vraiment satisfaisante à cette question. Je me contentai de secouer la tête, et je me tus.

— Je vous assure que c'est intéressant, fit soudain Poirot. Oui, décidément, tout ceci est très, très curieux.

— Vous allez lui répondre ? demandai-je.

— Oui, mon bon ami.

Le silence régna un moment dans la pièce – on n'entendait que le grattement de la plume de Poirot. C'était une matinée chaude et étouffante. Par la fenêtre entrait une odeur de poussière et de bitume.

Poirot se leva de son bureau, sa lettre à la main. Il ouvrit un tiroir, en sortit une petite boîte carrée dans laquelle il prit un timbre. Il humecta celui-ci avec une minuscule éponge et s'apprêta à le coller sur son enveloppe.

Et soudain, il s'interrompit, son timbre à la main, secoua la tête avec force et s'écria :

— Et puis non ! Ce n'est pas la bonne méthode. (Il déchira la lettre et la jeta dans sa corbeille à papiers.) Ce n'est pas ainsi que nous devons traiter cette affaire. Nous allons nous rendre sur les lieux, mon bon ami.

— Vous voulez dire que nous partons pour Market Basing ?

— Exactement. Pourquoi pas ? On étouffe, à Londres, aujourd'hui, n'est-ce pas ? Est-ce que ça ne serait pas agréable de respirer un peu le bon air de la campagne ?

— Eh bien, vu sous cet angle, dis-je. Nous prenons la voiture ?

Je venais d'acheter une Austin d'occasion.

— Excellente idée. C'est une journée idéale pour une promenade en voiture. Inutile de s'envelopper dans des plaids. Un pardessus léger, une écharpe de soie…

— Mon cher ami, vous ne partez pas pour le pôle Nord ! protestai-je.

On ne veille jamais assez à ne pas prendre froid, répliqua Poirot, sentencieux.

— Par un temps pareil ?

Sans se soucier de mes protestations, Poirot enfila un pardessus de couleur fauve et noua un foulard de soie blanche autour de son cou. Il reposa avec soin le timbre sur son côté non gommé, afin de le laisser sécher sur son buvard, et nous sortîmes.

6

VISITE A LITTLEGREEN

J'ignore comment Poirot se sentait avec son pardessus et son cache-poussière, mais pour ma part je mourais déjà de chaud alors que nous n'étions même pas encore sortis de Londres. Une voiture décapotable, en pleine circulation, est bien loin d'être un havre de fraîcheur, un jour d'été.

Lorsque nous quittâmes l'agglomération, pourtant, et que nous prîmes de la vitesse sur la nationale de l'ouest, je retrouvai quelque courage.

Le trajet dura environ une heure et demie, et il était près de midi lorsque nous arrivâmes dans la petite ville de Market Basing. Jadis située sur la route principale, mais désormais dotée d'une déviation qui canalisait le trafic à quelque cinq kilomètres plus au nord, elle avait conservé un calme et un air de dignité à l'ancienne. Son unique Grand-Rue et sa vaste place du Marché semblaient proclamer : « J'ai eu autrefois mon importance, et les personnes de bon sens et de savoir-vivre savent bien que je n'ai pas changé. Laissons le monde actuel toujours pressé rouler à tombeau ouvert sur cette route trop moderne ; j'ai été construite pour durer, à une époque où solidité et beauté allaient de pair. »

Un parking avait été aménagé au centre de la Grand-Place, mais il était presque vide. J'y garai dûment l'Austin, Poirot se dépouilla de ses vêtements superflus, s'assura que sa moustache avait retrouvé sa flamboyante symétrie, et nous fûmes fin prêts pour agir.

Pour une fois, nos premières questions ne se soldèrent pas par la réponse habituelle : « Désolé, mais je ne suis pas d'ici. » Il semblait peu probable qu'il y eût le moindre étranger à Market Basing ! C'était clair et net ! Déjà, j'avais l'impression que Poirot et moi – surtout Poirot d'ailleurs – ne passions pas inaperçus : dans cette bourgade commerçante, sûre de ses traditions, nous faisions tache sur le décor patiné par les ans.

— Littlegreen House ?

L'homme, un individu corpulent à l'expression bovine, nous toisa – d'un air pensif.

— Remontez la Grand-Rue tout droit et vous ne pourrez pas la rater. Sur votre gauche. Il n'y a pas de nom sur la grille, mais c'est la première grosse maison après la banque. (Il répéta :) Vous ne pourrez pas la rater.

Il nous suivit des yeux tandis que nous nous mettions en route.

— Mon Dieu, me lamentai-je, il y a un je ne sais quoi dans cet endroit qui me donne le sentiment d'attirer tous les regards. Quant à vous, Poirot, vous avez l'air carrément exotique.

— Vous pensez que l'on remarque que je suis un étranger – c'est ça ?

— Ça se voit comme le nez au milieu de la figure !

— Et pourtant mon tailleur est anglais, répondit Poirot d'un ton songeur.

— L'habit ne fait pas le moine, dis-je. Il est indéniable, Poirot, que votre personnage ne saurait passer inaperçu. Je me suis souvent étonné que cela n'ait pas nui à votre carrière.

Poirot soupira.

— C'est parce que vous avez dans le crâne cette idée fausse qu'un détective est forcément quelqu'un qui porte une barbe postiche et se dissimule dans un recoin sombre. Les postiches, c'est démodé, et les filatures ne sont menées que par les éléments les moins brillants de notre profession. Les Hercule Poirot, mon cher, se contentent de s'installer dans un fauteuil et de réfléchir.

— Ce qui explique que nous soyons en train de remonter cette rue torride en cette matinée qui ne l'est pas moins.

— Excellente repartie, Hastings. Pour une fois, je l'admets, vous marquez un point.

Nous trouvâmes Littlegreen House sans trop de difficulté, mais une surprise nous y attendait – le panneau d'une agence immobilière. Tandis que nous le contemplions, un aboiement attira mon attention.

La haie n'était pas épaisse à cet endroit, et on voyait bien l'animal. C'était un terrier à poil dur, au pelage quelque peu ébouriffé. Le corps légèrement de guingois, les pattes bien écartées, il aboyait avec un plaisir évident, dénotant les meilleurs intentions du monde.

« Je suis un bon chien de garde, n'est-ce pas ? paraissait-il dire. Mais ne craignez rien. C'est juste pour m'amuser. C'est aussi mon rôle, bien entendu. Il faut bien que je fasse savoir qu'il y a un chien dans cette maison ! Quel ennui mortel, ce matin ! C'est une bénédiction d'avoir quelque chose à faire, à présent. Vous venez chez nous ? Je l'espère. Ce qu'on peut se raser, si vous saviez ! J'aimerais bien faire un brin de causette. »

— Salut, mon vieux, dis-je en avançant la main.

Il tendit le cou à travers la grille, renifla d'un air méfiant, puis se mit à remuer doucement la queue en lançant quelques aboiements saccadés, comme pour me répondre :

« Bien sûr, nous n'avons pas été présentés selon l'étiquette, et il convient d'y remédier. Mais je vois que vous connaissez les règles d'approche. »

— Bon vieux chien, dis-je.

— Ouaf ! répliqua aimablement le terrier.

J'abandonnai cette conversation pour me tourner vers mon ami :

— Alors, Poirot ?

Son visage avait une expression bizarre, que j'avais du mal à comprendre. Une espèce d'excitation volontairement contenue – c'est la meilleure description que je puis en faire.

— « L'incident de la balle du chien », murmurat-il. Eh bien, nous avons au moins le chien.

— Ouaf ! observa notre nouvel ami.

Puis il s'assit, bâilla largement et nous regarda, plein d'espoir.

— Et maintenant ? demandai-je.

Le chien semblait se poser la même question.

— Voyons, mon tout bon ! nous allons chez Messieurs – comment s'appellent-ils déjà ? – Habler et Stretcher.

— Cela semble tout indiqué, acquiesçai-je.

Nous revînmes sur nos pas, poursuivis par les aboiements déçus de notre nouvel ami canin.

L'agence Habler & Stretcher se trouvait sur la place du Marché. Nous pénétrâmes dans un bureau grisâtre où nous accueillit une jeune femme qui parlait d'une voix nasillarde et qui nous jeta un regard éteint.

— Bonjour, dit poliment Poirot.

Elle était en pleine conversation téléphonique, mais elle indiqua une chaise à Poirot, qui s'assit. J'avançai un autre siège et m'installai à mon tour.

— Je n'en suis pas sûre…, disait la jeune femme dans le combiné, d'un air absent. Non, je ne connais pas le montant du loyer… Pardon ? Oh ! l'eau courante, je crois, mais je n'en suis pas certaine… Je suis vraiment désolée… Non, il n'est pas là… Non, je ne peux pas vous dire… Oui, je vous promets que je le lui demanderai… Oui… 8135 ? Excusez-moi, je n'ai pas bien compris… Oh ! 8935… 39… Oh ! 5135… Oui, je lui dirai de vous rappeler. Après 6 heures… Excusez-moi, *avant* 6 heures… Merci beaucoup.

Elle raccrocha, griffonna le chiffre 5319 sur son sous-main, et adressa à Poirot un regard vaguement interrogateur mais où perçait l'indifférence.

Poirot ne se perdit pas en précautions oratoires excessives.

— J'ai vu qu'il y avait une maison à vendre juste à la sortie de la ville. Je crois que ça s'appelle Littlegreen House.

— Pardon ?

— Une maison à louer ou à vendre, répéta Poirot lentement et distinctement. Littlegreen. Littlegreen *House*, si vous préférez.

— Oh ! Littlegreen House, fit la jeune femme d'un ton toujours aussi absent. *Littlegreen* House, c'est ça que vous avez dit ?

— C'est ce que j'ai dit.

— Littlegreen *House*, reprit-elle avec un formidable effort mental. Oh ! oui, je pense que Mr Habler sera à même de vous renseigner.

— Puis-je voir Mr Habler ?

— Il est sorti, répondit-elle avec un soupçon de satisfaction, comme pour dire : « Un point pour moi. »

— Vous savez quand il sera de retour ?

— Je n'en sais rien… je ne suis pas sûre…

— Vous comprenez, je cherche une maison dans la région, dit Poirot.

— Ben, oui, fit la jeune femme, sans pour autant manifester le moindre intérêt.

— Et Littlegreen House semble correspondre exactement à mes souhaits. Pouvez-vous me donner des renseignements sur cette propriété ?

— Des renseignements ? répéta la jeune femme, l'air ahuri.

De mauvaise grâce, elle ouvrit un tiroir et en sortit un dossier en désordre.

Puis elle appela :

— John !

Un gringalet dégingandé, assis dans un coin du bureau, leva la tête.

— Oui, miss ?

— Avons-nous des renseignements sur... Comment avez-vous dit, déjà ?

— Lit-tle-green Hou-se, répéta Poirot en articulant avec soin.

— Vous l'avez sur une grande affiche, ici, fis-je remarquer en indiquant le mur.

Elle m'observa avec froideur. Elle estimait sans doute que jouer à deux contre un n'était pas juste. Elle sonna donc le garde :

— Vous ne savez rien sur Littlegreen House, n'est-ce pas, John ?

— Non, mademoiselle. Ça doit être dans le dossier.

— Désolée, dit la secrétaire, sans même jeter un coup d'œil à ses papiers. J'ai l'impression que nous avons dû envoyer tous les renseignements à quelqu'un d'autre.

— Vous m'en voyez marri.

— Pardon ?

— Je disais que je trouve cela dommage.

— Nous avons un joli bungalow à Hemel End, deux chamb., un séj.

Elle avait indiqué cela sans enthousiasme, mais avec l'évidente volonté de faire son devoir vis-à-vis de son employeur.

— Je vous remercie, non.

— Et une maison mitoyenne avec une petite serre. Là, je peux vous fournir les renseignements.

— Non merci. J'aimerais connaître le montant du loyer de Littlegreen House.

— Elle n'est pas à louer, répondit la jeune femme, cessant de plaider la complète ignorance en ce qui concernait Littlegreen House pour le plaisir de marquer un point. Elle est à vendre.

— L'écriteau disait : « A louer ou à vendre. »

Ça, je ne sais pas, mais elle est seulement à vendre.

A ce moment de la bataille, la porte s'ouvrit et un homme aux cheveux gris, dans la cinquantaine, entra en coup de vent. Son regard vif s'éclaira à notre vue ; il interrogea son employée d'un froncement de sourcil.

— Voici Mr Habler, dit la jeune femme.

Mr Habler ouvrit la porte de son sanctuaire d'un geste théâtral.

— Entrez donc, messieurs.

Il nous introduisit, nous désigna cérémonieusement deux fauteuils et s'installa en face de nous derrière un bureau.

— Maintenant, que puis-je faire pour vous ?

— Je désire quelques renseignements sur Littlegreen House…, commença Poirot, obstiné.

Il n'eut pas le temps d'en dire davantage. Mr Habler prit le commandement de la conversation.

— Ah ! Littlegreen House… en *voilà* une propriété ! Une affaire en or. Elle vient juste d'être mise en vente. Je puis vous assurer que nous n'avons pas souvent des maisons de cette qualité à un tel prix. Les modes passent. Les gens en ont assez des constructions en carton-pâte. Ils veulent du solide. De bonnes maisons qui tiennent debout. Une belle propriété George V – avec du caractère. Oui, voilà ce que recherchent les gens, aujourd'hui. Il y a un véritable engouement pour les maisons de style, si vous voyez ce que je veux dire. Ah, ça oui, Littlegreen House ne restera pas longtemps en vente. On va se l'arracher ! Se l'arracher ! Un député l'a visitée pas plus tard que samedi dernier. Il l'a tellement aimée qu'il revient ce week-end. Et puis ensuite, j'ai eu un homme d'affaires. A l'heure actuelle, les gens veulent être au calme et à l'écart des grandes routes quand ils viennent à la campagne. C'est vrai pour beaucoup de monde, mais nous attirons des personnes de classe, ici, et elle n'en manque pas, de classe, cette demeure. De la classe ! Avouez qu'ils savaient construire des maisons de maître, dans le temps. Oui, nous ne devrions pas garder longtemps Littlegreen House à notre catalogue.

Mr Habler qui, me dis-je, faisait honneur à son nom en se montrant le roi des hâbleurs, s'interrompit pour reprendre son souffle.

— Est-ce qu'elle a changé souvent de propriétaire ces dernières années ? s'enquit Poirot.

— Au contraire. Elle appartient à la même famille depuis plus d'un demi-siècle. Les Arundell. Très respectés en ville. Des dames de la vieille école.

Il se leva brusquement, ouvrit la porte et cria :

— Le dossier Littlegreen House, miss Jenkins. Vite ! Il revint à son bureau.

— Je cherche une maison qui soit à peu près à cette distance de Londres, dit Poirot. A la campagne, mais pas trop perdue, si vous me suivez…

— Parfaitement – parfaitement. Il ne faut pas être trop loin de tout. Et d'abord les domestiques n'aiment pas ça. Ici, vous n'avez que les avantages de la campagne, pas les inconvénients.

Miss Jenkins entra sans bruit, avec une feuille dactylographiée qu'elle posa sous le nez de son patron. Celui-ci la renvoya d'un signe de tête.

— Voilà, dit Mr Habler, après avoir rapidement parcouru le document d'un œil expert. Maison de style : quatre salles, huit chambres avec cabinet de toilette, cuisine aménagée, sanitaires, vastes dépendances, écuries, etc. Eau courante, jardins à l'ancienne, pas de grosses charges, pour une surface totale d'un hectare et demi, deux pavillons d'été, etc., etc. Le prix est de deux mille huit cent cinquante livres, à débattre.

— Pouvez-vous me donner une autorisation de visite ?

— Certainement, cher monsieur. (Mr Habler se mit à en rédiger une, avec affectation.) Nom et adresse ?

Je fus un peu surpris d'entendre Poirot déclarer qu'il s'appelait Mr Parotti.

— Nous avons deux ou trois autres propriétés qui pourraient vous intéresser, continua Mr Habler.

Poirot le laissa lui donner trois adresses, puis demanda :

— On peut voir Littlegreen House n'importe quand ?

— Certainement, mon cher monsieur, Il y a des domestiques sur place. Il vaudrait peut-être mieux que je téléphone quand même pour m'en assurer. Vous y allez maintenant, ou après déjeuner ?

— Après déjeuner serait préférable.

— Certainement – certainement. Je vais les appeler et leur dire de vous attendre à 14 heures. Hein ? Ça vous va ?

— Merci. Vous disiez que la propriétaire de la maison… Une demoiselle Arundell, je crois ?

— Lawson. Miss Lawson. C'est le nom de la propriétaire actuelle. Miss Arundell, hélas ! est morte récemment. C'est pourquoi la maison est en vente. Mais je puis vous assurer qu'elle ne le restera pas longtemps. Aucun doute. Entre nous, si vous pensez faire une offre, je crois que vous ne devriez pas trop tarder. Comme je vous l'ai dit, j'ai deux autres acheteurs potentiels, et je ne serais pas surpris de recevoir la proposition de l'un ou l'autre dans les prochains jours. Chacun d'eux connaît l'existence de son concurrent, voyez-vous. Et il va sans dire que l'esprit de compétition aiguillonne tout le monde. Ha ha ! Je ne voudrais pas que vous soyez déçu !

— J'ai cru comprendre que miss Lawson serait assez pressée de vendre ?

Mr Habler baissa la voix et répondit sur le ton de la confidence :

— Exactement. La maison est trop grande pour elle – une personne d'un certain âge vivant seule.

Elle veut s'en débarrasser et prendre quelque chose à Londres. On se met à sa place. Voilà pourquoi le prix est si ridiculement bas.

— Elle serait donc sans doute prête à accepter un compromis ?

— Pourquoi pas, cher monsieur. Amorcez et surveillez le bouchon. Mais je vous fiche mon billet que nous n'aurons guère de mal à rester dans les limites du prix annoncé. Car enfin, rendez-vous compte ! Faire construire une telle maison de nos jours coûterait facilement six mille livres, sans parler de la valeur du terrain et de l'emplacement.

— Miss Arundell est morte subitement, si j'ai bien saisi ?

— Oh ! ce n'est pas le mot que j'emploierais. Le poids des ans, cher monsieur. Le poids des ans. Elle avait largement dépassé la septantaine, comme on dit chez vous. Et elle était en mauvaise santé depuis un certain temps. C'était la dernière de sa famille. Vous avez peut-être entendu parler des Arundell ?

— Je connais quelques personnes du même nom dans la région. Je me demande s'ils sont parents.

— Très vraisemblablement. Il y avait quatre sœurs. L'une s'est mariée sur le tard, et les trois autres sont restées à Littlegreen. Des dames de la vieille école. Miss Emily était la dernière. Très bien vue en ville.

Il se pencha vers Poirot et lui tendit l'autorisation de visite.

— Vous repasserez pour me dire ce que vous en pensez, n'est-ce pas ? Bien sûr, vous aurez çà et là quelques travaux de modernisation à envisager.

Un minimum. Mais c'est ce que je dis toujours : « Qu'est-ce que c'est, une salle de bains ou deux ? Une bricole. »

Nous prîmes congé, et la dernière chose que nous entendîmes, ce fut la voix éteinte de miss Jenkins :

— Mrs Samuels a téléphoné, monsieur. Elle voudrait que vous la rappeliez : Holland, 5391.

Pour autant que je m'en souvienne, ce n'était ni le numéro que miss Jenkins avait noté sur son sous-main ni celui qu'on avait finalement réussi à lui donner par téléphone.

Je demeurai convaincu que c'était là sa façon de se venger d'avoir été finalement obligée de nous fournir le dossier de Littlegreen House.

7

Lorsque nous arrivâmes sur la place du Marché, je fis observer finement ce que j'avais déjà noté par-devers moi – à savoir que Mr Habler méritait bien son nom. Poirot acquiesça avec un sourire.

— Il sera plutôt déçu lorsqu'il ne vous verra pas revenir, ajoutai-je. A mon avis, il s'imagine avoir été parfait et il croit déjà qu'il vous a vendu cette maison.

— J'ai bien peur en effet qu'il n'aille au-devant d'une désillusion.

— Peut-être pourrions-nous tout aussi bien déjeuner ici avant de retourner à Londres ? A moins que nous ne mangions quelque part sur le chemin. du retour ?

— Mon cher Hastings, je n'ai pas l'intention de quitter Market Basing de sitôt. Nous n'avons pas encore atteint les objectifs qui nous y ont conduits.

J'écarquillai les yeux.

— Vous voulez dire… Mais, mon très cher ami, cette affaire est à l'eau. La vieille dame est morte.

— Précisément.

Le ton avec lequel il avait prononcé ce simple

mot ne fit qu'accroître ma curiosité. A l'évidence, cette lettre incohérente lui avait troublé les esprits.

— Mais si elle est morte, Poirot, ajoutai-je doucement, à quoi ça sert ? Elle ne peut plus rien vous dire, maintenant. Quel qu'ait pu être son problème, il est réglé avec sa disparition,

— Comme vous allez vite en besogne ! Permettez-moi de vous dire qu'*aucune* affaire n'est réglée aussi longtemps qu'Hercule Poirot s'y intéresse.

J'aurais dû savoir par expérience qu'il était parfaitement inutile de discuter avec Poirot. Avec une belle imprudence, j'insistai pourtant :

— Mais puisqu'elle est morte…

— Précisément, Hastings, précisément, précisément, précisément… Vous ne cessez de répéter le mot important de cette affaire tout en affichant une incompréhension tragiquement obtuse de ses implications. Vous ne voyez donc pas l'intérêt de cette information ? Miss Arundell est *morte*.

— Mais, mon cher Poirot, ce décès est parfaitement naturel et normal ! Il n'a rien d'étrange ni de suspect. Nous avons la parole de ce cher Habler.

— Il nous a également assuré que, pour deux mille huit cent cinquante livres, Littlegreen House était une affaire. Vous acceptez cela aussi comme parole d'évangile ?

— Non, en effet. J'ai été frappé que Habler semble si pressé de vendre cette maison – elle a sans doute besoin d'être remise à neuf de la cave au grenier. Je suis prêt à parier qu'il – ou plutôt sa cliente – accepterait une offre bien inférieure à cette somme. Il doit être diablement difficile de se débarrasser de ces vastes bâtisses George V donnant directement sur la rue.

— Dans ce cas, conclut Poirot, ne dites pas « Nous avons la parole de Habler » comme si c'était la déclaration d'un phophète incapable de mensonge.

J'allais protester de nouveau, mais nous entrions chez *George* et Poirot mit fin à la conversation avec un « Chut ! » emphatique.

On nous conduisit à la salle à manger, pièce de belles proportions aux fenêtres soigneusement closes, où flottaient de vieilles odeurs de cuisine. Un serveur âgé, lent et poussif, s'occupa de nous. Nous étions les seuls clients. Nous mangeâmes un excellent mouton, mais du chou insipide et des pommes de terres quelconques, puis des fruits au sirop et de la crème anglaise assez fades. Après le gorgonzola et les gâteaux secs, le serveur nous apporta deux tasses d'un breuvage douteux qu'il fit passer pour du café.

Poirot produisit alors ses autorisations de visite et lui demanda son aide.

— Oui, monsieur, je connais trois de ces endroits. Hemel Down est à cinq kilomètres d'ici, sur la route de Much Benham, c'est pas très grand. Naylor's Farm est à un peu plus d'un kilomètre. Y'a une espèce de chemin qui y mène, un petit peu après King's Head. Bisset Grange ? Non, jamais entendu parler. Littlegreen House est juste à côté, à quelques minutes à pied, pas plus.

— Ah, je crois l'avoir déjà vue de l'extérieur. Je

pense que ça doit être celle-là, oui. Elle est en bon état, non ?

— Oh ! oui, monsieur. Tout est impeccable, la toiture, les gouttières et le reste. Bien sûr, c'est un peu vieillot. Elle n'a jamais été modernisée. Les jardins sont splendides. Ses jardins, elle les adorait, miss Arundell.

— Tout ça appartient, d'après ce que je sais, à une certaine miss Lawson.

— C'est exact, monsieur. Miss Lawson, c'était la dame de compagnie de miss Arundell, et lorsque miss Arundell est morte, tout lui est revenu, la maison et tout.

— Vraiment ? Je suppose qu'elle n'avait donc pas de parents à qui léguer ses biens.

— Eh bien, ce n'est pas tout à fait ça, monsieur. Elle *avait* bel et bien neveux et nièces. Mais il ne faut pas oublier que miss Lawson était avec elle tout le temps. Et puis, dites voir, c'est que c'était plus une jeunesse... et dans ces cas-là... et puis voilà, quoi !

— De toute façon, il ne devait y avoir que la maison... et sans doute pas beaucoup d'argent.

J'ai souvent eu l'occasion de remarquer que là où une question directe ne parvenait pas à arracher une réponse à quelqu'un, une allégation fausse procurait immédiatement des informations sous la forme d'une contradiction...

— Vous êtes loin du compte, monsieur. Loin du compte. Tout le monde a été surpris par la somme que la vieille demoiselle a laissée. Son testament était dans le journal, avec les chiffres et tout. Il semble que pendant de longues années elle n'ait pas dépensé la totalité de ses revenus. Elle a laissé quelque chose comme trois ou quatre cent mille livres.

— Vous me stupéfiez ! s'exclama Poirot. On est en plein conte de fées, non ? La pauvre dame de compagnie se retrouve soudain incroyablement riche. Elle est encore jeune, cette miss Lawson ? Elle va pouvoir profiter de sa nouvelle fortune ?

— Oh, non, C'est une… une personne d'un certain âge.

La façon dont il avait prononcé le mot « personne » était une véritable performance de comédien. Il était évident que miss Lawson, ex-dame de compagnie, n'avait guère fait impression à Market Basing.

— Les neveux et nièces ont dû être déçus, dit Poirot, songeur.

Oui, monsieur, je crois que ça leur en a fichu un vieux coup, comme on dit. Ils ne s'y attendaient pas. L'affaire a fait du bruit à Market Basing. Il y a ceux qui pensent que ce n'est pas bien de déshériter ainsi des personnes de son sang. Mais il y a bien sûr les autres, qui estiment qu'on a le droit de faire ce qu'on veut de ce qu'on possède. Les deux points de vue se défendent, évidemment.

— Miss Arundell vivait ici depuis longtemps, n'est-ce pas ?

— Oui, monsieur. Elle et ses sœurs, et avant elles leur père, le vieux général Arundell. Ce n'est pas que je m'en souvienne, naturellement, mais je crois que c'était un sacré personnage. L'était aux Indes au moment de la Révolte des Cipayes.

— Il y avait plusieurs filles ?

— Trois que je me rappelle, et il me semble qu'il y en avait une autre qui s'était mariée. Oui, miss Matilda, miss Agnes et miss Emily. Miss Matilda est morte la première, puis miss Agnes et finalement miss Emily.

— C'est récent ?

— Début mai – ou peut-être fin avril.

— Elle était malade depuis longtemps ?

— Des hauts et des bas – oui, des hauts et des bas. C'est une santé fragile, qu'elle avait. L'an dernier, elle avait déjà failli passer, suite à une mauvaise jaunisse. Elle est restée jaune comme un citron pendant un certain temps, après ça. Oui, depuis cinq ans, sa santé n'allait pas fort.

— Vous avez certainement de bons médecins dans le coin ?

— Eh bien, y'a le Grainger. Il est installé ici depuis près de quarante ans, et c'est surtout lui que les gens vont voir. Il est un peu grincheux et il a ses humeurs, mais, pour un bon médecin, c'est un bon médecin, y'a pas à dire. Il a un jeune associé, le Dr Donaldson. D'un style plus moderne, celui-là. il y en a qui le préfèrent. Et puis, bien sûr, il y a le Dr Harding, mais il ne travaille pas beaucoup.

— C'est le Dr Grainger qui suivait miss Arundell, je suppose ?

— Oh, oui. Même qu'il l'a tirée d'affaire plus

d'une fois. Il est du genre qui vous oblige à guérir, que vous le vouliez ou non.

Poirot acquiesça d'un signe de tête.

— Il faut se renseigner un peu sur un endroit avant de s'y fixer, fit-il remarquer. Et un bon médecin, c'est un élément primordial.

— Ça, c'est bien vrai.

Poirot demanda alors l'addition, et laissa un généreux pourboire.

— Merci, monsieur. Merci beaucoup, monsieur. J'espère bien que vous vous installerez par ici, monsieur.

— Je l'espère aussi, mentit Poirot.

Nous quittâmes le *George*.

— Satisfait, maintenant, Poirot ? fis-je lorsque nous nous retrouvâmes dans la rue.

— Absolument pas, mon bon ami.

Il prit une direction inattendue.

— Où nous mèneront donc nos pas, Poirot ?

— Du côté de l'église, mon bon ami. Ça peut se révéler intéressant. Deux ou trois plaques mortuaires – quelques vieilles tombes…

Je secouai la tête, sceptique.

Poirot n'examina que brièvement l'intérieur de l'église. Bien que ce fût un bel exemple de gothique médiéval, elle avait été si consciencieusement restaurée à l'époque du vandalisme victorien qu'elle n'avait plus guère d'intérêt.

Poirot déambula ensuite dans le cimetière, lut quelques épitaphes, commenta le nombre de décès dans certaines familles, se récria parfois en découvrant le pittoresque d'un patronyme.

Je ne fus pas surpris, pourtant, lorsqu'il s'arrêta finalement devant ce qui était, à mon avis, le vrai but de sa visite.

Une imposante plaque de marbre portait une inscription en partie effacée :

A LA MEMOIRE DE
JOHN LAVERTON ARUNDELL
GENERAL DU 24^E SIKHS
DECEDE DANS LA PAIX DU SEIGNEUR LE 19 MAI 1888
A L'AGE DE SOIXANTE-NEUF ANS
« MENE LE BON COMBAT DE TOUTES TES FORCES »

ET DE
MATILDA ANN ARUNDELL
DECEDEE LE 10 MARS 1912
« JE ME LEVERAI ET J'IRAI VERS MON PERE »

ET DE
AGNES GEORGINA MARY ARUNDELL
DECEDEE LE 20 NOVEMBRE 1921
« DEMANDE ET TU RECEVRAS »

Venait ensuite un texte manifestement récent :

ET DE
EMILY HARRIET LAVERTON ARUNDELL
DECEDEE LE 1ER MAI 1936
« QUE TA VOLONTE SOIT FAITE »

Poirot resta un moment immobile à observer la plaque.

Puis il murmura doucement :

— 1er mai... 1er mai... Et je reçois sa lettre aujourd'hui, le 28 juin. Vous comprenez, n'est-ce pas, Hastings, que ce mystère doive être élucidé ?

Je voyais bien qu'il le devait.

Ou plus précisément que Poirot avait décidé qu'il devait l'être.

8

L'intérieur de Littlegreen House

Lorsque nous quittâmes le cimetière, Poirot se dirigea d'un pas vif vers Littlegreen House. Je compris qu'il allait jouer de nouveau le rôle de l'éventuel acheteur. Tenant à la main les autorisations de visite de l'agent immobilier – celle de Littlegreen House sur le dessus –, il ouvrit la grille et remonta l'allée jusqu'à la porte d'entrée.

Cette fois, notre ami le terrier était invisible, mais nous l'entendions aboyer à l'intérieur de la maison, assez loin – à la cuisine, pensai-je.

Un bruit de pas retentit dans le vestibule et la porte s'ouvrit sur une femme au visage agréable, entre cinquante et soixante ans, le type même de la domestique d'autrefois, devenu rare de nos jours.

Poirot lui montra les papiers.

— Oui, monsieur. J'ai eu un coup de téléphone de l'agent immobilier. Voulez-vous bien me suivre ?

Les volets, clos lors de notre première reconnaissance du terrain, étaient maintenant grands ouverts en prévision de notre venue. Tout, je m'en rendis compte, était bien rangé et impeccable de propreté.

A l'évidence, notre guide était quelqu'un de très consciencieux.

— Voici le petit salon, monsieur.

Je jetai un regard approbateur autour de moi. C'était une pièce agréable, avec ses hautes fenêtres donnant sur la rue. Les meubles massifs, à l'ancienne, étaient de belle facture – époque victorienne pour la plupart – mais il y avait aussi une bibliothèque Chippendale et une série de superbes chaises Hepplewhite.

Poirot et moi, nous nous comportions comme n'importe quels clients possibles se faisant montrer une maison. Nous osions à peine bouger, paraissions légèrement mal à l'aise, murmurions des remarques du style « très joli », « quelle belle pièce » ou « le petit salon, dites-vous ? ».

La domestique nous fit traverser le vestibule, et entrer dans la pièce qui faisait face au petit salon : celle-ci était beaucoup plus grande.

— La salle à manger, monsieur.

Elle était à cent pour cent de style victorien. Lourde table en acajou, buffet massif en acajou, lui aussi, mais d'une couleur presque pourpre, avec de gros bouquets de fruits sculptés, solides chaises recouvertes de cuir. Au mur étaient accrochés des portraits des membres de la famille Arundell, certainement.

Le terrier avait continué de hurler là où on l'avait enfermé. Mais, soudain, on l'entendit plus distinctement : à présent, dans un crescendo d'aboiements, il courait dans le vestibule.

« *Qui* est entré ? Je vais le mettre en pièces »,
disait nettement « le refrain de sa chanson ».

Il apparut sur le seuil en reniflant bruyamment.

— Oh, Bob, le vilain chien ! s'exclama notre
guide. N'ayez crainte, messieurs, il ne vous fera
aucun mal.

Et Bob, en effet, ayant découvert qui étaient les
intrus, changea d'attitude du tout au tout. Il se précipita vers nous et se présenta très gentiment.

« Ravi de vous voir, je vous assure, observa-t-il
en reniflant nos chevilles. Pardonnez ce bruit, mais
j'ai mon travail à assurer, n'est-ce pas ? Je dois faire
attention à qui nous laissons entrer ici, vous savez.
Mais c'est une existence ennuyeuse, et je suis très
content d'avoir des visiteurs. Je me demande si
vous avez un chien, vous ? »

Cette dernière question m'était adressée, tandis
que je me penchais pour le caresser.

— C'est une brave bête, dis-je à la femme. Mais
il aurait besoin d'être un peu tondu.

— Oui, monsieur. On fait ça trois fois par an, en
général.

— Il est vieux ?

— Oh ! non, monsieur. Bob n'a pas six ans. Et
parfois, il se comporte comme un bébé. Il chipe
les chaussons de la cuisinière et fait le fou avec. Il
est très gentil, mais vous n'imaginez pas le boucan
qu'il est capable de faire. La seule personne à qui
il s'attaque, c'est le facteur. Il en a une peur bleue,
cet homme.

Bob s'intéressait à présent au pantalon de
Poirot. Ayant fait le tour de la question, il renifla

longuement (« Hum… pas trop mal, mais il n'aime pas beaucoup les chiens, celui-là ») avant de revenir vers moi, la tête penchée sur le côté, les yeux pleins d'espoir.

— Je ne sais pas pourquoi les chiens s'attaquent toujours aux facteurs, poursuivit notre guide.

— C'est une question de raisonnement, dit Poirot. Un chien raisonne. Il est intelligent, il fait ses déductions en fonction de son propre point de vue. Il y a des gens qui peuvent pénétrer dans une maison, et d'autres qui ne peuvent pas – cela, un chien ne tarde pas à l'apprendre. Eh bien, qui est-ce qui tente tout le temps de s'y introduire en venant frapper à la porte deux ou trois fois par jour – et que l'on n'invite jamais à entrer ? Le facteur. C'est donc manifestement quelqu'un d'indésirable pour le maître de maison. On le renvoie sans arrêt, et pourtant il n'a de cesse de revenir tenter sa chance ! Alors, le devoir du chien est clair – il doit aider à chasser cet intrus et le mordre si possible. C'est une démarche des plus logiques. (Il fit un large sourire à Bob.) Et je pense que celui-là est quelqu'un de très intelligent.

— Oh, oui, monsieur. Il ne lui manque que la parole, à notre Bob. (Elle ouvrit une autre porte.) Le salon, monsieur.

L'endroit évoquait pour moi le bon vieux temps. Il y flottait un léger parfum de fleurs séchées. Les rideaux de chintz étaient usés, et leurs guirlandes de roses arboraient des couleurs fatiguées. Aux murs pendaient des gravures et des aquarelles. Il y avait de nombreuses porcelaines – des bergers et des bergères fragiles. Il y avait des coussins brodés au point de croix ; des photographies jaunies dans de jolis cadres d'argent ; beaucoup de boîtes à ouvrage et de boîtes à thé en marqueterie. Je fus tout particulièrement fasciné par deux sous-verre – deux petits personnages féminins en papier de soie, délicatement découpés. L'une tournait un rouet, l'autre était assise avec un chat sur les genoux.

Je me sentais plongé dans l'atmosphère du temps jadis – époque de plaisirs, de raffinement, de « belles dames et de beaux messieurs ». Cet endroit était en effet une vraie « retraite ». C'était là que les dames s'installaient pour broder, et si par hasard une cigarette était fumée par un membre privilégié de la gent masculine, avec quel empressement, ensuite, les rideaux étaient-ils secoués et les lieux aérés !

Bob attira mon attention. Assis devant une jolie petite table à deux tiroirs, il nous fixait avec un grand sérieux.

Lorsqu'il vit que je l'observais, il émit un bref jappement plaintif, et son regard fit l'aller retour entre moi et la table.

— Qu'est-ce qu'il veut ? demandai-je.

L'intérêt que nous portions au chien faisait visiblement plaisir à la domestique qui, à l'évidence, l'aimait beaucoup.

— C'est sa balle, monsieur. On la rangeait toujours dans un de ces tiroirs. C'est pour ça qu'il s'assoit là et qu'il réclame.

Sa voix changea soudain. Elle s'adressa au chien sur un ton de fausset.

— Elle n'est plus là, mon trésor. La balle de Bob est dans la cuisine. Dans la cuisine, Bobbychounet.

Bob lança un regard impatient à Poirot.

« Cette bonne est une idiote, semblait-il vouloir dire. Vous, vous avez l'air d'un gars plus futé. On range les balles à certains endroits – dans ce tiroir, par exemple. Il y en a toujours eu une ici. Donc, il doit encore y en avoir une. C'est une évidente logique de chien, n'est-ce pas ? »

— Maintenant, elle n'y est plus, mon vieux, dis-je.

Il me regarda, pas convaincu. Puis, comme nous sortions de la pièce, il nous suivit lentement, l'air sceptique.

On nous montra divers placards, une penderie au rez-de-chaussée, et un petit office, « où la maîtresse s'occupait des fleurs, monsieur ».

— Etiez-vous depuis longtemps à son service ? demanda Poirot.

— Vingt-deux ans, monsieur.

— Vous êtes seule, ici, pour vous occuper de la maison ?

— Il y a aussi la cuisinière, monsieur.

— Et celle-ci est aussi chez miss Arundell depuis longtemps ?

— Quatre ans, monsieur. L'ancienne cuisinière est morte.

— Supposons que j'achète cette maison. Seriez-vous prête à continuer à travailler pour moi ?

Elle rougit légèrement.

— C'est très gentil à vous, monsieur, je vous assure, mais je prends ma retraite. La maîtresse m'a légué une belle petite somme, voyez-vous, et je vais aller vivre auprès de mon frère. Je reste ici et je m'occupe de tout – juste pour rendre service à miss Lawson, en attendant qu'elle vende.

Poirot acquiesça d'un signe de tête.

Dans le bref silence qui suivit, on entendit soudain un nouveau son.

« *Plop… Plop… PLOP…* »

Un bruit toujours identique, allant en s'amplifiant et semblant venir de l'étage.

— C'est Bob, monsieur. (La domestique souriait.) Il a trouvé sa balle et il l'a lancée du haut de l'escalier. C'est un petit jeu à lui.

Comme nous arrivions au bas des marches, une balle de caoutchouc noir rebondit à nos pieds avec un son mat. Je la ramassai et l'examinai. Couché sur le palier du premier, les pattes écartées, Bob remuait doucement la queue. Je la lui lançai, et il s'en saisit avec adresse, la mâchonna une minute ou deux avec un évident plaisir, puis la reposa entre ses pattes de devant et la poussa lentement avec son museau, avant de lui donner un petit coup de tête et de l'envoyer rouler à nouveau dans l'escalier. Il se mit à agiter frénétiquement la queue tout en observant sa dégringolade.

— Il ferait ça pendant des heures, monsieur. C'est un jeu habituel. Il peut continuer une journée entière. Ça suffit, maintenant, Bob ! Ces messieurs ont autre chose à faire que de jouer avec toi.

Rien de tel qu'un chien pour rompre la glace entre les gens. L'intérêt et l'affection que nous portions à Bob avaient vaincu la réserve de la brave employée. Tandis que nous montions à l'étage où se trouvaient les chambres, notre guide parla avec volubilité de la merveilleuse intelligence de Bob. La balle était restée au rez-de-chaussée. Quand nous passâmes devant lui, Bob nous décocha un coup d'œil écœuré puis, avec un air de dignité offensée, descendit pour aller la récupérer tout seul. Alors que nous tournions à droite, je le vis revenir lentement, son jouet dans la gueule, avec la démarche d'un très vieil homme auquel des êtres sans discernement auraient imposé une trop grosse fatigue.

Au cours de notre visite des chambres, Poirot commença peu à peu à faire parler notre hôtesse.

— Quatre demoiselles Arundell ont vécu dans cette maison, n'est-ce pas ? demanda-t-il.

— A l'origine oui, monsieur, mais c'était avant que je travaille ici. Il n'y avait plus que miss Agnes et miss Emily quand je suis arrivée, et miss Agnes est morte peu de temps après. C'était la plus jeune de la famille. Ça semble bizarre qu'elle nous ait quittés avant sa sœur.

— Je suppose qu'elle était plus fragile ?

— Oh non, monsieur, c'est ça qui est singulier. Ma miss Arundell, miss Emily, a toujours été la délicate de la famille. Toute sa vie elle a beaucoup fréquenté les docteurs. Miss Agnes était robuste, et pourtant elle est partie la première, tandis que miss Emily, qui était faible depuis l'enfance, a survécu à tout le monde. La vie est très bizarre, parfois.

— Oui, c'est même étonnant comme ce genre de choses est fréquent.

Poirot se plongea dans une histoire inventée de

toutes pièces – j'en étais sûr – à propos d'un oncle invalide, inutile que je me donne la peine de la rapporter ici ; il suffit de dire qu'elle eut l'effet escompté. Rien ne délie les langues comme les discussions sur la mort et autres sujets morbides. Poirot pouvait à présent poser des questions qui, auraient été considérées avec hostilité et suspicion vingt minutes plus tôt.

— La maladie de miss Arundell a-t-elle été longue et douloureuse ?

— Non, ce n'est pas ainsi que je présenterais les choses, monsieur. Elle avait une petite santé depuis très longtemps, si vous voyez ce que je veux dire – ça faisait bien deux hivers. Elle avait été très malade, à cette époque-là. La jaunisse. On a le visage tout jaune – et jusqu'au blanc des yeux.

— Ah, oui, en effet…

(Suivit une anecdote sur un cousin de Poirot qui avait dû être le Péril jaune en personne.)

— C'est exact. Juste comme vous le dites, monsieur. Elle a donc été gravement malade, la pauvrette. Elle ne pouvait rien garder. Entre nous, le Grainger a bien cru qu'elle ne survivrait pas. Mais il savait si bien la prendre… Il la secouait, vous voyez. « Vous avez décidé de vous allonger pour de bon et de commander votre pierre tombale ? » lui a-t-il lancé, un jour. Et elle a répondu : « J'ai encore envie de lutter un peu, docteur. » Et lui : « C'est bien. C'était ça que je voulais entendre. » On avait aussi une infirmière qui, elle, était persuadée que tout était fini. Elle a même dit une fois au docteur qu'elle se demandait s'il ne valait pas mieux ne plus embêter la vieille dame en la forçant à manger, mais si vous saviez comme il l'a attrapée» ! « C'est stupide ! qu'il s'est exclamé. Comment ça, l'ennuyer » ? Vous devez l'obliger à se nourrir, au contraire. » Du consommé de bœuf à heures fixes, du fortifiant, des petites cuillerées de cognac. A la fin, il lui a dit une chose que je n'ai jamais oubliée. « Vous êtes jeune, ma fille, vous ne vous rendez pas compte à quel point l'âge peut vous donner la volonté de vous battre. Ce sont les jeunes qui renoncent et qui meurent parce que la vie ne les intéresse pas suffisamment. Montrez-moi quelqu'un qui a vécu jusqu'à soixante-dix ans – voilà quelqu'un qui se bagarre, quelqu'un qui a la volonté de vivre. » Et c'est vrai, monsieur. On raconte toujours que les vieilles personnes sont formidables avec leur vitalité et toutes leurs facultés bien conservées, mais comme l'a expliqué le docteur, c'est justement *à cause de cela* qu'elles ont vécu si longtemps.

— Mais c'est profond, ce que vous dites-là très profond ! Et miss Arundell était comme ça ? Très vivante ? Adorant la vie ?

— Oh ! oui, en effet, monsieur. Sa santé était fragile, mais elle avait toute sa tête. Et comme je vous l'ai expliqué, elle s'est remise de cette maladie – à la grande surprise de l'infirmière, ça oui. Une pimbêche, qu'elle était celle-là, avec ses cols et ses manchettes amidonnés, et en plus il fallait lui servir du thé à n'importe quelle heure de la journée !

— Une belle guérison.

— Oui, en effet, monsieur. Naturellement, la maîtresse a dû suivre un régime – tout devait être bouilli ou cuit à la vapeur. Graisse et œufs interdits. Ce n'était pas très drôle pour elle.

— Enfin, le principal c'est qu'elle ait recouvré la santé.

— Oui, monsieur. Bien sûr, elle avait encore de petites crises, parfois. Ce que je nommais ses attaques de bile. Au bout d'un moment, elle avait un peu cessé de surveiller sa nourriture. Mais ces crises n'étaient jamais très sérieuses – jusqu'à la dernière.

— C'était la même maladie que deux ans auparavant ?

— Oui, exactement la même, monsieur. De nouveau, cette horrible jaunisse et cet affreux teint jaune, et ces terribles nausées et tout le reste. Elle l'a cherché, je le crains, la pauvre chérie. Elle mangeait beaucoup de choses qu'il ne fallait pas. Le soir où elle s'est trouvée mal, elle avait pris du curry et comme vous le savez, monsieur, le curry est une nourriture riche et un peu grasse.

— Elle est tombée malade subitement, n'est-ce pas ?

— Eh bien oui, monsieur, apparemment. Mais le Dr Grainger a dit que ça la guettait depuis un bon moment. Il a suffi d'un coup de froid – le temps avait été très changeant – et d'une nourriture trop riche.

— Sa dame de compagnie – miss Lawson était bien sa dame de compagnie, n'est-ce pas – aurait pu tout de même l'empêcher de manger des choses qui lui faisaient mal ? :

— Oh ! miss Lawson n'avait guère voix au

chapitre. Miss Arundell n'était pas du genre à se laisser donner des ordres.

— Miss Lawson était-elle déjà avec elle lors de sa première jaunisse ?

— Non, elle est arrivée après. Elle n'était ici que depuis environ un an.

— Je suppose que miss Arundell a eu d'autres dames de compagnie ?

— Oh ! oui, monsieur, un bon nombre.

— Elles ne restaient pas aussi longtemps que ses domestiques, commenta Poirot en souriant.

Son interlocutrice rougit.

— Eh bien, voyez-vous, monsieur, c'était différent. Miss Arundell sortait très peu et une chose entraînant l'autre…

Elle s'interrompit.

Poirot l'observa un moment, puis il dit :

— Je comprends un peu le caractère des vieilles dames. Elles ont un besoin maladif de nouveauté, n'est-ce pas ? Elles ont vite fait de se lasser de quelqu'un.

— Oui, c'est très bien vu, monsieur. Exactement ça. Quand une nouvelle arrivait, miss Arundell s'intéressait toujours à elle, au début – sa vie, son enfance, les endroits où elle était allée, ses opinions – et ensuite, lorsqu'elle savait tout, eh bien je suppose qu'elle s'ennuyait, oui, c'est bien le mot qui convient.

— Exactement. Et entre nous, ces personnes qui se placent comme dames de compagnie ne sont en général ni très intéressantes ni très amusantes, hein ?

— En effet, monsieur. Elles sont timorées, pour

la plupart. Et complètement stupides, parfois. Miss Arundell en faisait vite son affaire, pour ainsi dire. Et ensuite elle changeait, elle prenait quelqu'un d'autre.

— Elle devait être attachée à miss Lawson plus que de coutume, pourtant ?

— Oh ! je ne crois pas, monsieur

— Miss Lawson n'avait pas de qualités particulières ?

— Je ne dirais pas ça, monsieur. C'est une personne… tout à fait ordinaire.

— Vous l'aimez bien, oui ?

Elle haussa légèrement les épaules.

— Il n'y a rien, chez elle, d'aimable ni de détestable. Elle a toujours été maniaque, la vieille fille typique, et elle racontait des tas de sottises sur les esprits.

— *Les esprits ?* répéta Poirot, soudain intéressé.

— Oui, monsieur, les esprits. On s'assoit dans l'obscurité autour d'une table et les morts reviennent et ils vous parlent. Moi, j'estime que c'est tout à fait contraire à la religion. Comme si nous ne savions pas que les âmes qui s'en sont allées ont trouvé la place qui leur convient et qu'il est peu probable qu'elles en bougent !

— Ainsi, miss Lawson est une adepte du spiritisme ! Miss Arundell y croyait aussi ?

— Miss Lawson aurait bien voulu, répliqua la domestique, sur un ton où perçait un soupçon de malice.

— Mais ce n'était pas le cas ? insista Poirot.

— La maîtresse avait trop de bon sens, grommela-t-elle. Remarquez, je ne dis pas que ça ne *l'amusait* pas. « Je ne demande qu'à être convaincue », répétait-elle. Mais elle considérait souvent miss Lawson avec l'air de dire : « Ma pauvre, faut-il que vous soyez gourde pour vous laisser prendre à ça ! »

— Je comprends. Elle n'y croyait pas, mais c'était pour elle un sujet d'amusement.

— C'est exact, monsieur. Je me suis parfois demandé si elle ne prenait pas, pour ainsi dire, un plaisir – bien innocent – à faire bouger elle-même la table et tout ça, alors que les autres y croyaient dur comme fer.

— Les autres ?

— Miss Lawson et les deux miss Tripp.

— Miss Lawson est une spirite très convaincue ?

— Elle tient tout cela pour parole d'évangile, monsieur.

— Et miss Arundell était très attachée à miss Lawson, bien sûr ?

C'était la seconde fois que Poirot faisait cette remarque, et il reçut la même réponse.

— Eh bien, pas vraiment, monsieur.

— Mais enfin…, dit Poirot. Si elle lui a tout légué… C'est bien cela, n'est-ce pas ?

Le changement fut immédiat. L'être humain céda la place à la domestique irréprochable. Elle se redressa et répondit d'une voix froide excluant désormais toute familiarité.

— La manière dont ma patronne a cru bon de disposer de son argent ne me regarde pas, monsieur.

Je sentis que Poirot avait saboté tout son travail. Après avoir mis la domestique en confiance, il était en train de ruiner tout son avantage. Il fut assez

habile, cependant, pour ne pas essayer immédiatement de reconquérir le terrain perdu. Après un
commentaire banal sur la superficie et le nombre
des chambres, il se dirigea vers l'escalier.

Bob avait disparu, mais en arrivant sur le palier,
je trébuchai sur quelque chose et faillis tomber. Je
réussis à me retenir en m'appuyant à la rampe ; en
baissant les yeux, je me rendis compte alors que
j'avais, par inadvertance, posé le pied sur la balle
abandonnée par Bob à cet endroit.

La domestique s'empressa de s'excuser.

— Je suis désolée, monsieur. C'est de la faute
de Bob. Il laisse toujours traîner sa balle ici. Et on
ne la voit pas, sur le tapis foncé. Quelqu'un va se
tuer, un jour. La pauvre patronne a fait une mauvaise chute à cause de ça. Elle aurait très bien pu
en mourir.

Poirot s'immobilisa brusquement dans les escaliers.

— Vous dites qu'elle a eu un accident ?

— Oui, monsieur. Bob a posé sa balle ici, comme
il le fait souvent, et la patronne est sortie de sa
chambre, elle a trébuché dessus et elle a dégringolé
jusqu'au bas des escaliers. Elle aurait pu se tuer.

— Elle a été gravement blessée ?

— Pas autant qu'on aurait pu s'y attendre. Le
Dr Grainger a dit qu'elle avait eu de la chance. Elle
s'est fait une plaie à la tête et s'est froissé les muscles
du dos ; bien sûr, elle a eu des bleus partout et ça lui
a fait un vilain choc. Elle a gardé le lit pendant une
semaine, mais ce n'était pas très grave.

— C'est arrivé il y a longtemps ?

— Une semaine ou deux avant sa mort.

Poirot se baissa pour ramasser quelque chose qu'il venait de laisser tomber.

— Pardon. Mon stylo… Ah, oui, le voilà.

Il se releva.

— Il est négligent, notre ami Bob, observa-t-il.

— Ah ! mais il ne sait pas, monsieur, répondit la domestique d'une voix indulgente. Peut-être qu'il ne lui manque que la parole, mais on ne peut pas tout avoir. La maîtresse, vous voyez, ne dormait pas tellement la nuit et il lui arrivait souvent de se lever, de descendre en bas et de tourner dans la maison.

— Souvent, dites-vous ?

— Presque toutes les nuits. Mais elle ne voulait ni miss Lawson ni personne, à ce moment-là.

Poirot était entré de nouveau dans le salon.

— C'est une pièce magnifique, dit-il. Je me demande s'il y aurait assez de place pour ma biblio-thèque dans ce renfoncement ? Qu'en pensez-vous, Hastings ?

Pris au dépourvu, je lui fis prudemment remarquer que c'était difficile à dire.

— C'est vrai, les dimensions sont parfois si trom-peuses ! Tenez, voici mon mètre ; mesurez, s'il vous plaît, la largeur de ce pan de mur. Je vais noter.

Obéissant, je saisis le mètre pliant que Poirot me tendait et je pris diverses mesures sous sa direc-tion, qu'il inscrivit au dos d'une enveloppe.

Je commençais à trouver étrange qu'il utilisât une méthode aussi brouillonne et inhabituelle, au lieu d'inscrire soigneusement tous ces chiffres dans son petit carnet – lorsqu'il me fit passer son morceau de papier en disant :

— C'est correct, n'est-ce pas ? Vous devriez peut-être quand même jeter un coup d'œil là-dessus.

Il n'y avait aucun chiffre sur son enveloppe. Mais Poirot avait écrit : « Lorsque nous remonterons à l'étage, faites semblant de vous rappeler un rendez-vous et demandez si vous pouvez donner un coup de fil. Laissez la bonne vous accompagner, et retenez-la le plus longtemps possible. »

— Oui, tout est juste, fis-je en tapotant l'enveloppe. A mon sens, les deux bibliothèques entreront parfaitement.

— Il vaut tout de même mieux vérifier. Je crois, madame, si cela ne vous dérange pas trop, que j'aimerais revoir la chambre à coucher principale. Je ne suis pas tout à fait sûr de la surface de mur disponible dans cette pièce.

— Certainement, monsieur. Il n'y a pas de problème.

Nous remontâmes donc. Poirot mesura un panneau ; il était juste en train de commenter à haute voix les emplacements possibles du lit, de la penderie et du bureau, lorsque, regardant ma montre, je sursautai d'une manière quelque peu exagérée, et m'exclamai :

— Mon Dieu ! Savez-vous qu'il est déjà 3 heures ? Que va penser Anderson ? Je devrais l'appeler. (Je me tournai vers la domestique.) Serait-il possible d'utiliser votre téléphone – si vous en avez un ?

— Mais oui, certainement, monsieur. Il se trouve

dans la petite pièce qui donne dans le vestibule. Je vais vous y conduire.

Elle descendit rapidement avec moi, m'indiqua l'appareil, puis je lui demandai de m'aider à trouver un numéro dans l'annuaire. Finalement, je passai un coup de fil à un certain Mr Anderson, à Harchester, la ville voisine. Par chance, il était absent, et je pus laisser un message disant que ce n'était pas grave et que je rappellerais !

Lorsque je sortis de cette petite pièce, Poirot était redescendu de l'étage et avait regagné le vestibule. Ses yeux avaient un léger reflet vert. Je voyais bien qu'il était excité, mais je n'aurais su dire pourquoi.

— Cette chute du haut des marches a sans doute été un terrible choc pour votre patronne, remarqua-t-il. Semblait-elle préoccupée par Bob et sa balle, après cela ?

— C'est drôle que vous disiez ça, monsieur. Parce qu'elle a été très préoccupée, en effet. Mon Dieu, au moment de mourir, pendant son délire, elle n'a pas arrêté de divaguer à propos de Bob, de sa balle et d'une image qui était évasée.

— *Une image qui était évasée*, répéta Poirot, pensif.

— Bien sûr, ça n'a aucun sens, monsieur, mais elle divaguait, vous comprenez.

— Un moment – permettez-moi de retourner un instant au salon.

Là, il fit le tour de la pièce en examinant avec soin les bibelots. Un grand vase coiffé d'un couvercle retint particulièrement son attention. Ce n'était pas, à mon avis, une porcelaine de collection, mais plutôt un exemple d'humour victorien, représentation assez grossière d'un bouledogue assis, l'air triste, devant une porte. En dessous, une légende disait : « J'ai découché, et j'n'ai pas de clé. »

Poirot, que je soupçonne depuis toujours d'avoir des goûts désespérément petit-bourgeois, semblait en admiration devant l'objet.

— *J'ai découché et j'n'ai pas de clé*, murmura-t-il. C'est amusant, ça ! Est-ce que c'est vrai pour monsieur Bob ? Reste-t-il souvent dehors toute la nuit ?

— Très rarement, monsieur. Oh ! très rarement. Bob est un très bon chien, ça oui.

— J'en suis sûr. Mais, même le meilleur des chiens…

— Oh ! vous avez tout à fait raison, monsieur. Une fois ou deux il est parti et n'est revenu à la maison qu'à 4 heures du matin, peut-être. Alors il s'assoit sur les escaliers et il aboie jusqu'à ce qu'on lui ouvre.

— Qui le fait entrer, alors – miss Lawson ?

— Eh bien, la première personne qui l'entend, monsieur. Mais c'était en effet miss Lawson, la dernière fois, monsieur. La nuit de l'accident de la maîtresse. Bob n'a été de retour que vers 5 heures. Miss Lawson s'est dépêchée de lui ouvrir avant qu'il ne fasse trop de bruit. Elle avait peur qu'il ne réveille la maîtresse ; pour éviter de l'inquiéter, elle ne lui avait pas dit que Bob était parti.

— Je vois. Elle pensait qu'il valait mieux que miss Arundell ne fût pas au courant.

— C'est ce qu'elle a dit, monsieur. Elle a dit : « Il, reviendra certainement. Il revient toujours. Mais elle pourrait se faire du souci et ce n'est jamais. bon. » Aussi nous nous sommes tues.

— Bob aimait-il miss Lawson ?

— Ma foi, il la méprisait un peu, si vous voyez ce que je veux dire, monsieur. Certains chiens sont ainsi. Elle était gentille avec lui, elle l'appelait « le bon toutou, le gentil toutou, mon Bobbychounet », mais lui, il la regardait avec une sorte de dédain et il se moquait pas mal des ordres qu'elle lui donnait.

Poirot acquiesça d'un signe de tête.

— Je vois, dit-il.

Et soudain, il fit quelque chose qui me prit totalement au dépourvu.

Il tira une lettre de sa poche – la lettre qu'il avait reçue le matin même.

— Ellen, demanda-t-il alors, savez-vous quelque chose à propos de ceci ?

La transformation du visage d'Ellen fut remarquable.

Elle fixa Poirot, bouche bée, avec une telle stupeur que c'en était presque comique.

— Non ! s'exclama-t-elle. Je n'ai jamais fait ça !

Sa réponse manquait peut-être de cohérence, mais ne laissait aucun doute sur ce que voulait dire Ellen.

— Etes-vous donc le monsieur à qui cette lettre était adressée ?

— Oui. Je suis Hercule Poirot.

Comme cela se produisait généralement avec la plupart des gens, Ellen n'avait pas lu le nom inscrit sur l'autorisation de visite que Poirot lui avait tendue en arrivant. Elle hocha lentement la tête.

— C'était ça, dit-elle. *Hercules Poirot*. (Elle avait ajouté un S au prénom et prononcé le T du nom.) Mon Dieu ! C'est la cuisinière qui va être surprise.

— Peut-être que l'on pourrait aller discuter à la cuisine de cette affaire avec votre amie ? proposa Poirot rapidement.

— Eh bien... Si cela ne vous dérange pas, monsieur.

Ellen paraissait juste un peu indécise. Elle n'avait, à l'évidence, jamais eu à affronter pareil dilemme social. Mais les manières directes de Poirot la rassuraient, et nous nous dirigeâmes donc vers la cuisine. Ellen expliqua la situation à une grosse femme au visage agréable qui venait de retirer une bouilloire du gaz.

— Vous n'allez pas me croire, Annie. C'est à ce monsieur que la lettre était adressée. Vous vous souvenez, celle que j'ai trouvée dans le sous-main.

— N'oubliez pas que je ne suis au courant de rien, dit Poirot. Peut-être pourrez-vous m'expliquer pourquoi cette lettre a été postée avec tant de retard ?

— Eh bien, monsieur, pour être franche, je ne savais pas quoi en faire. Aucune de nous deux ne le savait, n'est-ce pas, Annie ?

— C'est exact, confirma la cuisinière.

— Voyez-vous, monsieur, quand miss Lawson a fait le tri dans les affaires de la patronne, après sa mort, beaucoup de choses ont été données ou jetées. Entre autres, un petit sous-main en carton-pâte, je crois que c'est comme ça que ça s'appelle. Il était très joli, avec un brin de muguet sur le dessus.

La maîtresse l'utilisait toujours lorsqu'elle écrivait dans son lit. Bon, miss Lawson ne voulait pas le garder, alors elle me l'a donné avec d'autres bricoles qui avaient appartenu à la patronne. Je l'ai rangé dans un tiroir, et c'est seulement hier que je l'ai ressorti. Je voulais changer le buvard pour pouvoir m'en servir. A l'intérieur, il y avait une sorte de poche, dans laquelle j'ai glissé les doigts et qu'est-ce que je découvre au fond ? Une lettre écrite par la patronne.

» Bon, comme je vous l'ai dit, je ne savais pas trop quoi en faire. Elle était de la main de la maîtresse ; j'avais l'impression de voir miss Arundell l'écrire et la glisser là-dedans en attendant de la poster le lendemain et puis oubliant de le faire – c'était le genre de chose qui lui arrivait souvent, la pauvre chérie. Une fois ça s'est produit avec un chèque-dividende pour la banque, et personne n'a réussi à le retrouver et finalement il était tout au fond d'un casier du bureau.

— Etait-elle désordonnée ?

— Oh, non, monsieur, exactement le contraire ! Elle n'arrêtait pas de tout ranger et de tout nettoyer. C'était ça, l'ennui, d'une certaine façon. Ç'aurait vraiment été mieux si elle avait un peu laissé traîner ses affaires. Elle les mettait quelque part, et puis elle oubliait ce qu'elle avait bien pu fabriquer avec.

— Des choses comme la balle de Bob, par exemple ? demanda Poirot en souriant.

L'astucieux petit terrier, qui venait de rentrer du jardin, recommença à nous faire amicalement fête.

— Oui, monsieur, en effet. Dès que Bob avait fini de jouer avec sa balle, elle la rangeait. Mais ça, ça allait car la balle avait une place bien précise – dans le tiroir du petit secrétaire que je vous ai montré.

— Je vois. Mais je vous ai interrompue. Je vous en prie, continuez. Vous avez donc découvert la lettre dans le sous-main.

— Oui, monsieur, c'est ça. Puis j'ai demandé à Annie ce que je devais faire. Je n'avais aucune envie de la jeter au feu – et, bien sûr, je ne pouvais pas me permettre de l'ouvrir ; en outre, ni Annie ni moi ne pensions que cela concernait miss Lawson ; aussi, après en avoir discuté un moment, je me suis contentée de coller un timbre dessus et j'ai filé la mettre à la boîte aux lettres.

Poirot se tourna légèrement vers moi.

— Et, voilà ! murmura-t-il.

Je ne pus m'empêcher de dire, sur un ton malicieux :

— C'est fou ce qu'une explication peut être simple et évidente !

J'eus l'impression qu'il était un peu déçu, et je m'en voulus d'avoir si vite retourné le couteau dans la plaie.

— Comme le dit mon ami, reprit-il en regardant Ellen de nouveau : « Une explication peut être simple et évidente ! » Vous comprenez que j'aie pu être plutôt surpris lorsque j'ai reçu une lettre datée de plus de deux mois.

— Oui, j'imagine que vous avez dû l'être, monsieur. Nous n'avions pas pensé à cela.

— Et puis, ajouta Poirot en toussotant, j'ai un

petit problème. Cette lettre, vous voyez… C'était une mission que miss Arundell voulait me confier. Une affaire quelque peu personnelle. (Il s'éclaircit la gorge, avec un air important.) Maintenant que miss Arundell est morte, je ne sais plus trop quoi faire. Aurait-elle souhaité ou pas me voir me charger de cette mission quand même, en ces circonstances ? C'est difficile, très difficile.

Les deux femmes le considéraient avec respect.

— J'aurais besoin, je pense, de consulter le notaire de miss Arundell. Elle en avait bien un, n'est-ce pas ?

Ellen s'empressa de répondre :

— Oh ! oui, monsieur. Mr Purvis, à Harchester.

— Il est au courant de toutes ses affaires ?

— Je crois, monsieur. Aussi loin que remontent mes souvenirs, c'est toujours lui qui s'est occupé de tout. C'est lui qu'elle a fait appeler après la chute.

— La chute dans les escaliers ?

— Oui, monsieur.

— Maintenant, si vous me disiez quel jour ça s'est passé exactement ?

La cuisinière intervint :

— Le lendemain d'un jour férié. Je m'en souviens bien. Je suis restée travailler ce jour-là, vu qu'elle avait tous ces gens chez elle, et j'ai pris mon mercredi à la place.

Poirot sortit son petit agenda de poche.

— Précisément… Précisément… Pâques, je vois, tombait le 13, cette année. Donc miss Arundell a eu son accident le 14. Elle m'a écrit cette lettre trois jours plus tard. C'est dommage qu'elle ne l'ait jamais envoyée. Pourtant, il n'est peut-être pas encore trop tard. (Il s'interrompit un instant.) Il me semble bien que la… euh… mission qu'elle voulait me confier avait un rapport avec l'un des… euh… invités dont vous venez de parler.

Cette réflexion, qui aurait pu n'être qu'une simple hypothèse lancée à l'aveuglette, eut un effet immédiat. Une lueur passa, très vite, sur le visage d'Ellen, Comme si elle venait de comprendre quelque chose. Elle se tourna vers la cuisinière qui lui donna un coup d'œil significatif. Puis elle dit :

— Ça pourrait être Monsieur Charles.

— Si vous me disiez seulement qui était là…, suggéra Poirot.

— Le Dr Tanios et sa femme, Bella, et puis miss Theresa et Mr Charles.

— Tous des nièces et des neveux de miss Arundell ?

— Exact, monsieur. Le Dr Tanios, bien sûr, n'est pas de leur sang. En fait, c'est un étranger, un Grec ou quelque chose comme ça, je crois. Il a épousé Bella, la nièce de miss Arundell, la fille de sa sœur. Charles et Theresa sont frères et sœurs.

— Je vois. Une réunion de famille. Quand sont-ils repartis ?

— Le mercredi matin, monsieur. Le Dr Tanios et sa femme sont revenus le week-end suivant, parce qu'ils se faisaient du souci pour miss Arundell.

— Et Mr Charles ? Et miss Theresa ?

— Le week-end d'après. Le week-end précédant sa mort.

La curiosité de Poirot, je le sentais, était illimitée.

Pour moi, je ne comprenais pas à quoi rimaient ces questions sans fin. Il avait la réponse à son mystère et, à mon avis, plus vite maintenant il se retirerait dans la dignité, mieux cela vaudrait.

Il sembla lire dans mes pensées.

— Eh bien, dit-il, les informations que vous m'avez données me sont très utiles. Il faut que je rencontre ce… Mr Purvis, c'est bien ce nom-là que vous avez dit, n'est-ce pas ? Merci beaucoup pour toute l'aide que vous m'avez apportée.

Il se baissa pour caresser Bob.

— Brave chien-chien, va ! Tu l'aimais bien, ta maîtresse.

Bob répondit aimablement à ces avances et, espérant avoir trouvé un compagnon de jeu, il alla chercher un gros morceau de charbon – qu'on lui retira aussitôt, après l'avoir grondé. Il se tourna vers moi et mendia un peu de réconfort.

« Ces femmes ! semblait-il dire. Elles vous nourrissent correctement, mais elles ne sont pas fichues de s'intéresser au sport ! »

9

RECONSTITUTION DE L'INCIDENT
DE LA BALLE DU CHIEN

— Eh bien, Poirot, j'espère que vous êtes content maintenant ! dis-je, tandis que la grille de Little-green House se refermait derrière nous.

— Oui, mon ami. Je suis satisfait.

— Dieu soit loué ! Tous les mystères sont éclaircis ! Le mythe de la Méchante Dame de compagnie et de la Vieille Femme riche s'est dégonflé. Nous avons eu l'explication du retard de la lettre et même du fameux incident de la balle du chien. Les choses sont rentrées dans l'ordre de manière satisfaisante, et dans les formes requises.

Poirot fit entendre une petite toux sèche et répondit :

— Je n'emploierais pas le terme « satisfaisant », Hastings.

— Vous venez de le faire il y a une minute.

Non, non. Je n'ai pas prétendu que la situation était *satisfaisante*. J'ai dit, parlant de ma curiosité, qu'elle était *satisfaite*. Je connais désormais la vérité sur l'incident de la balle du chien.

— Ça aussi, c'était d'une simplicité enfantine !

— Pas autant que vous le pensez... (Il hocha la

tête à plusieurs reprises.) Voyez-vous, mon tout bon, je sais une petite chose que vous ignorez.

— Et laquelle ? demandai-je, avec un certain scepticisme.

— Je sais qu'*on a enfoncé un clou dans la plinthe, en haut de l'escalier*.

Je le dévisageai. Son expression était tout ce qu'il y a de sérieuse.

— Et alors ? dis-je au bout d'un instant. Pourquoi n'aurait-on pas enfoncé un clou à cet endroit-là ?

— Hastings, la vraie question, c'est : « Pourquoi y en a-t-on enfoncé un ? »

— Comment le saurais-je ? Pour une quelconque raison d'ordre domestique, peut-être. Est-ce important ?

— Certainement. Et je ne vois aucune « raison d'ordre domestique », comme vous dites, de planter un clou à cet endroit précis, en haut de la plinthe. En outre, il était peint avec soin pour passer inaperçu.

— A quoi voulez-vous en venir, Poirot ? Vous avez une explication, *vous* ?

— Je suis capable de l'imaginer sans trop de difficulté. Si vous voulez tendre une ficelle solide ou un fil de fer en travers de l'escalier à une trentaine de centimètres du sol, vous pouvez en attacher une extrémité à la balustrade, mais du côté du mur vous aurez besoin de quelque chose du genre d'un clou pour fixer l'autre extrémité.

— Poirot ! m'écriai-je. Où diable voulez-vous en venir ?

— Mon très cher ami, je suis en train de reconstituer *l'incident de la balle du chien*. Vous désirez des détails ?

— Je vous écoute.

— Eh bien, voilà. Quelqu'un a remarqué que Bob laissait souvent traîner sa balle en haut des escaliers. Pratique dangereuse qui risquait de provoquer un accident… (Il s'interrompit un instant, avant de reprendre sur un ton légèrement différent :) Si vous, aviez envie de tuer quelqu'un, Hastings, comment vous y prendriez-vous ?

— Je… Euh, vraiment, je n'en sais rien. Je m'inventerais un *alibi* ou quelque chose de ce genre, je suppose.

— Méthode à la fois difficile et risquée, je vous assure. D'ailleurs, vous n'avez pas le type du meurtrier calculateur capable de tuer de sang-froid. Ne vous semble-t-il pas que le *meilleur* moyen de vous débarrasser de quelqu'un qui vous gêne est de tirer parti d'un *accident* ? Des accidents se produisent tout le temps… Et parfois, Hastings, *on peut même les aider à se produire* ! (Il se tut une minute, avant de poursuivre :) A mon avis, cette balle abandonnée par hasard en haut de l'escalier a fourni une idée à notre meurtrier. Miss Arundell avait l'habitude de sortir de sa chambre la nuit et d'errer dans la maison – sa vue n'étant pas très bonne, il était tout à fait vraisemblable de penser qu'un jour elle trébucherait et dégringolerait les marches la tête la première. Mais un assassin consciencieux ne s'en remet pas à la chance. Un *fil* tendu en haut de l'escalier est une bien meilleure méthode pour la faire

chuter. Ensuite, lorsque toute la maisonnée se précipite sur les lieux du drame, la *cause* de l'accident
est là, bien en vue *la balle de Bob* !

— Quelle horreur ! m'écriai-je.

— Oui, c'est horrible…, dit Poirot d'une voix
grave. Mais ça a échoué. Alors qu'elle aurait vraiment pu se rompre le cou, miss Arundell n'a été
que légèrement blessée. Quelle déception pour
notre ami inconnu ! De plus, miss Arundell était
une vieille demoiselle très pénétrante. Tout le
monde lui disait qu'elle avait trébuché sur la balle,
et en effet cette balle était là, en évidence, mais lorsqu'elle se rappelait les faits, Emily Arundell avait le
sentiment que l'accident s'était produit autrement.
Elle n'avait pas glissé sur la balle. Et, en outre, elle
se souvenait d'autre chose. *Elle se souvenait d'avoir
entendu Bob aboyer dehors pour se faire ouvrir la porte
à 5 heures du matin.*

» Ce dernier point, je l'admets, relève plutôt de
la conjecture, mais je ne crois pas me tromper. La
veille au soir, *miss Arundell avait rangé elle-même la
balle dans le tiroir habituel.* Ensuite, Bob était sorti, *et
il n'était pas rentré de la nuit.* Dans ce cas, ce n'était
pas lui qui avait abandonné la balle sur le palier.

— Il ne s'agit là que de conjecture pure et simple,
Poirot ! protestai-je.

— Pas tout à fait, mon bon ami, objecta-t-il. Il y a
les paroles révélatrices prononcées par miss Arundell
pendant son délire – quelque chose à propos de la
balle de Bob et d'une « image évasée ». Vous voyez
ce que je veux dire, n'est-ce pas ?

— Pas le moins du monde.

— Bizarre. Je connais suffisamment votre langue pour savoir que l'on ne parle pas d'une image évasée. Un entonnoir est évasé, mais une image est déformée.

— Ou tout simplement agrandie.

— Ou tout simplement agrandie, comme vous dites. Aussi… Aussi me suis-je immédiatement rendu compte qu'Ellen avait mal compris cette expression. Ce n'était pas « évasée » que miss Arundell voulait dire, mais « du vase ». Et justement, dans le salon, il y a un vase en porcelaine qui ne passe pas inaperçu, sur lequel je me souvenais avoir remarqué « l'image » d'un chien. En gardant à l'esprit ce qu'avait dit miss Arundell dans son délire, j'y suis retourné et j'ai examiné cet objet de plus près. J'ai constaté qu'il était décoré avec *un chien qui avait découché.* Vous suivez le cheminement de la pensée de cette femme en proie à la fièvre ? Bob était comme ce chien sur « l'image du vase » – il avait découché –, *il ne pouvait donc pas avoir laissé la balle en haut des escaliers.*

— Vous êtes diabolique, Poirot ! m'écriai-je, plein d'admiration malgré moi. Comment pouvez-vous penser à des choses pareilles ? Ça me dépasse !

— Je n'y *pense* pas. Elles sont *là*, évidentes, pour quiconque veut les voir. Eh bien, vous comprenez la situation, maintenant ? Miss Arundell, alitée à la suite de son accident, est saisie par le doute. Elle se dit qu'elle se fait peut-être des idées et que tout cela est absurde, mais les faits sont là. « *Depuis l'incident de la balle du chien, mes soupçons et mon inquiétude continuent d'augmenter.* » Et donc… donc elle m'écrit une lettre qui, hélas, ne me parvient que deux mois plus tard. Et dites-moi, cette lettre ne correspond-elle pas *parfaitement* aux faits que je viens d'évoquer ?

Je dus admettre que oui.

— Un autre point mérite notre attention, poursuivit Poirot. Miss Lawson semblait tenir absolument à ce que miss Arundell ignorât que Bob avait passé la nuit dehors.

— Vous pensez qu'elle…

— Je pense que ce fait doit être noté avec beaucoup de soin.

Je retournai la chose dans ma tête pendant un instant, puis je conclus, dans un soupir :

— Tout ceci est très intéressant – comme gymnastique cérébrale, j'entends. Et je vous tire mon chapeau. Votre reconstitution est un chef-d'œuvre. Il est presque dommage, vraiment, que la vieille dame soit décédée.

— Dommage, en effet. Elle m'écrit que quelqu'un a essayé de la tuer – ça se résume à cela, en gros – et très peu de temps après, elle meurt !

— Oui, dis-je, et cette mort naturelle vous déçoit beaucoup, n'est-ce pas ? Allez, admettez-le.

Poirot haussa les épaules.

— … Ou peut-être pensez-vous que miss Arundell a été empoisonnée ? conclus-je malicieusement.

Poirot secoua la tête, comme découragé.

— Il semble certain, en effet, qu'elle a succombé à une mort naturelle, reconnut-il.

— Et donc, nous rentrons à Londres la queue entre les jambes.

— Mille pardons, mon bon ami, mais nous ne rentrons pas à Londres.

— Que voulez-vous dire, Poirot ? m'écriai-je.

— Si vous mettez le chien sur la piste du lapin, Hastings, retourne-t-il à Londres ? Non – il plonge dans le terrier.

— Je ne comprends pas.

— Le chien chasse les lapins, et Hercule Poirot les meurtriers. Nous sommes en présence d'un assassin – un assassin qui a raté son coup, oui, peut-être, mais un assassin tout de même. Et moi aussi je vais plonger dans le terrier, mon bon ami, pour le coincer, lui ou elle, selon le cas.

Sans avertissement, il franchit le portail devant lequel nous passions.

— Où allez-vous, Poirot ? demandai-je.

— Dans le terrier, mon ami. C'est ici qu'habite le Dr Grainger, qui s'est occupé de miss Arundell lors de son ultime maladie.

Le Dr Grainger était un homme d'une soixantaine d'années, au visage maigre et osseux et au menton agressif. Il avait d'épais sourcils et de petits yeux intelligents. Son regard pénétrant se posa sur moi, puis sur Poirot.

— Que puis-je pour vous ? demanda-t-il d'un ton bourru.

Poirot se lança dans l'une de ces tirades flamboyantes dont il avait le secret :

— Il me faut vous prier d'excuser notre intrusion, docteur Grainger. Il me faut vous avouer sur-le-champ que je ne viens pas vous consulter pour une raison médicale…

Le Dr Grainger répondit, très pince-sans-rire :

— Heureux de vous l'entendre dire. Vous me semblez suffisamment bien portant comme vous êtes.

— Laissez-moi vous expliquer les raisons de ma visite, poursuivit Poirot. La vérité, en l'occurrence, c'est que j'écris un livre – une biographie de feu le général Arundell qui, d'après ce que j'ai compris, a vécu quelques années à Market Basing.

Le médecin parut plutôt surpris.

— Oui. Le général Arundell a habité ici jusqu'à sa mort, en effet. A Littlegreen House – juste au bout de la rue, après la banque –, vous êtes allé jusque-là, peut-être ? (Poirot fit oui de la tête.) Mais vous imaginez bien que c'était avant mon arrivée dans le coin. Je ne me suis installé ici qu'en 1919.

— Vous connaissiez pourtant sa fille, feu miss Arundell ?

— Oui, je connaissais bien Emily Arundell.

— Vous comprenez, c'est pour moi un coup très dur de découvrir que miss Arundell est morte récemment.

— Fin avril.

— C'est ce que j'ai appris. Je comptais sur elle, voyez-vous, pour me communiquer divers détails personnels sur son père et me raconter des souvenirs sur lui.

— Certainement… Certainement. Mais je ne vois pas ce que je peux faire en ce domaine.

— Savez-vous si certains enfants du général Arundell sont encore vivants ?

— Ils sont tous morts. Tous.

— Combien étaient-ils ?

— Cinq. Quatre filles et un garçon.

— Et la génération suivante ?

— Il y a Charles Arundell et sa sœur Theresa. Vous pourriez prendre contact avec eux. Je doute, cependant, qu'ils vous soient d'une grande utilité. Les jeunes ne s'intéressent plus guère à leurs grands-parents. Et il y a aussi une Mrs Tanios, mais je ne crois pas que vous tirerez grand chose d'elle non plus.

— Ils peuvent avoir des papiers de famille… des documents ?

— C'est possible, mais ça m'étonnerait. A ma connaissance, on a jeté ou brûlé beaucoup de choses après la mort de miss Emily.

Poirot laissa échapper un grognement de désespoir.

Grainger l'observa avec curiosité.

— En quoi le vieil Arundell peut-il bien être intéressant ? Je n'ai jamais entendu dire qu'il ait fait quoi que ce soit de bon en un quelconque domaine.

— Mon cher monsieur… (Les yeux de Poirot brillaient d'une excitation fanatique.) N'y a-t-il pas un dicton qui prétend que l'Histoire ne sait rien de ses plus grands hommes ? On a récemment découvert certains documents qui éclairent d'un jour entièrement nouveau l'ensemble de la Révolte des Cipayes. Cela appartient à l'histoire secrète. Et John Arundell y a joué un rôle de premier plan. Tout cela est fascinant – fascinant ! Et laissez-moi vous dire, mon cher monsieur, que cette question présente un intérêt tout particulier, à notre époque. L'Inde – la politique britannique vis-à-vis de ce pays – est un sujet d'une brûlante actualité.

— Hum…, fit le médecin. J'ai entendu dire que cette vieille baderne de général Arundell était intarissable sur la question. En réalité, il paraît même qu'il aurait mérité la médaille de l'ennui.

— Qui vous a raconté cela ?

— Miss Peabody. Vous pourriez aller la voir, en fait. C'est la doyenne de notre bonne ville. Elle a très bien connu les Arundell. Et elle adore papoter. Ça vaut la peine de la rencontrer rien que pour elle-même – c'est un sacré numéro.

— Merci. Excellente idée. Peut-être pourriez-vous aussi me donner l'adresse du jeune Mr Arundell, le petit-fils du général ?

— Charles ? Oui, je peux vous mettre en contact. Mais c'est un jeune freluquet qui n'a pas grand chose dans la tête. L'histoire de sa famille ne signifie rien pour lui.

— Jeune ? Il est donc si jeune que ça ?

— Pour une vieille baudruche de mon acabit, c'est un gamin en effet, répondit le médecin avec de la malice dans le regard. Petite trentaine. Le genre beau gosse né pour compliquer l'existence des siens et vivre à leurs crochets. Du charme à revendre, mais pas un sou vaillant. On l'a expédié à peu près dans le monde entier et il n'a jamais rien fait de bon.

— Sans doute sa tante l'aimait-elle beaucoup ? suggéra Poirot. C'est souvent ainsi.

— Hum, je n'en sais rien. Emily Arundell n'était pas idiote. A ma connaissance, il n'a jamais réussi à lui soutirer de l'argent. Elle n'était pas toujours commode, cette brave Emily. Je l'aimais bien. Et je la respectais, aussi. Elle était encore plus grand siècle que victorienne, au fond.

— Elle est morte brusquement ?

— Oui, d'une certaine façon. Remarquez, depuis quelques années, elle était fragile. Pourtant, elle s'en était toujours sortie.

— Pardonnez-moi de répéter des racontars (Poirot ouvrit les mains, l'air mécontent de lui-même), mais j'ai entendu dire qu'elle s'était querellée avec sa famille.

— Elle ne s'est pas exactement *querellée*, répondit lentement le Dr Grainger. Non, pour autant que je m'en souvienne, il n'y avait entre eux aucune brouille sérieuse.

— Je vous demande pardon. Là, je me montre peut-être indiscret.

— Non, non. Après tout, cette affaire est dans le domaine public.

— Elle n'a pas laissé sa fortune à sa famille, d'après ce qu'on m'a raconté ?

— En effet. Elle a tout légué à sa dame de compagnie, cette dinde peureuse et agitée. C'est étrange. Je n'y comprends rien moi-même. Cela ne lui ressemble guère.

— Enfin…, dit Poirot, songeur. On imagine très bien que ce genre de choses puisse arriver. Une vieille demoiselle, fragile et malade. Très dépendante de la personne qui s'occupe d'elle et qui la soigne. Une femme maligne et dotée d'une certaine personnalité peut prendre beaucoup d'ascendant de cette façon.

Le mot « ascendant » sembla faire au Dr Grainger le même effet qu'un chiffon rouge à un taureau. Il répondit avec brusquerie :

— Ascendant ? Ascendant ? Mon œil, oui ! Emily Arundell traitait miss Lawson comme un chien, et pire encore. C'est caractéristique de cette génération ! De toute façon, les femmes qui gagnent leur vie en travaillant comme dames de compagnie sont en général stupides. Dans le cas contraire, elles trouvent un moyen de faire de l'argent autrement ! Et Emily Arundell ne supportait pas la bêtise. Habituellement, elle épuisait une de ces malheureuses par an. Ascendant ! Ah, que non !

Poirot s'empressa de quitter ce terrain dangereux.

— Peut-être que cette miss… euh… Lawson est en possession de lettres ou de documents de famille ? suggéra-t-il.

— Peut-être, acquiesça Grainger. Les vieilles filles ont souvent tendance à amasser tout un tas de choses. Miss Lawson n'en a certainement trié qu'une partie, pour l'instant.

Poirot se leva :

— Merci beaucoup, docteur Grainger. Vous avez été très aimable.

— Inutile de me remercier, répondit le médecin. Je regrette de ne pouvoir vous aider davantage. Vous aurez sans doute plus de chance avec miss Peabody. Elle habite Morton Manor, à environ un kilomètre et demi d'ici.

Poirot se pencha sur un gros bouquet de roses rouges qui trônait sur la table du docteur.

— Merveilleux parfum, murmura-t-il.

— Oui, probablement. Moi, je ne sens rien. J'ai perdu l'odorat au cours d'une vilaine grippe, il y a quatre ans. Sacré aveu de la part d'un toubib, hein ? « Les cordonniers sont toujours les plus mal chaussés. » Très désagréable. Je n'apprécie même plus autant le tabac qu'avant.

— C'est fâcheux, en effet. Au fait, vous n'oublierez pas de me donner l'adresse du jeune Arundell ?

— Je peux vous l'avoir, oui. (Il nous accompagna jusque dans le vestibule et appela :) Donaldson ! (Puis il précisa à notre intention :) C'est mon associé. Il doit avoir votre renseignement, car il est sur le point de se fiancer avec Theresa, la sœur de Charles. (Il appela de nouveau :) Donaldson !

Un jeune homme arriva de l'une des pièces du fond. De taille moyenne, plutôt insignifiant, il avait des gestes précis. On n'aurait pu imaginer contraste plus frappant avec le Dr Grainger.

Celui-ci lui expliqua ce qu'il désirait.

Les yeux d'un bleu très pâle et quelque peu proéminents de Donaldson nous évaluèrent. Il répondit assez sèchement, en choisissant ses mots :

— Je ne sais pas au juste où trouver Charles. Mais je peux vous donner l'adresse de Theresa. Elle vous mettra certainement en rapport avec son frère.

Poirot lui répondit que c'était parfait ainsi.

Le jeune homme inscrivit une adresse sur une page de son calepin, qu'il détacha et tendit à Poirot.

Celui-ci le remercia, puis salua les deux médecins. Tandis que nous franchissions le seuil, je sentis peser sur nous le regard scrutateur du Dr Donaldson, dont le visage, je m'en étais rendu compte un instant plus tôt, reflétait une légère surprise.

10

VISITE A MISS PEABODY

— Est-il vraiment nécessaire de raconter des mensonges si compliqués, Poirot ? demandai-je tandis que nous nous éloignions.

Poirot haussa les épaules.

— Si on est obligé de mentir – et je note, au passage, que votre nature y répugne –, personnellement, ça ne me dérange pas du tout, en effet, et...

— J'avais remarqué, lançai-je.

— ... Je disais donc, reprit-il, que *si* on est obligé de mentir, mieux vaut inventer des mensonges artistiques, des mensonges romanesques, des mensonges convaincants !

— Parce que vous estimez que celui-là l'était ? Vous pensez que le Dr Donaldson a été dupe ?

— Ce jeune homme est d'une nature sceptique, admit Poirot d'un ton songeur.

— Il m'a paru nettement soupçonneux, oui.

— Je ne vois pas pourquoi il le serait. Des imbéciles écrivent le récit de la vie d'autres imbéciles tous les jours. Ça se fait, comme vous dites.

— C'est la première fois que je vous entends

vous traiter vous-même d'imbécile, remarquai-je avec un grand sourire.

— J'espère être tout aussi capable que n'importe qui de jouer un rôle, répondit Poirot froidement. Je suis désolé que vous ne trouviez pas ma petite histoire bien tournée. Moi, j'en étais plutôt satisfait.

Je préférai changer de sujet.

— Que faisons-nous maintenant ?

— C'est simple. Nous remontons dans votre voiture et nous nous offrons une visite à Morton Manor.

Nous ne tardâmes pas à découvrir une grande maison victorienne fort laide. Un maître d'hôtel décrépit nous reçut avec quelque hésitation, alla nous annoncer et revint au bout d'un certain temps pour nous demander « si nous avions rendez-vous ».

— Veuillez, s'il vous plaît, expliquer à miss Peabody que nous venons de la part du Dr Grainger, répondit Poirot.

Nous attendîmes encore quelques minutes, puis la porte s'ouvrit et une petite femme rondelette entra en se dandinant. Une raie bien nette séparait, au milieu de son crâne, ses cheveux blancs clairsemés. Elle portait une robe de velours noir, dont le tissu était par endroits usé jusqu'à la corde, et un col de dentelle superbe fermé sur le devant du cou par un gros camée.

Elle traversa la pièce en nous détaillant d'un regard de myope. Ses premières paroles nous surprirent un peu :

— Vous avez quelque chose à vendre ?

— Rien, madame, répondit Poirot.

— Sûr ?

— Absolument.

— Pas d'aspirateurs ?

— Non.

— Pas de bas ?

— Non.

— Pas de tapis ?

— Non.

— Bon, alors ça devrait aller, dit miss Peabody en s'installant dans un fauteuil. Vous feriez mieux de vous asseoir, dans ce cas.

Nous nous exécutâmes, obéissants.

— Vous pardonnerez ces questions, reprit miss Peabody, quelque peu confuse. On ne saurait être trop prudent. Vous n'imaginez pas les gens qui entrent ici. Les domestiques ne sont plus fiables. Ils ne savent plus faire la différence. On ne peut pas leur en vouloir, remarquez. Ces visiteurs ont un beau langage, un beau costume, un nom qui sonne bien… Comment les reconnaître ? Commandant Ridgeway, Mr Scott Edgerton, capitaine d'Arcy Fitzherbert. Certains ont l'air de types bien. Mais avant que vous sachiez à qui vous avez affaire, ils vous ont flanqué sous le nez un appareil à battre les œufs en neige.

— Je vous assure, madame, que nous n'avons rien de la sorte à vous proposer, dit Poirot avec un grand sérieux.

— Bon, je vous crois, dit miss Peabody.

Poirot se lança alors dans son histoire. Miss Peabody l'écouta sans faire de commentaire. Ses petits yeux clignèrent une fois ou deux. A la fin, elle demanda :

— Vous allez écrire un livre, hein ?

— Oui.

— En anglais ?

— Bien sûr – en anglais.

— Mais vous êtes étranger, hein ? Allez, avouez, vous êtes étranger, pas vrai ?

— C'est exact.

Ses yeux vinrent se poser sur moi.

— Et vous, vous êtes son secrétaire, je suppose ?

— Euh… Oui, répondis-je, avec hésitation.

— Vous savez écrire un anglais correct ?

— Je l'espère.

— Hum… De quelle école sortez-vous ?

— Eton.

— Alors vous êtes nul en tout.

Je fus forcé de laisser sans réponse ce terrible affront à une ancienne et vénérable institution, car miss Peabody s'intéressait de nouveau à Poirot.

— Vous allez raconter la vie du général Arundell, hein ?

— Oui. Vous le connaissiez, je crois.

— Exact. Je connaissais John Arundell. Il buvait comme un trou. (Il y eut un bref silence, puis miss Peabody reprit, d'un air songeur :) La Révolte des Cipayes, hein ? A mon avis, c'est enfoncer des portes ouvertes. Mais c'est vous que ça regarde.

— Vous savez, madame, dans ce domaine, c'est une question de mode. En ce moment, l'Inde est très en vogue.

— Vous n'avez peut-être pas tort. Les modes s'en

vont et s'en reviennent. Regardez les manches. (Nous gardâmes un silence respectueux.) Les manches gigot ont toujours été hideuses. En revanche, j'avais de l'allure avec les pagodes. (Ses yeux brillants se posèrent sur Poirot.) Eh bien, maintenant, que voulez-vous savoir ?

Poirot ouvrit largement les mains.

— Tout ! L'histoire de la famille. Les potins. La vie quotidienne.

— Je ne peux rien vous raconter sur l'Inde, avoua miss Peabody. Le fin mot de tout ça, c'est que je n'écoutais pas. Ils sont plutôt rasoirs, ces vieux birbes avec leurs anecdotes. C'était un homme irrémédiablement stupide – mais j'ose affirmer qu'il n'en était pas pour autant le pire de nos généraux. J'ai toujours entendu dire que l'intelligence ne vous menait pas loin, dans l'armée. Soyez attentionné avec la femme du colonel, écoutez respectueusement vos officiers supérieurs, et vous ferez votre chemin – c'est ce qu'aimait à répéter mon père.

Poirot laissa s'écouler quelques instants de silence afin de traiter cette pensée profonde avec le respect qui convenait, puis il demanda :

— Vous connaissiez très bien les Arundell, n'est-ce pas ?

— Oui, tous, Matilda, c'était l'aînée. Pleine de boutons sur la figure. Elle faisait le catéchisme. Et elle en pinçait pour un des vicaires. Ensuite, il y avait Emily. Bonne assiette à cheval, celle-là ! C'était la seule qui pouvait tenir tête à son père lorsqu'il avait une de ses crises. On sortait de cette maison les bouteilles vides par charretées entières. Ils les enterraient la nuit, hé oui ! Qui venait ensuite ? Voyons, c'était Arabella ou Thomas ? Thomas, je crois. Il m'a toujours fait de la peine, Thomas. Un homme au milieu de quatre femmes ! De quoi vous rendre cinglé ! Il avait des côtés vieille fille, ce pauvre Thomas. Personne ne croyait qu'il se marierait un jour. Vous imaginez la surprise, quand c'est arrivé.

Elle laissa échapper un gloussement – un de ces sonores gloussements victoriens.

A l'évidence, miss Peabody s'amusait beaucoup. Plongée dans le passé, elle avait presque oublié son auditoire – Poirot et moi.

— Puis il y avait Arabella. Un laideron. Le visage comme une patate. Elle a quand même réussi à se caser. C'était pourtant la plus moche des quatre. Avec un professeur de Cambridge. Vieux comme Mathusalem. Soixante ans bien sonnés. Il est venu donner une série de conférences ici – les merveilles de la chimie moderne, ou quelque chose d'approchant. J'y suis allée. Il bavochait dans sa barbe, je m'en souviens. Il avait une barbe, oui. On ne comprenait pas un traître mot de ce qu'il racontait. Arabella s'attardait toujours pour poser des questions. Elle non plus, elle n'était plus de la première jeunesse, d'ailleurs. Elle approchait de la quarantaine. Enfin, ils sont tous deux morts et enterrés, à présent. Leur mariage fut plutôt heureux, semble-t-il. C'est ça l'avantage d'épouser une mocheté : on connaît son malheur immédiatement, et au moins elle ne risque pas d'être infidèle. Et enfin, il y avait Agnes. C'était la plus jeune – et la moins tarte.

Assez délurée, de l'avis, général. Presque déver-
gondée. Bizarrement, si l'une des quatre devait se
marier, vous auriez parié sur Agnes. Eh bien non !
Elle est morte peu de temps après la guerre.

— Ainsi, d'après vous, le mariage de Thomas fut
inattendu ? murmura Poirot.

Miss Peabody émit de nouveau son impression-
nant gloussement guttural.

— Inattendu ? Ah, ça, vous pouvez le dire ! Un
scandale à tout casser, oui ! On n'aurait jamais cru
ça de lui – un homme si calme, si timide et effacé,
si attaché à ses sœurs…

Elle se tut un instant.

— Vous vous souvenez d'une affaire qui a défrayé
la chronique à la fin des années 1890 ? Mrs Varley ?
Soupçonnée d'avoir empoisonné son mari à l'arsenic. Une belle femme. Ça a fait du bruit, cette
histoire ! Elle a été acquittée. Eh bien, Thomas
Arundell a complètement perdu la boule. Il s'est
mis à acheter tous les journaux, à collectionner tous
les articles qui parlaient de cette histoire, à découper les photos de Mrs Varley. Et vous me croirez si
vous voulez, mais quand le procès a été terminé,
qui est-ce qui est allé à Londres pour lui demander sa main ? Thomas ! Thomas, le garçon calme
et pantouflard… Il ne faut jurer de rien, avec les
hommes, n'est-ce pas ? On court toujours le risque
de les voir prendre leurs cliques et leurs claques.

— Et que s'est-il passé, alors ?

— Oh, elle l'a épousé, vous pensez !

— Ça a été un choc terrible pour ses sœurs ?

— Je ne vous le fais pas dire ! Elles ont refusé de

la recevoir. Tout bien considéré, je ne sais pas si je peux le leur reprocher. Thomas a été terriblement blessé. Il est parti s'installer dans les îles Anglo-Normandes et on n'a plus jamais entendu parler de lui. Je ne peux pas dire si son épouse a empoisonné son premier mari, mais elle n'a pas assassiné Thomas, en tout cas. Il est mort trois ans après elle. Ils ont eu deux gosses, un garçon et une fille. Deux beaux enfants – ils tiennent de leur mère.

— Je suppose qu'ils rendaient souvent visite à leur tante ?

— Seulement après la disparition de leurs parents. A l'époque, ils faisaient leurs études et ils étaient déjà presque adultes, ils venaient pour les vacances. Emily était seule au monde et ils étaient son unique famille, avec Bella Biggs.

— Biggs ?

— La fille d'Arabella. Insignifiante. Quelques années de plus que Theresa. Elle a quand même réussi à faire l'andouille. Elle a épousé un métèque qui faisait des études universitaires. Un médecin grec. Simiesque, mais des manières plutôt charmantes, je dois l'admettre. Enfin, je suppose que la pauvre Bella n'avait pas beaucoup de choix. Elle passait son temps à aider son père ou à tenir les écheveaux de laine de sa mère. Ce gars-là était exotique. Ça lui a plu.

— C'est un mariage heureux ?

— Je ne crois pas qu'on puisse dire cela d'un seul mariage ! rétorqua miss Peabody d'un ton cassant. Ils *paraissent* assez heureux. Deux enfants au teint plus ou moins olivâtre. Ils vivent à Smyrne.

— Mais ils sont en Angleterre, en ce moment, n'est-ce pas ?

— Oui. Ils sont arrivés en mars. Ça ne m'étonnerait pas qu'ils repartent bientôt.

— Emily Arundell aimait-elle beaucoup sa nièce ?

— Si elle aimait Bella ? Oh ! énormément. C'est le genre insignifiant, mère poule et cucul la praline.

— Et le mari ? l'appréciait-elle ?

Miss Peabody gloussa.

— Elle ne l'*appréciait* pas, mais je crois qu'elle ne le détestait pas, ce sapajou. Il est intelligent, vous savez. Si vous voulez mon avis, il savait la manœuvrer en douceur. Il renifle l'argent à dix pas, ce bonhomme !

Poirot toussota, puis demanda dans un murmure :

— Il m'a semblé comprendre que miss Arundell avait une belle fortune, à sa mort.

Miss Peabody s'installa plus confortablement dans son fauteuil.

— Oui, et tout ce tintouin vient de là ! Personne n'avait imaginé à quel point elle était riche. Ça s'est passé comme ça : le vieux général Arundell a laissé un joli petit magot – qui a été partagé équitablement entre son fils et ses filles. Une partie de cet argent a été réinvesti dans des placements qui, je crois bien, se sont tous révélés fructueux. Les premières actions Mortauld, entre autres. Naturellement, lorsqu'ils se sont mariés, Thomas et Arabella ont récupéré ce qui leur appartenait. Les trois autres sœurs vivaient ici et ne dépensaient même pas un dizième de leurs revenus, qu'elles avaient mis en commun. Toutes les économies ont été réinvesties de nouveau. Quand Matilda est morte, elle a légué ses biens à Agnes et Emily, puis celle-ci a hérité d'Agnes. Et elle a continué à dépenser très peu. Résultat, elle est morte sur un tas d'or – et c'est la Lawson qui a empoché le magot !

Miss Peabody avait prononcé cette dernière phrase comme s'il s'agissait de l'aboutissement triomphal de toute l'affaire.

— Et vous, miss Peabody, cela vous a-t-il étonnée ?

— A vrai dire, oui ! Emily n'avait jamais fait mystère qu'à sa disparition sa fortune serait divisée entre ses nièces et son neveu. C'est d'ailleurs ce que stipulait le premier testament. Hormis de petites sommes aux bonnes, tout devait aller à parts égales à Theresa, à Charles et à Bella. Miséricorde, quel ramdam lorsqu'on a découvert, après sa mort, qu'elle avait modifié son testament et qu'elle laissait tout à cette pauvre miss Lawson !

— Ce deuxième testament a été rédigé juste avant son décès ?

Miss Peabody lança à Poirot un regard perçant.

— Vous pensez manœuvres captatoires. Non, vous perdez votre temps, mon brave. Et je n'irai pas jusqu'à croire que la pauvre Lawson ait eu l'intelligence et le cran de tenter un coup pareil. En réalité elle a paru aussi surprise que tout le monde – ou elle a prétendu l'être !

Ce dernier commentaire fit sourire Poirot.

— Le testament a été rédigé dix jours avant sa mort, poursuivit miss Peabody. Le notaire prétend qu'il n'y a pas de problème. Je veux bien… mais qu'est-ce qui prouve qu'il n'est pas en train de commettre une bourde ?

Poirot se pencha en avant.

— Vous voulez dire…

— Il y a du louche, voilà ce que je veux dire. Quelque chose de pas très net quelque part.

— C'est quoi, au juste, votre idée ?

— Je n'ai pas d'idée ! Comment saurais-je où est l'entourloupe ? Je ne suis pas notaire. Mais il y a quelque chose qui cloche, croyez-moi !

— A-t-il été question de contester le testament ?

— Je crois que Theresa a vu un avocat. Grand bien lui fasse. Que vous chante un avocat, neuf fois sur dix ? « Laissez tomber ! » Un jour, cinq avocats m'ont déconseillé d'intenter une action en justice. Qu'est-ce que j'ai fait ? Je les ai ignorés. Et j'ai gagné mon procès. On m'a fait venir à la barre et un petit morveux tout frais débarqué de Londres a essayé de me prendre en défaut. Mais il en a été pour ses frais. « Vous ne pouvez pas reconnaître ces fourrures avec certitude, miss Peabody, m'a-t-il dit. Elles ne portent aucune marque de fourreur. » Peut-être, ai-je répondu, mais il y a une reprise dans la doublure, et si quelqu'un est capable de faire une reprise pareille aujourd'hui, je veux bien manger mon parapluie. Il n'en a plus mené large, après ça !

Et miss Peabody de glousser de bon cœur.

— Je suppose, dit prudemment Poirot, que ce n'est pas le grand amour entre miss Lawson et les descendants de miss Arundel ?

— Vous vous attendez à quoi ? Vous connaissez le genre humain. De toute façon, après un décès, il y a toujours des histoires. Le défunt n'est pas encore refroidi dans son cercueil que la plupart des parents s'arrachent déjà les yeux.

— Ce n'est que trop vrai, soupira Poirot.

— Bah ! le monde est ainsi fait, conclut miss Peabody, tolérante.

Poirot changea de sujet.

— Est-il vrai que miss Arundell donnait dans le spiritisme ?

Les yeux pénétrants de miss Peabody le vrillèrent.

— Si vous pensez, dit-elle alors, que l'esprit de John Arundell est revenu pour ordonner à Emily de léguer son argent à Minnie Lawson et que sa fille a obéi, j'aime autant vous dire que vous vous fourrez le doigt dans l'œil. Emily n'avait rien d'une toquée de ce genre. Si vous voulez savoir, elle trouvait simplement le spiritisme un peu plus amusant que les patiences ou la crapette. Vous avez vu les Tripp ?

— Non.

— Si vous les aviez rencontrées, vous sauriez de quelle sorte d'âneries je veux parler. Des femmes exaspérantes. Elles passent leur temps à vous donner des messages de l'un quelconque de vos parents morts – messages toujours totalement absurdes. Elles y croient dur comme fer. Pareil pour Minnie Lawson. Bon ! après tout, c'est une façon comme une autre de passer ses soirées, j'imagine.

Poirot essaya une nouvelle piste :

— Vous connaissez le jeune Arundell, je présume ? Quel genre d'homme est-ce ?

— Un bon à rien. Charmant, pourtant. Toujours fauché et toujours endetté. Revenant sans cesse, comme un mauvais sou, d'un endroit quelconque de la planète. Et il sait les embobiner, les femmes ! (Nouveau gloussement.) Moi, j'en ai trop vu des comme lui pour me laisser avoir. Rigolo quand même que Thomas ait eu un fils pareil. C'était un vieux fossile collet monté. Un modèle de rectitude. A se demander d'où ça vient. L'hérédité vous joue parfois de ces tours. Remarquez, *je l'aime bien*, ce voyou – mais c'est le genre à tuer père et mère pour des clopinettes sans l'ombre d'un remords. Aucun sens moral. C'est étrange comme certaines personnes semblent en être dépourvues à la naissance.

— Et sa sœur ?

— Theresa ? (Miss Peabody secoua la tête et répondit lentement :) Je ne sais pas. C'est une créature... peu commune. Quelqu'un de pas courant. Elle est fiancée à un médecin d'ici un peu gnangnan. Vous l'avez rencontré, peut-être ?

— Le Dr Donaldson.

— Oui. Bon dans sa partie, dit-on. Mais par certains côtés, il est inexistant. Pas le genre d'homme qui me plairait si j'étais jeune. Enfin, Theresa doit savoir ce qu'elle fait. Elle a eu des expériences, j'en mettrais ma main au feu.

— Le Dr Donaldson ne soignait-il pas miss Arundell ?

— Si, quand le Dr Grainger était en vacances.

— Mais il ne s'est pas occupé d'elle pendant sa dernière maladie ?

— Je ne pense pas.

Poirot constata alors, avec un petit sourire :

— J'ai l'impression que vous ne tenez pas en haute estime ses qualités de médecin ?

— Je n'ai jamais dit ça. En fait, vous vous trompez. Il est assez dégourdi et intelligent dans son genre – mais ça ne correspond pas à *mon* genre, Que je vous donne un exemple. De mon temps, quand un enfant mangeait trop de pommes vertes, il avait une crise de foie et le docteur appelait ça une crise de foie et il rentrait chez lui et vous faisait parvenir quelques pilules de son cabinet. Aujourd'hui, on vous dit que l'enfant souffre dune acidose prononcée et qu'il faut surveiller sa diète ; on vous donne le même médicament, sauf que c'est de jolis petits comprimés fabriqués dans des usines pharmaceutiques et qu'ils coûtent les yeux de la tête ! Donaldson appartient à cette nouvelle école. Remarquez, il y a des tas de jeunes mères qui préfèrent ça. Ça *sonne* mieux. Mais, entre nous, ce jeune homme ne restera pas longtemps ici à soigner des rougeoles et des crises de foie. C'est Londres qu'il vise. Il a de l'ambition, et veut se spécialiser.

— Dans un domaine en particulier ?

— La sérothérapie. Il me semble que ça s'appelle comme ça. L'idée, c'est qu'on vous plante dans le corps une de ces horribles aiguilles hypodermiques, même si vous allez bien, juste pour le cas où vous attraperiez quelque chose. Pour ma part, j'ai horreur de ces saletés de piqûres.

— Le Dr Donaldson fait de l'expérimentation sur une maladie bien précise ?

— Ne m'en demandez pas tant. Tout ce que je sais, c'est que la médecine générale n'est pas assez bonne pour lui. Il veut s'installer à Londres. Mais pour cela, il lui faut de l'argent et il est pauvre comme Job... Si quelqu'un sait encore qui était Job.

— C'est regrettable que les vraies compétences soient si souvent gênées par le manque d'argent, murmura Poirot. Quand on pense qu'il y a des gens qui ne dépensent pas le quart de leurs revenus.

— Comme Emily Arundell, dit miss Peabody. Ça a été une sacrée surprise pour certaines personnes quand on a lu son testament. Je veux parler de la somme, pas des dispositions qu'elle a prises.

— Est-ce que, d'après vous, ça a été une surprise aussi pour les membres de sa famille ?

— En fait, dit miss Peabody en plissant les yeux d'un air véritablement ravi, oui et non. L'un d'eux savait à peu près à quoi s'en tenir.

— Qui ?

— Maître Charles. Il avait fait ses calculs d'après ses propres revenus. Il est loin d'être bête, Charles.

— Juste un peu fripouille, hein ?

— En tout cas, il n'a rien d'un niais, grinça miss Peabody.

Elle se tut un instant, puis demanda :

— Vous allez vous mettre en contact avec lui ?

— Telle est bien mon intention. J'estime possible, ajouta-t-il avec un grand sérieux, qu'il soit en possession de certains papiers de famille concernant son grand-père.

— Il y a davantage de chances qu'il ait allumé un feu de joie avec. Aucun respect pour les aînés, ce jeune homme.

— On ne doit négliger aucune piste, dit Poirot d'un ton sentencieux.

— C'est bien l'impression que ça me donne en effet, répliqua sèchement miss Peabody.

Dans ses yeux bleus brilla une rapide lueur qui sembla produire un effet désagréable sur Poirot. Celui-ci se leva.

— Je m'en voudrais d'abuser plus longtemps de votre temps, madame. Je vous suis très reconnaissant de tout ce que vous avez pu me raconter.

— J'ai fait de mon mieux, répondit miss Peabody. Mais j'ai comme l'impression que nous nous sommes bien éloignés de la Révolte des Cipayes, pas vous ?

Elle nous serra la main et conclut, en guise d'adieu :

— Faites-moi, savoir quand votre livre sortira. J'aimerais *tant* le lire.

Et la dernière chose que nous entendîmes, lorsque, nous quittâmes la pièce, fut son joyeux gloussement guttural.

11

Visite Aux Demoiselles Tripp

— Et maintenant, dit Poirot tandis que nous remontions en voiture, que faisons-nous ?

Instruit par l'expérience, je ne suggérai pas, cette fois, un retour à Londres. Après tout, si Poirot semblait si bien s'amuser à sa façon, qu'avais-je à y redire ?

Je proposai de prendre le thé.

— Le thé, Hastings ? Quelle idée ! Vous avez observé l'heure ?

— Je l'ai observée, oui. Je l'ai... vue, veux-je dire. (Le mauvais anglais de Poirot est parfois tragiquement contagieux.) Il est 5 heures et demie. Un thé est tout indiqué.

Vous autres Anglais et votre déplorable manie de boire du thé l'après-midi ! soupira Poirot. Non, mon bon ami, pas de thé. L'autre jour, j'ai lu dans un manuel de savoir-vivre qu'il ne fallait pas se présenter chez quelqu'un après 18 heures. C'est une faute de goût. Il ne nous reste donc qu'une demi-heure pour faire ce que nous avons à faire.

— Vous êtes bien mondain, aujourd'hui, Poirot ! A qui rendons-nous visite, maintenant ?

— Aux demoiselles Tripp.

— Vous écrivez un livre sur le spiritisme, à présent ? Ou s'agit-il toujours de la biographie du général Arundell ?

— Ce sera plus simple que cela, mon bon ami. Mais nous devons d'abord nous enquérir de l'adresse de ces dignes personnes.

On nous indiqua volontiers la route mais non sans une certaine confusion, car il fallait emprunter toute une série de chemins creux. La demeure des demoiselles Tripp était un cottage pittoresque, si vieux qu'il semblait sur le point de s'écrouler.

Une adolescente d'environ quatorze ans nous ouvrit la porte ; elle dut se plaquer non sans difficulté contre le mur pour nous laisser le passage.

A l'intérieur, tout n'était que vieilles poutres de chêne. Il y avait un âtre immense – et des fenêtres tellement minuscules que l'on n'y voyait guère. Le mobilier était de genre pseudo-simple – style vieux-chêne-rustique-pour-vieux-logis-campagnard. Quantité de fruits trônaient dans quantité de saladiers en bois. Un grand nombre de photographies se couraient après dont la plupart, remarquai-je, représentaient toujours les deux mêmes personnes dans des poses diverses ; le plus souvent, elles serraient des bouquets de fleurs sur leurs seins ou cramponnaient de larges chapeaux de paille d'Italie.

La gamine qui nous avait accueillis avait murmuré quelques mots avant de disparaître, mais nous perçûmes clairement sa voix à l'étage.

— Y a deux messieurs qui demandent après vous, m'selles !

Un pépiement de voix féminines se fit entendre au-dessus de nous, et bientôt une créature de sexe féminin descendit l'escalier dans un concert de froissements et de froufrous, puis s'approcha avec une grâce dansante.

Elle n'était pas loin de la cinquantaine, avait le cheveu coiffé à la Vierge, avec la raie au milieu, et l'œil marron légèrement proéminent. Quelque peu replète, elle portait une robe de mousseline à ramages qui lui donnait bizarrement l'air d'être déguisée.

Poirot engagea la conversation dans son style le plus fleuri.

— Je me dois de vous présenter mille et une excuses pour cette intrusion, bien chère mademoiselle, mais je me trouve dans une situation quelque peu délicate. J'ai fait le voyage jusqu'ici dans le but de rencontrer une dame ; cependant, elle a quitté Market Basing et l'on m'a dit que vous auriez très certainement son adresse.

— Vraiment ? Et de qui s'agit-il ?

— Miss Lawson.

— Oh, Minnie Lawson ! *Bien sûr !* Nous sommes les plus grandes amies du monde. Asseyez-vous, monsieur. Euh…

— Parotti. Et voici mon camarade, le capitaine Hastings.

Les présentations faites, mis Tripp se mit aussitôt en frais.

— Installez-vous là, voulez-vous… Non, merci…

je vous assure… j'ai toujours préféré les chaises droites. Bon, vous êtes bien, bien sûrs d'être à votre aise, là ? Chère Minnie Lawson… Oh ! voici ma sœur.

Nous entendîmes de nouveaux froufrous et fûmes rejoints par une seconde créature de sexe identique, vêtue d'une robe en vichy vert qui aurait été parfaite sur une fille de seize ans.

— Ma sœur Isabel. Monsieur… euh… Parodie et… euh… le capitaine Hawkins. Chère, chère Isabel, ces messieurs sont des amis de Minnie Lawson.

Comparée à sa sœur, miss Isabel Tripp eût pu passer pour squelettique. Ses cheveux très blonds étaient coiffés en une multitude de bouclettes quelque peu en désordre. Elle avait des attitudes enfantines et c'était elle, sans le moindre doute, que l'on voyait sur la plupart des photographies aux bouquets. Elle ne tarda pas à joindre les mains avec un juvénile enthousiasme.

— C'est merveilleux ! Cette chère Minnie ! Vous l'avez rencontrée récemment ?

— Pas depuis plusieurs années, expliqua Poirot. Nous nous sommes complètement perdus de vue. J'ai beaucoup voyagé. C'est pourquoi j'ai été si étonné et ravi lorsque j'ai appris la bonne fortune de ma vieille amie.

— Oui, en effet. Mais elle l'a tellement bien mérité ! Minnie est une personne si rare. Si simple, si droite.

— Julia ! couina soudain Isabel.

— Oui, Isabel ?

— C'est extraordinaire. *P !* Tu te souviens que la planchette insistait nettement sur la lettre *P*, hier soir ? Un visiteur d'outre-mer, dont le nom commençait par un *P* !

— Exact, confirma Julia.

Les deux demoiselles regardèrent Poirot avec un air stupéfait et émerveillé.

— La planchette ne ment jamais, constata doucement miss Julia.

— Vous intéressez-vous un tant soit peu aux sciences occultes, monsieur Parodie ?

— Je n'y connais pas grand-chose, chère mademoiselle, mais... comme tous ceux qui ont longtemps voyagé en Orient, je dois, admettre qu'il est maints phénomènes que l'on ne comprend pas et que l'on ne peut expliquer de façon naturelle.

— C'est si vrai, dit Julia. Si profondément vrai.

— L'Orient..., murmura Isabel. La terre du mysticisme et de l'occulte.

A ma connaissance, les voyages de Poirot en Orient se limitaient à un séjour en Syrie, puis en Irak, qui n'avait guère duré que quelques semaines en tout. A en juger pourtant par ses propos actuels, on eût juré qu'il avait passé la majeure partie de sa vie à parcourir la jungle et les bazars et à discuter avec les fakirs, les derviches et les mahatmas.

Je crus comprendre que les demoiselles Tripp étaient végétariennes, théosophes, israélites britanniques, scientistes chrétiennes, spirites, et qu'elles pratiquaient la photographie amateur avec enthousiasme.

— On a parfois le sentiment, dit Julia dans un

soupir, qu'il est impossible de vivre dans un endroit comme Market Basing. C'est un lieu sans beauté – sans âme. Et on ne peut se passer de l'âme, ne pensez vous pas, capitaine Hawkins ?

— Absolument, hasardai-je, un peu embarrassé. Oh absolument.

— *Là où ne fleurit pas l'idéal, l'individu se ronge et dépérit*, cita Isabel, en soupirant à son tour. J'ai souvent essayé de parler de ces choses avec le pasteur, mais je l'ai trouvé affreusement *borné*. Ne croyez-vous pas, monsieur Parodie, que toute croyance trop stricte rétrécit l'esprit ?

— Alors que tout est si simple, en réalité, ajouta sa sœur. Comme nous le savons si bien, tout n'est que joie et amour !

— C'est tellement vrai, répliqua Poirot. Tellement vrai. Quelle pitié qu'il doive toujours y avoir, semble-t-il, tant d'incompréhension et de querelles – et surtout dès qu'il est question d'argent.

— L'argent, quelle contingence sordide ! gémit Julia.

— Je crois que la défunte miss Arundell était l'une de vos converties ? s'enquit Poirot.

Les deux sœurs échangèrent un regard.

— J'aimerais en être sûre, répondit Isabel.

— Nous n'en avons jamais été tout à fait certaines, murmura Julia. Elle semblait convaincue, et puis la seconde suivante elle disait ςuelque chose de si… si grivois. (Elle ajouta, à l'intention de sa sœur :) Ah, mais souviens-toi de la dernière manifestation. Ça a été réellement remarquable. (Elle se tourna vers Poirot.) C'était le soir où cette chère miss Arundell est tombée malade. Ma sœur et moi étions passées chez elle après dîner, et nous avons eu une séance, juste nous quatre. Et, vous savez, nous avons vu *très* distinctement – oui, nous l'avons vu toutes les trois – une sorte de halo autour de la tête de miss Arundell.

— Je vous demande pardon ?

— Oui. Comme une vapeur lumineuse. (Elle considéra Isabel :) C'est bien ainsi que tu décrivais la chose, toi aussi ?

— Oui. Oui, exactement. Une vapeur lumineuse a peu à peu entouré la tête de miss Arundell – une auréole de lumière diaphane. C'était un signe – maintenant, nous le savons – un signe qu'elle allait bientôt… passer de l'autre côté.

— Remarquable ! dit Poirot, d'une voix indiquant à quel point il était impressionné. Il faisait sombre dans la pièce, n'est-ce pas ?

— Oh, oui, nous obtenons toujours de meilleurs résultats dans le noir, et c'était une soirée si douce que le feu, dans la cheminée, n'était même pas allumé.

— Un esprit des plus intéressants nous a parlé, dit Isabel. Une femme qui se nommait Fatima. Elle nous a dit qu'elle était morte à l'époque des Croisades. Elle nous a délivré un message d'une beauté !

— Elle vous a vraiment parlé ?

— Non, nous n'avons pas entendu directement sa voix, bien sûr. Elle s'est exprimée en frappant. Amour. Espoir. Vie. Des mots merveilleux.

— Et miss Arundell est tombée malade pendant la séance ?

— Juste après. On nous a apporté des sandwiches et du porto, et notre chère miss Arundell a dit qu'elle ne voulait rien, car elle ne se sentait pas très bien. C'est ainsi que sa maladie a commencé. Dieu merci, elle n'a pas souffert trop longtemps.

— Elle est morte quatre jours plus tard, précisa Isabel.

— Et elle nous a déjà fait passer des messages, ajouta Julia d'une voix passionnée. Disant qu'elle est très heureuse et que tout est beau et qu'elle espère que la paix et l'amour règnent parmi les siens.

Poirot toussota.

— Ce qui... euh... n'est pas vraiment le cas, je le crains.

— La famille s'est conduite de façon *honteuse* envers la pauvre Minnie ! s'exclama Isabel, rougissante d'indignation.

— Minnie est l'âme la plus *détachée* des contingences matérielles que je connaisse, renchérit Julia.

— Les gens se sont mis à répandre sur elle les *pires* horreurs – qu'elle avait tout *manigancé* pour que cet argent lui soit légué !

— Alors qu'en réalité ça a été pour elle une *immense* surprise...

— Quand le notaire a lu le testament, elle en a à peine cru *ses oreilles*...

— Elle nous l'a raconté elle-même. « Julia, ma chère, un rien m'aurait fait tomber à la renverse ! m'a-t-elle dit. Juste quelques petits legs aux domestiques et puis... Littlegreen House et le reste de ma fortune à Wilhelmina Lawson ! » Elle était si abasourdie qu'elle pouvait à peine articuler. Et lorsqu'elle a retrouvé sa voix, elle a demandé à combien tout cela se montait – songeant sans doute que la somme s'élèverait à quelques milliers de livres –, et Mr Purvis, après avoir bafouillé et fait référence à des choses incompréhensibles du style biens meubles bruts et nets, a annoncé que l'héritage approchait des trois cent soixante-quinze mille livres. La pauvre Minnie en a presque tourné de l'œil d'après ce qu'elle nous a expliqué.

— Elle ne s'y attendait pas une seconde, insista l'autre sœur. Elle n'aurait jamais imaginé qu'une chose pareille puisse lui arriver !

— C'est ce qu'elle vous a déclaré, c'est ça ?

— Oh, oui, elle nous l'a répété plusieurs fois. Et c'est pourquoi le comportement des parents d'Emily est si *cruel* – ils lui battent froid et la soupçonnent. Après tout, nous vivons dans un pays libre.

— Le peuple anglais semble en effet victime de cette illusion, murmura Poirot.

— Et j'aurais espéré que *tout un chacun* pouvait laisser son argent à la personne de son choix ! J'estime que miss Arundell a agi avec beaucoup de sagesse. *Manifestement, elle ne faisait pas confiance à sa propre famille, et j'ose dire qu'elle avait ses raisons.

— Ah ? (Poirot se pencha vers elle, l'air intéressé.) Vraiment ?

Encouragée par cette flatteuse attention, Isabel poursuivit :

— Oui. Vraiment. Mr Charles Arundell, son neveu,

a tout d'un vaurien. C'est connu. Je crois même qu'il est recherché par la police d'un pays étranger. Ce n'est pas du tout un personnage recommandable. Quant à sa sœur, eh bien, en fait je ne lui ai jamais *parlé* personnellement, mais elle a une drôle d'allure. Ultra-moderne, pour ne pas dire plus, et atrocement, maquillée. Je vous assure, quand j'ai vu ses lèvres, j'ai un instant redouté la nausée. On aurait dit du *sang*. Et je la soupçonne de se droguer – son comportement est parfois si bizarre ! Elle passe pour être fiancée à ce sympathique jeune Dr Donaldson, mais je parie que *lui-même* doit se montrer parfois dégoûté. Bien sûr, elle est séduisante à sa façon, mais j'espère qu'il retrouvera ses esprits à temps et qu'il prendra pour femme une gentille petite Anglaise aimant la campagne et la vie au grand air.

— Et les autres membres de la famille ?

— Eh bien, c'est le même problème. Très peu recommandables. Non que j'aie quelque chose à redire à l'encontre de Mrs Tanios – c'est une femme charmante, mais complètement idiote et totalement sous la coupe de son mari. C'est un Turc, je crois – c'est plutôt affreux de la part d'une Anglaise d'épouser un *Turc*, je trouve. Pas vous ? Cela dénote un certain manque de *délicatesse*. Cela dit, Mrs Tanios est une très bonne mère, bien que ses enfants soient singulièrement laids, les pauvres petits.

— Ainsi, tout compte fait, vous estimez qu'il valait mieux que la fortune de miss Arundell aille à miss Lawson, car elle la méritait davantage que tout le monde ?

— Minnie Lawson est foncièrement *bonne*, répondit Julia d'un ton serein. Et si *détachée des biens de ce monde*. Ce n'est pas comme si elle avait jamais *pensé* à l'argent, non. Elle ne s'est *jamais* montrée cupide.

— Et pourtant, il ne lui est pas venu à l'idée un instant de refuser l'héritage ? s'étonna Poirot.

Isabel regimba quelque peu.

— Oh ! voyons… Personne n'irait jusque-*là* !

— Non, peut-être bien que non, admit Poirot avec un sourire.

— Vous voyez, monsieur Parodie, intervint Julia, elle le considère comme un *dépôt* – un *dépôt* sacré.

— Et elle est tout à fait prête à faire un geste pour Mrs Tanios ou ses enfants, poursuivit Isabel. Seulement, elle ne veut pas que *lui*, il touche à cet argent.

— Elle a même dit qu'elle envisageait d'accorder une rente à Theresa.

— Et ça, j'estime que c'est très généreux de sa part – quand on considère la manière cavalière dont cette fille l'a toujours traitée.

— C'est vrai, Mr Parodie, Minnie est la plus *généreuse* des créatures. Mais naturellement, vous la connaissez, bien sûr.

— Oui, répondit Poirot. En revanche, je ne connais toujours pas… son adresse.

— Suis-je bête ! Et où ai-je la tête ? Voulez-vous que je vous l'inscrive ?

— Je peux la noter.

Et Poirot sortit son inévitable calepin.

— 17, Clanroyden Mansions, W. 2. Pas très loin

de Whiteleys. Vous lui transmettrez notre affection, n'est-ce pas ? Nous n'avons pas eu de ses nouvelles depuis un certain temps.

Poirot se leva et je l'imitai.

— Laissez-moi vous remercier infiniment toutes les deux pour cette conversation des plus charmantes. Et vous avez été fort aimables de m'indiquer l'adresse de mon amie.

— Je m'étonne qu'on ne vous l'ait pas donnée à Littlegreen ! s'exclama Isabel. Ça doit être cette Ellen ! Les domestiques sont si *jalouses* et si *mesquines* ! Il leur arrivait parfois d'être grossières avec Minnie.

Julia nous serra la main avec mille manières étudiées.

— Votre visite nous a fait très plaisir, roucoula-t-elle. Si j'osais, je…

Elle lança un regard interrogateur à sa sœur.

— Accepteriez-vous… (Le rose vint aux joues d'Isabel.) Auriez-vous la bonté d'accepter de partager notre repas du soir ? Un repas très simple – quelques légumes râpés, du pain complet avec du beurre salé, un fruit peut-être…

— Cela me semble succulent, répondit précipitamment Poirot. Hélas ! mon ami et moi devons rentrer à Londres.

Après de nouvelles poignées de main et d'autres messages à transmettre à miss Lawson, nous prîmes enfin congé.

12

Poirot discute de l'affaire

— Dieu merci, Poirot, m'écriai-je avec ferveur, vous nous avez délivrés des carottes crues ! Quelles horribles créatures !

— Pour nous, ce sera un bon bifteck – avec des frites – et une bonne bouteille de vin. Qu'est-ce que nous aurions eu à boire ici, je me le demande ?

— De l'eau, frissonnai-je, ou du cidre sans alcool. C'est sûrement le genre de la maison. Je parie qu'il n'y a ni baignoire ni sanitaires, juste un trou au fond du jardin.

— C'est drôle de voir à quel point les femmes aiment à vivre sans confort, dit Poirot d'un ton pensif. Et ce n'est pas toujours par manque d'argent, bien quelles soient très fortes pour le dissimuler quand elles sont dans la gêne.

— Quels sont vos ordres au chauffeur, cette fois ? demandai-je tandis que, après avoir négocié le dernier virage d'une succession de petits chemins sinueux, nous débouchions sur la nationale menant à Market Basing. A quelle sommité locale allons-nous rendre visite ? Ou bien retournons-nous chez *George*, pour réinterroger le serveur asthmatique ?

— Vous serez heureux d'apprendre, Hastings, que nous en avons terminé avec Market Basing.

— Formidable !

— Pour le moment seulement. Parce que j'y reviendrai !

— Toujours sur la piste de votre meurtrier malchanceux ?

— Exactement.

— Avez-vous tiré quelque enseignement du ramassis de sottises que nous venons d'entendre ?

— Certains points méritent notre attention, répondit Poirot en choisissant ses mots avec soin. Les différents personnages de notre drame commencent à se préciser. Par certains côtés, cela ressemble à un roman à l'eau de rose, vous ne trouvez pas ? L'humble employée, longtemps méprisée, accède à la richesse et joue le rôle de la grande dame généreuse.

— J'imagine qu'une telle bonté doit être terriblement blessante pour ceux qui se considèrent comme les héritiers légitimes !

— Comme vous dites, Hastings. Oui, c'est parfaitement exact.

Nous roulâmes quelques minutes en silence. Nous avions traversé Market Basing, et nous retrouvions sur la nationale. Je fredonnais l'air de « Petit homme, tu as eu une rude journée ».

— Vous vous êtes bien amusé, Poirot ? demandai-je enfin.

— Je ne comprends pas du tout ce que vous entendez par « bien amusé », Hastings, répliqua-t-il avec froideur.

— Eh bien, expliquai-je, j'ai comme qui dirait l'impression que vous vous êtes offert une journée de loisirs dirigés.

— Vous ne me trouvez pas sérieux ?

— Oh, *sérieux*, vous l'êtes ! Mais votre engagement m'a tout l'air purement académique. Vous pratiquez ici une sorte de gymnastique intellectuelle gratuite. Si vous voulez le fond de ma pensée tout ceci n'a rien de *réel*.

— Au contraire. C'est tout ce qu'il y a de plus réel.

— Je me suis mal exprimé. Voilà où je voulais en venir : s'il s'agissait d'*aider* notre vieille dame, ou de la protéger contre une nouvelle agression, en ce cas, le jeu en vaudrait mille fois la chandelle. Mais puisque après tout elle est morte, je ne puis m'empêcher de me demander pourquoi nous nous donnons tant de peine.

— Si l'on vous écoutait, mon bon ami, on n'enquêterait jamais sur aucune affaire de meurtre.

— Mais bien sûr que si ! Ça n'a rien à voir ! Bon sang, les autres fois, on a un *cadavre*… Oh, et puis zut !

— Ne vous énervez pas. J'ai très bien compris. Vous établissez une distinction entre un *cadavre* et une simple *mort naturelle*. Supposons, par exemple, qu'au lieu de nous quitter bien sagement à la suite d'une longue maladie, miss Arundell ait eu une fin brutale et violente – alors vous ne resteriez pas indifférent à mes efforts pour découvrir la vérité ?

— Bien sûr.

— Quelqu'un a quand même tenté de la tuer !

— Oui, mais ce quelqu'un a *échoué*. C'est là toute la différence.

— Et ça ne vous intéresse absolument pas de savoir *qui* a voulu l'assassiner ?

— Euh… Si, d'une certaine manière.

— Nous sommes en présence d'un groupe très restreint, dit Poirot, songeur. Ce fil tendu dans l'escalier…

— Ce fil dont vous déduisez simplement l'existence parce que vous avez trouvé un clou planté dans la plinthe ! l'interrompis-je. Qui sait ? Ce clou était peut-être là depuis des années ?

— Non. La peinture était très récente.

— Je continue à croire qu'il peut y avoir toutes sortes d'explications à la présence de ce clou.

— Donnez-m'en une.

Sur le moment, rien de suffisamment plausible ne me vint à l'esprit. Poirot profita de mon mutisme pour poursuivre son raisonnement.

— Oui, un groupe restreint. Ce fil n'a pu être tendu en travers de la première marche qu'une fois tout le monde couché. *Nous ne devons donc tenir compte que des occupants de la maison.* C'est-à-dire que le coupable se trouve parmi ces sept personnes : le Dr Tanios, Mrs Tanios, Theresa Arundell, Charles Arundell, miss Lawson, Ellen et la cuisinière.

— On peut certainement laisser les domestiques de côté.

— Ils ont reçu une part d'héritage, mon très cher. Et l'un d'eux avait peut-être d'autres raisons de tuer : vengeance, querelle qui aurait mal tourné, indélicatesse mise à jour – on ne peut rien *affirmer*.

— Cela m'étonnerait tout de même.

— C'est en effet peu probable, je vous l'accorde. Mais il ne faut négliger aucune éventualité.

— Dans ce cas, nous sommes obligés de considérer huit suspects et non pas sept.

— Comment ça ?

Je sentis que j'allais marquer un point.

— Il faut ajouter *miss Arundell*. Comment êtes-vous sûr qu'elle n'a pas mis ce fil elle-même en travers des escaliers dans l'intention de faire choir un autre membre de la maisonnée ?

Poirot haussa les épaules.

— Vous venez de proférer une ânerie, mon tout bon. Si miss Arundell avait tendu un piège, elle aurait fait attention de ne pas s'y laisser prendre elle-même ! N'oubliez quand même pas que c'est *elle* qui est tombée.

J'abandonnai, déconfit.

Poirot poursuivit ses réflexions, d'une voix pensive :

— Le déroulement des événements est parfaitement clair : la chute, la lettre, la visite du notaire. Mais un détail reste obscur. Miss Arundell a-t-elle volontairement omis de poster cette lettre, parce qu'elle hésitait ? Ou bien se figurait-elle que celle-ci, une fois écrite, avait été envoyée ?

— C'est impossible à dire, fis-je.

— En effet. Nous ne pouvons émettre que des *suppositions*. A mon avis, elle croyait que sa lettre était partie. Elle a dû être surprise de ne pas recevoir de réponse…

Mes réflexions avaient pris une autre direction.

— D'après vous, ces histoires ridicules de spiritisme jouent-elles un rôle dans l'affaire ? demandai-je. Pensez-vous que, même si miss Peabody a jugé l'idée invraisemblable, Emily ait pu recevoir un message, au cours d'une séance, lui ordonnant de modifier son testament et de laisser son argent à la mère Lawson ?

— Cela ne correspond pas vraiment à l'impression générale que je me suis faite du caractère de miss Arundell.

— Les sœurs Tripp affirment que miss Lawson a été totalement prise au dépourvu à la lecture du testament, rappelai-je, d'une voix pensive.

— C'est ce qu'elle leur a dit, oui, admit Poirot.

— Mais vous ne le croyez pas ?

— Mon bon ami, vous connaissez ma nature méfiante ! Je ne crois jamais rien de ce que l'on me raconte si je n'en ai pas une confirmation par ailleurs.

— C'est vrai, mon vieux, m'attendris-je. Quelle nature adorable, indulgente et confiante !

— « Il dit », « Elle dit », « Ils disent »… Bah ! Qu'est-ce que ça signifie ? Rien du tout. Ça peut être la vérité vraie. Ou un mensonge bien commode. Moi, il n'y a que les faits qui m'intéressent.

— Et quels sont ces faits ?

— Miss Arundell est tombée. Cela, personne ne le conteste. Et cette chute n'est pas accidentelle – on l'a provoquée.

— La preuve de cela étant qu'Hercule Poirot en a décidé ainsi !

— Pas du tout. La preuve, c'est le clou. La preuve,

c'est cette lettre que m'a envoyée miss Arundell. La preuve, c'est ce chien qui a passé la nuit dehors. La preuve, ce sont les paroles de miss Arundell à propos de « l'image du vase » et de la balle de Bob. Tout ça, ce sont des faits.

— Et le fait suivant, s'il vous plaît ?

— C'est la réponse à la question habituelle : à qui profite la mort de miss Arundell ? Réponse : à miss Lawson.

— La méchante dame de compagnie ! Mais les autres aussi pensaient que cette disparition allait leur servir. Et à l'époque de l'accident, c'est eux, effectivement, qui auraient récupéré tout l'argent !

— Exact Hastings. C'est pourquoi ils sont tous aussi suspects les uns que les autres. Et il y a un dernier petit fait : miss Lawson s'est donné beaucoup de mal pour cacher à miss Arundell que le chien avait passé la nuit dehors.

— Vous trouvez ça suspect ?

— Pas du tout. Je le note simplement. C'était peut-être un souci bien normal pour la tranquillité d'esprit de la vieille demoiselle. C'est cela, et de loin, l'explication la plus plausible.

Je jetai un regard de côté à Poirot. Cet homme était si désespérément insaisissable !

— Miss Peabody a laissé entendre qu'il y avait quelque chose de louche avec ce testament, repris-je. Qu'est-ce qu'elle a voulu dire, d'après vous ?

— Je pense que c'est sa façon à elle d'exprimer divers doutes vagues et informulés.

— Il me semble que l'on peut éliminer les manœuvres captatoires, fis-je, pensif. Et tout indique

que miss Arundell était beaucoup trop raisonnable pour croire à ces âneries spirites !

— Qu'est-ce qui vous fait dire que le spiritisme est une ânerie, Hastings ?

Je le regardai, stupéfait.

— Mon cher Poirot... Ces femmes épouvantables...

Il sourit.

— Je suis d'accord avec vous en ce qui concerne les demoiselles Tripp. Mais le seul fait qu'elles aient adhéré avec enthousiasme à la science chrétienne, au végétarisme, à la théosophie et au spiritisme ne constitue pas vraiment une preuve accablante contre tout cela ! Si une imbécile vous raconte quantité d'idioties sur un faux scarabée acheté à un escroc, cela ne jette pas forcément le discrédit sur l'ensemble de l'égyptologie !

— Vous voulez dire que vous *croyez* au spiritisme, Poirot ?

— Je n'ai pas d'idée préconçue sur la question. Je n'ai jamais étudié, aucune de ces manifestations, mais il faut admettre qu'un grand nombre de scientifiques et d'érudits sont convaincus de l'existence de phénomènes qui ne sont pas seulement imputables à... dirons-nous, la crédulité d'une miss Tripp.

— Alors vous croyez à ces propos incohérents sur une auréole de lumière entourant la tête de miss Arundell ?

— Je parlais d'une manière générale – c'est votre attitude de scepticisme irraisonné que je vous reproche. Je répondrai que, m'étant fait une certaine opinion des sœurs Tripp, j'examinerai avec le plus grand soin toute information qu'elles porteront à ma connaissance. Une piquée, mon bon ami, est toujours une piquée, qu'elle parle de spiritisme, de politique, des rapports entre les sexes, ou de la doctrine bouddhiste.

— Pourtant, vous les avez écoutées avec attention.

— C'était mon travail, aujourd'hui – écouter. Entendre ce que tout le monde avait à me dire sur ces sept personnes et surtout, bien sûr, sur les cinq les plus concernées. Nous connaissons déjà un certain nombre de choses sur ces gens. Prenez miss Lawson, par exemple. Selon les Tripp, elle est dévouée, généreuse, désintéressée : en somme, quelqu'un de bien. Pour miss Peabody, au contraire, elle est crédule, stupide, et pas suffisamment courageuse ni intelligente pour commettre un crime. Le Dr Grainger nous dit qu'elle était maltraitée, qu'elle était dans une position précaire, et il la traite de « pauvre dinde peureuse » ou quelque chose d'approchant. Pour le serviteur, au restaurant, ce n'était qu'une « personne », et Ellen a précisé que Bob, le chien, la méprisait ! Tout le monde, donc, la considère sous un angle légèrement différent. Et c'est pareil pour les autres. Nul ne semble avoir une haute opinion de la moralité de Charles Arundell, mais néanmoins chacun parle de lui à sa façon. Le Dr Grainger le qualifie avec indulgence de « jeune freluquet qui n'a pas grand-chose dans la tête ». Miss Peabody prétend qu'il aurait tué père et mère pour des clopinettes mais elle préfère, c'est clair, un vaurien tel que lui à un empoté. Miss Tripp laisse entendre qu'il est capable d'un crime, et qu'il en a déjà un ou plusieurs à son actif. Tous ces éclairages indirects sont du plus haut intérêt. Ils nous incitent à entamer l'étape suivante.

— Qui est ?

— Regarder de tous nos yeux, mon bon ami.

13

Le lendemain matin, nous nous rendîmes à l'adresse que nous avait donnée le Dr Donaldson.

J'avais suggéré à Poirot qu'une petite visite chez le notaire, Mr Purvis, aurait peut-être été une bonne chose, mais il avait fermement rejeté cette idée.

— Non, vraiment, mon bon ami. Que lui dirions-nous ? Quelle raison pourrions-nous avancer pour lui arracher des informations ?

— Ce ne sont en général pas les raisons qui vous manquent, Poirot ! N'importe quel bon vieux mensonge ferait l'affaire, non ?

— Au contraire, mon tout bon. Ce ne serait *pas* « n'importe quel bon vieux mensonge », comme vous dites, qui marcherait. Pas avec un notaire. Nous risquerions – quelle expression employez-vous déjà, vous autres Anglais ? – nous risquerions de nous faire jeter dehors comme des malpropres.

— Seigneur !… Tout mais pas *ça* ! m'exclamai-je.

Et c'est ainsi, comme je l'ai dit, que nous partîmes pour l'appartement occupé par Theresa Arundell.

Il était situé à Chelsea, dans un immeuble avec vue sur le fleuve. Le mobilier coûteux était de style

165

moderne : chromes étincelants et épais tapis aux dessins géométriques.

On nous fit attendre quelques minutes, puis une jeune femme pénétra dans la pièce et nous observa d'un air interrogateur.

Theresa Arundell devait avoir vingt-huit ou vingt-neuf ans. Elle était grande et mince et faisait penser à une esquisse en noir et blanc, aux traits surchargés. Ses cheveux étaient d'un noir de jais, et son visage très pâle lourdement maquillé. Ses sourcils, épilés selon un angle bizarre, lui donnaient une expression ironique. Seule tache de couleur, ses lèvres écarlates, qui semblaient une balafre entre ses joues au teint crayeux. On avait en outre l'impression – et je n'aurais su dire pourquoi, car son attitude était d'une indifférence languissante – qu'elle avait au bas mot trois fois plus de ressort que le commun des mortels. On sentait en elle comme une énergie contenue. L'image d'un coup de fouet me traversa l'esprit.

Son regard froid et inquisiteur se posa sur moi, puis sur Poirot.

Las de mentir – du moins l'espérais-je –, Poirot lui avait donné sa véritable carte de visite. Elle la retournait dans tous les sens entre ses doigts.

— Vous êtes M. Poirot ? dit-elle.

Poirot se fendit de sa plus belle courbette.

— A votre service, chère et délicieuse mademoiselle. Me permettez-vous d'abuser de votre temps si précieux ?

— Enchanté, *monsieur* Poirot. Je vous en prie,

166

asseyez-vous, lui répondit-elle en imitant vaguement ses manières cérémonieuses.

Poirot s'installa, non sans quelques indispensables précautions, dans un fauteuil cubique surbaissé ; pour ma part, j'en choisis un à dossier droit – des sangles sur une armature chromée. Theresa prit négligemment place sur un tabouret bas, devant la cheminée. Elle nous offrit des cigarettes, que nous refusâmes, et en alluma une.

— Peut-être me connaissez-vous de réputation, chère mademoiselle ?

Elle acquiesça d'un signe de tête :

— Vous êtes copain comme cochon avec Scotland Yard, corrigez-moi si je me trompe.

Poirot, je pense, n'apprécia guère cette description. Il répondit, d'un ton gourmé :

— Je me fais un devoir de résoudre bon nombre de problèmes criminels, mademoiselle.

— C'est terriblement fascinant, dit Theresa Arundell d'une voix languide. Quand je pense que j'ai égaré mon carnet d'autographes !

— L'affaire qui me vaut l'honneur d'être ici, poursuivit Poirot, imperturbable, est la suivante : j'ai reçu hier une lettre de votre tante.

Elle écarquilla quelque peu les yeux – de très longs yeux en amandes – et souffla une bouffée de fumée.

— De ma *tante*, monsieur Poirot ?

— Je viens de vous le dire, chère mademoiselle.

— Désolée de vous priver d'un divertissement prometteur, cher monsieur, mais il y a un os : je n'ai pas ça dans mes relations ! Dieu merci, toutes mes tantes ont passé l'arme à gauche. La dernière est morte il y a deux mois.

— Miss Emily Arundell ?

— Oui. Miss Emily Arundell. Les cadavres ne vous bombardent tout de même pas de lettres, monsieur Poirot ?

— Si, parfois.

— Vous êtes divinement *macabre* !

Il y avait une note nouvelle dans sa voix – elle était soudain plus éveillée, plus attentive.

— Et que vous a dit ma tante, monsieur Poirot ?

— Cela, mademoiselle, je ne puis vous le révéler pour le moment. Il s'agissait, voyez-vous, d'une affaire… (il toussota)… d'une affaire quelque peu délicate.

Il y eut un bref silence. Theresa Arundell fuma un moment sans rien dire, puis elle murmura :

— Mystère et boule de gomme, si je comprends bien. Mais qu'ai-je à voir là-dedans, au juste ?

— J'espérais, mademoiselle, que vous accepteriez de répondre à quelques questions.

— Des questions ? A quel propos ?

— Des questions d'ordre familial.

Ses yeux s'agrandirent de nouveau.

— Je vous trouve d'un solennel !… Et si vous me donniez un échantillon de vos fameuses questions ?

— Bien volontiers. Pouvez-vous me communiquer l'adresse actuelle de votre frère Charles ?

Elle plissa les paupières. On aurait dit qu'elle rentrait dans sa coquille. Son énergie semblait s'être résorbée.

— Ça ne me paraît guère faisable, non. Nous ne sommes pas du genre à nous écrire. Et j'ai comme l'impression qu'il a quitté l'Angleterre.

— Je vois, murmura Poirot, qui resta alors silencieux un instant.

— Etait-ce là tout ce que vous vouliez savoir, *monsieur* Poirot ?

— Non, j'ai d'autres questions. *Un* : êtes-vous satisfaite de la façon dont votre tante a disposé de sa fortune ? *Deux* : depuis combien de temps êtes-vous fiancée au Dr Donaldson ?

— Voilà ce qui s'appelle sauter du coq à l'âne ou je ne m'y connais pas !

— Dois-je me répéter ?

— Inutile. Nous n'avons pas gardé les cochons ensemble. Je répondrai donc en bloc à ces deux questions que ça ne vous regarde pas. *Ça ne vous regarde pas, monsieur Hercule Poirot*, martela-t-elle en français.

Poirot l'observa attentivement un instant, puis, sans paraître déçu le moins du monde, il se leva.

— C'est donc ainsi que vous prenez les choses ! Sans doute n'y a-t-il pas lieu d'être surpris. Permettez-moi, *très chère mademoiselle*, de vous féliciter pour votre accent français. Et de vous souhaiter une bonne fin de matinée. Venez, Hastings.

Nous étions arrivés à la porte lorsque la jeune femme se manifesta. Son injonction me fit, là encore, penser à un coup de fouet. Elle n'avait pas bougé, mais ses deux mots claquèrent, oui, claquèrent exactement comme un coup de fouet.

— Revenez ici !

Poirot obéit avec lenteur. Il se rassit et l'observa d'un air interrogateur.

— Arrêtons de faire l'andouille, dit-elle. Il n'est pas totalement exclu que vous puissiez m'être utile, monsieur Hercule Poirot.

— J'en serais ravi, mademoiselle. Mais de quelle façon ?

Entre deux bouffées de sa cigarette, elle répondit très doucement, d'une voix égale :

— Dites-moi comment faire annuler ce testament.

— Un avocat pourrait certainement vous…

— Oui, un avocat, peut-être – si je dénichais l'oiseau rare – ou la brebis galeuse, comme vous préférez. Mais les seuls que je connaisse sont, hélas, honnêtes ! D'après eux, le testament est tout ce qu'il y a de légal, et l'attaquer devant un tribunal reviendrait à jeter l'argent par les fenêtres.

— Mais vous ne les croyez pas.

— Ce que je crois, c'est qu'il y a toujours une solution. Il suffit de faire taire ses scrupules et d'être prêt à y mettre le prix. *Eh bien, moi, j'y suis prête.*

— Et il va de soi, selon vous, que moi aussi je peux oublier mes scrupules moyennant finances ?

— Je me suis aperçue que c'était vrai de la plupart des gens. Je ne vois pas pourquoi vous seriez une exception à la règle. Bien sûr, tout le monde commence toujours par protester de son honnêteté.

— Exactement. Ça fait partie du jeu, hein ? Mais – dans la mesure où je serais disposé à oublier mes scrupules – que pensez-vous donc que je pourrais faire ?

— Je ne sais pas, moi. Mais vous êtes un homme

intelligent. Ce n'est un secret pour personne. Vous pourriez trouver la forme adéquate du système D.

— Laquelle, au juste ?

Theresa Arundell haussa les épaules.

— Ça, c'est votre affaire. Voler le testament et le remplacer par un faux… Kidnapper cet épouvantail de Lawson et lui flanquer la frousse pour lui faire avouer qu'elle a forcé ma tante à le rédiger en sa faveur. Produire un troisième testament écrit sur le lit de mort de la vieille Emily.

— Votre imagination débordante me laisse sans voix, très chère mademoiselle !

— D'accord, mais quelle est votre réponse ? J'ai été suffisamment franche. Si vous m'opposez un refus vertueux, voilà la porte.

— Ce n'est pas un refus vertueux – pas encore, dit Poirot.

Theresa Arundell se mit à rire et me regarda.

— Votre ami, observa-t-elle à l'intention de Poirot, semble choqué. Si nous l'envoyions se faire fiche autour du pâté de maisons ?

Poirot s'adressa à moi avec une pointe d'irritation :

— Hastings, contrôlez, s'il vous plaît, votre belle et droite nature. (Puis, à Theresa :) Je vous prie d'excuser mon ami, exquise mademoiselle. Il est honnête, comme vous l'avez constaté. Mais il est fidèle, aussi, et sa loyauté à mon égard est absolue. En tout cas, laissez-moi insister sur un point. (Il la fixa d'un regard intense.) Quoi que nous fassions, nous resterons dans les limites de la loi.

Les sourcils de Theresa se soulevèrent un tantinet.

— … La loi, ajouta Poirot d'un ton pensif, nous laissant une bonne marge d'action.

— Je vois, dit-elle avec un petit sourire. Nous considérerons donc cela comme entendu. Voulez-vous que nous discutions de votre part du gâteau – s'il s'avère qu'il y en a un ?

— Là aussi, nous pouvons nous entendre. Quelques jolies petites miettes, c'est tout ce que je demande.

— Marché conclu, dit Theresa.

— Ecoutez, très chère petite mademoiselle, reprit Poirot en se penchant en avant, dans quatre-vingt-dix-neuf pour cent des cas, dirons-nous, je suis du côté de la loi. Quant au un pour cent qui reste – eh bien, c'est différent. D'abord, c'est en général bien plus lucratif… Mais il faut s'y prendre avec beaucoup de discrétion, vous l'imaginez. Vraiment beaucoup. Ma réputation ne doit pas en souffrir. Je suis obligé d'être prudent. (Theresa Arundell acquiesça d'un mouvement de tête.) Et il me faut connaître tous les éléments de l'affaire ! Il me faut la vérité ! Vous comprenez que lorsque l'on sait la vérité on a plus de facilité pour décider quel mensonge raconter au juste !

— Cela semble éminemment raisonnable.

— Dans ce cas, c'est parfait. Voyons, quand les nouvelles dispositions testamentaires ont-elles été, prises.

— Le 21 avril.

— Et les précédentes ?

— Tante Emily les a rédigées il y a cinq ans.

— Et en quoi consistaient-elles ?

172

— Un legs à Ellen et un autre à une ancienne cuisinière. Le reste de ses biens était partagé entre les enfants de son frère Thomas et de sa sœur Arabella.

— L'argent était-il laissé sous forme de fidéicommis ?

— Non. Nous en avions l'usage immédiat.

— Maintenant, écoutez-moi bien. Etiez-vous tous au courant de cela ?

— Bien sûr, Charles et moi le savions. Et Bella aussi. Tante Emily n'en faisait pas mystère. En fait, chaque fois que l'un d'entre nous lui mendiait un prêt, elle répondait toujours : « Vous aurez tout mon argent quand je serai morte. Contentez-vous de ça. »

— Aurait-elle refusé de vous prêter de l'argent en cas de maladie ou dans des circonstances exceptionnelles ?

— Non, je ne crois pas, répondit doucement Theresa.

— Mais elle estimait que vous en aviez tous assez pour vivre ?

— C'était son opinion, oui.

Il y avait de l'amertume dans sa voix.

— Mais vous n'étiez pas de cet avis ?

Theresa ne répondit pas immédiatement. Puis, elle expliqua :

— Mon père nous a laissé trente mille livres à chacun, à Charles et à moi. Les intérêts de cette somme, qui a fait l'objet de placements sûrs, s'élèvent à environ douze cents livres par an. Une fois les impôts payés, c'est un joli revenu avec lequel on peut vivre très à l'aise. Mais moi, je... (Sa voix changea, son corps mince se raidit, sa tête se renversa légèrement en arrière – toute cette merveilleuse énergie que j'avais sentie en elle ressortait soudain.)... Mais moi je veux mille fois mieux que cette existence-là ! Je veux ce qu'il y a de meilleur ! Les restaurants les plus gastronomiques, les robes les plus coûteuses et avec le chic en plus – pas seulement des vêtements bêtement à la mode. Je veux vivre à cent à l'heure et m'amuser comme une folle, je veux aller me baigner, l'été, au soleil de la Côte d'Azur, je veux avoir les moyens de m'asseoir à une table de jeu quand l'envie m'en prend et risquer des sommes folles, je veux donner des fêtes – des fêtes sauvages, absurdes, extravagantes –, je veux tout ce qu'offre ce monde déliquescent, et je ne le veux pas dans dix ans... il me le faut tout de suite !

Sa voix sonnait, merveilleusement chaude, entraînante, envoûtante.

Poirot observait son interlocutrice avec infiniment d'attention.

— Et j'imagine que c'est ce qui s'est passé. Vous l'avez eue *tout de suite*, cette vie ?

— Oui, Hercule, je l'ai eue.

— Et combien vous reste-t-il sur les trente mille livres ?

Elle éclata soudain de rire.

— Deux cent vingt et une livres, quatorze shillings et sept pence. C'est le chiffre exact, sur mon compte. Alors vous voyez, mon petit bonhomme, vous allez être payé aux résultats. Pas de résultats, pas de salaire.

— Dans ce cas, dit Poirot, très terre à terre, il y aura certainement des résultats.

— Vous êtes un super petit bonhomme. Hercule. Je suis heureuse qu'on fasse équipe.

Poirot reprit alors, sur un ton très professionnel :

— Il y a quelques menus détails que je dois absolument savoir. Prenez-vous de la drogue ?

— Non, jamais.

— Vous buvez ?

— Pas mal, oui. Mais pas par amour de l'alcool. Mes amis boivent et je fais comme eux, mais je peux arrêter quand je veux.

— Très bien.

Elle se remit à rire :

— Rassurez-vous, Hercule, je ne vendrai pas la mèche un jour où j'aurai un coup dans l'aile !

— Et sur le plan sentimental ? poursuivit Poirot.

— Beaucoup d'aventures, dans le passé.

— Et aujourd'hui ?

— Seulement Rex.

— Le Dr Donaldson ?

— Oui.

— Il paraît pourtant très étranger à la vie que vous décrivez.

— Oh, il l'est.

— Et cependant, vous tenez à lui. Comment est-ce possible ?

— Qui connaît la raison des choses ? Pourquoi Juliette est-elle tombée amoureuse de Roméo ?

— Avec tout le respect dû à Shakespeare, il se

trouve que c'était le premier homme qu'elle rencontrait.

— Je ne peux pas dire que ce soit mon cas avec Rex, murmura Theresa. Il s'en faut de beaucoup. (Elle ajouta, d'une voix encore plus basse :) Mais je crois – je sens – que ce sera le bon.

— Et c'est un homme sans le sou.

Elle acquiesça.

— Il a besoin d'argent, lui aussi ?

— Désespérément. Oh ! pas pour les mêmes raisons que moi. Il ne court pas après le luxe, la beauté ou le plaisir. Non, rien de tout ça. Il serait capable de porter le même complet veston jusqu'à ce qu'il tombe en lambeaux, et de manger tous les jours avec joie une côtelette desséchée, et de se laver dans une baignoire en fer-blanc ébréchée. Avec de l'argent, il achèterait des éprouvettes, et un laboratoire et tout ça. Il est ambitieux. Son travail passe avant tout, et même… avant moi.

— Savait-il que vous alliez hériter, à la mort de miss Arundell ?

— Je le lui avais dit. Oh, après nos fiançailles ! Il ne m'épouse vraiment pas pour ma fortune, si c'est à ça que vous voulez en venir.

— Vous êtes toujours fiancés ?

— Bien sûr que oui.

Poirot n'ajouta rien. Et son silence sembla inquiéter la jeune femme.

— Bien sûr que nous sommes fiancés, répéta-t-elle d'un ton âpre, avant d'ajouter : Vous… Vous l'avez vu ?

— Je l'ai vu hier, à Market Basing.

— Pourquoi ? Qu'est-ce que vous lui avez dit ?

— Je ne lui ai rien dit. Je lui ai simplement demandé l'adresse de votre frère.

— Charles ? (Le ton était redevenu brutal.) Qu'est-ce que vous lui voulez, à Charles ?

— Charles ? Qui demande Charles ?

C'était une nouvelle voix qui posait cette fois la question – une voix masculine particulièrement agréable à l'oreille.

Un jeune homme, bronzé et tout sourire, était entré dans la pièce d'un pas nonchalant.

— On parle de moi ? demanda-t-il. J'ai entendu prononcer mon nom depuis le couloir, mais je n'ai pas collé mon oreille au trou de la serrure. Ils étaient particulièrement pointilleux sur le chapitre des trous de serrure, à Borstal. Bon, maintenant, qu'est-ce qui se passe, Theresa, ma poulette ? Crache le morceau, tu veux ?

14

Je me dois d'avouer que, dès que je l'aperçus, je ne pus m'empêcher d'éprouver de la sympathie pour Charles Arundell. Il avait l'air si détendu, si désinvolte… Ses yeux pétillaient de malice et j'avais rarement vu sourire plus désarmant.

Il vint s'asseoir sur le bras d'un gros fauteuil rembourré.

— Alors, ma vieille, qu'est-ce qui se passe ? s'enquit-il.

— Je te présente M. Hercule Poirot, Charles. Il est disposé… euh… à faire un sale boulot pour nous en échange d'une modeste rétribution.

— Je proteste ! s'exclama Poirot. Il ne s'agit en aucun cas d'un « sale boulot », comme vous dites. C'est au pire un petit écart sans gravité, destiné à faire respecter les intentions premières de la défunte. Formulons cela ainsi.

— Exprimez-le de la manière que vous voulez, répondit Charles avec amabilité. Je me demande ce qui a poussé Theresa à s'adresser à vous.

— Ce n'est pas elle, se hâta d'expliquer Poirot. Je suis venu ici de mon propre chef.

— Pour proposer vos services ?

— Pas tout à fait. Je cherchais à vous joindre. Votre sœur m'a répondu que vous étiez à l'étranger.

— Theresa est une sœur très prudente, dit Charles. Elle ne commet pratiquement jamais d'erreur. En réalité, elle est méfiante comme une chatte.

Il lui adressa un sourire affectueux, qu'elle ne lui rendit pas. Elle paraissait songeuse, presque inquiète.

— Seulement cette fois-ci, poursuivit Charles, je crains bien que tu ne te sois fourvoyée, comme on dit dans le beau monde. Poirot est connu pour traquer les criminels, certainement pas pour les aider.

— Nous ne sommes pas des criminels, protesta Theresa d'un ton brusque.

— Mais nous sommes tout disposés à le devenir, riposta son frère, toujours affable. J'avais moi-même pensé à une petite contrefaçon – c'est davantage ma spécialité. J'ai été renvoyé d'Oxford à cause d'un léger malentendu à propos d'un chèque. C'était pourtant d'une simplicité enfantine – l'histoire toute bête d'un zéro rajouté. Ensuite, il y a eu une autre entourloupe sans importance avec tante Emily et la banque locale. C'était stupide de ma part, bien sûr. J'aurais dû me rendre compte que notre bien-aimée tantine était maligne comme un singe. Cependant, ce n'étaient là que peccadilles – cinq, dix livres, de cet ordre-là. Seulement, un testament rédigé sur un lit de mort, il faut reconnaître que c'est plus risqué. On devrait mettre la main sur cette enquiquineuse patentée d'Ellen et la… – on dit suborner, je crois ? – , enfin, bon, la persuader de raconter qu'elle a vu Emily l'écrire. Je crains que ce ne soit pas facile, facile. Je pourrais peut-être aller jusqu'à l'épouser… pour qu'elle n'ait plus moyen, ensuite, de témoigner contre moi.

Il adressa à Poirot un sourire désarmant.

— Je suis sûr que vous avez caché un micro quelque part et qu'en ce moment, Scotland Yard nous écoute…

— Votre problème m'intéresse, répondit Poirot, d'un ton quelque peu désapprobateur. Evidemment, je ne peux pas être complice d'une action illégale. Mais il y a plus d'une façon de…

Le fait qu'il ne terminât pas sa phrase était éloquent.

Charles Arundell haussa ses élégantes épaules.

— Je ne doute pas, en effet, qu'il y ait de multiples moyens de tourner la loi tout en restant dans la légalité, fit-il remarquer avec amabilité. Vous devez être bien placé pour le savoir.

— Qui a servi de témoin, lors de la rédaction du testament ? J'entends celui du 21 avril.

— Purvis est venu avec son clerc et c'est le jardinier qui a fait office de second témoin.

— Ce document a donc été signé en présence de Mr Purvis ?

— Oui.

— Et je suppose que ce Purvis est un homme des plus respectables ?

— L'étude Purvis, Purvis, Charlesworth et encore

Purvis est aussi respectable et irréprochable que la Banque d'Angleterre, répondit Charles.

— Ça ne lui a pas vraiment plu de rédiger cet acte, intervint Theresa. Je crois qu'il a même, avec la plus totale correction, tenté de dissuader tante Emily de le faire.

— C'est lui qui t'a dit ça, Theresa ? demanda Charles sèchement.

— Oui, je suis retournée le voir hier.

— Tu as perdu ton temps, ma chérie – et tu le sais aussi bien que moi. Il n'est là que pour se faire du fric au passage.

Theresa haussa les épaules.

— Je vais vous demander, dit Poirot, de me fournir le maximum d'informations sur les dernières semaines de la vie de miss Arundell. Et pour commencer, il m'a semblé comprendre que votre frère et vous, ainsi que le Dr Tanios et sa femme, aviez passé les fêtes de Pâques chez elle ?

— Oui, en effet, répondit-elle.

— S'est-il produit un quelconque événement significatif durant ce week-end ?

— Je ne crois pas.

— Rien ? Mais je pensais que…

Interrompant Poirot, Charles lança à sa sœur :

— Ce que tu peux être égocentrique, Theresa ! Rien ne t'est arrivé à toi. Tu nages dans ton roman à l'eau de rose ! Car il faut que je vous dise, monsieur Poirot, que Theresa a un béguin à Market Basing. Un toubib du pays. C'est l'amour qui lui fausse un tantinet le sens des proportions. En fait, ma tante vénérée a dégringolé la tête la première dans l'escalier et a bien failli passer l'arme à gauche. Si seulement ç'avait pu être le cas ! Ça nous aurait évité toutes ces histoires.

— Elle a fait une chute dans l'escalier ?

— Oui, elle a trébuché sur la balle du chien. L'intelligente bestiole avait abandonné son jouet sur le palier et, en pleine nuit, cette chère tantine a fait la culbute.

— C'était quel jour ?

— Voyons… Mardi… La veille de notre départ.

— Votre tante a-t-elle été gravement blessée ?

— Hélas, elle n'est pas tombée sur la tête. Auquel cas nous aurions pu invoquer un ramollissement cérébral – ou quelque chose d'approchant, je ne connais pas le terme scientifique. Non, elle n'a pratiquement rien eu.

— Quelle déception pour vous ! fit remarquer Poirot, pince-sans-rire.

— Hein ? Oh, je vois ce que vous voulez dire. Oui, vous avez raison, quelle déception ! Des dures à cuire, ces vieilles biques.

— Et tout le monde est parti le mercredi matin ?

— Exact.

— C'était le mercredi 15. Quand avez-vous revu votre tante, ensuite ?

— Euh… pas le week-end suivant, mais l'autre.

— C'est-à-dire… Laissez-moi réfléchir… le 25. C'est bien ça ?

— Oui, je crois.

— Et votre tante est morte le… ?

— Le vendredi suivant.

— Après être tombée malade le lundi soir ?

— Oui.

— Le lundi où vous êtes partis ?

— Oui.

— Vous n'êtes pas retournés la voir pendant sa maladie ?

— Pas avant le vendredi. Nous ne nous étions pas rendu compte de la gravité de son état.

— Etes-vous arrivés à temps ? Elle était encore en vie ?

— Non, elle était déjà morte.

Poirot se tourna vers Theresa Arundell.

— Vous étiez avec votre frère, en ces deux occasions ?

— Oui.

— Et au cours du second week-end, la modification du testament n'a pas été évoquée ?

— Non, dit Theresa.

Charles avait répondu en même temps :

— Oh, que si !

Il s'était exprimé avec la même décontraction que d'habitude, mais sur un ton plus forcé, plus artificiel.

— Ah bon ? fit Poirot.

— Charles ! s'écria Theresa.

Charles évita les yeux de sa sœur et lui parla sans la regarder.

— Tu t'en souviens sûrement, ma poule ? Je t'ai pourtant raconté la scène, non ? Tante Emily a donné dans le style envoi-de-corps-expédition-naire. Elle siégeait comme un juge au tribunal. Et elle s'est livrée à une sorte de harangue. Elle a déclaré qu'elle désapprouvait hautement tous les membres de sa famille – à savoir Theresa et moi. Bella, elle la tolérait, elle n'avait rien contre elle, mais d'un autre côté elle ne supportait pas son mari et s'en méfiait comme de la peste. Achetez anglais ! C'était son leimotiv. Si Bella héritait d'une somme importante, la tantine était convaincue que Tanios trouverait le moyen de mettre la main dessus. Avec un Grec, c'était couru d'avance : « Elle risque beaucoup moins gros comme ça », répétait-elle. Ensuite elle a déclaré qu'on ne pouvait se fier ni à Theresa ni à moi pour les questions d'argent. Nous allions forcément le perdre au jeu ou le jeter par les fenêtres. Et donc, a-t-elle conclu, elle avait rédigé un autre testament et laissait tous ses biens à miss Lawson. « Elle est stupide, a-t-elle ajouté ; mais elle, c'est une gourde fidèle. Et je suis certaine qu'elle m'est totalement dévouée. Ce n'est pas de sa faute si elle n'a rien dans le crâne. J'ai estimé que c'était plus honnête de te le dire, Charles, pour que tu saches qu'il ne te sera pas possible d'emprunter de l'argent en te servant de cet héritage comme caution. » Dans le genre coup en vache, c'était servi, vu que c'était justement ce que j'étais en train d'essayer de faire.

— Pourquoi ne m'as-tu parlé de rien, Charles ? demanda Theresa, furieuse.

— Et qu'est-ce que vous lui avez rétorqué, Mr Arundell ? s'enquit Poirot.

— Moi ? fit Charles d'un ton désinvolte. Oh ! Je me suis contenté de me tordre de rire. Ça ne sert à rien de se mettre en rogne. C'est la mauvaise méthode. « Comme vous voudrez, tante Emily, lui ai-je répondu. La pilule est un peu dure à avaler, mais après tout ce fric, c'est le vôtre et vous avez bien le droit d'en disposer comme bon vous semble. »

— Comment votre tante a-t-elle réagi à ça ?

— Oh, elle l'a bien encaissé, très bien, même. Elle a dit : « Tu es beau joueur. Charles. » Ce à quoi j'ai répliqué : « Il faut savoir prendre les choses comme elles viennent. D'ailleurs, puisque maintenant je n'ai plus rien à attendre, pourquoi ne me fileriez-vous pas dix livres tout de suite ? » Elle m'a traité d'insolent et de voyou – sur quoi, je suis quand même reparti avec cinq livres en poche.

— Vous avez fort intelligemment dissimulé vos sentiments.

— En réalité, je n'avais pas pris tout tellement au sérieux.

— Vraiment ?

— Je vous jure sur le moment, j'ai cru qu'il s'agissait de ce qu'on pourrait qualifier de « coup de semonce » de la vieille chouette. Elle voulait ficher la trouille à tout le monde. J'avais l'impression très nette qu'au bout de quelques semaines, de quelques mois tout au plus, elle allait déchirer cette version-là du testament. Elle était très famille, tante Emily. Et en fait, je crois que c'est exactement ce qu'elle *aurait* fait, si elle n'était pas morte si étrangement vite.

— Tiens ! dit Poirot, voilà une idée intéressante. (Il resta silencieux un instant, puis il reprit :) Se peut-il que quelqu'un, miss Lawson, par exemple, ait surpris votre conversation ?

— C'est possible. Nous ne parlions pas spécialement à voix basse. En fait, la mère Lawson traînait devant la porte quand je suis sorti. A mon avis, elle était restée vissée un moment au trou de serrure.

Poirot considéra Theresa d'un air pensif.

— Et vous, vous ne saviez rien de tout ça ?

Charles ne lui laissa pas le temps de répondre :

— Theresa, ma vieille, je suis sûr de te l'avoir raconté – ou au moins d'y avoir fait allusion.

Il y eut un silence étrange. Charles regardait sa sœur fixement, avec une anxiété, une immobilité, qui semblaient disproportionnées par rapport à cette question.

— Si tu m'en avais parlé, répondit lentement Theresa, je ne crois pas que je l'aurais oublié. Qu'en pensez-vous, monsieur Poirot ?

Ses sombres yeux en amande se posèrent sur mon ami, qui répliqua tout aussi lentement :

— Je doute fort, en effet, que vous ayez pu l'oublier, miss Arundell.

Puis, se tournant brusquement vers Charles :

— Permettez-moi de préciser un point. Emily Arundell vous a-t-elle dit qu'elle allait modifier son testament ou vous a-t-elle expressément annoncé que *c'était déjà fait* ?

— Elle a été on ne peut plus claire, répondit vivement le jeune homme. D'ailleurs ce chiffon de papier, elle me l'a montré.

Poirot se pencha en avant et le transperça du regard.

— Ce point est essentiel. Vous dites que miss Arundell vous a *montré* le testament ?

Charles s'agita soudain comme un écolier pris en faute. Le sérieux de Poirot le mettait mal à l'aise.

— Oui, répéta-t-il. Elle me l'a montré.

— Vous pouvez le jurer ?

— Bien sûr ! (Il lui lança un coup d'œil nerveux.) Je ne vois pas pourquoi c'est si important.

Theresa se leva brusquement et s'appuya contre la cheminée. Elle alluma avec fébrilité une autre cigarette.

— Et à vous, mademoiselle ? Votre tante ne vous a-t-elle rien dit d'intéressant pendant ce week-end ?

— N-n-non… Elle s'est montrée… plutôt aimable. Enfin, aussi aimable qu'elle en était capable. Elle m'a un peu fait la morale sur ma façon de vivre… et tout ça. Mais c'était à chaque fois la même chanson. Elle m'a juste semblé un peu plus nerveuse que d'habitude.

— Je suppose, mademoiselle, que votre fiancé vous occupait davantage l'esprit, suggéra Poirot en souriant.

— Il n'était pas là, répondit-elle sèchement. Il s'était rendu à un congrès de médecine.

— Vous ne l'aviez pas vu depuis le weed-end de Pâques ? C'était la dernière fois que vous vous étiez trouvés ensemble ?

— Oui. Il était venu dîner la veille de notre départ.

— Au cours de ce dîner, vous ne vous êtes pas… – pardonnez-moi ma question –, vous ne vous êtes pas disputés ?

— Absolument pas.

— Puisqu'il ne s'est pas montré. Le second week-end, je pensais que…

— Ah, mais voyez-vous, ce second week-end

187

n'était pas vraiment prévu, l'interrompit Charles. Nous n'avons décidé d'y aller qu'au tout dernier moment.

— Ah bon ?

— Bon ! après tout pourquoi ne pas dire la vérité ? soupira Theresa d'un ton las. Voyez-vous, Bella et son mari s'y étaient rendus la semaine précédente – ils avaient été aux petits soins avec tante Emily à cause de son accident. Nous avons pensé qu'ils allaient nous couper l'herbe sous le pied.

— Nous nous sommes dit, ajouta Charles avec un sourire, que nous ferions bien de montrer aussi quelque intérêt pour la santé de tante Emily. Mais en réalité, la vieille était bien trop maligne pour être dupe de ces attentions soudaines. Elle savait à quoi s'en tenir. Elle n'était pas née de la dernière pluie, tante Emily.

Theresa éclata de rire.

— Edifiant, n'est-ce pas ? Vous nous imaginez, tous, en train de tirer la langue en attendant son argent !

— C'était le cas aussi pour votre cousine et son mari ?

— Oh, oui ! Bella est perpétuellement fauchée. C'est pathétique de voir comment elle meurt d'envie de copier mes vêtements pour un huitième de leur prix… Je crois que Tanios a spéculé en Bourse avec la fortune de sa femme. Ils ont un mal de chien à joindre les deux bouts. Ils ont eu deux gosses et ils veulent les voir faire leurs études en Angleterre.

— Vous pouvez peut-être m'indiquer leur adresse ? demanda Poirot.

— Ils sont descendus au *Durham Hotel*, à Bloomsbury.

— Elle est comment votre cousine ?

— Bella ? Bof ! c'est une raseuse. Pas vrai, Charles ?

— Elle est ennuyeuse comme la pluie. Et c'est une enquiquineuse. Mais une mère attentionnée. Comme la plupart des enquiquineuses.

— Et son mari ?

— Tanios ? Oh ! il a l'air un peu bizarre, mais au fond, c'est un type sympa. Intelligent, drôle et tout ce qu'il y a de fair-play.

— C'est aussi votre avis, mademoiselle ?

— Je dois avouer que je le préfère à Bella. Je crois aussi que c'est un sacré bon toubib. Il n'empêche que je n'ai pas une très grande confiance en lui.

— Theresa n'a confiance en personne, intervint Charles, en passant le bras autour des épaules de sa sœur. Même pas en moi.

— Seul un débile mental, mon ange, pourrait se fier à toi, rétorqua gentiment Theresa.

Le frère et la sœur s'écartèrent l'un de l'autre et regardèrent Poirot.

Celui-ci les salua et se dirigea vers la porte.

— Je me colle – ainsi que vous diriez – sur l'affaire ! Ce ne sera ni plaisant ni commode, mais *mademoiselle* a raison. Il y a toujours une solution. Au fait, cette miss Lawson serait-elle du genre à perdre son sang-froid au cours d'un interrogatoire au tribunal ?

Charles et Theresa échangèrent un coup d'œil.

— A mon avis, répondit Charles, un avocat qui

la secouerait un peu serait capable de lui faire dire que le blanc est noir – et vice versa.

— Voilà un trait de caractère qui pourrait se révéler d'une extrême utilité, conclut Poirot.

Il quitta la pièce d'un pas léger, et je le suivis. Dans le vestibule, il récupéra son chapeau, se dirigea vers la porte d'entrée, l'ouvrit et la referma aussitôt avec bruit. Puis il revint sur la pointe des pieds jusqu'à la porte du salon et colla sans vergogne son oreille dans l'entrebâillement. Quelles écoles il a bien pu fréquenter, je l'ignore – mais l'on n'y condamnait apparemment pas l'indiscrétion. J'étais horrifié par son attitude, mais impuissant. Il ne prêta aucune attention aux gestes pressants que je lui adressai.

Ce fut alors que l'on entendit très nettement la voix profonde et vibrante de Theresa Arundell prononcer un mot, un seul :

— Imbécile !

Puis il y eut un bruit de pas dans le couloir, et Poirot m'empoigna par le bras, ouvrit la porte d'entrée, franchit le seuil en m'entraînant avec lui et referma silencieusement derrière nous.

15

Miss Lawson

— Poirot, demandai-je, est-il *vraiment* indispensable que nous écoutions aux portes ?

— Calmez-vous, mon bon ami. Je suis le seul à l'avoir fait. Ce n'est pas vous qui avez collé votre oreille à celle-là. Au contraire, vous êtes resté debout, au garde-à-vous, comme un vrai petit soldat.

— Mais j'ai aussi bien entendu que vous.

— C'est vrai. On ne peut pas dire que cette aimable jeune personne murmurait.

— Elle croyait que nous avions quitté l'appartement.

— Oui, et là, en effet, nous nous sommes rendus coupables d'une légère indiscrétion, reconnut Poirot.

— Je n'aime pas ce genre de choses.

— Votre moralité est irréprochable ! Mais inutile de nous répéter. Ce n'est pas la première fois que nous avons cette conversation. Vous allez me dire que ce n'est pas jouer franc jeu. Et je vais vous répondre qu'un meurtre n'est pas un jeu.

— Mais il n'est pas question de meurtre, ici…

— N'en soyez pas si sûr.

— L'*intention* y est peut-être, oui. Mais, après tout, il ne faut pas confondre un assassinat et une *tentative* d'assassinat.

— Moralement, cela revient au même. Ce que je voulais dire, c'est : êtes-vous bien certain que nous n'avons affaire qu'à une *tentative* de meurtre ?

Je le dévisageai.

— Mais la mort de la vieille miss Arundell est parfaitement naturelle !

— Je répète : *en êtes-vous certain* ?

— Tout le monde le dit !

— Tout le monde ? Oh là là !

— Le docteur le dit, fis-je remarquer. Le Dr Grainger. Il est bien placé pour le savoir.

— Oui, en effet, il est bien placé, admit Poirot de mauvaise grâce. Mais rappelez-vous, Hastings, il arrive que des corps soient exhumés – et pourtant, à chaque fois, un certificat de décès en bonne et due forme avait été délivré par le médecin traitant.

— Mais dans le cas présent, miss Arundell est morte à l'issue d'une longue maladie.

— Il semble bien, oui.

Poirot n'avait toujours pas l'air satisfait. Je l'observai avec attention.

— Poirot, dis-je, moi aussi je vais commencer une phrase par « Etes-vous bien certain ? ». Etes-vous bien certain que vous ne vous laissez pas emporter par votre zèle professionnel ? Vous *voulez* qu'il y ait eu meurtre, et donc vous pensez qu'il *faut* qu'il y en ait eu un.

Le visage de Poirot était de plus en plus sombre. Il hocha lentement la tête.

— Votre remarque est loin d'être stupide, Hastings. Vous avez mis le doigt sur mon point faible. Le meurtre est mon métier. Je suis comme un grand chirurgien qui se spécialise, disons, dans les opérations de l'appendice ou autres interventions plus délicates. Lorsqu'un patient vient le consulter, il ne le considère que du point de vue de sa spécialité. Y a-t-il une raison de penser que cette personne souffre de telle ou telle maladie… ? Je suis comme ça. Je suis toujours en train de me demander : « Se pourrait-il que ce soit un meurtre ? » Et voyez-vous, mon bon ami, il y a presque toujours une possibilité que ce soit bel et bien le cas.

— Je ne pense pas que cette possibilité existe, ici, remarquai-je.

— Mais elle est morte, Hastings ! Vous ne pouvez nier ce fait. Elle est *morte* !

— Sa santé était précaire. Elle avait plus de soixante-dix ans. Ce décès me semble donc parfaitement naturel.

— Et vous semble-t-il aussi *parfaitement naturel* que Theresa Arundell traite son frère d'imbécile avec une telle violence ?

— Qu'est-ce que ça vient faire là-dedans ?

— C'est primordial ! Dites-moi, qu'avez-vous pensé des déclarations de Mr Charles Arundell – quand il jure que sa tante lui a montré son dernier testament ?

— Et *vous* ? répliquai-je en l'observant avec prudence.

Après tout, pourquoi Poirot serait-il toujours le seul à poser des questions ?

— J'ai trouvé cela très intéressant – oui, très intéressant, c'est le mot. Et j'ai apprécié aussi la réaction de miss Theresa Arundell à cette affirmation.
Leur passe d'armes en disait long, très long.

— Hum…, fis-je, sibyllin.

— Cela nous ouvre deux pistes bien distinctes.

— Le frère et la sœur m'ont tout l'air de faire une
fameuse paire de canailles, remarquai-je. Ils sont
prêts à tout. La fille est d'une beauté renversante.
Quant au jeune Charles, c'est un vaurien dont le
charme doit faire des ravages.

Poirot héla un taxi, qui vint se ranger contre le
trottoir, et donna une adresse au chauffeur :

— 17 Clanroyden Mansions, Bayswater.

— Alors, c'est au tour de Lawson, observai-je. Et
ensuite… les Tanios ?

— Exact, Hastings.

— Quel rôle allez-vous jouer, cette fois ? demandai-je alors que le taxi s'arrêtait devant Clanroyden
Mansions. Le biographe du général Arundell ?
L'éventuel locataire de Littlegreen House ? Ou
quelque chose d'encore plus mystérieux ?

— Je me présenterai simplement comme Hercule
Poirot.

— Quelle horrible déception ! fis-je d'un ton
moqueur.

Poirot me foudroya du regard et régla le taxi.

Le n° 17 se trouvait au second étage. Une domestique à l'air effronté nous ouvrit et nous introduisit
dans une pièce qui nous parut le comble du grotesque après celle que nous venions de quitter.

L'appartement de Theresa Arundell était
dépouillé, presque vide. En revanche, celui de

miss Lawson était si encombré de meubles et de bibelots chichiteux que l'on pouvait à peine y bouger sans risquer de renverser quelque chose.

La porte s'ouvrit et une femme dans la cinquantaine, assez corpulente, entra. Miss Lawson correspondait parfaitement à l'image que je me faisais d'elle. Elle avait l'air un tantinet exaltée, l'œil stupide, le cheveu grisonnant mal coiffé et le pince-nez un peu de travers. Elle s'exprimait de manière spasmodique et sur un ton haletant.

— Bonjour… Euh… Je ne crois pas…

— Miss Wilhelmina Lawson ?

— Oui… Oui… C'est bien moi.

— Je m'appelle Poirot, Hercule Poirot. Hier, j'ai visité Littlegreen House.

— Ah, oui ?

La bouche de miss Lawson béa quelque peu ; notre hôtesse tapota en vain ses cheveux pour essayer d'y mettre un peu d'ordre.

— Ne voulez-vous pas… ne voulez-vous pas vous asseoir ? poursuivit-elle. Prenez ce siège, voulez-vous ? Oh ! mon dieu, cette table… j'ai peur qu'elle vous gêne. Je suis un peu encombrée, ici. C'est difficile ! Ces appartements ! Celui-ci est tel-le-ment minuscule. Mais tel-le-ment central ! Et j'a-do-re les situations centrales ? Pas vous ?

Elle s'assit, le souffle court, dans un fauteuil victorien d'allure inconfortable et, le pince-nez toujours de travers, se pencha en haletant de plus belle et lança à Poirot un regard de noyée.

— Je me suis rendu à Littlegreen sous les traits d'un acheteur éventuel, reprit Poirot. Mais je voudrais vous prévenir tout de suite – et ceci à titre strictement confidentiel...

— Oh ! oui..., murmura miss Lawson, apparemment au comble du ravissement.

— ... A titre strictement confidentiel, donc, continua Poirot, que je suis allé là-bas dans une autre intention. Peut-être l'ignorez-vous, mais, peu de temps avant sa mort, miss Arundell m'a écrit...

Il se tut un instant, puis ajouta :

— Je suis un détective privé fort connu.

Diverses expressions passèrent sur le visage légèrement empourpré de miss Lawson. Je me demandai laquelle Poirot jugerait révélatrice pour son enquête. Peur, agitation, surprise, perplexité...

— Oh ! fit-elle. (Puis, après un silence, elle répéta :) Oh !

Et, soudain, de manière tout à fait inattendue, elle demanda :

— Est-ce que c'était à propos de l'argent ?

Poirot lui-même en fut un peu étonné. Il avança, hésitant :

— Vous voulez dire l'argent qui...

— Oui, oui. L'argent, dans le tiroir. L'argent qui a disparu ?

Poirot répondit alors avec calme :

— Miss Arundell ne vous a pas dit qu'elle m'avait écrit au sujet de cet argent ?

— Non, absolument pas. Je n'en avais pas la moindre idée... Mais je... euh... en fait, je dois avouer que... que cela me surprend beaucoup...

— Vous pensiez qu'elle n'en avait parlé à personne ?

— Je n'aurais jamais imaginé… jamais imaginé qu'elle l'ait dit à qui que ce soit. Vous comprenez, elle savait très bien…

Elle se tut de nouveau. Poirot s'empressa de terminer sa phrase à sa place :

— Elle savait très bien qui l'avait pris. C'est ce que vous diriez, n'est-ce pas ?

Miss Lawson acquiesça d'un signe de tête et poursuivit, le souffle court :

— Et je n'aurais jamais cru… jamais cru quelle désirerait… Enfin, je veux dire, elle a dit… Enfin, elle semblait penser…

Poirot, une fois encore, interrompit son discours incohérent :

— … Que c'était une affaire de famille ?

— Exactement.

— Mais moi, déclara Poirot, je suis spécialisé dans les affaires de famille. Je suis, voyez-vous, extrêmement discret.

Miss Lawson hocha la tête avec la plus grande énergie.

— Oh ! Bien sûr… cela fait… cela fait une différence. Ce n'est pas comme… comme la po-li-ce.

— Non, non. Je n'ai absolument rien de commun avec la police. Cela n'aurait pas convenu du tout.

— Oh ! c'est bien vrai. Cette chère miss Arundell était si al-tiè-re ! Bien sûr, elle avait déjà eu des problèmes avec Charles, mais tout a toujours été étouffé. Une fois, je crois, il a même été obligé de partir pour l'Australie !

— Exactement, dit Poirot. Donc, dans l'affaire qui nous occupe, les faits sont les suivants, n'est-ce pas ?

Miss Arundell avait une somme d'argent rangée dans un tiroir.

Il se tut. Miss Lawson s'empressa de confirmer ses dires.

— Oui. De l'argent tout juste sorti de la banque. Pour les affaires, voyez-vous, et les dépenses courantes.

— Et combien manquait-il, au juste ?

— Quatre billets d'une livre. Non, non, je me trompe, trois billets d'une livre et deux de dix shillings. On doit être précis, je sais, très précis, quand il est question d'argent.

Miss Lawson jeta à Poirot un regard empreint de gravité et, à son insu, son pince-nez glissa encore un peu plus. Ses yeux globuleux semblaient lui sortir de la tête.

— Merci, miss Lawson. Je vois que vous avez un excellent sens des affaires.

Elle se rebiffa légèrement et étouffa un petit rire désapprobateur.

— Et miss Arundell a soupçonné, sans doute à juste titre, son neveu Charles, d'être l'auteur de ce larcin ? reprit Poirot.

— Oui.

— Bien qu'il n'y ait aucune preuve d'aucun genre permettant de dire qui a dérobé cet argent ?

— Oh ! mais ça ne pouvait être que Charles ! Mrs Tanios aurait été incapable d'une aussi vilaine action et son mari, pratiquement étranger à cette maison, ne savait pas où l'on mettait l'argent liquide – Mrs Tanios non plus, d'ailleurs. Et je ne crois pas que Theresa aurait pu avoir une idée pareille. Elle est riche et toujours si bien habillée !

— Ç'aurait pu être une des bonnes, suggéra Poirot.

Cette idée parut horrifier son interlocutrice.

— Oh ! non, vraiment, ni Ellen ni Annie n'auraient même pen-sé à ça ! Ce sont toutes deux des femmes de hau-te te-nue mo-ra-le et fon-ciè-re-ment hon-nê-tes, j'en jurerais.

Poirot garda le silence un instant, puis il reprit :

— Peut-être pourriez-vous me donner une idée – et je suis certain que vous en êtes capable, car si quelqu'un avait la confiance de miss Arundell, c'est bien vous…

— Oh ! je ne sais pas trop, murmura-t-elle, confuse, mais visiblement flattée…

— Oui, je sens que vous allez pouvoir m'aider, insista Poirot.

— Oh ! bien sûr, si je peux… Je ferai tout mon possible…

— Ceci restera entre nous…, poursuivit Poirot.

Elle le regarda avec solennité. L'expression magique « entre nous » semblait pour elle une sorte de « Sésame ouvre-toi ».

— … Avez-vous la moindre idée de ce qui a poussé miss Arundell à modifier son testament ?

— Son testament ? Oh… Son testament ?

Miss Lawson paraissait un peu interloquée.

Poirot ajouta, en l'observant attentivement :

— Est-il vrai qu'elle a rédigé un autre testament pas très longtemps avant sa mort, aux termes duquel elle vous laissait toute sa fortune ?

— Oui, mais je n'en savais rien. Rien du tout ! protesta miss Lawson d'une voix aiguë. Ça a été pour moi la-plus-bou-le-ver-san-te des surprises ! Une mer-veil-leu-se surprise, bien sûr ! C'était si généreux de la part de miss Arundell ! Et elle n'y avait jamais fait al-lu-sion. Pas la moindre petite allusion, non. Quand Mr Purvis a lu le testament, j'ai été si stupéfaite que je ne savais plus où me mettre ; je me demandais s'il fallait rire ou pleurer ! Je vous assure, monsieur Poirot, ça a été un véri-table choc ! Un vé-ri-ta-ble choc, vous voyez. La bon-té – la merveilleuse bonté de cette chère miss Arundell ! Evidemment, j'espérais recevoir un petit quelque chose – peut-être un minuscule, tout minuscule legs –, encore que, bien sûr, il n'y avait pas de raison pour qu'elle me laisse quoi que ce soit. Je n'étais pas à son service depuis très longtemps. Mais cela… C'était comme… C'était comme un conte de fées ! Aujourd'hui encore, je ne parviens toujours pas à y croire tout à fait, si vous voyez ce que je veux dire. Et parfois, eh bien parfois, je me sens un peu mal à l'aise à ce sujet. Je veux dire… eh bien, je veux dire…

Elle fit tomber son pince-nez, le ramassa, le manipula avec nervosité, et reprit, encore plus incohérente :

— Parfois je sens que – ma foi, les liens du sang sont les liens du sang, après tout, et l'idée que miss Arundell ait légué tout son argent à quelqu'un qui n'est pas de sa famille me met mal à l'aise, voilà. Je veux dire, ça ne semble pas jus-te, n'est-ce pas. Qu'elle m'ait tout laissé ! Une fortune si im-por-tante, aussi ! Personne n'imaginait ça ! Mais… Eh bien… Ça fait qu'on se sent gêné… avec tous ces racontars, vous voyez… Et je vous assure que je n'ai jamais été quelqu'un de mal-in-ten-tion-né ! Je veux dire, il ne me serait jamais venu à l'idée d'influencer miss Arundell d'une façon quelconque. D'ailleurs, j'en aurais été bien incapable… A dire le vrai, elle m'a toujours un peu effrayée. Elle était si sévère, vous savez, toujours prête à vous é-pin-gler. Et même impolie, parfois. « Ne soyez pas complètement stupide ! » disait-elle d'un ton sec. Et vraiment, après tout, j'ai ma dignité, et des fois j'étais vexée… Et puis voilà que je découvre que pendant tout ce temps, elle m'aimait bien quand même – ma foi, c'était absolument extraordinaire, non ? Sauf que, bien sûr, je vous l'ai dit, on a débité beaucoup de mé-chan-ce-tés, et en réalité, d'une certaine façon, c'est vrai que ça peut paraître – je veux dire, eh bien, ça peut sembler un peu in-con-for-ta-ble, n'est-ce pas, pour certains ?

— Vous préféreriez renoncer à cet argent, c'est ça ? demanda Poirot.

L'espace d'un instant, je crus voir une expression totalement différente passer dans les yeux pâles et sans éclat de miss Lawson. J'imaginai, juste une seconde, que j'avais en face de moi quelqu'un de rusé et d'intelligent, au lieu de cette femme bonasse et stupide.

Elle répondit avec un petit rire :

— Euh… Bien sûr, il faut voir aussi l'autre aspect des choses… Je veux dire, il y a toujours le pour et le contre, dans une question... Je veux dire que miss Arundell voulait que ce soit moi qui ait cet argent. J'entends par là que si je ne le prends pas, je vais contre ses vo-lon-tés. Et ce ne serait pas bien non plus, n'est-ce pas ?

— C'est un problème délicat, admit Poirot en secouant la tête.

— Oui, en effet, ça m'a beaucoup tourmentée. Mrs Tanios – Bella – est une femme si gentille. Et ces chers enfants ! Je veux dire, je suis certaine que miss Arundell n'aurait pas voulu qu'elle... J'ai le senti-ment, voyez-vous, que cette chère miss Arundell a choisi de me laisser toute li-ber-té d'action... Elle n'a pas souhaité léguer de l'argent di-rec-te-ment à Bella, parce qu'elle craignait que cet homme ne s'en empare.

— Quel homme ?

— Son mari. Vous savez, monsieur Poirot, la pauvre fille est complètement sous sa coupe. Elle fait ri-gou-reu-se-ment tout ce qu'il lui demande. J'oserais même dire qu'elle serait capable d'as-sas-si-ner quelqu'un s'il le lui ordonnait ! Et elle a peur de lui. Je suis certaine qu'elle a peur de lui. J'ai surpris plusieurs fois son regard – un regard ter-ri-fié. Et ça, vraiment, ce n'est pas normal, mon-sieur Poirot – Vous ne pouvez pas dire que c'est normal.

Et Poirot ne dit rien de tel, en effet. Au lieu de quoi, il demanda :

— Ce Dr Tanios, quel genre d'homme est-ce ?

— Eh bien, répondit miss Lawson avec hésita-tion, il est très agréable.

Elle se tut, l'air peu convaincu.

— Mais vous n'avez pas confiance en lui ? insista Poirot.

— Eh bien. Je crois que je me méfie un peu des hommes en gé-né-ral ! poursuivit miss Lawson avec hésitation. On entend dire tant d'hor-reurs sur leur compte ! Et quand on songe ce que leurs pau-vres épouses doivent supporter ! C'est terri-fiant, ter-ri-fiant ! Bien sûr, le Dr Tanios fait semblant d'être très attaché à sa femme, et il af-fec-te d'être charmant avec elle. Il a d'ailleurs des manières ex-qui-ses : Mais les étrangers, je ne m'y fie pas. Ils sont si ru-sés ! Et je suis sûre et certaine que la chère miss Arundell ne voulait pas qu'il mette le grap-pin sur son argent !

— Mais c'est affreux aussi pour Theresa et Charles Arundell d'être déshérités, suggéra Poirot.

Le visage de miss Lawson se colora quelque peu.

— Je crois que Theresa a autant d'argent qu'il lui en faut ! répondit-elle d'un ton acerbe. Elle dépense des centaines de livres rien que pour ses vêtements. Quant à ses sous-vêtements – c'est un scandale ! Quand on pense que tant de jeunes filles méritantes et bien élevées sont obligées de travailler pour vivre…

Poirot compléta doucement cette dernière phrase :

— Vous considérez que ça ne lui ferait pas de mal d'en faire autant ?

— Ça lui ferait même le plus grand bien, déclara-t-elle en lui jetant un regard solennel. Ça lui mettrait un peu de plomb dans la cervelle. L'adversité est une bonne école.

Poirot hocha lentement la tête en signe d'acquiescement. Il observait toujours son interlocutrice de très près.

— Et Charles ?

— Charles ne mérite pas un sou, dit-elle avec brusquerie. Si miss Arundell l'a déshérité, il ne l'a pas volé – après les horribles menaces qu'il a proférées.

— Des menaces ? répéta Poirot en écarquillant les yeux.

— Oui, des menaces.

— Quelles menaces ? Quand a-t-il fait ça ?

— Voyons, c'était… Oui, bien sûr, c'était à Pâques. En fait, c'était le di-man-che-de-Pâ-ques… Ce qui aggrave encore son cas !

— Que lui a-t-il dit au juste ?

— Il lui a demandé de l'argent et elle a refusé de lui en donner. Et alors il lui a dit que c'était imprudent de sa part. Et que si elle persistait dans cette voie, il – attendez, comment a-t-il formulé ça, déjà ? une expression américaine très vulgaire – oh ! oui, il a dit qu'il la li-qui-de-rait.

— Il a menacé de la *liquider* ?

— Oui.

— Et qu'a répondu miss Arundell ?

— Elle a dit : « Je crois que tu vas découvrir que je suis capable de me défendre. »

— Vous vous trouviez dans la pièce, à ce moment-là ?

— Pas exactement dans la pièce, répondit miss Lawson, après un bref silence.

— Je comprends, je comprends, s'empressa d'ajouter Poirot. Et Charles, comment a-t-il réagi ?

— Il a ajouté : « N'en soyez pas si sûre. »

— Miss Arundell a-t-elle pris cet avertissement au sérieux ? demanda lentement Poirot.

— Eh bien, je ne sais pas… Elle ne m'en a pas parlé… Mais, de toute façon, s'inquiéter n'était pas son genre.

— Bien sûr, poursuivit Poirot avec calme, vous saviez qu'elle allait modifier son testament ?

— Non, non. Je vous l'ai dit. Ça a été une surprise totale. Je n'aurais jamais imaginé…

— Vous ne connaissiez pas le *détail* des nouvelles dispositions, l'interrompit Poirot. Mais vous étiez au courant des *faits* – qu'elle était en train de modifier ses dernières volontés.

— Euh… Je m'en doutais. Je veux dire… Elle a appelé le notaire alors qu'elle gardait le lit.

— Exactement. C'était juste après sa chute dans les escaliers n'est-ce pas ?

— Oui, Bob – Bob, c'est le chien – avait laissé traîner sa balle sur le palier. Elle a trébuché dessus et elle est tombée.

— Un vilain accident.

— Oh, oui ! Pensez donc ! Elle aurait pu facilement se casser une jambe ou un bras. C'est ce qu'a dit le médecin.

— Elle aurait tout aussi bien pu se tuer.

— Oui, en effet.

Elle avait répondu, semblait-il, sur un ton parfaitement naturel et avec une totale franchise.

— Je crois que j'ai vu maître Bob à Littlegreen, dit Poirot en souriant.

— Oh, oui, vous avez dû le voir. C'est un brave petit toutou, un bon petit Bobbychounet.

Rien ne m'était plus insupportable que d'entendre traiter un superbe terrier de « brave petit toutou et de Bobbychounet ». Pas étonnant, pensai-je, que Bob méprisât miss Lawson et refusât de lui obéir.

— Et il est très intelligent ? poursuivit Poirot.

— Oh ! oui, très.

— Il serait très triste s'il savait qu'il a failli tuer sa maîtresse ?

Miss Lawson ne répondit pas. Elle se contenta de secouer la tête en soupirant.

— Croyez-vous possible que cette chute explique que miss Arundell ait modifié son testament ? demanda Poirot.

Je me dis que, là, nous approchions dangereusement du cœur du problème, mais miss Lawson parut trouver cette question normale.

— Vous savez, ça ne m'étonnerait pas que vous ayez raison. Ça lui a fait un choc – c'est sûr. Les personnes âgées n'ont jamais aimé penser à leur mort. Mais un accident comme celui-là fait ré-flé-chir. Ou peut-être a-t-elle eu la pré-mo-ni-tion que sa disparition était proche.

Poirot demanda alors, l'air de rien :

— Elle était en assez bonne santé, je crois ?

— Oh, oui ! Elle allait bien.

— Sa maladie a dû se déclarer très brusquement ?

— Oh, oui ! Ça nous a tous pris par surprise. Nous avions reçu quelques amies, ce soir-là…

Miss Lawson se tut.

— Vos amies, les demoiselles Tripp. Je les ai rencontrées. Elles sont charmantes.

— Oui, n'est-ce pas ? s'exclama-t-elle, rougissant de plaisir. Des femmes si cul-ti-vées ! Elles s'intéressent à tant de choses. Et si mys-ti-ques ! Elles ont sans doute évoqué… nos séances ? Je suppose que vous manifestez un certain scepticisme, mais vraiment, j'aimerais réussir à vous faire comprendre la joie inexprimable qu'il y a à communiquer avec nos chers disparus !

— J'en suis persuadé. Persuadé.

— Vous savez, monsieur Poirot, ma mère m'a parlé… et plus d'une fois. C'est un tel plaisir de savoir que les défunts que nous aimons pensent encore à nous et qu'ils veillent sur nous.

— Oui, oui, je le conçois sans peine, dit Poirot avec douceur. Est-ce que miss Arundell était aussi une… adepte ?

Le visage de miss Lawson se rembrunit un peu.

— Elle ne demandait qu'à être convaincue, répondit-elle d'un ton mal assuré. Mais je ne crois pas qu'elle ait toujours abordé la question avec l'état d'esprit convenable. Elle était sceptique – et à une ou deux reprises son attitude incrédule a attiré une catégorie d'esprits fort in-dé-si-ra-bles ! Nous avons reçu des messages très grivois – tous dus, j'en suis *certaine*, au comportement de miss Arundell.

— Je le crois aussi bien volontiers, admit Poirot.

— Mais, au cours de cette dernière séance, reprit miss Lawson – peut-être qu'Isabel et Julia vous l'ont raconté ? –, il y a eu des phénomènes très nets. A vrai dire, le début d'une matérialisation. Un ectoplasme – peut-être savez-vous ce qu'est un ectoplasme ?

— Oui, oui, je suis au courant.

— Cela sort de la bouche du médium, voyez-vous, comme un ru-ban et cela prend-for-me peu à peu. A présent, je suis cer-tai-ne, monsieur Poirot, que miss Arundell était mé-dium, mais qu'elle ne-s'en-dou-tait-pas. Ce soir-là, j'ai vu distincte-ment un ruban lu-mi-neux naître entre les lèvres de cette chère miss Arundell ! Et ensuite, un brouillard phosphorescent a enveloppé sa tête.

— C'est très intéressant !

— Et puis, hélas ! miss Arundell, s'est sentie mal tout à coup, et il a fallu interrompre la séance.

— Vous avez appelé le médecin… quand ça, au juste ?

— C'est la première chose que nous ayons faite le lendemain matin.

— A-t-il considéré que la situation était grave ?

— Il a fait venir une infirmière, dans la soirée, mais à mon avis il pensait que miss Arundell s'en tirerait.

— Excusez-moi, mais n'a-t-on pas prévenu la famille ?

— Si, dès que possible, répondit miss Lawson en rougissant. C'est-à-dire dès que le Dr Grainger a déclaré que ses jours étaient en danger.

— Qu'est-ce qui a provoqué cette crise ? Quelque chose qu'elle avait mangé.

— Non, je ne pense pas que ce soit quelque chose de particulier. Le Dr Grainger a expliqué qu'elle n'avait pas suivi son régime comme elle aurait dû. Il estimait, je crois, que son attaque avait été provoquée par un coup de froid. Le temps était traître, à ce moment-là.

— Theresa et Charles étaient venus pour le week-end, n'est-ce pas ?

— Oui, confirma miss Lawson avec une moue.

— La visite ne s'est pas très bien passée, suggéra Poirot en l'observant.

— Ah, ça non !, répondit-elle, sur un ton venimeux. Miss Arundell savait bien pourquoi ils étaient là !

— C'est-à-dire ? demanda Poirot, sans cesser de la regarder.

— L'argent ! dit miss Lawson avec brusquerie. Et ils ne l'ont pas eu.

— Non ? fit Poirot.

— Et je crois que c'est aussi ce après quoi courait le Dr Tanios, poursuivit-elle.

— Le Dr Tanios ? Il n'est pas venu ce week-end-là, non ?

— Mais si. Il est arrivé le dimanche. Mais il n'est resté qu'une petite heure.

— Il me semble que tout le monde en voulait à l'argent de cette pauvre miss Arundell…, hasarda Poirot.

— Je sais. Ce n'est pas une pensée très agréable, n'est-ce pas ?

— En effet, murmura Poirot. Ce week-end-là, Charles et Theresa Arundell ont dû ressentir un sacré choc lorsqu'ils ont découvert que leur tante les avait déshérités !

Miss Lawson fixa Poirot, qui ajouta :

— Ce n'est pas vrai ? Elle ne leur a pas annoncé la nouvelle ?

— Ça, je ne saurais dire. *Moi*, je n'ai rien entendu. Mais pour autant que je sache, il n'y a pas eu es-clan-dre, ni rien de tel. Charles et sa sœur semblaient plu-tôt de bonne humeur quand ils sont partis.

— Peut-être ai-je été mal renseigné. En fait, miss Arundell conservait son testament chez elle, n'est-ce pas ?

Miss Lawson laissa tomber son pince-nez ; elle se pencha pour le ramasser.

— Je ne peux pas vraiment dire. Non, je pense qu'il était chez Mr Purvis.

— Qui était l'exécuteur testamentaire ?

— Mr Purvis.

— Après le décès, il est venu à Littlegreen House pour consulter les papiers de la morte ?

— Oui, exactement.

Poirot lui jeta un regard pénétrant et lui posa soudain une question inattendue :

— Appréciez-vous Mr Purvis ?

Miss Lawson se troubla.

— Si je l'apprécie ? Eh bien, en réalité, c'est difficile à dire, n'est-ce pas ? Enfin, je suis sûre que c'est un homme très in-tel-li-gent – je veux dire par là que c'est un bon notaire. Mais il a des ma-niè-res assez brutales ! Ma foi, ce n'est pas toujours agréable d'entendre quelqu'un vous parler comme si… Euh, vraiment, j'ai du mal à l'expliquer… Il était la courtoisie même, mais en même temps, quasi-ment, grossier, si vous voyez ce que je veux dire…

— Ça a dû vous être très pénible, dit Poirot, compatissant.

— Oh, combien ! répondit Miss Lawson, soupi-rant et secouant la tête.

Poirot se leva.

— Merci beaucoup, très chère mademoiselle, pour votre gentillesse et pour l'aide que vous nous avez apportée.

Miss Lawson se leva elle aussi. Elle paraissait un peu troublée, de nouveau.

— Il n'y a pas de quoi. Je n'ai presque rien fait pour vous ! Ravie si je vous ai rendu service. S'il y a quelque chose d'autre… ?

Poirot, qui était déjà à la porte, revint sur ses pas et ajouta en baissant la voix :

— Je crois, miss Lawson, qu'il y a une informa-tion que vous devez connaître. Charles et Theresa Arundell ont l'intention de contester ce testament.

Les joues de miss Lawson s'empourprèrent subi-tement.

— Ils ne peuvent pas faire ça ! s'écria-t-elle d'un ton sec. Mon avocat me l'a affirmé.

— Ah ! dit Poirot, vous avez donc consulté un avocat ?

— Certainement. Pourquoi ne l'aurais-je pas fait ?

211

— Vous avez raison. Très sage décision. Bonne journée, très chère et excellente mademoiselle.

Lorsque nous quittâmes Clanroyden Mansions et que nous nous retrouvâmes dans la rue, Poirot aspira une longue bouffée d'air et dit :

— Hastings, mon bon ami, ou bien cette femme est exactement ce qu'elle parait être, ou bien c'est une formidable actrice.

— Elle est certaine que la mort de miss Arundell est naturelle, ça se voit, remarquai-je.

Poirot ne répondit pas. Il lui arrive parfois d'être sourd – quand cela l'arrange. Il héla un taxi.

— *Durham Hotel*, Bloomsbury, dit-il au chauffeur.

16

MRS TANIOS

— Un monsieur souhaiterait vous voir, madame.

La femme qui écrivait, assise à une table, dans l'un des petits salons du *Durham Hotel*, tourna la tête, se leva et vint à notre rencontre d'un pas hésitant.

Mrs Tanios pouvait avoir n'importe quel âge au-dessus de trente ans. Elle était grande et mince, avec des cheveux noirs, des yeux un peu protubérants dont la couleur n'était pas sans évoquer celle des groseilles à maquereau, et un visage soucieux. Elle portait un chapeau à la mode, mais d'une façon qui manquait de chic, et une robe de coton plutôt défraîchie.

— Je ne pense pas…, commença-t-elle d'une voix incertaine.

Poirot s'inclina pour la saluer et expliqua :

— Je sors à l'instant de chez votre cousine, miss Theresa Arundell.

— Oh ? De chez Theresa ? Oui ?

— Peut-être nous serait-il possible d'avoir quelques minutes d'entretien en privé ?

Mrs Tanios regarda autour d'elle d'un air un peu perdu. Poirot lui suggéra un canapé de cuir, à l'autre bout de la pièce.

Comme nous nous y rendions, une petite voix aiguë se mit à glapir :

— Maman, où vas-tu ?

— Je suis là-bas, juste à côté. Finis ta lettre, ma chérie.

L'enfant, une fillette d'environ sept ans, maigrichonne et l'air souffreteux, se remit à sa tâche – un travail manifestement laborieux. Un petit bout de langue pointait entre ses lèvres, tant elle était concentrée.

L'autre extrémité du salon était presque déserte. Mrs Tanios s'assit et nous l'imitâmes. Elle lança alors un regard interrogateur à Poirot.

— Il s'agit du décès de feu votre tante, miss Emily Arundell…, commença celui-ci.

Etait-ce le fruit de mon imagination, ou vis-je vraiment une lueur d'inquiétude traverser soudain les yeux pâles et protubérants de Mrs Tanios ?

— Oui ?

— Miss Arundell a modifié son testament très peu de temps avant sa mort. Elle a légué toute sa fortune à miss Wilhelmina Lawson. J'aimerais savoir, Mrs Tanios, si vous allez vous joindre à vos cousins, Theresa et Charles Arundell, pour essayer de faire annuler ces nouvelles dispositions ?

— Oh ! (Mrs Tanios prit une profonde inspiration.) Mais je ne crois pas que ce soit possible ! Je veux dire, mon mari a consulté un avocat ; et celui-ci semblait estimer qu'il valait mieux s'abstenir.

— Les avocats, chère madame, sont des gens prudents. Ils conseillent en général d'éviter au maximum les litiges – et nul doute qu'ils soient le plus souvent dans le vrai. Mais parfois, le jeu peut en valoir la chandelle. Je ne suis pas moi-même avocat, et je vois donc la question sous un angle différent. Miss Arundell – miss Theresa Arundell, je veux dire est prête à se battre. Et vous ?

— Je… Oh ! vraiment je ne sais pas. (Elle se tordait les doigts avec nervosité.) Il faudrait que je consulte mon mari.

— Bien sûr que vous devez en parler avec votre mari avant d'entreprendre quoi que ce soit de définitif. Mais puis-je avoir votre avis *personnel* sur la question ?

— Eh bien, vraiment, je ne sais pas. (Mrs Tanios paraissait de plus en plus inquiète.) Cela dépend tellement de mon époux…

— Mais *vous-même*, qu'en pensez-vous, chère madame ?

Elle fronça les sourcils, puis répondit lentement :

— Je ne crois pas que j'aime beaucoup cette idée. Cela semble – cela semble plutôt indécent, n'est-ce pas ?

— Vous trouvez, chère madame ?

— Oui. Après tout, si tante Emily a décidé de ne pas léguer ses biens à sa famille, j'imagine que nous devons nous résigner.

— Vous ne vous sentez pas lésée dans l'affaire alors ?

— Oh si, bien sûr ! (Une rougeur colora ses joues un instant.) Je trouve cela tout à fait injuste ! *Tout à*

215

fait injuste ! Et si inattendu. Cela ressemble si peu à tante Emily. Et les enfants ne méritaient pas ça.

— Vous dites que miss Emily Arundell n'a jamais agi de cette façon ?

— Je pense que c'est tout à fait extraordinaire de sa part.

— Est-il possible, alors, qu'elle ait pris cette décision contre sa volonté ? Pensez-vous qu'on ait pu lui suggérer ce testament ?

Mrs Tanios fronça de nouveau les sourcils. Puis elle répondit, presque à contrecœur :

— Le problème, c'est que je vois mal tante Emily influencée par *qui que ce soit* ! C'était une vieille dame si décidée !

Poirot acquiesça d'un air approbateur.

— Oui, vous avez raison. Et miss Lawson n'est pas ce que l'on pourrait appeler une femme de tête…

— En effet. C'est une créature adorable – plutôt gourde, peut-être – mais très, très gentille. C'est un peu pour cela que je crois que…

— Oui, chère madame ? dit Poirot, lorsqu'elle s'interrompit.

Mrs Tanios recommença à se tordre nerveusement les doigts et poursuivit :

— … Eh bien, que ce serait mesquin de contester le testament. Je suis sûre que miss Lawson n'a rien à voir dans cette modification. Et qu'elle est incapable d'intriguer ou de manigancer quoi que ce soit…

— Là encore, je partage votre opinion, chère madame.

— Et c'est pourquoi je crois que faire appel à la

justice… Ma foi, ce serait indigne et malveillant. Et en plus, cela nous coûterait les yeux de la tête, n'est-ce pas ?

— Ce serait cher, oui.

— Et probablement inutile, ajouta-t-elle. Mais il faut que vous en parliez à mon mari. Il est bien plus doué que moi pour les affaires.

Poirot attendit un instant avant de demander :

— Pour quelle raison, selon vous, a-t-elle modifié son testament ?

Les joues de Mrs Tanios se colorèrent brièvement tandis qu'elle murmurait :

— Je n'en ai pas la moindre idée.

— Chère madame, je vous ai dit que je n'étais pas avocat. Mais vous ne m'avez pas demandé quelle était ma profession.

(Elle lui lança un regard interrogateur.)

— Je suis détective. Et, peu de temps avant sa mort, miss Arundell m'a écrit une lettre.

Mrs Tanios se pencha en avant, les mains serrées.

— Une lettre ? A propos de mon mari ?

Poirot l'observa une minute en silence, puis il dit lentement :

— Je n'ai pas la liberté de répondre à cette question.

— Alors, c'était bien à propos de mon mari. (Elle haussa légèrement la voix.) Que disait tante Emily ? Je peux vous assurer, monsieur. Euh… je ne connais pas votre nom.

— Je m'appelle Poirot. Hercule Poirot.

— … Je peux vous assurer, monsieur Poirot, que si elle a dit quoi que ce soit dans cette lettre contre mon mari, c'est totalement faux ! Et je sais, aussi, qui lui a donné l'idée de l'écrire ! C'est une autre raison pour laquelle je préfère ne rien avoir à faire avec *n'importe quelle* action que pourraient intenter Theresa et Charles. Theresa n'a jamais aimé mon mari. Elle a fait de ces racontars ! Je sais qu'elle a fait des racontars ! Tante Emily avait des préjugés contre mon époux parce qu'il n'était pas anglais et elle a donc très bien pu croire ce que Theresa lui a débité sur lui. Mais *rien n'est vrai*, monsieur Poirot, vous avez ma parole !

— Maman… J'ai fini ma lettre.

Mrs Tanios se retourna vivement. Avec un sourire affectueux, elle prit la feuille de papier que la fillette lui tendait.

— C'est très bien, ma chérie, vraiment très bien… Et ton dessin de Mickey est superbe.

— Qu'est-ce que je vais faire, maintenant, maman ?

— Tu as envie d'acheter une jolie carte postale avec une photo dessus ? Tiens, voilà de la monnaie. Va voir le monsieur, dans le hall, et choisis celle que tu veux. Tu pourras l'envoyer à Selim.

L'enfant s'éloigna. Je me souvenais des paroles de Charles Arundell. Manifestement, Mrs Tanios était une mère et une épouse « attentionnée ». Mais il n'avait pas tort : elle avait l'air « ennuyeuse comme la pluie ».

— C'est votre seul enfant, madame ?

— Non, j'ai aussi un petit garçon. Il est sorti avec son père pour l'instant.

— Vous ne les emmeniez pas avec vous quand vous alliez à Littlegreen House ?

— Oh ! si, parfois, mais vous comprenez, ma tante était assez âgée et les enfants avaient tendance à la fatiguer. Mais elle était très gentille avec eux, et leur envoyait toujours de très beaux cadeaux de Noël.

— Dites-moi, la dernière fois que vous avez vu miss Emily Arundell, c'était quand au juste ?

— A peu près dix jours avant sa mort, il me semble.

— Ce jour-là, vous étiez tous à Littlegreen House, vous, votre mari, Charles et Theresa, n'est-ce pas ?

— Oh ! non, ça c'était la semaine d'avant, à Pâques.

— Et votre mari et vous, vous êtes retournés à Littlegreen House le weed-end suivant ?

— Oui.

— Miss Arundell était en bonne santé ?

— Oui, elle paraissait aller aussi bien que d'habitude.

— Elle n'était pas alitée ?

— Elle était restée couchée à cause d'une chute, mais elle est descendue pendant notre séjour.

— Vous a-t-elle parlé des modifications qu'elle avait apportées à son testament ?

— Non, absolument pas.

— Et son comportement envers vous était toujours le même ?

Cette fois, elle marqua un temps d'arrêt un peu plus long avant de répondre :

— Oui.

Je fus certain qu'à cet instant, Poirot et moi avions la même conviction.

Mrs Tanios mentait !

Poirot attendit un instant, puis il ajouta :

— Peut-être devrais-je préciser que lorsque je vous pose cette question, je ne parle pas de « vous » tous, mais de « vous » *personnellement*.

— Oh, je vois, répondit vivement Mrs Tanios. Tante Emily a été très gentille avec moi. Elle m'a fait cadeau d'une petite broche avec une perle et un diamant, et elle a donné dix shillings pour chacun des enfants.

A présent, il n'y avait plus de gêne dans son attitude. Les mots lui venaient librement, par à-coups.

— Et vis-à-vis de votre mari ? Pas de changement non plus ?

De nouveau, Mrs Tanios fut immédiatement sur ses gardes. Elle répondit en évitant le regard de Poirot :

— Non, bien sûr que non… Pourquoi y en aurait-il eu ?

— Mais puisque vous suggérez que votre cousine Theresa Arundell a essayé de distiller son poison dans l'esprit de votre tante…

— Elle l'a fait. Je suis sûre qu'elle l'a fait. (Elle se pencha vivement en avant.) Vous avez tout à fait raison. Il y *avait* un changement ! Tante Emily s'est soudain montrée beaucoup plus froide envers lui. Et elle a eu un comportement bizarre. Il lui avait conseillé une préparation digestive spéciale, et il avait même fait l'effort de la lui apporter – il avait dû aller chez le pharmacien pour la faire faire. Elle l'a remercié, bien sûr, mais assez froidement, et, un peu plus tard, je l'ai vue qui vidait la bouteille dans l'évier !

Elle s'était exprimée d'un ton indigné.

Poirot cligna des yeux.

— C'est très étrange, en effet, dit-il d'une voix volontairement neutre.

— Pour moi, c'est d'une ingratitude *terrible* ! s'écria-t-elle avec véhémence.

— Comme vous dites, il arrive que les vieilles dames se méfient des étrangers, murmura Poirot. Je suis sûr qu'elles sont persuadées que les médecins anglais sont les seuls au monde. Question d'insularité, pour une bonne part.

— Oui, je suppose que cela vient de là.

Mrs Tanios paraissait un peu lasse.

— Quand repartez-vous pour Smyrne, chère madame ?

— Dans quelques semaines. Mon mari... ah ! mais le voilà, avec notre fils Edward.

17

LE DR TANIOS

Il me faut avouer que je ressentis un choc la première fois que je vis le Dr Tanios. Mon imagination l'avait affublé d'une infinité de sinistres attributs. Je me le représentais comme un étranger sombre, barbu et basané, à l'allure équivoque.

Au lieu de quoi, je découvris un homme rond et jovial, au cheveu brun et à l'œil marron. Et s'il portait effectivement la barbe, elle n'avait rien de satanique, et lui conférait un petit air artiste.

Il parlait un anglais parfait ; sa voix avait un timbre agréable et s'accordait à merveille avec son visage avenant et enjoué.

— Nous voici, dit-il en souriant à sa femme. Edward a été enthousiasmé par sa découverte du métro. Il n'avait pris que des autobus, jusqu'à présent.

Edward n'était pas le contraire de son père, mais, comme sa sœur, il avait vraiment tout d'un étranger. Je comprenais maintenant ce que miss Peabody avait voulu dire en parlant de leur « teint plus ou moins olivâtre ».

La présence de son mari sembla accentuer la

nervosité de Mrs Tanios. Elle lui présenta Poirot en bredouillant un peu. Moi, elle m'ignora.

Le Dr Tanios releva le nom avec intérêt.

— Poirot ? *Monsieur Hercule Poirot ?* Mais je ne connais que ce nom-là ! Et qu'est-ce qui vous amène, monsieur Poirot ?

— Il s'agit du cas d'une vieille demoiselle récemment décédée, miss Emily Arundell, répondit Poirot.

— La tante de ma femme ? Oui… Et alors ?

— Certains éléments liés à sa mort…, commença lentement Poirot.

Mais Mrs Tanios l'interrompit soudain :

— C'est à propos du testament, Jacob. M. Poirot s'est entretenu avec Theresa et Charles.

Le Dr Tanios sembla se détendre un peu. Il se laissa tomber dans un fauteuil.

— Ah, le testament ! Un testament d'une monstrueuse injustice – mais au fond, ça ne me regarde pas.

Poirot rapporta les grandes lignes de sa conversation avec les deux Arundell (il n'y eut pas un mot de vrai dans ses allégations, j'ai honte de l'avouer) et suggéra avec force circonlocutions que toute chance de faire annuler le texte en question n'était pas exclu.

— Vous m'intéressez beaucoup, monsieur Poirot. Je dois dire que je suis de votre avis. Il y aurait quelque chose à faire. J'ai moi-même été jusqu'à consulter un homme de loi sur la question, mais ses conseils n'ont guère été encourageants. Alors…

Il haussa les épaules.

— Les avocats, ainsi que je l'ai dit à votre épouse, sont des gens prudents. Ils n'aiment pas prendre des risques. Mais moi, ce n'est pas mon style ! Et vous, quel est le vôtre ?

Le Dr Tanios éclata de rire – un rire profond et joyeux.

— Oh ! je suis tout prêt à tenter ma chance ! Cela m'est souvent arrivé, n'est-ce pas, Bella, ma grande ?

Il lui adressa un sourire, qu'elle lui retourna – mais de façon plutôt mécanique, estimai-je.

Puis il fit face, de nouveau, à Poirot.

— Je ne suis pas avocat, reprit-il, mais pour moi il est parfaitement clair que ce testament a été rédigé à un moment où la vieille demoiselle n'était plus responsable de ses actes. Cette Lawson est intelligente et roublarde.

Mrs Tanios s'agitait sur son siège, mal à l'aise. Poirot l'observa et demanda :

— Vous n'êtes pas d'accord, chère madame ?

— Elle a toujours été très gentille, répondit-elle faiblement. Mais je n'irais pas jusqu'à la dire intelligente.

— Gentille, elle l'était avec toi, intervint le Dr Tanios, parce qu'en l'occurrence elle n'avait rien à craindre, ma chère Bella. On peut si facilement te rouler dans la farine !

Il avait parlé sur un ton jovial. Mais sa femme rougit.

— Avec moi, c'était différent, poursuivit-il. Elle ne m'aimait pas, et ne se gênait pas pour le montrer ! Laissez-moi vous donner un exemple. La vieille demoiselle est tombée dans l'escalier, pendant que nous étions à Littlegreen House. J'ai insisté pour revenir prendre de ses nouvelles le week-end suivant. Miss Lawson a fait de son mieux pour nous en empêcher. Elle n'a pas réussi, mais j'ai bien vu sa contrariété. La raison en était évidente. *Elle voulait la vieille demoiselle pour elle toute seule.*

Poirot se tourna une nouvelle fois vers Bella Tanios :

— Vous êtes de cet avis, chère madame ?

Son mari ne lui laissa pas le temps de répondre :

— Bella a trop bon cœur…, expliqua-t-il. Vous ne parviendrez jamais à lui faire voir les mauvaises intentions de quiconque. Mais je suis persuadé d'avoir raison. Et il y a autre chose, monsieur Poirot : le secret de son pouvoir sur la vieille miss Arundell, c'était le spiritisme ! C'est comme ça qu'elle a fait son coup, je vous en fiche mon billet !

— Vous pensez ?

— J'en suis certain, mon cher ami. J'ai vu beaucoup de cas semblables. Ça ne lâche plus les gens. Vous seriez surpris ! Et spécialement quelqu'un de l'âge de miss Arundell. Je suis prêt à parier que c'est de cette façon qu'elle a été influencée. Un esprit – probablement celui de son père défunt – lui aura donné l'ordre de modifier son testament et de tout laisser à la Lawson. Elle était malade… Crédule…

Mrs Tanios s'agita quelque peu. Poirot la considéra :

— Vous croyez que c'est possible, chère madame – oui ?

— Réponds, Bella, fit son mari. Donne-nous ton opinion.

Il lui lança un regard encourageant, auquel elle répliqua par un coup d'œil étrange. Elle hésita, puis elle dit enfin :

— Je m'y connais si peu dans ce domaine... Tu dois avoir raison, Jacob.

— Hé, oui, j'ai raison ! N'est-ce pas, monsieur Poirot ?

Poirot acquiesça d'un mouvement de tête.

— C'est possible – en effet. Vous vous êtes rendu à Market Basing, je crois, le week-end précédant la mort de miss Arundell ?

— Nous y sommes allés à Pâques et encore le week-end d'après, c'est exact.

— Non, non, je parle du week-end suivant, *celui du 26*. Vous êtes passé à Littlegreen House le dimanche, il me semble ?

— Oh ! Jacob, c'est vrai ? demanda Mrs Tanios à son mari, en le regardant avec de grands yeux étonnés.

Il se tourna vivement vers elle.

— Mais oui, tu te rappelles ? J'y ai juste fait un saut en coup de vent dans l'après-midi. Je t'en ai parlé.

Poirot et moi, nous observâmes Mrs Tanios. D'un geste nerveux, elle repoussa un peu son chapeau en arrière.

— Tu t'en souviens certainement, Bella, insista Jacob. Quelle mauvaise mémoire tu as !

— Bien sûr ! s'excusa-t-elle alors avec un faible sourire. C'est vrai que j'ai une mémoire lamentable ! Surtout que ça fait près de deux mois, maintenant !

— Charles et Theresa Arundell étaient également présents ce jour-là, je crois ? ajouta Poirot.

— Peut-être, répondit benoîtement Tanios. Je ne les ai pas vus.

— Alors vous n'êtes pas resté très longtemps ?

— Oh, non. Une demi-heure environ.

Le regard interrogateur de Poirot semblait le mettre un peu mal à l'aise.

— Après tout, pourquoi ne pas l'avouer ajouta-t-il soudain, l'œil malicieux. J'espérais obtenir un prêt – mais je suis reparti bredouille. La tante de ma femme, j'en ai peur, ne m'appréciait pas autant qu'elle aurait pu. Dommage, parce que moi je l'aimais bien. C'était une sacrée bonne femme !

— Puis-je vous poser une question un peu directe, docteur Tanios ?

Y eut-il, ou non, une brève lueur d'appréhension dans le regard du médecin ?

— Mais bien sûr, monsieur Poirot.

— Que pensez-vous de Charles et de Theresa Arundell ?

Tanios parut soulagé.

— Charles et Theresa ? (Il gratifia sa femme d'un sourire affectueux.) Bella, ma chérie, j'imagine que tu ne m'en voudras pas si je suis franc à propos de ta famille ?

Elle fit non de la tête, avec un pâle sourire.

— Alors, mon opinion c'est qu'ils sont tous deux pourris jusqu'à la moelle ! Curieusement c'est encore Charles que je préfère. C'est une fripouille, mais une fripouille sympathique. Il n'a aucun sens moral, mais ce n'est pas de sa faute. Il y a des gens qui naissent comme ça.

— Et Theresa ?

Il hésita.

— Je ne sais pas. C'est une fille étonnamment séduisante. Mais elle est impitoyable. Elle tuerait de sang-froid, si cela arrangeait ses affaires. En tout cas, c'est mon avis. Vous avez peut-être entendu dire que sa mère a été jugée pour meurtre ?

— Et acquittée, répliqua Poirot.

— Et acquittée, comme vous dites, s'empressa d'ajouter Tanios. Mais tout de même… cela donne parfois à réfléchir.

— Vous avez rencontré le jeune homme auquel elle est fiancée ?

— Donaldson ? Oui, il est venu dîner à Littlegreen House, un soir.

— Que pensez-vous de lui ?

— Un type doué. Je crois qu'il ira loin – si on lui donne sa chance. Ça coûte cher, une spécialisation.

— Vous voulez dire qu'il est doué, dans sa profession ?

— C'est ce que je veux dire, oui. Un cerveau ! (Il sourit.) Mais pas très brillant en société, cependant. Tatillon et guindé. Theresa et lui forment un couple bizarre. L'attirance des contraires. C'est une mondaine alors qu'il vit en ermite.

Les deux enfants tournaient autour de leur mère.

— Maman, est-ce qu'on peut manger ? J'ai faim. On va rater le service.

Poirot jeta un coup d'œil à sa montre et s'exclama :

— Mille pardons ! Je vous empêche de passer à table.

Mrs Tanios regarda son mari, et proposa d'une voix hésitante :

— Peut-être pourrions-nous vous offrir de...

— Vous êtes trop aimable, chère madame, s'empressa de répondre Poirot, mais on m'attend pour déjeuner et je suis déjà en retard.

Il serra la main aux Tanios et à leurs enfants. Je l'imitai.

Nous nous attardâmes un moment dans le hall de l'hôtel. Poirot voulait téléphoner. Je l'attendis à la réception. J'étais là à faire le pied de grue lorsque je vis Mrs Tanios pénétrer dans le hall en regardant autour d'elle. Elle avait l'air traquée, harcelée. Dès qu'elle m'aperçut, elle se précipita vers moi.

— Votre ami... Poirot... j'imagine qu'il est parti ?

— Non, il est au téléphone.

— Oh !

— Vous vouliez lui parler ?

Elle acquiesça d'un signe de tête. Elle semblait de plus en plus nerveuse.

Poirot sortit de la cabine à cet instant précis et nous vit ensemble. Il s'empressa de nous rejoindre.

— Monsieur Poirot, commença-t-elle immédiatement d'une voix basse et précipitée, il y a quelque chose que j'aimerais vous dire... que je *dois* vous dire...

— Oui, madame.

— C'est important… Très important… Voyez-vous, je…

Elle s'interrompit. Le Dr Tanios et les deux enfants venaient de sortir du petit salon. Ils approchaient.

— Tu as encore un mot à dire à M. Poirot, Bella ?

Il était tout sourire et parlait d'un ton enjoué.

— Oui, répondit-elle, après une hésitation. Bon, c'est tout, monsieur Poirot. Je voulais juste que vous assuriez à Theresa que nous la soutiendrons dans tout ce qu'elle entreprendra. Entre parents, on doit se serrer les coudes.

Elle nous salua de la tête, puis, prenant le bras de son mari, se dirigea vers la salle à manger de l'hôtel.

Je saisis Poirot par l'épaule.

— Ce n'est pas ce qu'elle avait commencé à nous dire, Poirot !

Il dodelina de la tête tout en regardant le couple s'éloigner.

— Elle a changé d'avis, ajoutai-je.

— Oui, mon bon ami, elle a changé d'avis.

— Pourquoi ?

— J'aimerais le savoir, murmura-t-il.

— Elle nous le dira une autre fois…, fis-je, avec optimisme.

— Je me le demande. Je crains, au contraire… qu'elle ne le puisse pas…

18

Nous déjeunâmes dans un petit restaurant, non loin de là. J'étais curieux de connaître les conclusions de Poirot sur les divers membres de la famille Arundell.

— Alors, Poirot ? demandai-je d'une voix pressante.

Avec un air de reproche, il concentra toute son attention sur le menu. Lorsqu'il eut passé commande, il se laissa aller contre le dossier de sa chaise, coupa son petit pain en deux, et articula enfin, sur un ton moqueur :

— Alors, Hastings ?

— Que pensez-vous d'eux, maintenant que vous les avez tous rencontrés ? demandai-je.

— Ma foi, dit-il lentement, ils forment une équipe fort intéressante ! Vraiment, cette affaire est un régal pour l'esprit ! Elle a tout d'un – comment dites-vous déjà ? – d'un sac à malices ! Vous avez vu. Chaque fois que j'annonce « Miss Arundell m'a écrit juste avant sa mort », il se passe quelque chose. Miss Lawson me parle de l'argent disparu. Mrs Tanios s'écrie aussitôt : « A propos de mon

231

mari ? » Pourquoi à propos de son mari ? Pourquoi miss Arundell m'aurait-elle écrit à moi, Hercule Poirot, pour me parler du Dr Tanios ?

— Cette femme a une idée derrière la tête, murmurai-je.

— Oui, elle sait quelque chose. Mais *quoi* ? Miss Peabody nous dit que Charles Arundell éliminerait père et mère pour des clopinettes, miss Lawson affirme que Mrs Tanios assassinerait n'importe qui si on le lui demandait. Le Dr Tanios assure que Charles et Theresa sont « pourris jusqu'à la moelle », laisse entendre que leur mère était une meurtrière et déclare, sans avoir l'air d'y toucher, que Theresa pourrait tuer de sang-froid.

» Ils ont une bien piètre opinion les uns des autres, tous ces gens ! Le Dr Tanios pense, ou *prétend* penser, qu'il y a eu des manœuvres captatoires. Avant son arrivée, sa femme n'était manifestement *pas* de cet avis. Au début de notre entretien, elle refuse de contester la validité du testament, puis elle fait volte-face. Voyez vous, Hastings – c'est une marmite qui bouillonne, et de temps en temps un fait significatif remonte à la surface. Il y a *quelque chose* au fond de cette marmite – oui, il y a *quelque chose*. J'en suis sûr, parole d'Hercule Poirot, j'en suis sûr !

Son sérieux m'impressionna malgré moi.

— Vous avez peut-être raison, dis-je au bout d'un moment. Mais cela me paraît trop vague… Trop flou.

— Mais vous admettez avec moi qu'il y a bien *quelque chose* là-dessous ?

— Oui, répondis-je d'une voix hésitante. Je crois que oui.

Poirot se pencha vers moi par-dessus la table et plongea son regard dans le mien.

— Vous avez changé, mon tout bon. Vous n'êtes plus amusé, ni péremptoire, vous ne souriez plus avec indulgence de mes plaisirs académiques. Qu'est-ce donc qui vous a convaincu ? Ce n'est pas l'excellence de mon raisonnement – non, ce n'est pas ça ! Mais *quelque chose* – quelque chose qui n'a rien à voir avec moi – vous a marqué. Dites-moi, mon bon ami, qu'est-ce qui vous a convaincu soudain de prendre cette affaire au sérieux ?

— Je crois, répondis-je lentement, que c'est Mrs Tanios. Elle avait l'air… *effrayée.*

— Par moi ?

— Non, non, pas par vous. Par quelqu'un d'autre. Au début, elle était si calme et si raisonnable. Bien sûr, elle déplorait les termes de ce testament et en manifestait une certaine amertume – d'ailleurs bien naturelle. Mais elle semblait accepter la situation et être décidée à laisser les choses en l'état. Attitude à laquelle on pouvait s'attendre de la part d'une femme bien élevée et plutôt apathique. Et puis, brusque revirement, elle adopte avec enthousiasme le point de vue de son mari. Quant à la façon dont elle nous a suivis dans le hall – cette façon presque *furtive…*

Poirot hocha la tête, comme pour m'encourager.

— Et il y a encore un autre petit détail que vous n'avez peut-être pas remarqué…

— Rien ne m'échappe !

— Je veux parler de la visite du Dr Tanios à Littlegreen House, ce dernier dimanche. Je jurerais qu'elle n'en savait rien, que ça été pour elle une complète surprise. Et pourtant elle est entrée immédiatement dans son jeu, elle a prétendu qu'il le lui avait dit et qu'elle avait oublié. Je... J'en ai eu froid dans le dos, Poirot.

— Vous avez parfaitement raison, Hastings – c'était très significatif.

— Cela m'a laissé une vilaine impression – une impression de... de peur.

Poirot hocha doucement la tête.

— Vous avez ressenti la même chose ? demandai-je.

— Oui. La peur était dans l'air, nettement. (Il se tut une seconde.) Et pourtant, Tanios vous a plu, n'est-ce pas ? Vous l'avez trouvé agréable, sincère, affable. Malgré vos préjugés insulaires contre les Argentins, les Portugais et les Grecs, il vous a séduit, vous a paru sympathique ?

— C'est vrai, dus-je admettre.

Dans le silence qui suivit, j'observai Poirot, puis je demandai enfin :

— A quoi pensez-vous, Poirot ?

— Je songe à plusieurs personnes. Au jeune et beau Norman Gale. A Evelyn Howard, direct et jovial. Au charmant Dr Sheppard. A Knighton, si calme et si sérieux...

Je ne compris pas immédiatement qu'il s'agissait des acteurs principaux d'affaires criminelles célèbres.

— Et alors ? fis-je.

— Ils avaient tous, eux aussi, des personnalités très attachantes…

— Mon Dieu, Poirot, vous ne croyez tout de même pas que Tanios…

— Non, non. Pas de conclusions hâtives, Hastings. Je veux juste vous faire remarquer que nos réactions personnelles face aux individus que nous rencontrons sont singulièrement peu fiables. Il ne faut pas se laisser guider par ses sentiments, mais par les faits.

— Hum…, grommelai je. Les faits ne sont pas notre point fort. Non, non, Poirot, vous n'allez pas les récapituler une fois de plus !

— Je serai bref, mon ami, n'ayez crainte. D'abord, nous avons très certainement affaire à une tentative de meurtre. Vous admettez enfin cela, n'est-ce pas ?

— Oui, répondis-je lentement.

Jusqu'alors, j'avais été quelque peu sceptique vis-à-vis de sa reconstitution fantaisiste (du moins le croyais-je) des événements de la nuit du mardi pascal. Je devais reconnaître, cependant, que ses déductions étaient logiques.

— Eh bien, bravo. Bon, ceci posé, qui dit tentative de meurtre dit meurtrier. L'une des personnes présentes cette nuit-là est donc un assassin – sinon de fait, du moins en intention.

— Je vous l'accorde.

— Voici donc notre point de départ : un meurtrier. Nous nous renseignons un peu – comme vous dites chez vous : nous remuons la boue – et qu'obtenons-nous ? Plusieurs accusations très intéressantes, proférées apparemment comme si de rien n'était au cours de conversations variées.

— Vous pensez qu'elles n'étaient pas fortuites, ces accusations ?

— Impossible à savoir pour le moment ! La façon toute innocente dont miss Lawson nous a appris que Charles avait menacé sa tante n'était peut-être pas aussi innocente que ça. Les remarques du Dr Tanios sur Theresa Arundell n'étaient sans doute pas malintentionnées et ne reflétaient probablement que l'opinion sincère d'un médecin... mais allez savoir au juste ! De son côté, miss Peabody a évoqué sans arrière-pensée manifeste les frasques de Charles Arundell – mais, après tout, qui nous le prouve ? Et ainsi de suite... Il y a une expression, n'est-ce pas – anguille sous roche ? Eh bien, c'est exactement ce que je trouve ici, sauf que sous notre roche à nous se cache un assassin et non une anguille.

— J'aimerais connaître le fin fond de votre pensée, Poirot.

— Hastings... Hastings... Je ne m'autorise pas à « penser », du moins, pas dans le sens où vous employez ce terme. Pour l'instant, je me contente de faire certaines réflexions.

— C'est-à-dire ?

— Je m'interroge sur le mobile. Quels pourraient être les *mobiles* vraisemblables de l'assassinat de miss Arundell ? Le plus évident, c'est *l'argent*, d'accord. Qui aurait tiré profit de la mort de miss Arundell – si elle était morte dans la nuit, le mardi de Pâques ?

— Tout le monde, sauf miss Lawson.

— Exactement.

— Eh bien, en tout cas, voilà quelqu'un d'automatiquement écarté de la liste des suspects.

— Oui, dit Poirot, songeur. On dirait bien. Mais le plus intéressant, c'est que la personne qui n'y aurait rien gagné si cette mort s'était produite ce jour-là, rafle la mise lorsque ladite mort survient quinze jours plus tard.

— Où voulez-vous en venir ? Poirot, demandai-je, un tantinet perplexe.

— La cause et l'effet, mon bon ami. La cause et l'effet.

Je l'observai, indécis.

— Soyez logique ! poursuivit-il. Que s'est-il passé au juste… après l'accident ?

Je n'aimais pas Poirot lorsqu'il était de cette humeur-là. Tout ce que l'on pouvait avancer était faux ! Je répondis donc avec une prudence extrême :

— Miss Arundell doit s'aliter.

— Exact. Et elle a tout son temps pour réfléchir. Et ensuite ?

— Elle vous écrit.

Poirot acquiesça d'un signe de tête.

— Oui, elle m'écrit. Mais la lettre n'est pas postée. Vraiment dommage, ça !

— Vous soupçonnez quelque chose de louche dans le fait que la lettre n'ait pas été envoyée ?

Poirot fronça les sourcils.

— Là, Hastings, je suis forcé d'avouer que je n'en sais rien. Je crois – à la lumière de tout ce dont je suis presque sûr – qu'elle a été vraiment égarée par hasard. Je crois aussi – mais je n'en jurerais pas – que personne ne connaissait l'existence de cette lettre. Continuez... que se passe-t-il ensuite ?

— La visite du notaire, suggérai-je, après réflexion.

— Oui. Elle l'envoie chercher et il arrive en temps utile.

— Et elle modifie son testament, poursuivis-je.

— Exactement. Un testament très inattendu. A ce propos, nous devons considérer avec grand soin une déclaration d'Ellen. Elle nous a dit, si vous vous en souvenez, que miss Lawson avait veillé à ce que sa patronne n'apprenne pas l'escapade nocturne de Bob...

— Mais... Oh ! je vois... Et puis non, je ne vois pas... Ou bien, est-ce que je commence à avoir une idée de ce que vous suggérez ?...

— J'en doute ! dit Poirot. Mais si c'est le cas, vous percevez, j'espère, *l'importance* capitale de cette affirmation d'Ellen ?

A ces mots, il me fixa d'un regard perçant.

— Bien sûr, bien sûr, m'empressai-je de répondre.

— Et ensuite, poursuivit Poirot, divers autres événements se produisent. Charles et Theresa viennent pour le week-end, et smiss Arundell montre à Charles le testament modifié – ou, du moins, c'est ce qu'il *prétend*.

— Vous ne le croyez pas ?

— Je ne crois que les allégations que je peux *vérifier*. Miss Arundell ne fait pas voir le document à Theresa.

— Parce qu'elle pensait que Charles en parlerait à sa sœur.

— Mais il ne lui dit rien. *Pourquoi* ne dit-il rien à Theresa ?

— Selon lui, il l'a fait.

— Theresa a formellement déclaré que non – petite divergence aussi intéressante que révélatrice. Et lorsque nous partons, elle le traite d'imbécile.

— Je perds pied, Poirot, dis-je d'un ton plaintif.

— Reprenons le déroulement des événements. Le dimanche, le Dr Tanios vient à Littlegreen House, sans doute à l'insu de sa femme.

— Je dirais : *certainement* à l'insu de sa femme.

— Contentons-nous d'un *probablement*. Continuons ! Le lundi, départ de Charles et de Theresa. Miss Arundell va bien. Elle fait un bon dîner et s'installe dans l'obscurité avec les sœurs Tripp et Lawson. Vers la fin de la séance, elle est prise d'un malaise. Elle se couche, meurt quatre jours plus tard et miss Lawson hérite de tous ses biens – quant au capitaine Hastings, il assure que son décès a des causes naturelles !

— Tandis qu'Hercule Poirot prétend qu'elle a été empoisonnée pendant le repas, alors qu'il n'a aucune preuve du tout !

— J'ai *une* preuve, Hastings. Souvenez-vous de notre conversation avec les sœurs Tripp. Et d'une phrase, dans les propos quelque peu décousus de miss Lawson.

— Vous voulez parler du curry qu'elle a mangé ? Le curry masquerait le goût d'un poison, c'est ce que vous voulez dire ?

— Oui, le curry a sans doute une certaine importance, répondit lentement Poirot.

— Mais, dis-je alors, si ce que vous avancez – au mépris de toutes les évidences médicales – est exact, seule miss Lawson ou l'une des domestiques peut l'avoir assassinée.

— Je me le demande.

— Ou les Tripp ? Ridicule. Je n'y crois pas. Tous ces gens respirent l'innocence !

Poirot haussa les épaules.

— Rappelez-vous ceci, Hastings : la stupidité – et même, dans cette affaire, la bêtise – peut aller de pair avec une véritable duplicité. Et n'oubliez pas la première tentative de meurtre. Ce n'était pas l'œuvre d'un cerveau particulièrement génial, mais un petit meurtre tout bête, suggéré par Bob et sa manie de laisser traîner sa balle en haut des escaliers. L'idée de tendre un fil en travers de la première marche était simplissime – même un enfant aurait pu y songer !

Je fronçai les sourcils.

— Vous voulez dire que…

— Je veux dire que nous ne cherchons rien d'autre chez nos suspects que la volonté de tuer. Sans plus.

— Mais le poison devait être très élaboré, lui, pour ne laisser aucune trace, affirmai-je. Il fallait que ce soit au minimum une substance que monsieur Tout-le-monde aurait du mal à se procurer. Oh ! bon sang de bonsoir Poirot ! Je n'arrive tout bêtement pas à y croire, voilà ce qui se passe. Je n'arrive pas à croire que vous puissiez *savoir* quoi que ce soit. Ce que vous formulez, ce ne sont que des hypothèses.

— Vous vous trompez, mon bon ami. C'est le résultat de nos diverses conversations de ce matin. J'ai maintenant une idée précise pour aller de l'avant. Certaines indications minimes, mais sûres. Le seul problème, c'est… c'est que j'ai peur.

— Peur ? De quoi ?

— De réveiller le chat qui dort, dit-il d'un ton grave. C'est un de vos proverbes, non ? Il ne faut pas réveiller le chat qui dort… C'est ce que notre assassin est en train de faire, en ce moment : il dort tranquillement au soleil. Mais l'expérience ne nous a-t-elle pas appris, à vous comme à moi, Hastings, que s'il se sent menacé, un meurtrier est capable de se retourner et de tuer une seconde, voire une *troisième* fois ?

— Vous craignez qu'une chose pareille se produise ?

— Oui, je le crains. S'il y a assassin sous roche – et je suis intimement persuadé que tel est le cas, Hastings –, oui, oh oui, je crains bien que nous ne tardions pas à être confrontés au pire…

19

Poirot demanda l'addition et la régla.

— Et maintenant, que faisons-nous ? m'enquis-je.

— Ce que vous avez suggéré, un peu plus tôt dans la matinée. Nous partons pour Harchester, interroger Mr Purvis. C'est la raison de mon coup de téléphone depuis le *Durham Hotel*.

— Vous avez appelé Purvis ?

— Non. Theresa Arundell. Je l'ai priée de me donner une lettre d'introduction. Pour approcher ce notaire avec quelque chance de succès, nous avons besoin d'être accrédités par la famille. Elle m'a promis de me la faire porter. A l'heure qu'il est le pli doit être arrivé.

La lettre en question nous attendait en effet chez Poirot – ainsi que Charles Arundell qui s'était déplacé en personne pour nous l'apporter.

— C'est charmant, chez vous monsieur Poirot, remarqua-t-il en parcourant le salon des yeux.

A cet instant, mon regard fut attiré par un tiroir du bureau. Mal fermé, il était bloqué par une feuille qui en dépassait légèrement.

Imaginer Poirot laissant un tiroir ainsi était

proprement incroyable. J'observai Charles d'un air pensif. Il était resté seul dans cette pièce avant notre arrivée. Et il avait tué le temps à fouiller dans les papiers de Poirot, cela ne faisait pas l'ombre d'un doute… Quelle espèce de fripouille ! J'en bouillais d'indignation.

Charles, lui, était d'excellente humeur.

— Voilà, dit-il en tendant la lettre à Poirot. C'est en bonne et due forme – et j'espère que vous aurez plus de chance que nous avec le vieux Purvis.

— Il ne vous a guère laissé d'espoir, n'est-ce pas ?

— Une vraie douche froide… A son avis, cette vieille toupie de Lawson a réussi son coup et elle est maintenant tranquille comme Baptiste.

— Votre sœur et vous, vous n'avez pas songé à en appeler au bon cœur de la dame ?

Charles sourit :

— Oh que si, j'y ai songé ! Mais j'ai eu beau me mettre en quatre… rien à faire ! J'ai prêché dans le désert. L'histoire pathétique de la brebis galeuse déshéritée – brebis pas si galeuse que ça au demeurant, du moins – ai-je essayé de l'en convaincre – n'a pas réussi à soutirer une larme à ce petit cœur sec ! Elle n'a jamais pu me voir en peinture ! (Il se mit à rire.) Pourtant, les quinquagénaires ont plutôt tendance à me prendre dans leur giron. Elles estiment d'ordinaire que personne ne m'a jamais compris et que l'on n'a pas su me donner ma chance !

— Point de vue fort profitable, je n'en doute pas.

— Il m'a beaucoup servi, jusqu'à présent, merci. Mais, comme je le disais, avec mémé Lawson, ç'a été le bide to-tal. Je crois qu'elle a une dent contre les hommes. Je l'imagine très bien au bon vieux temps d'avant 14, en train de s'enchaîner à toutes les grilles possibles et inimaginables et d'agiter son petit drapeau de suffragette.

— Ma foi, fit Poirot en hochant la tête, si les méthodes simples échouent…

— … Il faudra bien en venir au crime, conclut Charles joyeusement.

— Tiens ! tiens ! s'exclama Poirot, puisque l'on parle crime, jeune homme, est-il exact que vous ayez menacé votre tante – que vous lui ayez dit que vous la « liquideriez » ou quelque chose d'approchant ?

Charles se laissa tomber dans un fauteuil, étendit les jambes et dévisagea Poirot.

— Allons bon ! Qui est-ce qui vous a raconté ça ? demanda-t-il.

— Peu importe. Est-ce exact ?

— Bof ! il y a un peu de vrai là-dedans, d'accord.

— Allons, allons, racontez-moi cette histoire. Mais j'aimerais autant que vous me disiez tout de suite la vérité.

— Sans problème, mon bon monsieur. Il n'y a pas de quoi fouetter un chat. J'avais effectué quelques travaux d'approche, si vous voyez ce que je veux dire.

— Tout à fait.

— Et puis, ça ne s'est pas passé comme prévu. Tante Emily m'a envoyé sur les roses et a décrété que toute tentative pour lui arracher trois sous serait toujours vouée à l'échec ! Bon, je ne me suis pas énervé, mais je n'ai pas mâché mes mots non plus :

« Ecoutez, tante Emily, j'aime autant vous prévenir que vos façons d'agir finiront par vous jouer des tours, et qu'un de ces quatre vous risquez de vous faire liquider ! » Elle m'a demandé, avec un mépris écrasant, ce que j'entendais par là. « Rien de plus que ce que j'ai dit, tantine. Vos amis et vos parents sont tous fauchés comme les blés, à vous tournicoter autour, l'espoir au cœur et la langue pendante… Et vous, qu'est-ce que vous faites, pendant ce temps-là ? Vous vous prélassez sur votre magot et vous refusez de partager. C'est comme ça que les gens se font assassiner. Croyez-moi, s'il prend à quelqu'un l'envie de vous liquider, vous l'aurez bien cherché. »

» Elle m'a regardé par-dessus ses lunettes, selon sa vieille habitude. Un regard plutôt vachard. Et elle m'a répondu d'un ton cassant : "Alors, c'est ça ce que tu penses, hein ?" "C'est ça, ai-je acquiescé. Soyez un peu plus coulante, c'est le conseil que je vous donne." "Merci Charles, pour ce conseil avisé, mais tu ne tarderas pas à t'apercevoir que je suis capable de veiller au grain." "Comme il vous plaira, ma tante." J'étais tout sourire et je me demande si elle n'était pas moins fâchée qu'elle ne voulait le paraître. "Vous ne pourrez pas dire que je ne vous ai pas prévenue", ai-je ajouté. "Je m'en souviendrai", a-t-elle encore crâné.

Il se tut un instant.

— Voilà, c'est tout.

— Sur quoi, fit Poirot, vous vous êtes contenté de quelques billets trouvés dans un tiroir.

Charles le dévisagea, puis éclata de rire.

245

— Là, je vous tire mon chapeau ! s'exclama-t-il. Vous êtes fortiche, dites donc ! Comment avez-vous appris *ça* ?

— C'est vrai, alors ?

— Bien sûr, que c'est vrai ! J'étais complètement à sec. Il fallait que je dégote de l'argent quelque part. Je suis tombé sur une jolie petite liasse dans un tiroir, et j'ai prélevé quelques livres. Très peu – je croyais que personne ne s'apercevrait de la soustraction, ou alors qu'on accuserait les bonnes.

— Si tel avait été le cas, ç'aurait pu être très grave pour elles, fit sèchement remarquer Poirot.

Charles haussa les épaules.

— Chacun pour soi, murmura-t-il.

— Et Dieu pour tous…, ajouta Poirot. C'est votre devise, n'est-ce pas ?

Charles l'observa avec curiosité.

— Je ne savais même pas que la vieille bique s'en était rendu compte. Comment l'avez-vous appris, vous ? Et comment avez-vous eu vent de cette conversation avec ma tante ?

— C'est miss Lawson qui me l'a rapportée.

— L'espèce de vieux chameau ! (Il ne me parut que très légèrement troublé.) Elle ne m'aime pas, et elle n'aime pas Theresa non plus. Vous ne pensez pas que… qu'elle a d'autres atouts dans sa manche ?

— Lesquels ?

— Ça, je n'en sais rien. C'est juste qu'elle me fait effet d'être rusée comme un vieux renard. (Il se tut un instant, puis ajouta :) Elle déteste Theresa…

— Saviez-vous, Mr Arundell, que le Dr Tanios

est venu chez votre tante le dimanche précédant sa mort ?

— Comment ? Le dimanche où nous y sommes allés, Theresa et moi ?

— Oui. Vous ne l'avez pas vu.

— Non. Nous nous sommes promenés, dans l'après-midi. J'imagine qu'il est passé à ce moment-là. C'est drôle que tante Emily ne nous ait pas parlé de cette visite. Qui vous a mis au courant ?

— Miss Lawson.

— Encore et toujours cette toupie de Lawson ! C'est une vraie mine de renseignements, celle-là ! (Un silence, puis :) Je vous assure, Tanios est un type sympathique. Je l'aime bien. C'est le parfait bon vivant, toujours le mot pour rire.

— Il a une personnalité attachante, en effet, dit Poirot.

Charles sauta sur ses pieds.

— A sa place, il y a belle lurette que j'aurais trucidé cette rabat-joie de Bella ! Vous ne trouvez pas que c'est le type même de l'éternelle victime ? Vous savez, je ne serais pas surpris si on la découvrait un beau jour coupée en rondelles dans une malle, à Margate ou ailleurs !

— Vous ne prêtez pas là des intentions louables à son mari, ce tellement sympathique médecin, dit Poirot d'un ton grave.

— Non, c'est vrai, répondit Charles, songeur. Et pourtant je crois sincèrement que Tanios ne ferait pas de mal à une mouche. Il est beaucoup trop bonne pâte pour ça.

— Et vous ? Seriez-vous capable de tuer, si le jeu en valait la chandelle ?

Charles éclata de rire – un rire franc et sonore.

— Vous cherchez un moyen de chantage, monsieur Poirot ? Rien à faire. Je suis prêt à jurer que je n'ai pas versé… (Il s'interrompit brusquement, puis reprit :)… une rasade de strychnine dans la soupe de tante Emily.

Et sur un geste désinvolte de la main, il s'en fut.

— Vous avez essayé de lui faire peur, Poirot ? Si tel est le cas, j'ai l'impression très nette que vous avez fait chou blanc. Il n'a pas manifesté le moindre signe de culpabilité.

— Non ?

— Non. Il m'a semblé imperturbable.

— Curieux quand même, cette façon qu'il a eue de s'interrompre, murmura Poirot.

— De s'interrompre ?

— Oui. Il a marqué une pause avant « une rasade de strychnine ». Presque comme s'il allait dire autre chose et qu'il avait soudain changé d'avis.

Je haussai les épaules.

— Il cherchait sans doute le nom d'un bon poison – un nom bien évocateur.

— C'est possible. C'est possible. Mais mettons-nous en route. Je pense que nous passerons la nuit chez *George*, à Market Basing.

Dix minutes plus tard, on nous vit traverser Londres à toute vitesse, une fois de plus en direction de la campagne.

Nous arrivâmes à Harchester vers 4 heures de l'après-midi, et nous rendîmes directement à l'étude Purvis, Purvis, Charlesworth & Purvis.

Mr Purvis était le type même du bon gros notable à la silhouette rebondie, aux cheveux blancs et aux joues roses. Il faisait penser à un châtelain campagnard. Ses manières étaient courtoises, mais réservées.

Il lut notre lettre d'introduction, puis nous observa par-dessus son bureau. Il avait le regard perspicace et quelque peu inquisiteur.

— Je connais votre nom, bien entendu, monsieur Poirot, préluda-t-il poliment. Que miss Arundell et son frère aient fait appel à vos services dans cette affaire, je l'admets sans peine. Mais comment vous pouvez envisager de leur être utile, voilà où je me perds en conjectures…

— Admettons sans aller plus avant, Mr Purvis, que j'aie l'intention de me livrer à une enquête approfondie sur les tenants et aboutissants de cette histoire.

Le notaire fut très sec.

— Miss Arundell et son frère connaissent déjà mon opinion quant à l'aspect juridique de la question. Les faits sont parfaitement clairs et ne présentent aucune ambiguïté.

— Je n'en disconviens pas, je n'en disconviens pas, répliqua Poirot avec vivacité. Mais vous ne verrez pas d'inconvénient, je gage, à les repasser simplement en revue avec moi, afin que je puisse me faire une idée précise de la situation ?

Le notaire inclina la tête.

— Je suis à votre disposition.

— Miss Arundell vous a écrit le 17 avril, je crois, pour vous communiquer ses instructions ? commença Poirot.

Mr Purvis consulta quelques papiers posés devant lui sur la table.

— Oui, c'est exact.

— Puis-je savoir ce qu'elle vous disait ?

Elle me demandait de rédiger un testament. Il devrait comporter des legs à deux domestiques et à trois ou quatre œuvres de charité. Le reste de ses biens irait en totalité à Wilhelmina Lawson.

— Pardonnez-moi, Mr Purvis, mais ces dispositions vous ont-elles surpris ?

— Je dois admettre que… oui, elles m'ont surpris.

— Miss Arundell avait déjà fait son testament ?

— Oui. Cinq ans plus tôt.

— Ce testament initial, hormis certains legs de peu d'importance, laissait sa fortune à son neveu et ses nièces ?

— Le gros de ses biens devait être divisé, en parts égales, entre les enfants de son frère Thomas et la fille d'Arabella Biggs, sa sœur.

— Qu'est devenu ce document ?

— A la demande de miss Arundell, je l'ai apporté avec moi lorsque je me suis rendu chez elle, à Littlegreen House, le 21 avril.

— Je vous serais très obligé, Mr Purvis, de me décrire dans le détail tout ce qui s'est produit à cette occasion.

Le notaire resta silencieux un instant, puis il répondit, avec une grande précision :

— Je suis arrivé à Littlegreen House à 3 heures de l'après-midi. L'un de mes clercs m'accompagnait. Miss Arundell m'a reçu au salon.

— Quelle impression vous a-t-elle faite ?

— Elle m'a paru en bonne santé, même si elle marchait avec une canne – conséquence, si j'ai bien compris, d'une chute qu'elle avait faite quelques jours plus tôt. Comme je vous l'ai dit, elle semblait en bonne santé. Un peu nerveuse et agitée, toutefois.

— Miss Lawson était là ?

— Elle était avec elle à mon arrivée, mais elle s'est retirée aussitôt.

— Et ensuite ?

— Miss Arundell m'a demandé si j'avais suivi ses instructions et si je lui avais apporté le testament à signer.

» Je lui ai répondu que oui. Je… Euh… (Il hésita un instant, avant de poursuivre avec raideur :)... Autant avouer que, dans les limites de la bienséance, je me suis permis quelques observations. Je lui ai signalé que les dispositions de ce testament pourraient sembler d'une injustice criante vis-à-vis de sa famille qui était, après tout, de son sang.

— Que vous a-t-elle répondu ?

— Elle m'a demandé si l'argent était à elle ou non et si elle pouvait en disposer comme elle l'entendait. Je lui ai assuré que c'était bien entendu le cas. « Alors, c'est parfait », a-t-elle dit. Je lui ai rappelé qu'elle ne connaissait miss Lawson que depuis peu de temps, et j'ai voulu savoir si elle était sûre du bien-fondé de l'injustice qu'elle allait commettre envers sa famille. Sa réponse fut : « Mon cher ami, je sais parfaitement ce que je fais. »

— Elle était agitée, m'avez vous dit ?

— Je crois pouvoir l'affirmer, en effet, mais comprenez-moi bien, monsieur Poirot, elle était en pleine possession de ses facultés. Elle était, à tous les sens du terme, parfaitement compétente pour s'occuper de ses affaires. Bien que mes sympathies soient entièrement acquises à la famille de miss Arundell, je serais dans l'obligation de maintenir ces déclarations devant n'importe quel tribunal.

— Cela va sans dire. Poursuivez, je vous prie.

— Miss Arundell a relu son premier testament, puis elle a pris celui que je venais de rédiger. J'aurais préféré lui soumettre dans un premier temps un brouillon, je l'avoue, mais elle avait insisté pour que je lui apporte le document tout prêt à signer. Cela ne présentait aucune difficulté, car les dispositions en étaient très simples. Elle l'a lu, a hoché la tête et dit qu'elle voulait le signer sur-le-champ. J'ai estimé de mon devoir de protester une dernière fois. Elle m'a écouté jusqu'au bout avec patience, puis a répété que sa décision était irrévocable. J'ai donc appelé mon clerc. C'est le jardinier et lui qui ont servi de témoins. Bénéficiaires de par cet acte, les deux bonnes ne pouvaient bien entendu tenir ce rôle.

— Vous a-t-elle ensuite confié ce testament pour que vous le gardiez en lieu sûr ?

— Non. Elle l'a rangé dans un tiroir de son bureau, qu'elle a fermé à clé.

— Qu'a-t-elle fait du premier testament ? L'a-t-elle détruit ?

— Non. Elle l'a mis sous clé avec l'autre.

— Après sa mort, où a-t-on trouvé son testament ?

— Dans ce même tiroir. En tant qu'exécuteur testamentaire, j'avais ses clés. J'ai étudié tous ses papiers personnels.

— Les deux testaments étaient-ils toujours dans le tiroir ?

— Oui. A l'endroit exact où elle les avait rangés ce jour-là.

L'avez-vous interrogée sur les motifs d'une décision si surprenante ?

— Oui. Mais je n'ai pas obtenu de réponse satisfaisante. Elle m'a simplement répété « qu'elle savait ce qu'elle faisait ».

— Toutefois, cette manière d'agir vous a étonné ?

— Beaucoup. Car miss Arundell, je me dois de le préciser, avait toujours manifesté un grand sens de la famille.

Poirot garda un instant le silence, puis il demanda :

— Je suppose que vous n'avez rien évoqué de tout cela avec miss Lawson ?

Mr Purvis sembla choqué par cette simple suggestion.

— Certainement pas. Cela aurait été tout à fait déplacé !

— Miss Arundell a-t-elle dit quelque chose pouvant indiquer que sa dame de compagnie était au courant de l'existence d'un testament en sa faveur ?

— Non. Je lui ai demandé si miss Lawson savait qu'elle était désignée comme héritière, et elle m'a répondu d'un ton brusque que celle-ci en ignorait tout. Convaincu qu'il était préférable qu'il en fût ainsi, j'ai fait une allusion dans ce sens, et miss Arundell a semblé partager mon opinion.

— Pourquoi avez-vous insisté sur ce point, Mr Purvis ?

Le vieux notaire lui jeta un regard plein de dignité.

— A mon sens, mieux vaut ne pas discuter de ces choses-là. En outre, cela aurait pu être la cause d'une déception ultérieure.

— Ah, dit Poirot en inspirant profondément, si je comprends bien, *vous estimiez que miss Arundell pouvait changer d'avis dans un futur proche* ?

Le notaire acquiesça d'un signe de tête.

— Exactement. Je pensais que miss Arundell avait eu une violente altercation avec sa famille et que lorsqu'elle se serait calmée, elle reviendrait sur cette décision irréfléchie.

— Dans ce cas, qu'aurait-elle fait ?

— Elle m'aurait donné des instructions pour la rédaction d'un autre testament.

— Elle aurait pu aussi détruire tout bonnement le dernier. Du coup, le testament original aurait été de nouveau valable.

— Ce point est discutable. Les dernières volontés de la testatrice précisaient que tous ses testaments précédents étaient automatiquement annulés par ces ultimes dispositions.

— Mais miss Arundell ne possédait pas assez de

connaissances juridiques pour en être consciente. Elle aura pensé qu'en détruisant le dernier, celui d'avant redevenait valable…

— C'est possible.

— En fait, si elle était morte intestat, ses biens seraient allés à sa famille ?

— Oui. Une moitié à Mrs Tanios et l'autre, à diviser entre Charles et Theresa Arundell. Il n'en reste pas moins, cependant, qu'elle n'a pas changé d'avis ! Elle est morte sans modifier sa décision.

— Mais c'est là que j'entre en jeu, dit Poirot.

Le notaire lui lança un regard interrogateur.

Poirot se pencha en avant.

— Supposons, reprit-il, que sur son lit de mort, miss Arundell *ait voulu détruire ce second testament*. Supposons qu'elle ait cru l'avoir bel et bien détruit… mais qu'en réalité, elle ait seulement déchiré le *premier*.

Mr Purvis secoua la tête.

— Non, les *deux* documents étaient intacts.

— Alors, supposons qu'en croyant déchirer le vrai elle en ait détruit un *faux*. Elle était très malade, souvenez-vous, et la tromper n'eût guère posé de problèmes.

— Il faudrait apporter des preuves de ce que vous avancez, répliqua le notaire d'un ton acerbe.

— Oh ! cela va de soi ! Cela va de soi !

— Y a-t-il, si vous me permettez cette question, quelque raison de croire qu'un tel acte ait été commis ?

Poirot se recula un peu.

— A ce stade de l'enquête…, je ne voudrais pas trop m'engager.

— Bien sûr, bien sûr ! répondit Mr Purvis, d'accord avec une formule qui lui était familière.

— Cependant, et, strictement entre nous, j'estime que cette affaire présente des aspects bien curieux.

— Ah bon ? Vraiment ?

Mr Purvis se frotta les mains, impatient d'en savoir davantage.

— Ce que j'attendais de vous, je l'ai obtenu, poursuivit Poirot. D'après vous, miss Arundell aurait tôt ou tard changé d'avis et serait revenue à de meilleurs sentiments envers sa famille ?

— Ce n'est là, bien entendu, qu'une opinion toute personnelle, fit remarquer le notaire.

— Je comprends, mon cher maître. Miss Lawson n'est pas votre cliente, me suis-je laissé dire ?

— Je lui ai conseillé de consulter un homme de loi étranger à l'affaire, répondit Mr Purvis, glacial.

Poirot lui serra la main en le remerciant pour sa gentillesse et les informations qu'il nous avait fournies.

20

Tout en parcourant la vingtaine de kilomètres qui séparaient Harchester de Market Basing, nous discutâmes de la situation.

— La suggestion que vous venez de faire, Poirot, a-t-elle quelque fondement ?

— Quand j'ai dit que miss Arundell avait peut-être cru avoir détruit ce deuxième testament ? Non, mon bon ami – franchement, non. Mais il m'appartenait, vous devez bien le comprendre, d'émettre une quelconque hypothèse ! Mr Purvis est un homme intelligent. Si je n'avais pas lancé quelque suggestion de ce genre, il se serait demandé quel pouvait bien être mon rôle dans cette histoire.

— Savez-vous à qui vous me faites penser, Poirot ?

— Non, mon tout bon.

— A un jongleur manipulant des balles colorées qui se retrouvent toutes en l'air en même temps !

— Ces balles, ce sont les mensonges que je débite, n'est-ce pas ?

— C'est à peu près ça, oui.

— Et vous pensez qu'un jour tout va s'écrouler ?

— Vous ne pourrez pas jongler éternellement.

— C'est vrai, mais viendra le grand moment où je rattraperai les balles l'une après l'autre, avant de faire ma révérence et de quitter la scène.

— Sous un tonnerre d'applaudissements.

— C'est possible, oui, répondit Poirot en me jetant un regard en coin.

Je préférai abandonner ce terrain dangereux.

— Nous n'avons pas appris grand-chose de Mr Purvis, remarquai-je.

— Non, mais il a confirmé les grandes lignes de notre analyse.

— Et aussi l'affirmation de miss Lawson – à savoir qu'elle ignorait tout de ce testament jusqu'à la mort de la vieille demoiselle.

— Personnellement, Hastings, je ne vois pas en quoi il nous ait confirmé rien de tel.

— Mais Purvis a conseillé à miss Arundell de ne rien lui confier, et celle-ci lui a répondu qu'elle n'en avait pas la moindre intention.

— Oui, ça, c'est bel et bon. Mais il y a les trous de serrure… Et les clés qui ouvrent les tiroirs les mieux fermés.

— Croyez-vous vraiment que miss Lawson soit capable d'écouter aux portes et de farfouiller dans les tiroirs ? demandai-je, plutôt choqué.

Poirot sourit.

— Miss Lawson n'a pas bénéficié de votre éducation puritaine, très cher. Nous savons déjà qu'elle a écouté *une* conversation qu'elle n'était pas censée entendre – je fais référence à celle où Charles et sa tante ont parlé de certains parents sans le sou capables de la « liquider ».

Je dus admettre qu'il avait raison.

— Aussi, voyez-vous, Hastings, elle peut très bien avoir entendu une partie de la discussion entre Mr Purvis et miss Arundell. Notre notaire a une voix sonore et qui porte.

» Pour ce qui est de "farfouiller" dans les affaires des autres, poursuivit Poirot, c'est une pratique beaucoup plus courante que vous ne l'imaginez. Les gens timides et effarouchables de l'espèce de miss Lawson prennent souvent toutes sortes d'habitudes plus ou moins inavouables qui les aident à passer le temps.

— Vraiment, Poirot ! protestai-je.

— Mais si, Hastings. Mais si.

Nous arrivâmes chez *George* où nous prîmes, deux chambres. Puis nous partîmes, à petits pas pour Littlegreen House.

Dès notre coup de sonnette, Bob releva le défi. Aboyant furieusement, il ne fit qu'un bond à travers le vestibule et se rua contre la porte d'entrée.

« Je vais vous étriper ! gronda-t-il. Vous déchiqueter ! Ça vous apprendra à essayer d'entrer dans *cette* maison ! Attendez un peu de goûter à mes crocs ! »

Un murmure apaisant vint se mêler à ces terribles menaces.

— Allons, allons, mon petit. Tu es un brave toutou, un bon chien-chien ! Viens par ici !

Tiré par le collier, Bob fut enfermé à son corps défendant dans le petit salon.

« Il faut toujours qu'on vienne vous gâcher le travail ! ronchonna-t-il. C'était la première fois depuis une éternité que je pouvais flanquer à quelqu'un la frousse de son existence ! Je meurs d'envie de planter les dents dans une jambe de pantalon. Qu'est-ce que vous feriez sans moi pour vous protéger ? »

La porte du petit salon se referma sur lui ; puis Ellen tira verrous et barres et entrebâilla la porte d'entrée.

— Oh, c'est vous, monsieur ! s'exclama-t-elle.

Elle ouvrit en grand. Une expression de ravissement se peignait sur son visage.

— Entrez donc, monsieur, je vous en prie…

Nous pénétrâmes dans le vestibule. De derrière une porte, à notre gauche, nous parvenaient de violents reniflements entrecoupés de grondements. Bob essayait de nous localiser.

— Vous pouvez le lâcher, suggérai-je.

— D'accord, monsieur. Il n'y a pas de problème, avec lui, vraiment, mais les gens ont peur, car il fait beaucoup de bruit et il se précipite sur eux… C'est un excellent chien de garde, en tout cas.

Elle libéra l'animal, qui jaillit comme un boulet de canon.

— « Qui c'est ? Où sont-ils ? Ah ! les voilà. Saperlipopette, je crois me rappeler. (Sniff… Sniff… Sniff… Longs grognements…) Bien sûr ! Nous nous sommes déjà rencontrés ! »

— Salut, mon vieux, dis-je. Comment ça va ?

Il remua la queue pour la forme.

« Très bien, merci. Laissez-moi voir… (Il reprit

ses recherches.) Vous avez parlé à un épagneul, dernièrement, me dit mon nez. Ces chiens-là sont des imbéciles, si vous voulez mon avis. Qu'est-ce que c'est, ça ? Un chat ? Voilà qui est intéressant ! Dommage qu'il ne soit pas là. On se serait offert une jolie petite partie de chasse. Hum… Pas mal, ce bull-terrier. »

Ayant conclu à juste titre que j'avais récemment rendu visite à quelques-uns de ses collègues, il s'occupa de Poirot, renifla une bouffée d'essence et s'éloigna, d'un air réprobateur.

— Bob Bob ! appelai-je.

Il me jeta un coup d'œil par-dessus son épaule.

« Ça va. Je sais ce que je fais. Je reviens en moins de deux. »

— La maison est fermée, dit Ellen. J'espère que vous excuserez…

Elle se précipita dans le petit salon et commença à ouvrir les volets.

— Parfait. C'est parfait, murmura Poirot.

Il la suivit et s'assit. Comme j'allais le rejoindre, Bob revint de quelque endroit mystérieux, sa balle dans la gueule. Il grimpa à toute allure en haut de l'escalier et se mit en position sur la première marche, la balle entre les pattes de devant. Sa queue remuait doucement.

« Allons, dit-il. Allons. Jouons un peu. »

Oubliant mon intérêt pour les enquêtes policières, je passai un moment avec lui. Puis, saisi de scrupules, je m'empressai de gagner le petit salon.

Ellen et Poirot discutaient maladies et remèdes.

— Quelques petits comprimés blancs, monsieur,

c'était tout ce qu'elle avait l'habitude de prendre. Deux ou trois après chaque repas. C'étaient les ordres du Dr Grainger. Oh, oui, elle s'y conformait, comme vous dites. Des pilules minuscules. Et puis, il y avait un autre médicament. Miss Lawson ne jurait que par lui. Des cachets, c'était les cachets pour le foie du Dr Loughbarrow. Il y a des réclames pour ça affichées tout partout.

— Elle en prenait aussi ?

— Oui. C'est miss Lawson qui les lui avait fait connaître, et miss Arundell trouvait qu'ils lui faisaient du bien.

— Le Dr Grainger était-il au courant ?

— Oh, ça ne le gênait pas, monsieur. « Avalez ça si vous pensez que ça vous fait du bien », qu'il lui avait dit. Et elle lui avait répondu : « Ma foi, moquez-vous si ça vous chante, mais ils me font *vraiment* du bien. Bien plus que n'importe laquelle de vos drogues ! » Et le Dr Grainger avait éclaté de rire et ajouté que la foi était le meilleur médicament jamais inventé.

— Elle prenait encore autre chose. ?

— Non. Le mari de miss Bella, le docteur étranger, il est allé une fois lui chercher une bouteille d'un machin… Mais même si elle l'a remercié bien poliment, elle l'a versée dans l'évier. Ça, je le sais ! Et elle a eu raison, à mon avis. On ne sait jamais trop, avec ces produits qui viennent d'ailleurs.

— Mrs Tanios a vu sa tante la vider, n'est-ce pas ?

— Oui, et je crois que ça lui a fait de la peine, à la pauvre femme. Et ça m'a désolée, moi aussi, parce que le docteur, il avait certainement fait ça par gentillesse.

— Sans doute, sans doute. Je suppose qu'après la mort de miss Arundell, on s'est débarrassé de tous les médicaments qui se trouvaient dans la maison ?

Ellen parut légèrement surprise par la question.

— Oh, bien sûr, monsieur. L'infirmière en a jeté une partie et miss Lawson a trié ceux de l'armoire à pharmacie de la salle de bains.

— C'était là que l'on rangeait les… euh… cachets pour le foie du Dr Loughbarrow ?

— Non. Ils étaient dans le placard d'angle de la salle à manger. Comme ça, miss Arundell les avait à portée de main après chaque repas.

— Qui était l'infirmière de miss Arundell ? Pouvez-vous me donner son nom et son adresse ?

Ellen les lui indiqua immédiatement.

Poirot continua alors à lui poser des questions sur la dernière maladie de sa patronne.

Ellen se fit une joie de lui fournir tous les détails – elle lui décrivit l'affection, les douleurs, les premiers symptômes de jaunisse, le délire final. J'ignore si Poirot fut satisfait d'une telle énumération. Il l'écouta assez patiemment, posant parfois une question pertinente, la plupart du temps au sujet de miss Lawson et de ce qu'elle faisait au chevet de sa maîtresse. Il se montra aussi fort intéressé par le régime alimentaire de la malade, le comparant à celui de quelque parent à lui – imaginaire –, aujourd'hui disparu.

Constatant qu'ils prenaient tous deux grand

plaisir à leur discussion, je retournai discrètement dans le vestibule. Bob s'était endormi sur le palier, à l'étage, sa balle sous le menton.

Je le sifflai et il se redressa, aussitôt sur le qui-vive. Cette fois, cependant – j'avais sans doute offensé sa dignité en l'abandonnant un peu plus tôt –, il s'amusa longtemps à faire semblant de m'envoyer la balle et à la rattraper au tout dernier moment.

« Déçu, n'est-ce pas ? Bon, peut-être que je vais *vraiment* te la laisser attraper, ce coup-ci. »

Lorsque je revins au petit salon, Poirot parlait de la visite surprise du Dr Tanios le dimanche précédant la mort de la vieille dame.

— Oui, monsieur. Mr Charles et miss Theresa étaient sortis pour une promenade. On n'attendait pas le Dr Tanios, je le sais. La maîtresse était couchée et elle a été très étonnée quand je lui ai annoncé qui c'était. « Le Dr Tanios ? a-t-elle dit. Est-ce que sa femme l'accompagne ? » Je lui ai répondu que non, que ce monsieur était venu seul. Alors elle m'a demandé de le prévenir qu'elle descendrait dans une minute.

— Est-il resté longtemps ?

— Pas plus d'une heure, monsieur. Quand il est reparti, il n'avait pas l'air très content.

— Avez-vous une idée… euh… de la raison de sa visite ?

— Non, monsieur, je n'en sais rien.

— Vous n'avez rien entendu, par hasard ?

Ellen devint toute rouge.

— Oh *non*, monsieur ! Je n'ai jamais été du genre

à écouter aux portes, pas comme *certaines* personnes
– qui pourtant devraient savoir se conduire !

— Vous vous méprenez sur le sens de mes
paroles, s'excusa Poirot avec chaleur. J'ai pensé,
simplement, que vous auriez pu servir le thé pendant que ce monsieur était là, et, dans ce cas, vous
n'auriez pas pu éviter d'entendre ce dont il parlait
avec votre maîtresse.

Elle se calma.

— Je suis désolée, monsieur. Je n'avais pas
compris, en effet. Non, le Dr Tanios n'est pas resté
pour le thé.

Poirot la regarda et lui fit un petit clin d'œil
malicieux :

— Et si je veux connaître le but de sa visite…
peut-être bien que miss Lawson ne serait pas si
mal placée pour me répondre, qu'est-ce que vous
en pensez ?

— Si *elle*, elle ne le sait pas, monsieur, alors personne ne le sait, répliqua Ellen d'un ton pincé !

— Voyons…, reprit Poirot, qui fronça les sourcils
comme pour essayer de se souvenir. La chambre
de miss Lawson se trouvait à côté de celle de miss
Arundell ?

— Non, monsieur. La chambre de miss Lawson
est à droite, en haut des escaliers. Je peux vous
montrer, monsieur.

Poirot accepta. Il gravit les marches en se tenant
près du mur, et juste au moment où il arrivait sur le
palier, il poussa une exclamation et se pencha pour
examiner le bas de son pantalon.

— Zut ! Je viens de m'accrocher. Ah, mais oui…
Il y a un clou, ici, dans la plinthe.

— Oui, c'est vrai, monsieur. C'est une pointe qui
a dû sortir un peu, ou quelque chose comme ça.
Moi aussi j'y ai pris ma robe, une ou deux fois.

— Ça fait longtemps qu'il est là ?

— Eh bien, un certain temps, hélas, monsieur. La
première fois que je l'ai remarqué, c'était quand la
patronne était au lit – après son accident, monsieur.
J'ai essayé de l'arracher, mais je n'y suis pas arrivée.

— On a dû y attacher un fil, à un moment quelconque, je pense.

— C'est exact, monsieur. Je me souviens d'y
avoir vu un petit bout de fil. Je me demande bien
pourquoi, d'ailleurs.

Mais il n'y avait aucun soupçon dans la voix
d'Ellen. Pour elle, c'était juste une de ces petites
choses qui arrivent dans une maison sans que l'on
prenne la peine de les expliquer !

Poirot était entré dans la chambre. C'était une
pièce de dimensions moyennes. Deux fenêtres
nous faisaient face. Il y avait une coiffeuse dans un
coin et, entre les deux fenêtres, une armoire avec
un grand miroir. Le lit était à droite de la porte, face
aux fenêtres. Contre le mur gauche se trouvait une
grosse commode en acajou et une table de toilette
avec un dessus en marbre.

Poirot examina la pièce d'un air songeur, puis
ressortit sur le palier. Il longea le couloir, dépassa
deux autres portes et pénétra dans la vaste chambre
à coucher de miss Arundell.

— L'infirmière était dans la petite pièce à côté, expliqua Ellen.

Poirot acquiesça d'un signe de tête pensif.

Tandis que nous redescendions, il lui demanda s'il pouvait aller faire le tour du jardin.

— Oh, oui, monsieur, bien sûr. Il est très beau, en ce moment.

— Vous avez encore un jardinier ?

— Angus ? Oh ! oui, Angus est toujours là. Miss Lawson veut que tout soit bien entretenu. Elle pense que comme ça, elle vendra plus facilement.

— C'est faire preuve de sagesse. Laisser un endroit à l'abandon n'est pas de bonne politique.

Le jardin était superbe et respirait la paix, avec ses larges bordures de lupins, de pieds-d'alouette, et d'énormes pavots écarlates. Les pivoines étaient en boutons. Nous promenant de-ci de-là, nous atteignîmes une serre, devant laquelle s'affairait un gros homme d'un certain âge, l'air bourru. Il nous salua respectueusement et Poirot engagea la conversation.

Lorsque mon compagnon lui dit qu'il avait vu Charles le matin même, le vieil homme se dérida et se fit volubile.

— Ça toujours été un sacré loustic, ça oui alors ! y a des jours, j'le voyais rappliquer ici tout courant avec la moitié d'une tarte aux groseilles – et la cuisinière qui battait les buissons à la recherche de son voleur. Ensuite, il rentrait à la maison avec un air si innocent que – bon sang de bonsoir ! – ils pouvaient accuser qu'le chat – comme si qu'on a déjà

vu un chat qui bouffe d'la tarte aux groseilles ! Oh,
oui, un sacré phénomène, not' Mr Charles !

— Il est venu en avril, non ?

— Oui. Deux week-ends, qu'il est venu. Juste
avant la mort d'la maîtresse.

— Vous l'avez beaucoup vu ?

— Pas mal, oui, que j'l'ai vu. Y'a jamais eu beaucoup d'occupations pour un jeune homme, dans
l'coin. Personne pourra dire le contraire. Il allait
faire un petit tour chez *George*, histoire de boire un
coup. Ensuite, il venait traîner par ici, à me poser
des questions sur tout un tas d'choses.

— Sur les fleurs ?

— Ouais, les fleurs. (Le vieil homme gloussa.) Et
puis les mauvaises herbes aussi.

— Les mauvaises herbes ?

La voix de Poirot s'était soudain faite insidieuse.
Il tourna la tête et son regard parcourut les étagères.
Il s'arrêta sur une boîte en fer-blanc.

— Peut-être voulait-il savoir comment on fait
pour s'en débarrasser ? ajouta-t-il.

— Exactement !

— Je suppose que c'est le produit que vous uti-
lisez ? dit Poirot en faisant lentement tourner la
boîte pour lire l'étiquette.

— Ouais, répondit Angus. Un produit tout ce
qu'il y a de pratique et d'efficace.

— Dangereux ?

— Pas si on l'utilise comme il faut. C'est d'l'arsenic, pour sûr. On a un peu plaisanté avec ça,
Mr Charles et moi. Il disait comme ça que quand
y s'rait marié et qu'y pourrait plus voir sa femme

en peinture, il viendrait m'voir, histoire d'prendre un peu d'ce machin-là pour s'en débarrasser. Mais p't'être bien, qu'j'ai dit, que ce s'ra *elle* qui voudra se débarrasser de *vous*. Ah ! celle-là, elle l'a bien fait rigoler, ça oui ! Elle était bonne, non ?

Nous nous efforçâmes de rire comme il se devait. Poirot souleva le couvercle de la boîte.

— Presque vide, murmura-t-il.

Le vieux jardinier y jeta un coup d'œil à son tour.

— Aïe ! il en reste moins que c'que je croyais. J'avais pas idée d'en avoir utilisé autant. Va falloir qu'j'en r'commande.

— Oui, dit Poirot en souriant. Je crains qu'il ne vous en reste plus assez pour que vous puissiez m'en donner un peu pour *ma* femme !

Nous éclatâmes à nouveau de rire à ce trait d'esprit.

— Vous, m'sieur, z'êtes pas marié, je parie !

— Non.

— C'est toujours ceux qui l'sont pas qui peuvent s'permettre d'en rigoler. Ceux qui savent pas l'problème qu'c'est !

— Je suppose que votre épouse…

Poirot s'interrompit avec tact.

— Elle est bien vivante ! C'est l'moins qu'on puisse dire.

L'idée semblait le déprimer un peu.

Après l'avoir complimenté sur son jardin, nous lui fîmes nos adieux.

21

La boîte de désherbant m'avait donné à réfléchir. C'était le premier élément véritablement suspect que je rencontrais. L'intérêt que Charles lui avait porté, la surprise évidente du jardinier découvrant qu'elle était presque vide, tout cela semblait indiquer la direction dans laquelle avancer…

Mais, comme toujours lorsque je m'emballe, Poirot se montra des plus réservés.

— Même si quelqu'un a bel et bien dérobé du désherbant, il n'y a aucune preuve que ce soit l'œuvre de Charles, Hastings.

— Mais il en a tellement parlé avec le jardinier !

— Ce qui n'était pas très raisonnable s'il avait eu l'intention d'en prendre, non ? (Il changea de sujet :) Quel est le premier poison qui vous vient à l'esprit si on vous demande d'en citer un très vite ?

— L'arsenic, je suppose.

— Oui. Vous comprenez alors pourquoi Charles s'est interrompu si nettement avant de prononcer le mot « strychnine », lorsqu'il a discuté avec nous, aujourd'hui.

— Vous croyez que…

— Qu'il était sur le point de dire une rasade « d'arsenic dans la soupe » et qu'il s'est tu.

— Ah ! murmurai-je. Et pourquoi s'est-il tu ?

— Bravo, Hastings ! *Pourquoi*, en effet ! C'est pour trouver la réponse à cette intéressante question que je suis allé faire un tour dans le jardin à la recherche d'un éventuel désherbant.

— Et vous l'avez trouvé !

— Et je l'ai trouvé.

Je secouai la tête.

— Ça commence à sentir le roussi pour le jeune Charles. Vous avez longuement discuté avec Ellen de la maladie de la vieille demoiselle. Ses symptômes ressemblaient-ils à ceux d'un empoisonnement à l'arsenic ?

Poirot se frotta le nez.

— C'est difficile à dire. Il y avait une douleur abdominale, des nausées…

— Pas de doute ! C'est bien ça !

— Hum ! je n'en suis pas aussi certain que vous.

— Cela évoque pour vous quel poison, alors ?

— En réalité, mon doux ami, cela fait moins penser à un empoisonnement qu'à une maladie de foie mortelle !

— Oh, Poirot, m'écriai-je ça ne peut *pas* être une mort naturelle ! C'est certainement un meurtre !

— Tout doux, mon tout bon ! Ne dirait-on pas que nous avons échangé nos rôles, tous les deux ?

Nous passions devant une pharmacie, et il y entra soudain. Après une longue discussion à propos de ses problèmes gastriques, il acheta une petite boîte de pastilles digestives. Puis, une fois son médicament empaqueté et alors qu'il s'apprêtait à sortir de la boutique, son attention fut attirée par un fort engageant paquet de cachets pour le foie du Dr Loughbarrow.

— Oui, monsieur, c'est un excellent remède. (Le pharmacien, dans la cinquantaine, était d'humeur loquace.) Je vous garantis que vous le trouverez très efficace.

— Miss Arundell en prenait, si je me souviens bien. Miss Emily Arundell...

— C'est exact, monsieur. Miss Arundell, de Littlegreen House. Une vieille demoiselle très distinguée, une de ces personnes comme on n'en fait plus, hélas ! Elle était de mes clientes.

— Achetait-elle beaucoup de spécialités pharmaceutiques ?

— Pas vraiment, monsieur. Pas autant que beaucoup de vieilles personnes que je pourrais citer. Quant à miss Lawson, sa dame de compagnie, celle qui a hérité de sa fortune...

Poirot acquiesça d'un signe de tête.

— Elle, en revanche, elle prenait tout ce qui lui tombait sous la main. Comprimés, pastilles, pilules contre les maux d'estomac, potions pour la digestion, potions pour la circulation... Elle n'aimait rien tant qu'être environnée de fioles en tout genre. (il eut un petit sourire triste.) Si seulement j'avais davantage de clientes comme elle ! De nos jours, les gens ne consomment plus autant de médicaments qu'avant. Enfin, nous vendons beaucoup d'articles de toilette, et ceci compense cela.

— Miss Arundell utilisait-elle régulièrement ces cachets pour le foie ?

— Oui, je pense qu'elle a dû commencer à en prendre trois mois avant sa mort.

— Un jour, un de ses proches, le Dr Tanios, est venu vous commander une préparation, n'est-ce pas ?

— Ah, oui, bien sûr, le monsieur grec qui a épousé la nièce de miss Arundell. Oui, c'était une préparation très intéressante. Je ne la connaissais pas.

(Il en parlait comme s'il s'agissait d'un spécimen botanique rare.)

» Ça change, monsieur, lorsqu'on vous demande de faire quelque chose de nouveau. Remarquable combinaison de médicaments, cela me revient maintenant que nous en parlons. Evidemment, le monsieur était médecin. Il était très sympathique – très causant et tout.

— Sa femme est-elle venue aussi acheter quelque chose chez vous ?

— Voyons… Je ne me rappelle pas. Ah, si ! Un somnifère – du chloral, je m'en souviens, maintenant. L'ordonnance indiquait le double de la dose normale. C'est toujours un peu difficile, pour nous, avec les hypnotiques. Voyez-vous, la plupart des médecins n'en prescrivent d'ordinaire pas de grosses quantités à la fois.

— Qui avait établi cette ordonnance ?

— Son mari, je crois. Bien sûr, tout était parfaitement *en règle*, mais de nos jours, il faut faire attention. Peut-être l'ignorez-vous, mais si un médecin se trompe dans une prescription et que nous la délivrons quand même en toute bonne foi – eh bien s'il y a problème chez le patient, c'est nous qui sommes responsables, pas le médecin.

— C'est très injuste, non ?

— Ça donne parfois froid, dans le dos, je l'avoue : Mais, bah ! je n'ai pas à me plaindre. *Moi*, je n'ai jamais eu d'ennuis – touchons du bois.

Du bout des doigts, il tapota son comptoir.

Poirot décida d'acheter un paquet de cachets pour le foie du Dr Loughbarrow.

— Merci, monsieur. La boîte de vingt-cinq, de cinquante ou de cent ?

— Je suppose que la grande boîte est plus économique, mais enfin…

— Prenez celle de cinquante, monsieur. C'était celle-là qu'achetait toujours miss Arundell. Huit shillings et six pence, s'il vous plaît.

Poirot acquiesça de la tête, paya les huit shillings et les six pence demandés, et prit son paquet.

Nous quittâmes la pharmacie.

— Ainsi, Mrs Tanios est venue chercher un somnifère ! m'exclamai-je, dès que nous fûmes dans la rue. Un surdosage qui tuerait n'importe qui, n'est-ce pas ?

— Sans le moindre problème.

— Croyez-vous que la vieille miss Arundell…

Je repensais aux paroles de miss Lawson : « *J'oserais même dire quelle serait capable d'assassiner quelqu'un s'il le lui demandait.* »

Poirot hocha la tête.

— Le chloral est un narcotique et un hypnotique.

On l'utilise comme antalgique et comme somnifère. Il peut en outre y avoir effet d'accoutumance.

— Vous pensez que c'est le cas de Mrs Tanios ?

Poirot secoua cette fois la tête d'un air perplexe.

— Non. Ça m'étonnerait. Mais c'est bizarre. J'ai bien une explication, mais cela voudrait dire…

Il se tut et regarda sa montre.

— Venez. Voyons si nous pouvons rencontrer cette Carruthers, l'infirmière qui s'est occupée de miss Arundell lors de sa dernière maladie.

Mrs Carruthers se révéla une femme d'âge moyen, à l'air fort sensé.

Cette fois *encore*, Poirot adopta un nouveau rôle, et s'inventa un autre parent imaginaire – une vieille mère pour laquelle il tenait beaucoup à trouver une infirmière sympathique.

— Vous comprenez. Je vais être tout à fait franc avec vous. Ma mère est quelqu'un de peu commode. Nous avons eu d'excellentes infirmières, de jeunes femmes très compétentes, mais leur jeunesse a toujours joué contre elles. Ma mère déteste les jeunes femmes, elle les insulte, elle est brutale et hargneuse, elle peste contre les fenêtres ouvertes et l'hygiène moderne. C'est extrêmement pénible.

Il poussa un profond soupir.

— Je connais cela, dit Mrs Carruthers sur un ton compatissant. C'est parfois très éprouvant. Il faut avoir beaucoup de tact. Inutile de contrarier les malades. Il vaut mieux leur céder le plus possible. Et souvent, lorsqu'ils se rendent compte que l'on ne cherche pas à leur imposer notre volonté, ils se détendent et deviennent doux comme des agneaux.

— Ah ! je vois que vous seriez pour elle l'infirmière idéale. Vous avez l'air de comprendre les personnes âgées.

— J'en ai déjà soigné quelques-unes dans ma carrière, répondit-elle en riant. Avec un peu de patience et de bonne humeur, on obtient de très bons résultats.

— Voilà qui est sagement parlé. Vous vous êtes occupée de miss Arundell, je crois ? Elle n'a pas dû être toujours commode ?

— Oh ! je ne sais pas. Elle était très volontaire, c'est vrai, mais je ne l'ai pas trouvée difficile du tout. Cela dit, je ne suis pas restée très longtemps chez elle. Elle est morte quatre jours après mon arrivée.

— J'ai discuté avec sa nièce, miss Theresa Arundell, pas plus tard qu'hier.

— Vraiment ? Ça c'est drôle ! Comme je le dis toujours, le monde est petit !

— Vous la connaissez, j'imagine ?

— Bien sûr. Elle s'est précipitée ici lorsque sa tante est morte, et elle a assisté aux funérailles. Et, bien entendu, je l'avais vue avant, quand elle venait passer quelques jours. C'est une très jolie femme.

— Oui, en effet, Mais trop maigre – nettement trop maigre.

L'infirmière Carruthers, consciente de ses confortables rondeurs, se rengorgea.

— Bien sûr, dit-elle, ce n'est pas bon d'être *trop* maigre.

— Pauvre fille, continua Poirot. Elle me fait de la peine. Tout à fait entre nous… (Se penchant en avant, il ajouta, sur le ton de la confidence :)... le testament de sa tante a été un terrible choc, pour elle.

— Je comprends ça, répondit l'infirmière. En tout cas, je sais qu'il a beaucoup fait jaser.

— Je n'arrive pas à imaginer ce qui a poussé miss Arundell à déshériter ainsi toute sa famille. C'est une façon d'agir bien extraordinaire.

— Bien extraordinaire, je suis de votre avis. Evidemment, la rumeur prétend que ça cache quelque chose.

— Avez-vous jamais eu une idée de la *raison* de cette décision ? La vieille miss Arundell n'en a rien dit ?

— Non. Pas à moi, en tout cas.

— Mais à quelqu'un d'autre ?

A mon avis, elle a dû parler de *quelque chose* avec miss Lawson, parce que j'ai entendu la dame de compagnie qui lui disait : « Oui, mademoiselle, mais voyez-vous, il est chez le notaire. » Et miss Arundell a répondu : « Je suis sûre qu'il est en bas dans le tiroir. » Et miss Lawson : « Non, vous l'avez envoyé à Mr Purvis, vous ne vous en souvenez pas ? » Ensuite, ma malade a été reprise par ses nausées et miss Lawson a quitté la pièce pendant que je m'occupais d'elle. Mais par la suite, je me suis souvent demandé si, ce jour-là, elles ne parlaient pas du testament.

— Cela semble très probable.

— Si c'est le cas, reprit l'infirmière, j'imagine que miss Arundell était inquiète et qu'elle voulait peut-être le modifier mais à partir de là, elle a été si mal, la pauvre, qu'elle n'était plus en état de penser à rien.

— Miss Lawson vous aidait-elle à la soigner ?

— Oh, mon Dieu, non ! Elle n'était pas douée pour ça ! Trop maniaque, voyez-vous. Elle ne faisait qu'irriter ma patiente.

— Vous vous chargiez donc de tout toute seule ? C'est formidable, ça !

— La bonne – comment s'appelait-elle, déjà ? ah oui ! Ellen – me donnait un coup de main. Elle savait s'y prendre. Elle était habituée aux problèmes de santé de sa maîtresse et s'occupait d'elle depuis longtemps. On se débrouillait plutôt bien, à nous deux. En fait, le Dr Grainger devait nous envoyer une infirmière de nuit, le vendredi, mais miss Arundell est décédée avant son arrivée.

— Peut-être miss Lawson vous aidait-elle à préparer les repas de la malade ?

— Non. Elle ne faisait strictement rien. Et il n'y avait d'ailleurs pas grand-chose à préparer. J'avais les remèdes et le cognac – ainsi que le fortifiant, le glucose et tout ça. Tout ce à quoi miss Lawson était bonne, c'était à courir en gémissant dans toute la maison et à se fourrer dans les jambes de tout le monde.

Il y avait de l'aigreur dans le ton de l'infirmière.

— Je vois, dit Poirot en souriant, que vous n'avez pas une très haute opinion de l'utilité de miss Lawson.

— Les dames de compagnie ne valent souvent pas grand-chose, à mon avis. Elles n'ont aucune *formation* voyez-vous, en aucun domaine. Ce ne sont que des *amateurs*. Des femmes qui, la plupart du temps, sont incapables de quoi que ce soit d'autre.

— Vous avez l'impression que miss Lawson était très attachée à miss Arundell ?

— Elle semblait l'être. Sa mort l'a bouleversée. Elle a très mal pris la nouvelle. Plus que la famille, si vous voulez *mon* opinion, conclut l'infirmière avec une moue pincée.

— Peut-être, alors, dit Poirot en hochant la tête avec une certaine solennité, miss Arundell savait-elle ce qu'elle faisait en disposant ainsi de sa fortune ?

— C'était une vieille demoiselle très intelligente, répondit l'infirmière. Il n'y avait pas grand-chose qu'elle ne comprenne pas ou qu'elle ne sache pas, ça j'en suis persuadée.

— A-t-elle parlé de Bob, le chien ?

— C'est drôle que vous posiez cette question ! Elle en a beaucoup parlé, en effet, pendant son délire. Quelque chose à propos de la chute qu'elle avait faite et de la balle du chien… Ce Bob, c'est une brave bête. J'adore les chiens. Il a été bien malheureux, le pauvre, à la mort de sa maîtresse. Merveilleux animaux, non ? Presque humains.

Nous prîmes congé après ces considérations sur l'humanité des chiens.

— En voilà une qui n'a visiblement aucun soupçon, remarqua Poirot après notre départ.

Il semblait quelque peu découragé.

Nous dînâmes – fort mal – chez *George*. Poirot ronchonna beaucoup, surtout à cause du potage.

— Quand on pense qu'il est si facile de préparer une bonne soupe, Hastings… *Le pot au feu…*

Je réussis – mais non sans peine – à éviter un discours sur l'art culinaire.

Après dîner, nous eûmes une surprise.

Nous étions installés au « salon », que nous avions d'ailleurs accaparé. Il y avait eu un autre dîneur – un représentant de commerce, selon toute apparence – mais il était sorti. Je feuilletais distraitement un vieux numéro de la *Gazette de l'Eleveur* ou d'un quelconque périodique similaire lorsque j'entendis soudain prononcer le nom de Poirot.

La voix venait du hall.

— Où est-il ? Là-dedans ? C'est bon, je saurai bien le trouver !

La porte s'ouvrit violemment, et le Dr Grainger, visage apoplectique et sourcils froncés sous l'effet de la colère, entra à grands pas dans la pièce. Il referma le battant derrière lui, puis marcha droit sur nous d'un air furibond.

— Ah, vous voilà ! Dites donc, monsieur Hercule Poirot, que diable vous a-t-il pris d'être venu me débiter ce tissu de mensonges ?

— Une des balles du jongleur ? murmurai-je, taquin.

— Mon cher docteur, répondit Poirot de sa voix la plus mielleuse, permettez-moi de vous expliquer.

— Vous permettre ? Vous permettre ? Bon Dieu de bois, je vais vous *obliger* à vous expliquer, oui ! Vous êtes un détective, voilà ce que vous êtes ! Un détective fouineur et indiscret. Vous arrivez chez moi et vous me servez vos bobards sur la biographie du général Arundell ! Quel gogo j'ai été de gober vos boniments à la noix !

— Qui vous a révélé mon identité ? demanda Poirot.

— Qui ? Miss Peabody. *Elle*, au moins, elle vous a percé à jour !

— Miss Peabody… oui, répéta Poirot, songeur. J'aurais plutôt pensé…

Le Dr Grainger l'interrompit avec colère.

— Maintenant, monsieur, j'attends vos explications !

— Bien sûr. Mes explications seront très simples : *tentative de meurtre*.

— Quoi ? Qu'est-ce que c'est encore que cette histoire ?

— Miss Arundell a fait une chute, n'est-ce pas ? poursuivit Poirot sans se départir de son calme. Une chute dans les escaliers, peu de temps avant sa mort.

— Oui, et alors ? Elle a glissé sur la balle de ce satané animal.

Poirot secoua la tête.

— Non, docteur. *Elle n'a pas glissé*. Un *fil* avait été tendu en travers de la première marche et c'est cela qui l'a fait basculer.

Le Dr Grainger écarquilla les yeux.

— Dans ce cas, pourquoi ne me l'a-t-elle pas dit ? Elle ne m'en a jamais soufflé mot.

— C'est sans doute compréhensible – si c'est

bien *un membre de sa famille* qui a placé le fil à cet endroit !

— Hum… Je vois. (Grainger lança un regard perçant à Poirot, puis se laissa tomber dans un fauteuil.) Eh bien ? ajouta-t-il. Comment avez vous été mêlé à cette affaire ?

— Miss Arundell m'a écrit, en me demandant une discrétion absolue. Hélas ! sa lettre a été… retardée.

Poirot lui donna alors quelques détails – choisis avec circonspection –, et lui raconta la découverte du clou planté dans la plinthe.

Le médecin l'écouta, l'air grave. Sa colère s'était calmée.

— Vous imaginez combien ma position était difficile, conclut Poirot. J'ai été engagé, voyez-vous, par une personne décédée… Mais j'ai estimé que je n'en avais pas moins des obligations.

Le Dr Grainger réfléchissait, sourcils froncés.

— Et vous n'avez aucune idée de l'identité de la personne qui a tendu ce fil en haut des escaliers ? demanda-t-il.

— Je n'ai pas de *preuve*. Mais je mentirais en prétendant que je n'ai aucune *idée*.

— Sale affaire, marmonna Grainger, le visage sombre.

— Oui. Et vous admettrez, je l'espère, qu'au début j'ai pu ignorer s'il y avait eu récidive ou non.

— Hein ? Récidive ? Que voulez-vous dire ?

— Il semble que miss Arundell soit morte de mort naturelle. Oui, mais peut-on en être certain ?

On a attenté *une fois* à sa vie. Comment serais-je sûr que l'on n'a pas recommencé ? Et avec succès ?

Grainger hocha la tête, songeur.

— J'imagine que vous êtes bien certain, Dr Grainger – et je vous en prie, ne le prenez pas en mauvaise part –, bien certain, disais-je, que la mort de miss Arundell est naturelle ? Il se trouve cependant que j'ai aujourd'hui découvert des indices…

Il relata alors sa conversation avec le vieil Angus, l'intérêt de Charles pour le désherbant, et enfin la surprise du jardinier découvrant que sa boîte était presque vide.

Grainger l'écouta avec la plus vive attention. Lorsque Poirot eut terminé, il dit avec calme :

— Je vois où vous voulez en venir. Nombre d'empoisonnements à l'arsenic ont jusqu'ici été pris pour des gastro-entérites aiguës et les permis d'inhumer délivrés normalement – surtout lorsque le décès ne s'accompagnait pas de circonstances suspectes. En outre, l'empoisonnement à l'arsenic présente certaines difficultés de diagnostic – il prend tellement de formes ! Il peut être aigu, subaigu, nerveux ou chronique. Il peut y avoir vomissements et douleurs abdominales – ou pas du tout. La victime peut s'écrouler brusquement et mourir peu de temps après. Parfois, il y a aussi narcose et paralysie. Les symptômes varient énormément.

— Compte tenu des faits nouveaux, quelle est votre opinion ? demanda Poirot.

Le Dr Grainger resta un instant silencieux, puis répondit lentement :

— En considérant l'ensemble de ces éléments,

et en toute objectivité, mon opinion est qu'aucune forme d'empoisonnement à l'arsenic ne correspond aux symptômes présentés par miss Arundell. Elle est morte, j'en suis convaincu, d'une atrophie aiguë du foie. Comme vous le savez, je la soigne depuis des années, et elle a déjà souffert de crises semblables à celle qui, cette fois, l'a emportée. Voici, après mûre réflexion, mon opinion, monsieur Poirot.

L'affaire semblait entendue.

Aussi eûmes-nous l'impression pénible de retomber sur terre et de repartir de zéro lorsque, avec l'air de s'excuser, Poirot exhiba le paquet de cachets pour le foie acheté à la pharmacie.

— Miss Arundell en prenait, je crois ? dit-il. J'imagine que ça ne pouvait lui faire aucun mal ?

— Ça ? Absolument aucun mal. C'est de l'aloès et de la podophylline… Tout ce qu'il y a d'anodin. Ça lui faisait plaisir de prendre ce genre de trucs. Je n'y voyais pas d'inconvénient.

Il se leva.

— Vous-même, vous lui prescriviez certains médicaments ? demanda encore Poirot.

— Oui. Un comprimé pas bien fort à prendre après chaque repas. Pour le foie. (Un éclair malicieux passa dans ses yeux.) Elle aurait pu en avaler une boîte entière sans le moindre danger. Je n'ai pas l'habitude d'empoisonner mes patients, monsieur Poirot.

Puis il nous serra la main en souriant, et nous quitta.

Poirot ouvrit son paquet. C'étaient des cachets transparents, emplis aux trois quarts d'une poudre brun foncé.

— On dirait un médicament contre le mal de mer que j'ai pris une fois, fis-je remarquer.

Poirot ouvrit un cachet, examina son contenu et le goûta avec précaution du bout de la langue. Il grimaça.

— Eh bien, dis-je, me laissant aller en bâillant contre le dossier de mon fauteuil, tout ceci me paraît bien inoffensif. Qu'il s'agisse de la spécialité du Dr Loughbarrow ou des comprimés du Dr Grainger ! Par-dessus le marché, ce bon docteur m'a tout l'air de réfuter totalement la théorie de l'arsenic. Etes-vous enfin convaincu, ma brave tête de mule de Poirot ?

— C'est vrai que je suis têtu comme une mule... oui, comme une mule, répéta mon compagnon, l'air songeur.

— Et donc, même en ayant le pharmacien, l'infirmière et le médecin contre vous, vous restez persuadé que miss Arundell a été assassinée ?

— C'est ce que je crois, répondit Poirot avec calme. Non... En fait non, je ne le crois pas... J'en suis *certain*, Hastings.

— Il y a une façon de le prouver, j'imagine, dis-je lentement. L'exhumation.

Poirot acquiesça d'un signe de tête.

— Est-ce là notre prochaine étape ? ajoutai-je.

— Mon bon ami, je dois agir avec prudence.

— Pourquoi ?

— Parce que... (Il baissa la voix.)... Parce que je crains une autre tragédie.

— Vous voulez dire... ?

— Je le crains, Hastings, je le crains. Restons-en là.

22

LA FEMME DANS LES ESCALIERS

Le lendemain matin on nous apporta un message. L'écriture, un peu molle et hésitante, remontait en bout de lignes.

Cher monsieur Poirot,

J'apprends par Ellen que vous étiez hier à Littlegreen House. Je vous serais très obligée de passer me voir un moment aujourd'hui.

Sincèrement vôtre,

Wilhelmina Lawson

Ainsi, *elle* est là, observai-je.

— Oui.

— Je me demande bien pourquoi elle est venue.

— Je ne crois pas que ce soit forcément avec de mauvaises intentions, dit Poirot en souriant. Après tout, la maison lui appartient...

— Oui, c'est exact, bien sûr. Vous savez, Poirot c'est ça le pire avec le jeu que nous jouons. Dès que quelqu'un bouge le petit doigt, nous lui prêtons les plus noirs desseins.

— Il est vrai que c'est moi qui vous ai enseigné la devise : « Tous suspects ».

— Le pensez-vous toujours ?

— Non. Pour moi, maintenant, les choses se résument à ceci : je soupçonne une personne en particulier.

— Laquelle ?

— Etant donné qu'il ne s'agit pour l'instant que de simples soupçons et que je ne possède aucune preuve, je préfère vous laisser parvenir à vos propres déductions, Hastings. Mais ne négligez pas l'aspect psychologique – … c'est, très important. La nature du meurtre – qui requiert de l'assassin un tempérament particulier – est un indice essentiel sur le crime.

— Comment voulez-vous que je tienne compte du caractère du meurtrier si je ne sais pas de qui il s'agit ?

— Non, non, vous n'avez pas écouté ce que je viens de vous dire. Si vous réfléchissez suffisamment à la nature… la nature intrinsèque du *meurtre*, alors vous saurez *qui* est le meurtrier !

— Vous le connaissez vraiment, Poirot ? demandai-je avec curiosité.

— Je ne peux prétendre le *connaître*, car je n'ai pas de preuves, je vous le répète. C'est pourquoi il m'est impossible de vous donner davantage de précisions pour le moment. Mais je suis sûr de moi – oui, mon bon ami, j'ai l'intime conviction de ne pas me tromper.

— Eh bien, dis-je en riant, attention que ce ne

soit pas à *vous* qu'il fasse son affaire ! Ça ce serait une tragédie !

Poirot sursauta légèrement. Il ne prit pas la chose comme une plaisanterie ; bien au contraire, il murmura :

— Vous avez raison. Je dois me montrer prudent – extrêmement prudent.

— Si vous endossiez une cotte de mailles ? le blaguai-je. Et si vous engagiez un goûteur pour éviter de vous faire empoisonner ? En fait, vous devriez embaucher une équipe de mercenaires armés jusqu'aux dents pour vous protéger.

— Vous êtes mille fois trop bon, Hastings, je m'en remettrai plutôt aux ressources de mon cerveau !

Il écrivit alors un mot à miss Lawson, pour l'informer qu'il passerait à Littlegreen House à 11 heures.

Nous prîmes ensuite notre petit déjeuner et allâmes nous promener sur la Grand-place. Il était environ 10 heures et quart. La matinée était chaude et orageuse.

Je contemplais, dans la vitrine d'un magasin d'antiquités, une très belle paire de fauteuils Hepplewhite lorsque je reçus soudain dans les côtes un coup qui me plia en deux tandis qu'une voix aussi aiguë que tonitruante me vrillait les oreilles.

— Dites donc, vous !

Je me retournai, indigné, pour me retrouver nez à nez avec miss Peabody. Elle tenait à la main l'arme dont elle s'était servie pour m'attaquer : une solide ombrelle à bout pointu.

Visiblement insensible à la violente douleur

qu'elle venait de m'infliger, elle observa d'une voix satisfaite :

— Ah ! Je pensais bien, que c'était vous. Ce n'est pas souvent que je me trompe.

Je fis preuve de quelque froideur.

— Euh… Bonjour. Que puis-je pour vous ?

— Vous pouvez me dire comment votre ami s'en tire avec son mirifique bouquin – « La Vie du général Arundell » ?

— Il n'a pas, en fait, commencé à le rédiger, dis-je.

Miss Peabody partit d'un petit rire silencieux, mais qui venait apparemment du fond du cœur et qui la secoua comme de la gelée. Son accès de gaieté calmé, elle ajouta :

— Et j'imagine que c'est pas demain la veille qu'il s'y mettra !

— Ainsi vous n'avez pas été dupe de notre supercherie ? fis-je en souriant.

— Vous m'avez prise pour quoi ? Pour une andouille ? J'ai vu tout de suite où votre ami voulait en venir, le petit futé ! Il voulait me faire parler ! Ma foi, ça ne m'a pas gênée. J'aime bavarder. Et ce n'est pas facile, par les temps qui courent, de trouver une oreille attentive. Je me suis bien amusée, cet après-midi-là.

Elle me gratifia d'un regard malicieux.

— Qu'est-ce que vous mijotez, hein ? Qu'est-ce que vous mijotez ?

Je me demandais ce que j'allais bien pouvoir lui répondre lorsque Poirot nous rejoignit. Il la salua bien bas.

— Bonjour, très chère mademoiselle. Enchanté de vous rencontrer.

— Bonjour, répondit miss Peabody. Vous êtes qui, ce matin : Parodie ou Poirot, hein ?

— C'était fort perspicace de votre part de m'avoir si rapidement percé à jour, répondit Poirot en souriant.

— Comme si la perspicacité avait quoi que ce soit à voir là-dedans ! Des comme vous, on n'en rencontre guère sous le pas d'un cheval, pas vrai ? Que ce soit une bonne chose ou une mauvaise, ça, je n'en sais trop rien. Difficile à dire.

— Je préfère pour ma part, bien chère mademoiselle, être unique.

— Votre vœu a été exaucé, si vous voulez mon avis, fit miss Peabody, pince-sans-rire. Mais parlons net, monsieur Poirot. Je vous ai raconté, l'autre jour, tous les potins que vous vouliez entendre. Maintenant, à moi de poser des questions. Que mijotez-vous et que se passe-t-il au juste ?

— Ne m'interrogeriez-vous pas, par hasard, sur quelque chose dont vous connaissez déjà la réponse ?

— Je n'en sais rien. (Elle lui jeta un rapide coup d'œil.) Qu'y a-t-il ? Du louche avec le testament ? Ou autre chose ? Vous allez déterrer Emily ? C'est ça ?

Poirot resta silencieux.

Miss Peabody hocha lentement la tête, d'un air pensif, comme si elle avait eu la réponse qu'elle attendait.

— Je me suis souvent demandé, dit-elle d'une manière quelque peu décousue, quel effet ça ferait de… En lisant les journaux, vous voyez… Demandé si on serait obligé un jour d'exhumer quelqu'un à Market Basing… Mais je n'aurais jamais cru que ce serait Emily Arundell.

De nouveau, elle lui jeta un bref coup d'œil perçant.

— Elle n'aurait pas apprécié du tout, vous savez. Je suppose que vous y avez pensé, hein ?

— Oui, j'y ai pensé.

— Ça ne m'étonne pas. Vous n'êtes pas un imbécile. Et je ne crois pas non plus que vous soyez trop tatillon.

Poirot s'inclina.

— Merci, charmante mademoiselle.

— Et c'est bien plus que n'en diraient la plupart des gens – en voyant votre moustache. Pourquoi une moustache pareille ? Ça vous plaît ?

En proie au fou rire, je me détournai.

— En Angleterre, on néglige lamentablement le culte de la moustache, répliqua Poirot, tandis que ses doigts caressaient subrepticement son splendide ornement pileux.

— Ah, je vois ! C'est tordant ! fit miss Peabody. J'ai connu une femme qui avait un goitre et qui en était fière ! Ça n'est pas facile à croire et pourtant, c'est la vérité vraie ! Enfin, comme je le dis toujours, bienheureux qui est satisfait avec ce que le bon Dieu lui a donné. En général ce serait plutôt le contraire.

Elle secoua la tête et soupira.

— Jamais je n'aurais cru qu'il y aurait un meurtre dans ce trou perdu.

Elle jeta soudain un nouveau regard perçant à Poirot.

— Lequel d'entre eux a fait le coup ?

— Suis-je censé vous crier la réponse en pleine rue ?

— Ça veut probablement dire que vous n'en savez rien. Ou alors que vous ne le savez que trop ! Bof ! quand le sang est mauvais...

— Vous croyez à l'hérédité ?

— Je préférerais que ce soit Tanios, dit soudain miss Peabody. Un outsider ! Mais les souhaits ne sont pas des chevaux, hélas ! Bon, je vous laisse ! Je vois bien que vous ne me direz rien... Pour qui travaillez-vous, au fait ?

— Je travaille pour la défunte, bien chère mademoiselle, répondit Poirot avec le plus grand sérieux.

J'ai le regret de dire que miss Peabody prit cette nouvelle avec un soudain éclat de rire. Mais elle se ressaisit bien vite.

— Excusez-moi. J'ai cru entendre Isabelle Tripp... Quelle horrible bonne femme! Et Julia est encore pire, à mon avis. Indécrottablement gamine. Ne vous habillez jamais trop jeune pour votre âge ! Allez, au revoir. Vous avez vu le Dr Grainger ?

— A ce propos, chère mademoiselle, j'ai un compte à régler avec vous ! Vous avez trahi mon secret.

Miss Peabody s'abandonna à son gloussement très particulier.

— Les hommes sont d'une naïveté renversante. Dire qu'il a gobé le grotesque tissu de mensonges que vous lui avez servi ! Quand je le lui ai dit, il est devenu fou furieux. Il m'a quittée en écumant. S'il vous trouve, il vous fera un mauvais parti.

— Il m'a trouvé hier soir.

— Que n'aurais-je pas donné pour assister à ça !

— Que n'aurais-je pas donné moi-même, mademoiselle, pour que vous y fussiez ! répondit galamment Poirot.

Miss Peabody éclata de rire et s'éloigna en se dandinant. Par-dessus, son épaule, elle me lança :

— Au revoir, jeune homme ! N'achetez pas ces fauteuils. Ce sont des faux !

Et elle partit en gloussant.

— Voilà une vieille demoiselle très intelligente, remarqua Poirot.

— Même si elle n'a pas admiré votre moustache ?

— L'intelligence est une chose, répliqua Poirot froidement. Le bon goût en est une autre.

Nous entrâmes dans la boutique, et passâmes une vingtaine de minutes fort agréables à examiner les antiquités. Nous en repartîmes sans bourse délier et nous dirigeâmes vers Littlegreen House.

Ellen, le visage plus rouge que d'habitude, nous ouvrit la porte et nous introduisit au salon. Nous entendîmes bientôt des pas dans l'escalier, et miss Lawson entra. Elle paraissait quelque peu hors d'haleine et agitée. Ses cheveux étaient relevés dans un foulard de soie.

— J'espère que vous me pardonnerez de vous recevoir dans cette tenue, monsieur Poirot… J'étais en train de ranger des placards qui étaient toujours fermés à clé… toutes ces affaires !… les vieilles personnes ont tendance à a-mas-ser, j'en ai peur… cette chère miss Arundell ne faisait pas exception à la règle... et on se retrouve avec de la poussière plein les cheveux... c'est incroyable, vous savez, ce que les gens peuvent conserver... croyez-m'en si vous voulez... deux douzaines de sachets d'aiguilles... je vous assure, deux douzaines !

— Vous voulez dire que miss Arundell avait *acheté* deux douzaines de sachets d'aiguilles ?

— Oui, et elle les avait mis de côté, puis oubliés... Et, bien sûr, toutes les aiguilles sont rouillées, maintenant... quel dommage ! Elle avait l'habitude d'en offrir aux bonnes, à Noël.

— Elle était très distraite, n'est-ce pas ?

— Très. Surtout quand elle rangeait ses affaires. Comme un chien qui oublie où il a enterré son os, voyez-vous. C'était ainsi que nous en parlions, entre nous. Je lui disais : « Allons bon ! Vous n'allez pas encore oublier où vous avez enterré votre os ! »

Elle se mit à rire, puis, tirant un petit mouchoir de sa poche, éclata brusquement en sanglots.

— Mon Dieu, murmura-t-elle en reniflant. Ça paraît si horrible de ma part de rire ainsi...

— Vous êtes trop sensible, remarqua Poirot. Les choses vous touchent trop.

— C'est ce que me disait toujours ma mère, monsieur Poirot. « Tu prends les choses trop à cœur, Minnie, tu prends les choses trop à cœur. » C'est un terrible handicap d'être sensible comme ça, monsieur Poirot. Spécialement lorsqu'il faut gagner sa vie.

— Ce n'est que trop vrai. Mais c'est du passé, tout cela. Maintenant, vous êtes votre propre maîtresse. Vous pouvez vous amuser, voyager. Vous n'avez plus ni souci ni problème.

— Vous avez sans doute raison, dit miss Lawson, l'air peu convaincu.

— Bien sûr, que j'ai raison ! A propos de la distraction de miss Arundell, je comprends mieux, à présent, pourquoi sa lettre a mis si longtemps à me parvenir.

Il lui expliqua alors les circonstances de la découverte de cette lettre. Les joues de miss Lawson s'empourprèrent. Elle s'exclama sèchement :

— C'est à *moi* qu'Ellen aurait dû en parler ! Vous faire parvenir cette lettre sans m'en informer, c'est d'une impertinence ! Elle aurait dû me consulter avant ! C'est d'une grave impertinence, je vous le dis tout net. Je n'ai jamais su un mot de toute cette histoire. C'est scan-da-leux !

— Oh, chère mademoiselle, je suis sûr qu'elle ne pensait pas à mal !

— Eh bien, moi, je trouve cela très *étrange* ! *Très étrange* ! Les domestiques n'en font vraiment plus qu'à leur tête. Elle aurait dû se souvenir que c'est moi qui suis désormais la maîtresse de maison.

Elle se redressa d'un air important.

— Ellen était très dévouée à sa patronne, n'est-ce pas ? demanda Poirot.

— Oh, je sais bien qu'il est inutile de récriminer une fois que le mal est fait, mais je crois tout de même qu'il conviendrait de dire à Ellen qu'elle n'a pas à prendre des initiatives sans m'en parler.

Elle s'interrompit, les joues en feu.

Poirot resta silencieux un moment, puis il reprit :

— Vous vouliez me voir, si j'ai bien compris ? Que puis-je pour votre service ?

La contrariété de miss Lawson disparut aussi vite qu'elle était apparue. La digne personne était de nouveau troublée et incohérente :

— Eh bien, en fait… Voyez-vous, je me *demandais* tout bonnement si… Enfin, à dire vrai, monsieur Poirot, je suis arrivée hier et, bien sûr, Ellen m'a expliqué que vous étiez passé, et je me suis tout bonnement demandé… ma foi, comme vous ne m'aviez pas prévenu que vous seriez là… ma foi, ça m'a paru plutôt bizarre… Je n'ai pas compris…

Poirot termina la phrase à sa place :

— Vous n'avez pas compris ce que je faisais encore ici, c'est ça ?

— Je… Enfin, oui, c'est exactement ça. Je n'arrivais pas à comprendre…

Elle l'observa, écarlate, mais l'air interrogateur.

— Je vous dois un petit aveu, répondit Poirot. Je me suis, je l'avoue permis de vous laisser quelque peu dans l'erreur. Vous pensiez que la lettre de miss Arundell concernait le problème de la modeste somme d'argent dérobée – selon toute vraisemblance – par Mr Charles Arundell…

Miss Lawson fit oui de la tête.

— Mais, voyez-vous, ce n'était pas le cas… En réalité, c'est par vous que j'ai entendu parler pour la première fois de cet argent volé… Si miss Arundell m'a écrit, c'est au sujet de son accident.

— Son accident ?

— Oui. Elle a fait une chute dans les escaliers, si j'ai bien compris.

— Oh ! bien sûr, bien sûr…

Miss Lawson semblait perplexe. Elle observa Poirot d'un air perdu. Puis elle poursuivit :

— Mais… excusez-moi… c'est sûrement idiot de ma part… mais pourquoi vous a-t-elle écrit à *vous* ? Je crois… – en fait vous me l'avez dit vous-même – … que vous êtes détective ? Seriez-vous également… médecin ? Ou guérisseur, peut-être ?

— Non, je ne suis pas médecin… ni guérisseur. Mais, tout comme un médecin, je suis parfois amené à m'occuper de morts prétendument accidentelles.

— Des morts accidentelles ?

— J'ai dit des morts prétendument accidentelles. Il est vrai que miss Arundell n'est *pas* morte dans cette chute – mais elle aurait pu !

— Oh, mon Dieu, oui ! le docteur l'a dit, mais je ne comprends pas…

Miss Lawson semblait toujours aussi déconcertée.

— On a supposé que l'accident a été provoqué par la balle du petit Bob, n'est-ce pas ?

— Oui, oui, exactement. C'était la balle de Bob.

— Oh, que non ! Ce n'était pas la balle de Bob.

— Mais, excusez-moi, monsieur Poirot, je l'ai vue de mes propres yeux, quand nous nous sommes tous précipités…

— Vous l'avez vue… oui, peut-être. Mais *ce n'était pas la cause* de l'accident. La cause de l'accident, miss Lawson, c'est un fil de couleur sombre tendu à une trentaine de centimètres du sol en *haut des escaliers* !

— Mais… mais un chien ne peut.

— Exactement, s'empressa de dire Poirot. Un

chien ne peut pas faire une chose pareille… Il n'est pas suffisamment intelligent – ou, si vous préférez, pas suffisamment *malfaisant* pour ça. C'est un *être humain* qui a placé ce fil à cet endroit…

Miss Lawson était maintenant d'une pâleur mortelle. Elle porta à son visage une main tremblante.

— Oh, monsieur Poirot… je ne peux pas y croire… vous ne voulez pas dire que… mais c'est horrible… vraiment horrible… Vous prétendez qu'on l'a fait exprès ?

— Oui, on l'a fait exprès.

— Mais c'est monstrueux ! C'est presque comme… comme tuer quelqu'un.

— Si cela avait réussi, quelqu'un aurait été tué ! En d'autres termes… ç'aurait été un meurtre !

Miss Lawson laissa échapper un petit cri aigu.

— Quelqu'un a planté un clou dans la plinthe afin d'y attacher un fil, poursuivit Poirot avec la même gravité. Le clou a été peint pour passer inaperçu. Dites-moi, est-ce que vous ne vous souviendriez pas, par hasard, d'avoir senti une odeur de peinture que vous n'avez pas pu situer ?

Miss Lawson laissa échapper un cri.

— Oh, mais c'est incroyable ! Maintenant que j'y pense ! Mais bien sûr ! Et dire que je n'aurais jamais songé… Jamais imaginé… Mais enfin, comment aurais-je pu ? Pourtant, ça m'a effectivement semblé bizarre sur le moment.

Poirot se pencha vers elle.

— Ainsi… Vous pouvez nous aider, mademoiselle. Une fois de plus vous pouvez nous aider. *C'est épatant !*

— Dire que c'était ça ! Oh, ma foi, tout coïncide.

— Racontez-moi, je vous en prie. Vous avez senti une odeur de peinture – c'est cela ?

— Oui. Bien sûr, je ne savais pas ce que c'était. J'ai pensé – mon Dieu – ça sent la cire à parquet... et puis, non, cela ressemble davantage à de la peinture... Et puis, bien entendu, je me suis finalement dit que j'avais *rêvé*.

— Ça s'est passé quand ?

— Laissez-moi réfléchir... C'était quand, déjà ?

— Est-ce que c'était pendant ce week-end de Pâques lorsque la maison était pleine de monde ?

— Oui, oui, c'est à ce moment-là. Mais j'essaie de me rappeler quel jour exactement. Attendez... Ce n'était pas dimanche. Non. Et pas mardi non plus... Ce soir-là, le Dr Donaldson est venu dîner. Et le mercredi, tout le monde est parti. Non. Bien sûr, c'était lundi... Le lundi de Pâques. J'étais allongée et je ne dormais pas. J'étais assez inquiète, voyez-vous. J'ai toujours été d'avis que le lundi de Pâques est une journée é-rein-tante ! Il y avait eu tout juste assez de rosbif froid pour le dîner et j'avais peur que miss Arundell n'en soit contrariée. Vous comprenez, c'est *moi* qui avais commandé le rôti, samedi, et bien sûr j'aurais dû en prendre un de sept livres, mais je m'étais dit que cinq livres suffiraient, seulement miss Arundell était toujours si fâchée lorsqu'il n'y avait pas assez à manger... Elle avait un tel sens de l'hospitalité...

Elle s'interrompit un instant, le temps de retrouver son souffle, puis repartit de plus belle.

— Et j'étais donc là, allongée dans le noir, les

yeux grands ouverts, à me demander si elle allait me faire une réflexion le lendemain et, une chose en entraînant une autre, j'ai mis longtemps à m'endormir… et juste au moment où j'y parvenais, j'ai été réveillée par un bruit – comme un petit coup – et je me suis assise dans mon lit et j'ai re-ni-flé. Vous comprenez, j'ai toujours eu une peur bleue de l'incendie… parfois je crois bien qu'il m'arrive de sentir une odeur de brûlé deux ou trois fois dans une nuit… (affreux, n'est-ce pas, d'être pri-son-nier des flammes ?) En tout cas, il y avait bien une odeur, et j'ai reniflé de plus belle, mais ce n'était pas une odeur de fumée rien de ce genre. Et je me suis dit que c'était plutôt un produit pour le parquet ou de la peinture… mais évidemment, il n'y avait aucune raison de sentir ça au beau milieu de la nuit. Pourtant, l'odeur était très forte et je suis restée là à renifler, à renifler, et c'est alors que je l'ai vue dans la glace…

— Vous l'avez vue ? Qui avez-vous vu ?

— Dans mon miroir, comprenez-vous, c'est si pratique. Je gardais toujours ma porte un peu entrebâillée, de façon à entendre miss Arundell si elle venait à appeler et à la voir si elle montait ou descendait les escaliers. On laissait aussi la seule lampe du couloir allumée. C'est comme ça que j'ai pu l'apercevoir, agenouillée sur une marche… Theresa, veux-je dire. Sur la troisième marche, m'a-t-il semblé, penchée sur quelque chose, et j'étais juste en train de penser : « C'est bizarre, est-ce qu'elle ne serait pas ma-la-de ? », lorsqu'elle s'est redressée et qu'elle s'est éloignée ; aussi je me suis dit qu'elle avait dû glisser. Ou qu'elle s'était baissée pour ramasser quelque chose. Mais ensuite, bien sûr, je n'y ai plus jamais repensé.

— Le bruit qui vous a réveillée aurait pu provenir d'un petit coup de marteau sur le clou, dit Poirot, songeur.

— Oui, probablement. Mais, oh ! monsieur Poirot, c'est *hor-ri-ble* ! Vraiment horrible ! J'ai toujours considéré que Theresa était un peu… dif-fi-cile…, mais faire une chose pareille.

— Vous êtes certaine qu'il s'agissait de Theresa ?

— Oh, mon Dieu, oui.

— Ça n'aurait pas pu être Mrs Tanios, ou l'une des bonnes, par exemple ?

— Oh, non. C'était Theresa.

Miss Lawson secoua la tête et murmura à plusieurs reprises et comme pour elle-même :

— Oh ! mon Dieu… Oh ! mon Dieu…

Poirot la dévisageait d'un air que j'eus du mal à comprendre.

— Permettez-moi, lui dit-il soudain, de procéder à une petite expérience. Montons à l'étage et tentons de reconstituer cette scène.

— Une reconstitution ? Oh, vraiment… je ne sais pas… je veux dire que je ne vois pas du tout…

— Je vais vous montrer, dit Poirot, mettant fin à ses hésitations avec autorité.

Quelque peu troublée, miss Lawson nous précéda dans l'escalier.

— J'espère que la chambre est en ordre… il y a tant à faire… une chose en entraîne une autre… balbutia-t-elle, égarée.

Le moins qu'on puisse dire est que la pièce était en effet encombrée d'objets hétéroclites – conséquences évidentes du grand nettoyage des placards entrepris par miss Lawson. Toujours aussi hagarde, celle-ci réussit tout de même à indiquer à Poirot sa position cette nuit-là, si bien que mon ami put vérifier de ses propres yeux qu'une partie de l'escalier se reflétait en effet dans le miroir.

— Et maintenant, chère mademoiselle, suggéra-t-il, voudriez-vous avoir l'obligeance de retourner dans le couloir et de refaire les gestes que vous avez vus ?

Miss Lawson, sans cesser de murmurer ses « Oh, mon Dieu ! », sortit d'un air affairé pour remplir le rôle qu'on lui demandait. Poirot, lui, joua celui du spectateur.

La représentation terminée, il sortit à son tour sur le palier et demanda quelle était la lampe qui était restée allumée ce jour-là.

— C'est celle-là, répondit miss Lawson. C'est la seule lampe du couloir. Juste devant la porte de la chambre de miss Arundell.

Poirot leva le bras, dévissa l'ampoule et l'examina.

— Du quarante watts, à ce que je vois. Pas très puissante.

— Non. C'était seulement pour que le couloir ne soit pas complètement dans le noir.

Poirot retourna vers l'escalier.

— Pardonnez-moi, chère mademoiselle, mais avec la faiblesse de l'éclairage et la disposition des zones d'ombre, vous ne pouvez pas avoir vu la scène très nettement. Etes-vous bien sûre qu'il s'agissait de Theresa Arundell et non pas d'une forme féminine indéterminée vêtue d'une robe de chambre ?

— Oui, monsieur, j'en suis sûre ! répondit miss Lawson, indignée. Par-fai-te-ment sûre ! Je connais assez miss Theresa, il me semble ! Oh, oui, c'était bien elle. Sa robe de chambre foncée et sa grosse broche brillante avec ses initiales – j'ai très bien vu tout cela !

— Il n'y a donc pas de doute possible. Vous avez vu les initiales ?

— Oui. T.A. Je connais cette broche. Theresa la portait souvent. Oh, oui, je pourrais jurer que c'était Theresa – et je le ferai, si nécessaire !

Elle avait prononcé ces deux dernières phrases d'un ton ferme et décidé qui ne lui était guère habituel.

Poirot l'observa. Une fois encore son regard fut bien étrange. Il était distant, il évaluait son interlocutrice et il était empreint, aussi, d'une curieuse fermeté.

— Vous le jureriez, ? répéta-t-il.

— Si… si… nécessaire. Mais je suppose que… est-ce que ce sera nécessaire ?

De nouveau, Poirot l'étudia du regard.

— Cela dépendra des résultats de l'exhumation, dit-il.

— L'ex… L'exhumation ?

Poirot avança vivement la main pour la retenir : Sous le coup de la surprise, miss Lawson avait failli tomber la tête la première dans l'escalier !

—Il est possible qu'il y ait exhumation, oui, confirma Poirot.

—Oh, mais enfin… mais ! C'est abominablement déplaisant ! Mais, voyons, je suis sûre que la famille s'opposera fermement à cette idée – s'y opposera vraiment de la façon la plus ferme…

—Oui, sans doute.

—Je suis persuadée qu'ils ne voudront pas entendre parler d'une chose pareille !

—Ah, mais si c'est le ministère de l'Intérieur qui l'ordonne ?

—Mais, monsieur Poirot – *pourquoi* ? Je veux dire, ce n'est pas comme si… comme si…

—Comme si quoi ?

—Comme s'il y avait quelque chose… d'a-nor-mal.

—Vous ne croyez pas que ce soit le cas ?

—Non, bien sûr que non. Mon Dieu, c'est im-pos-si-ble, je veux dire… avec le docteur, l'infirmière et tout…

—Ne vous mettez pas dans cet état, murmura Poirot d'un ton apaisant.

—Oh, mais c'est plus fort que moi ! Pauvre chère miss Arundell ! Ce n'est pas comme si miss Theresa avait été ici, à Littlegreen, quand sa tante est morte.

—Non, elle est partie le lundi avant que miss Arundell ne tombe malade, n'est-ce pas ?

—Le matin de bonne heure. Alors, c'est évident, elle n'a forcément rien à voir avec ça !

—Espérons que non, dit Poirot.

—Oh, mon Dieu ! (Miss Lawson joignit les

mains.) Je n'ai jamais rien vécu d'aussi *af-freux* !
Vraiment, je ne sais plus du tout où j'en suis.

Poirot jeta un coup d'œil à sa montre.

— Il faut que nous partions. Nous retournons
à Londres. Et vous, chère mademoiselle, vous
comptez rester ici un moment ?

— Non… non… Je n'ai pas de plan réellement
établi. En fait, moi aussi je rentre aujourd'hui… Je
suis juste venue une nuit, pour… pour faire un peu
de rangement.

— Je vois. Alors, au revoir, chère mademoiselle,
et pardonnez-moi si je vous ai ennuyée.

— Oh, monsieur Poirot. *Ennuyée* ? Vous m'avez
rendue ma-la-de ! Oh, mon Dieu ! Oh, mon Dieu,
ce monde est si cruel ! si affreusement cruel !

Poirot coupa court à ses lamentations en lui prenant la main avec fermeté.

— Ce n'est que trop vrai. Et vous êtes toujours
prête à jurer que vous *avez vu Theresa Arundell
agenouillée dans les escaliers, dans la nuit du lundi de
Pâques* ?

— Oh, oui, je peux le jurer.

— Et vous pouvez jurer aussi que vous avez
vu un halo de lumière autour de la tête de miss
Arundell, au cours de la *séance* ?

Miss Lawson demeura un instant bouche bée,
puis elle s'exclama :

— Oh, monsieur Poirot, ne… ne plaisantez pas
avec ces choses-là !

— Je ne plaisante pas. Je suis tout ce qu'il y a de
plus sérieux, au contraire.

Miss Lawson répondit alors avec dignité :

— Ce n'était pas exactement un halo. Cela ressemblait davantage à un début de manifestation. Un ruban de matière lumineuse. J'ai l'impression très nette qu'un visage allait se former.

— Fascinant. Au revoir, très chère mademoiselle, et surtout gardez tout ceci pour vous.

— Oh, bien sûr… bien sûr. Il ne me serait pas venu à l'idée d'en parler à quelqu'un.

La dernière image que je garde de miss Lawson en train de nous regarder partir depuis les marches du perron ? Celle de son œil stupide derrière une paire de lorgnons en bataille.

23

LE DR TANIOS VIENT NOUS VOIR

A peine avions-nous quitté Littlegreen House
que l'attitude de Poirot changea du tout au tout.
Son visage était devenu grave et déterminé.

— Dépêchons-nous, Hastings. Nous devons
regagner Londres au plus vite.

— Tout à fait d'accord, acquiesçai-je.

Pressant le pas pour rester à sa hauteur, je regardai
à la dérobée son visage soudain sévère.

— Qui soupçonnez-vous, Poirot ? J'aimerais que
vous le disiez. Croyez-vous que c'était Theresa
dans les escaliers ?

Il répondit à ma question par une autre question :

— Avez-vous remarqué et réfléchissez avant
de parler – avez-vous remarqué qu'il y a quelque
chose *qui ne colle pas* dans les déclarations de miss
Lawson ?

— *Quelque chose qui ne colle pas ?* Que voulez-vous
dire ?

— Si je le savais, je ne vous le demanderais pas.

— D'accord. Mais *de quelle façon* cela ne colle-t-il
pas ?

— C'est justement ça. Je ne peux être plus précis.

Mais pendant qu'elle parlait, j'ai eu une impression d'irréalité… Comme s'il y avait quelque chose – un petit détail qui n'allait pas –, quelque chose qui était, oui c'était ça mon impression, *impossible*…

— Elle paraissait sûre et certaine qu'il s'agissait de Theresa.

— Oui, oui.

— Mais, après tout, la lumière n'était pas fameuse. Je ne vois pas comment elle peut être si affirmative.

Non, non, Hastings, là vous ne m'aidez pas. C'était un petit détail… quelque chose qui avait un rapport avec… – oui j'en suis sûr – … avec la chambre.

— Avec la chambre ? répétai-je, en essayant de me souvenir de la pièce. Non, dis-je finalement, je ne crois pas pouvoir vous venir en aide.

Poirot secoua la tête, mécontent.

— Pourquoi avez-vous remis sur le tapis cette histoire de spiritisme ? demandai-je alors.

— Parce que c'est important.

— Qu'est-ce qui est important ? Le développement du « ruban » lumineux de miss Lawson ?

— Vous vous souvenez de la description de la *séance* par les sœurs Tripp ?

— Elles ont vu une auréole autour de la tête de la vieille demoiselle. (Je ne pus m'empêcher d'en rire.) D'après tout ce que nous avons entendu dire, elle n'avait pourtant rien d'une sainte ! Miss Lawson semble en avoir eu une frousse bleue. J'ai eu vraiment pitié de cette pauvre créature quand elle nous a raconté comment elle n'arrivait pas à trouver le sommeil, morte de peur qu'elle était d'avoir des ennuis pour avoir commandé un rôti trop petit !

— Oui, c'était un détail intéressant, ça.

— Qu'est-ce que nous ferons quand nous serons à Londres ? ajoutai-je tandis que nous entrions chez *George* et que Poirot demandait la note.

— Nous irons immédiatement voir Theresa Arundell.

— Et nous découvrirons la vérité ? Mais, quoi qu'il advienne, ne va-t-elle pas tout nier, en bloc ?

— Mon cher, ce n'est pas un crime que de s'agenouiller dans un escalier ! Peut-être ramassait-elle une épingle, histoire que cela lui porte bonheur – ou quelque chose d'approchant.

— Et l'odeur de peinture ?

Nous ne pûmes rien ajouter, car le serveur arrivait avec notre addition.

Sur le chemin du retour, nous parlâmes fort peu. Je n'aime guère conduire et discuter en même temps. Quant à Poirot, il était bien trop occupé à protéger ses moustaches contre les effets désastreux du vent et de la poussière pour songer à prononcer un mot. Nous arrivâmes à l'appartement vers 2 heures moins 20.

Ce fut George – le domestique impeccable et si parfaitement anglais de Poirot – qui nous ouvrit la porte.

— Un certain Dr Tanios vous attend, monsieur. Il est là depuis une demi-heure.

— Le Dr Tanios ? Où est-il.

— Au salon. Une dame est également passée vous voir. Elle a eu l'air effondré que vous soyez absent. C'était ce matin, avant que je ne reçoive votre message téléphonique, monsieur, si bien que je n'ai pas pu lui dire à quel moment vous seriez de retour à Londres.

— Décrivez-la-moi.

— Un bon mètre soixante-cinq, monsieur, avec des cheveux noirs et des yeux d'un bleu très pâle. Elle portait un manteau et une jupe de couleur grise, et un chapeau très en arrière au lieu d'être incliné sur l'œil droit.

— Mrs Tanios, fis-je tout bas.

— Elle semblait très nerveuse, monsieur. Elle a dit qu'il était capital qu'elle vous rencontre au plus vite.

— Quelle heure était-il ?

— A peu près 10 heures et demie, monsieur.

Poirot secoua la tête tout en se dirigeant vers le salon.

— C'est la seconde fois que je rate l'occasion d'entendre ce que Mrs Tanios souhaite me confier. Qu'en pensez-vous, Hastings ? La fatalité s'acharne-t-elle sur nous ?

— La troisième fois sera la bonne, dis-je pour le consoler.

Poirot secoua de nouveau la tête, l'air d'en douter.

— Y aura-t-il une troisième fois ? Je me le demande. Venez, allons déjà voir ce que nous veut le mari.

Installé dans un fauteuil, le Dr Tanios lisait un des ouvrages de psychologie de Poirot. Il se leva d'un bond pour nous saluer.

— Pardonnez-moi mon intrusion. J'espère que vous ne m'en voudrez pas d'avoir forcé votre porte et de vous avoir attendu ainsi…

— Du tout, du tout ! Je vous en prie, asseyez-vous. Permettez-moi de vous offrir un verre de xérès.

— Volontiers. En fait, j'ai une excuse. Monsieur Poirot, je suis inquiet, très inquiet au sujet de ma femme.

— Au sujet de votre femme ? Vous m'en voyez navré. Que se passe-t-il ?

— Peut-être que vous l'avez vue récemment ? dit Tanios.

Cela pouvait passer pour une question parfaitement anodine, mais le coup d'œil rapide qui l'accompagna l'était beaucoup moins.

— Non, pas depuis que nous nous sommes rencontrés hier, ensemble, à l'hôtel, répondit Poirot de la manière la plus neutre possible.

— Ah… Je m'étais dit qu'elle vous avait peut-être rendu visite.

Poirot était occupé à servir trois verres. Il répondit d'une voix quelque peu distraite :

— Non. Avait-elle une quelconque… raison de venir me voir ?

— Non, non. (Le Dr Tanios prit le xérès que Poirot lui tendait.) Merci. Non, elle n'avait pas de raison précise, mais, à dire le vrai, je suis très inquiet de son état de santé.

— Ah ? Serait-elle fragile ?

— Physiquement, elle se porte très bien, répondit Tanios avec lenteur. J'aimerais pouvoir en dire autant de sa santé mentale.

— Ah ?

— Je crains, monsieur Poirot, qu'elle ne soit au bord de la dépression nerveuse.

— Mon cher docteur, vous m'en voyez fort marri.

— Cela fait un certain temps que son état se dégrade. Au cours des deux derniers mois, son attitude à mon égard a changé du tout au tout. Elle se montre nerveuse, elle sursaute pour un oui pour un non, et elle est en proie à des idées de plus en plus bizarres… En réalité, il s'agit de bien plus que des idées : ce sont des hallucinations !

— Vraiment ?

— Oui, elle souffre de ce que l'on appelle communément manie de la persécution. Un trouble assez connu.

Poirot indiqua qu'il compatissait.

— Vous êtes donc à même de comprendre mon inquiétude !

— Bien sûr, bien sûr. Mais je ne saisis pas bien la raison qui vous a poussé à venir me voir. Comment puis-je vous aider ?

Le Dr Tanios manifesta un léger embarras.

— Il m'est venu à l'idée que ma femme risquait de venir – ou qu'elle était déjà venue – vous raconter des histoires à dormir debout. Il se pourrait fort bien, par exemple, qu'elle aille jusqu'à prétendre que je représente pour elle une menace – un danger.

— Mais pourquoi s'adresserait-elle à moi ?

Le Dr Tanios eut un sourire affable – mais néanmoins mélancolique.

— Vous êtes un détective de renom, monsieur Poirot, répondit-il. J'ai vu – je l'ai vu au premier coup d'œil – que vous aviez fait hier sur ma femme une très forte impression. Vu son état actuel, le simple fait de rencontrer un détective ne pouvait que produire ce genre d'effet. Il me semble probable qu'elle vous rende visite et… et… et qu'elle se confie à vous. C'est ainsi qu'il en va avec ces affections nerveuses ! Les malades ont tendance à se retourner contre leurs proches, contre leurs êtres les plus chers.

— C'est désolant.

— Oui, en effet. J'aime beaucoup ma femme. (Une tendresse profonde vibrait dans sa voix.) J'ai toujours estimé qu'elle avait fait preuve d'infiniment de courage en m'épousant – moi, un étranger – et en me suivant dans un pays lointain, abandonnant ainsi derrière elle amis, famille, racines. Depuis quelques jours, je suis désespéré… je ne vois pour elle qu'une solution…

— Oui ?

— Un repos et un calme complets, ainsi qu'un traitement psychologique approprié. Je connais un établissement superbe, dirigé par un médecin hors pair. Je veux l'y conduire tout de suite – c'est dans le Norfolk. Un repos total loin de toute influence extérieure – c'est de cela dont elle a besoin. Je suis convaincu qu'un séjour d'un mois ou deux là-bas, avec un bon traitement, lui permettrait d'aller beaucoup mieux.

— Je vois, dit Poirot.

Il avait prononcé ces deux mots d'un ton neutre,

qui ne laissait rien paraître des sentiments qui l'agitaient.

Tanios lui jeta un autre coup d'œil rapide.

— C'est pourquoi, je vous serais obligé, si jamais elle vient vous voir, de me prévenir immédiatement.

— Mais certainement. Je vous téléphonerai. Vous êtes toujours au *Durham Hotel* ?

— Oui. J'y retourne en vous quittant.

— Votre femme n'y est pas ?

— Elle est sortie tout de suite après le petit déjeuner.

— Sans vous dire où elle allait ?

— Sans un mot. Cela ne lui ressemble pas du tout.

— Et les enfants ?

— Ils sont avec elle.

— Je vois.

— Je vous remercie beaucoup, monsieur Poirot, dit Tanios en se levant. Si jamais elle se lançait dans d'abracadabrantes histoires d'intimidation et de persécution, ai-je besoin de vous dire de n'y prêter aucune attention ? Il ne s'agit, là encore, hélas ! que d'un symptôme de sa maladie.

— Absolument désolant ! répéta Poirot sur un ton compatissant.

— C'est vrai. Bien que l'on sache, médicalement parlant, que ce n'est qu'une des manifestations d'une maladie mentale bien connue, on ne peut s'empêcher de souffrir lorsqu'une personne si proche, et qui vous est tellement chère, se retourne contre vous et que son affection se change en hostilité.

— Vous avez ma plus profonde sympathie, assura Poirot en serrant la main de son visiteur.

Le Dr Tanios était déjà à la porte du salon lorsque mon ami ajouta :

— Au fait…

— Oui ?

— Vous arrive-t-il de prescrire du chloral à votre femme ?

Tanios tressaillit.

— Je… Non… Enfin, cela m'est peut-être arrivé… Pas ces derniers temps. Elle semble avoir développé une aversion pour les somnifères – quels qu'ils soient.

— Tiens ! Serait-ce parce qu'elle n'a pas confiance en vous ?

— Monsieur Poirot !

Le médecin revint sur ses pas, soudain en colère.

— Un symptôme de sa maladie…, ajouta Poirot d'une voix apaisante.

— Oui, oui, bien sûr.

— Sans doute se méfie-t-elle énormément de tout ce que vous pouvez lui donner à boire ou à manger ? Sans doute vous soupçonne-t-elle de vouloir l'empoisonner ?

— Mon Dieu, monsieur Poirot, mais c'est exactement ça ! Vous avez donc eu affaire à des cas de ce genre.

— Dans ma profession, il va de soi que cela arrive parfois. Mais que je ne vous retarde pas. Peut-être vous attend-elle à l'hôtel ?

— C'est vrai. Pourvu que ce soit le cas. Je suis tellement inquiet !

Il se rua hors de la pièce.

Poirot, lui, se précipita sur le téléphone. Il feuilleta l'annuaire, puis demanda un numéro.

— Allô… Allô… le *Durham Hotel* ? Pouvez-vous me dire si Mrs Tanios est là ? Comment ? TA.N.I.O.S. Oui, c'est cela. Oui ? Oui ? Oh, je vois…

Il raccrocha.

— Mrs Tanios a quitté l'hôtel tôt ce matin, m'expliqua-t-il alors. Elle y est retournée à 11 heures, a attendu dans un taxi qu'on charge ses bagages, puis est repartie.

— Tanios sait-il qu'elle a emporté ses bagages ?

— Pas encore, à mon avis.

— Où est-elle allée ?

— Impossible à dire.

— Vous pensez qu'elle va revenir ici ?

— Peut-être. Je n'en sais rien.

— Peut-être va-t-elle écrire ?

— Peut-être bien.

— Que pouvons-nous faire ?

Poirot secoua la tête. Il paraissait soucieux, inquiet.

— Rien pour le moment. Déjeunons rapidement. Ensuite, nous irons voir Theresa Arundell.

— Vous croyez que c'était *elle*, dans l'escalier ?

— Là encore, impossible à dire. Mais il y a une chose dont je suis sûr : miss Lawson n'a pas pu voir son visage. Elle a aperçu une longue silhouette dans une robe de chambre foncée, c'est tout.

— Et la broche…

— Mon cher ami, une broche ne fait pas partie de l'anatomie de quelqu'un ! On peut la détacher, la perdre, l'emprunter ou même la voler.

— En d'autres termes, vous vous refusez à croire à la culpabilité de Theresa Arundell.

— Je veux entendre ce qu'elle aura à dire à ce sujet.

— Et si Mrs Tanios revient vous voir pendant ce temps-là ?

— Je vais prendre des dispositions pour cette éventualité.

George nous servit une omelette.

— Ecoutez, George, lui dit Poirot, si cette dame repasse, demandez-lui de m'attendre. Et si le Dr Tanios arrive pendant qu'elle est ici, ne le laissez entrer sous aucun prétexte. S'il demande si sa femme est là, vous lui répondrez que non. Vous avez compris ?

— Parfaitement, monsieur.

Poirot s'attaqua à l'omelette.

— L'affaire se complique, murmura-t-il. Nous devons progresser avec une extrême prudence. Sinon… le meurtrier frappera à nouveau.

— Si tel était le cas, vous pourriez lui mettre la main au collet.

— Probablement, mais je préfère la vie d'un innocent à la condamnation d'un coupable. Soyons donc très, très prudents.

24

La denegation de Theresa

Nous trouvâmes Theresa Arundell sur le point de sortir.

Elle était d'un chic inouï. Son extravagant bibi dernier cri, crânement posé selon un angle improbable, lui cachait presque un œil. Amusant que Bella Tanios en ait arboré, la veille, une pâle copie qu'elle portait – comme l'avait noté George – beaucoup trop en arrière. Je la revoyais encore le repousser de plus en plus loin sur ses cheveux en désordre.

— Pourriez-vous m'accorder quelques instants, très chère mademoiselle ? demanda Poirot, en mal de civilités. A moins, bien sûr, que cela ne vous retarde trop ?

— Oh, il n'y a aucun problème, répondit-elle en riant. Je suis toujours de trois quarts d'heure en retard pour tout. Pourquoi ne pas aller jusqu'à une heure !

Elle nous fit entrer au salon. A ma surprise, le Dr Donaldson se leva d'un fauteuil placé près de la fenêtre.

— Tu as déjà rencontré M. Poirot, n'est-ce pas, Rex ? dit Theresa.

— Oui, nous nous sommes vus à Market Basing, répondit Rex avec froideur.

— Vous faisiez semblant d'écrire la biographie de mon alcoolique de grand-père, si j'ai bien compris, ajouta Theresa. Rex, mon ange, peux-tu nous laisser un instant ?

— Merci bien, Theresa, mais j'estime qu'il serait à tous points de vue préférable que j'assiste à cet entretien.

Leurs regards s'affrontèrent brièvement. Celui de Theresa était autoritaire, alors que les yeux de son fiancé restaient impénétrables. La jeune femme eut un brusque accès de colère :

— Oh ! et puis reste si ça te chante, espèce d'enquiquineur !

Le Dr Donaldson ne parut guère impressionné. Il se rassit près de la fenêtre, et posa son livre sur le bras de son fauteuil. Il s'agissait d'un ouvrage sur l'hypophyse, ne puis-je m'empêcher de remarquer.

Theresa s'installa sur le même tabouret bas que lors de notre précédente visite, puis observa Poirot d'un air impatient.

— Eh bien, vous êtes allé voir Purvis ? Alors ?

— Il y a… des possibilités, mademoiselle, répondit Poirot d'un ton neutre.

L'expression de Theresa se fit pensive. Puis elle jeta un bref coup d'œil en direction du médecin. C'était pensai-je, une mise en garde à l'intention de Poirot.

— Mais il serait à mon avis préférable que je

vous fasse mon rapport ultérieurement, lorsque mes projets seront un peu avancés, reprit Poirot.

L'ombre d'un sourire passa sur les lèvres de Theresa.

— Je viens de rentrer de Market Basing, où j'ai eu l'occasion de discuter avec miss Lawson. Dites-moi, bien chère mademoiselle, vous êtes-vous, dans la nuit du 13 avril – la nuit du lundi de Pâques –, age-nouillée dans les escaliers de Littlegreen House, une fois tout le monde couché ?

— Mon cher Hercule Poirot, quelle étrange ques-tion ! Pourquoi aurais-je fait une chose pareille ?

— La question, charmante mademoiselle, n'est pas *pourquoi vous l'auriez fait*, mais *si vous l'avez fait*.

— Je n'en sais fichtre rien. Mais ça me paraît plutôt improbable.

— Voyez-vous, petite mademoiselle, miss Lawson affirme le contraire.

Theresa haussa ses ravissantes épaules.

— Est-ce important ?

— Très.

Elle dévisagea Poirot, qui lui retourna un regard des plus aimables.

— Cinglé !

— Je vous demande pardon ?

— C'est complètement cinglé. Tu ne trouves pas, Rex ?

Le Dr Donaldson toussota :

— Excusez-moi, monsieur Poirot, mais quel est l'intérêt de cette question ?

Mon ami ouvrit les mains et répondit :

— C'est très simple. Quelqu'un a planté un clou

à un endroit bien précis, en haut des escaliers. Et ce clou a reçu une couche de peinture pour qu'on le confonde avec la plinthe.

— Il s'agit de quoi ? D'un nouveau genre de sorcellerie ? demanda Theresa.

— Non, chère mademoiselle, c'est bien plus banal que cela. Le lendemain soir, le mardi, *quelqu'un* a placé un fil reliant ce clou à la rampe. Le résultat de l'opération, c'est que, quand miss Arundell est sortie de sa chambre, elle s'est pris les pieds dedans et qu'elle est tombée la tête la première dans l'escalier.

La respiration de Theresa s'accéléra.

— Mais c'était la balle de Bob !

— *Pardon*, ce n'était pas sa balle, non.

Il y eut un silence, bientôt brisé par la voix calme et précise de Donaldson :

— Excusez-moi, mais quelle preuve possédez-vous à l'appui de cette affirmation ?

Poirot répondit tout aussi calmement :

— La preuve du clou, la preuve de la lettre de miss Arundell, et enfin la preuve du témoignage visuel de miss Lawson.

Theresa retrouva la parole.

— Elle dit que c'est *moi* qui ai fait le coup, hein ?

Poirot ne répondit rien. Il se contenta d'un petit hochement de tête.

— Eh bien, c'est un mensonge ! Je n'ai rien à voir avec tout ça !

— Vous vous êtes agenouillée dans les escaliers pour une tout autre raison ?

— Je ne me suis *jamais* agenouillée dans les escaliers !

— Faites très attention, mademoiselle.

— Je n'étais pas dans les escaliers ! De tout mon séjour à Littlegreen House, pas une seule fois je ne suis ressortie de ma chambre après être montée me coucher.

— Miss Lawson vous a reconnue.

— Elle aura probablement vu Bella Tanios ou une des bonnes.

— Elle assure que c'était vous.

— Elle ment comme un arracheur de dents !

— Elle a identifié votre robe de chambre et une broche que vous portiez.

— Une broche ? Quelle broche ?

— Une broche avec vos initiales.

— Oh, je vois laquelle ! La Lawson est une menteuse qui donne des détails, en plus !

— Vous niez toujours que c'était vous ?

— Si c'est ma parole contre la sienne…

— Vous êtes meilleure menteuse qu'elle – c'est ça ?

— Vous avez probablement raison, dit Theresa avec calme, mais dans le cas présent, je dis la vérité. Je ne préparais aucune chausse-trape, je ne récitais pas mes prières, je ne ramassais ni de l'or ni de l'argent, je ne faisais rien dans les escaliers.

— Vous avez cette fameuse broche ?

— Sans doute. Vous voulez la voir ?

— Si cela ne vous dérange pas, mademoiselle.

Theresa se leva et quitta la pièce. Il y eut un silence embarrassé. J'avais l'impression que le

Dr Donaldson regardait Poirot de la façon dont il aurait étudié un spécimen anatomique.

Theresa ne tarda pas à revenir

— La voilà.

Elle jeta presque le bijou à Poirot. C'était une grosse broche tape-à-l'œil en acier inoxydable ou en chromé, avec les initiales T.A. au milieu d'un cercle. Je dus admettre qu'elle était assez volumineuse et voyante pour que miss Lawson ait pu la reconnaître aisément dans son miroir.

— Je ne la porte plus jamais. Je m'en suis lassée, expliqua Theresa. Londres en est envahie, maintenant. La moindre bonniche en exhibe une.

— Mais elle coûtait cher, lorsque vous l'avez achetée ?

— Oh, oui. Au début, c'était le fin du fin.

— Quand ça ?

— A Noël dernier, je crois. Oui, vers cette époque-là.

— Vous ne l'avez jamais prêtée ?

— Non.

— Vous l'aviez à Littlegreen House ?

— Je suppose. Oui, je l'avais. Je m'en souviens.

— L'avez-vous laissée traîner ? Vous en êtes-vous séparée pendant un moment quelconque de votre séjour ?

— Non. Je la portais sur un pull vert, je me le rappelle, un pull que j'ai mis tous les jours.

— Et la nuit ?

— Elle restait sur le pull.

— Et le pull ?

— Oh, bon sang ! Le pull était sur un fauteuil.

— Vous êtes sûre que personne n'a pu l'ôter de ce vêtement, puis la remettre en place le lendemain ?

— C'est la version que nous livrerons au tribunal, si vous voulez – si vous estimez que c'est le meilleur mensonge possible. En réalité, je suis *parfaitement* certaine que ça n'a pas été le cas. C'est une bonne idée de prétendre qu'on a voulu me faire porter le chapeau, mais je ne crois pas que ce soit le cas.

Poirot fronça les sourcils, puis il se leva, fixa soigneusement la broche au revers de son manteau et s'approcha d'un miroir posé sur une table, à l'autre bout de la pièce. Il resta un instant immobile puis se recula doucement pour juger de l'effet à distance.

Il laissa soudain échapper un grognement.

— Mais bien sûr ! Quel imbécile je fais !

Il revint vers Theresa et lui rendit son bijou en s'inclinant.

— Vous avez tout à fait raison, chère mademoiselle. La broche est bien restée en votre possession !

— Je me suis montré d'une stupidité regrettable.

— J'apprécie votre modestie, répondit Theresa en accrochant négligemment la broche sur son corsage.

Jetant un coup d'œil à Poirot, elle ajouta :

— Autre chose ? Il faut vraiment que j'y aille, maintenant.

— Non, tout le reste peut attendre.

Au moment où Theresa se dirigeait vers la porte, Poirot ajouta calmement :

— Il est cependant question d'une exhumation, il est vrai…

Theresa s'arrêta net. Le bijou tomba sur le sol.

— Comment ?

— Il est possible que le corps de miss Arundell soit exhumé, répéta Poirot d'un ton clair et net.

Theresa s'était immobilisée, les mains crispées. Elle demanda d'une voix sourde, coléreuse :

— C'est une de *vos* idées ? J'ai le regret de vous signaler que c'est impossible sans une autorisation de la famille.

— Vous vous trompez, mademoiselle. Il suffit d'une décision des autorités compétentes.

— Mon Dieu ! s'exclama Theresa, qui s'était mise à parcourir la pièce à grandes enjambées.

— Je ne vois vraiment aucune raison de se mettre dans tous ses états, Tessa, intervint posément Donaldson. J'avoue que, même pour un étranger à la famille, cette idée n'est guère plaisante, mais…

Elle lui coupa la parole.

— Ne sois pas stupide, Rex !

— L'idée vous dérange, petite demoiselle ? demanda Poirot.

— Bien sûr qu'elle me dérange ! C'est indécent. Pauvre vieille tante Emily ! Pourquoi diable faudrait-il qu'elle soit exhumée ?

— Je présume, dit Donaldson, que l'on a des doutes sur la cause du décès ? (Il jeta un regard interrogateur à Poirot et poursuivit :) J'avoue que cela me surprend. A mon avis, il est évident que miss Arundell est morte de mort naturelle à la suite d'une longue maladie.

— Un jour tu m'as raconté un truc à propos de lapin et de maladie de foie, dit Theresa. J'ai oublié les détails, mais tu contaminais un lapin avec le sang de quelqu'un qui souffrait d'une hépatite, puis tu injectais le sang de cet animal à un autre lapin, et ensuite le sang de ce second lapin à quelqu'un, et cette personne était malade du foie à son tour. Quelque chose comme ça.

— C'était simplement un moyen de t'expliquer la technique de la sérothérapie, dit Donaldson avec patience.

— Dommage qu'il y ait tant de lapins dans cette histoire ! s'exclama Theresa en laissant échapper un rire insouciant. Aucun de nous n'élève de lapins.

Elle se tourna vers Poirot et demanda, d'une voix différente :

— Monsieur Poirot, est-ce que c'est *vrai* ?

— Oui, c'est vrai, mais… il y a un moyen d'éviter une telle éventualité, mademoiselle.

— Alors, évitez-la ! (Sa voix, pressante, n'était plus qu'un soupir.) Evitez-la *à tout prix* !

Poirot se leva.

— Ce sont vos instructions ? s'enquit-il d'un ton très officiel.

— Oui, ce sont mes instructions.

— Mais, Tessa…, intervint Donaldson.

Elle se retourna brusquement vers son fiancé.

— Tais-toi ! C'était *ma* tante, non ? Pourquoi devrait-on déterrer *ma* tante ? Tu ne comprends donc pas qu'on en parlera dans les journaux, et qu'il y aura des ragots, et tout un tas de saletés déballées en public ?

Elle pivota de nouveau vers Poirot.

— Vous devez empêcher ça ! Je vous donne

carte blanche ! Faites ce que vous voulez, mais *arrêtez ça* !

Poirot se fendit d'une courbette.

— Je ferai de mon mieux. Au revoir, mademoiselle, à très bientôt, docteur.

— Oh, allez-vous-en ! cria soudain Theresa. Et prenez votre St. Leonards[1] sous le bras ! Je donnerais n'importe quoi pour ne vous avoir jamais rencontrés, tous les deux !

Nous quittâmes la pièce. Cette fois, Poirot ne colla pas son oreille contre la porte, il se contenta de lambiner... oui, de lambiner.

Et pas pour des prunes ! La voix de Theresa s'éleva soudain, claire et rebelle :

— Ne me regarde pas comme ça, Rex. (Puis, sur un ton brusquement altéré :) Chéri...

La voix nette et précise du Dr Donaldson lui répondit.

— Cet homme ne vous veut pas de bien, décréta-t-il.

Poirot s'épanouit dans un sourire. Et il m'entraîna vers la porte de l'immeuble.

— Venez, St. Leonards, dit-il. Elle est bien bonne, celle-là !

Moi, j'avais trouvé cette plaisanterie particulièrement stupide.

---

1. Station balnéaire du Sussex, sur la Manche, qui jouxte... Hastings (N.d.T.).

25

JE REFLECHIS

Non, me disais-je tout en pressant le pas pour suivre Poirot, cela ne fait plus l'ombre d'un doute. Miss Arundell a été assassinée et Theresa le savait. Mais était-elle l'assassin, ou y avait-il une autre explication ?

Elle avait peur – oui. Mais craignait-elle pour elle, ou pour quelqu'un d'autre ? Et ce quelqu'un pouvait-il être ce jeune médecin taciturne et tatillon, aux manières si distantes et empruntées ?

La vieille demoiselle avait-elle succombé à une maladie véritable – *mais provoquée artificiellement* ?

Jusqu'à un certain point, tout concordait. Les ambitions de Donaldson, sa certitude que Theresa devait hériter à la mort de sa tante. Et même le fait qu'il ait dîné à Littlegreen House le soir de l'accident. C'était si facile de laisser une fenêtre ouverte et de revenir en pleine nuit pour tendre le fil meurtrier en haut de l'escalier. Mais alors, *quid* du clou si opportunément planté là ?

Non, ça, c'était Theresa qui avait dû s'en charger. Theresa, sa fiancée et complice. S'ils avaient tous deux agi de concert, tout s'éclairait.

Dans ce cas, c'était probablement Theresa qui avait aussi installé le fil. Le *premier* crime, le crime qui avait échoué, était son œuvre à *elle*. Le second, celui qui avait réussi, était un chef-d'œuvre, plus scientifique, signé Donaldson.

Oui, tout concordait.

Toutefois, certaines pièces de mon puzzle ne s'ajustaient pas encore très bien. Pourquoi Theresa avait-elle laissé échapper si étourdiment ces informations concernant la contamination d'êtres humains ? On aurait presque dit qu'elle ne se rendait pas compte de la vérité. Mais dans ce cas... De plus en plus perplexe, j'interrompis mes spéculations pour demander à Poirot :

— Où allons-nous ?

— Nous retournons à mon appartement. Il se peut que nous y trouvions Mrs Tanios.

Mes pensées prirent une nouvelle direction.

Mrs Tanios ! En voilà un autre mystère ! Si c'étaient Donaldson et Theresa les coupables, que venaient faire dans l'histoire Mrs Tanios et son jovial mari ? Qu'avait-elle à raconter à Poirot, cette femme, et pourquoi son époux tenait-il tant à l'en empêcher ?

— Poirot, dis-je humblement, je commence à être un peu perdu. Ils ne sont quand même pas tous dans le coup, n'est-ce pas ?

— Le meurtre d'un syndicat du crime ? Un syndicat familial ? Non, pas cette fois. Il y a ici la marque d'un seul cerveau. L'aspect psychologique ne trompe pas.

— Vous voulez dire que c'est soit, Theresa, soit

Donaldson, mais pas *les deux*? Lui aurait-il donc fait planter ce clou sous un prétexte parfaitement innocent?

— Mon bon ami, en entendant le récit de miss Lawson, j'ai compris qu'il y avait trois possibilités. 1) Miss Lawson dit l'exacte vérité. 2) Miss Lawson a inventé cette histoire pour des raisons qui lui sont personnelles. 3) Miss Lawson croit vraiment à sa version mais son identification repose sur la broche – or, comme je vous l'ai déjà fait remarquer, une broche ne fait pas partie intégrante de son propriétaire.

— Oui, mais Theresa affirme que le bijou ne l'a pas quittée.

— Et elle a tout à fait raison. J'avais négligé un petit détail qui a cependant une importance capitale.

— Cela ne vous ressemble pas, commentai-je, non sans quelque solennité.

— N'est-ce pas, mon tout bon? Mais tout le monde a ses moments de faiblesse.

— Ah! le poids des ans...

— Le poids des ans n'a rien à voir là-dedans, répliqua Poirot avec froideur.

— Quoi qu'il en soit, quel est donc votre détail significatif? demandai-je comme nous franchissions l'entrée des Mansions.

— Je vais vous montrer.

Nous venions d'arriver à l'appartement.

George nous ouvrit. En réponse à la question anxieuse que lui posa aussitôt Poirot, il secoua la tête:

— Non, monsieur. Mrs Tanios n'est pas venue. Elle n'a pas téléphoné non plus.

Poirot passa au salon. Il marcha de long en large pendant quelques minutes. Puis il s'empara du téléphone et appela le *Durham Hotel*.

— Oui... oui, s'il vous plaît. Ah ! docteur Tanios, c'est Hercule Poirot à l'appareil. Votre femme est revenue ? Oh, elle n'est pas revenue ? Mon Dieu ! ... Elle a pris ses bagages, dites-vous... Et elle a emmené les enfants. Vous n'avez aucune idée de l'endroit où elle a pu aller... Oui, tout à fait... Oh ! parfaitement... Mes services, à titre professionnel, peuvent-ils vous être utiles ? J'ai quelque expérience dans ce domaine... Ce genre d'opération peut être mené avec un maximum de discrétion... Non, bien sûr que non... Oui, c'est vrai... Certainement, certainement... Vos désirs sont des ordres...

Il raccrocha d'un air pensif.

— Il ne sait pas où elle est, expliqua-t-il. Je le crois sincère. L'angoisse, dans sa voix, n'est pas feinte. Il ne veut pas prévenir la police, ce qui est compréhensible. Oui, j'admets ça très bien. Il ne veut pas non plus de mon aide... Il veut qu'on la retrouve – mais il refuse que ce soit *moi* qui la retrouve. Non, décidément non, il ne veut pas que ce soit moi... Il croit pouvoir s'en charger tout seul. Il ne pense pas qu'elle restera cachée longtemps, car elle a très peu d'argent sur elle. Et puis elle est avec les enfants. Oui, je pense qu'il réussira en effet à la débusquer assez vite. Mais je crois, Hastings, qu'il nous faudra être un petit peu plus rapides que lui. Il est capital, à mon avis, que nous le brûlions de vitesse.

— Croyez-vous exact qu'elle soit un peu toquée ? demandai-je.

— Je la crois à bout de nerfs, au bord de la dépression.

— Mais pas au point d'être internée ?

— Ça, certainement pas.

— Vous savez, Poirot, je ne comprends pas très bien toute cette histoire.

— Pardonnez-moi ma franchise, Hastings, mais vous n'y comprenez *rien du tout* !

— Il semble y avoir tellement de... euh... de questions secondaires.

— Bien sûr qu'il y en a. Mais séparer la question principale de celles qui ne le sont pas, voilà la première tâche d'un esprit ordonné.

— Dites-moi, Poirot, saviez-vous depuis le début que nous avions affaire à *huit* suspects possibles, et non sept ?

— J'ai pris ce fait en considération dès que Theresa Arundell a dit qu'elle n'avait pas vu le Dr Donaldson depuis le jour où il était allé dîner à Littlegreen House, le 14 avril, répondit sèchement Poirot.

— Je ne vois pas très bien..., le coupai-je.

— Qu'est-ce que vous ne voyez pas très bien ?

— Ma foi, si Donaldson avait eu l'intention de se débarrasser de miss Arundell par des moyens scientifiques, c'est-à-dire par inoculation, je ne vois pas pourquoi il aurait eu recours à ce procédé si primitif d'un fil en travers de l'escalier !

— Je vous assure, Hastings, il y a des moments où vous me faites perdre patience ! L'une des deux méthodes est hautement scientifique et requiert des connaissances archispécialisées. Exact, non ?

— Exact.

— Et l'autre est simple comme bonjour, à la portée de tout un chacun. C'est « la recette de bonne-maman », comme dit la publicité sur les petits-beurre. Ce n'est pas vrai ?

— Si.

— Alors réfléchissez un peu, Hastings, *réfléchissez* ! Carrez-vous dans votre fauteuil, fermez les yeux et faites fonctionner vos petites cellules grises.

J'obéis. C'est-à-dire que je me calai contre mon dossier, que je fermai les yeux, puis essayai de mettre en pratique la troisième partie des instructions de Poirot. Le résultat, cependant, ne sembla pas clarifier beaucoup la situation.

Lorsque je rouvris les yeux, Poirot était en train de m'observer avec l'attention pleine de sollicitude d'une nurse pour un bambin confié à sa garde.

— Eh bien ?

— Eh bien, répondis-je en essayant désespérément d'imiter les manières de Poirot, il me semble que le genre de personne qui a tendu le premier piège n'est pas le genre de personne qui pourrait élaborer un meurtre scientifique.

— Exactement.

— Et je doute qu'un esprit rodé aux complexités scientifiques ait pu avoir l'idée d'un plan aussi enfantin que cet accident – qui aurait été, tout compte fait, trop hasardeux.

— Très bien raisonné.

Encouragé, je poursuivis :

— Donc, la seule solution logique me paraît la suivante : les deux tentatives de meurtre ont été menées par deux personnes différentes. Voilà, c'est ça : nous avons affaire ici à deux crimes commis par deux personnes différentes.

— Vous ne trouvez pas que la coïncidence est un peu grosse ?

— Vous m'avez dit un jour que l'on rencontrait presque toujours une coïncidence dans une affaire criminelle.

— Oui, c'est vrai, je le reconnais.

— Bon, et alors ?

— Et selon vous, qui sont les coupables ?

— Donaldson et Theresa Arundell. Un médecin est on ne peut mieux placé pour commettre le second meurtre, couronné de succès. D'un autre côté, nous savons que Theresa est impliquée dans la première tentative. A mon avis, il est possible qu'ils aient agi indépendamment l'un de l'autre.

— Vous aimez tellement dire « nous savons », Hastings… Je vous assure que, quoi que *vous* sachiez, moi je n'ai pas la preuve que Theresa soit « impliquée dans la première tentative ».

— Mais l'histoire de miss Lawson ?

— L'histoire de miss Lawson n'est que l'histoire de miss Lawson. Rien de plus.

— Mais elle dit…

— Elle dit… elle dit… Vous êtes toujours prêt à prendre pour faits avérés ce que tout un chacun raconte. Maintenant, écoutez-moi, mon tout bon, je vous ai déjà expliqué, n'est-ce pas, que quelque chose clochait dans le récit de miss Lawson.

— Oui, je m'en souviens. Mais vous ne trouviez pas ce que c'était.

— Eh bien, à présent, j'ai trouvé. Dans un petit instant, je vais vous montrer ce que, pauvre imbécile que je suis, j'aurais dû voir immédiatement.

Il alla jusqu'à son bureau et sortit d'un tiroir une feuille cartonnée. Avec une paire de ciseaux, il se mit à y découper quelque chose, en me demandant de ne pas regarder ce qu'il faisait.

— Soyez patient, Hastings, nous nous livrerons dans un instant à notre expérience.

Je détournai donc obligeamment les yeux.

Au bout d'un moment, Poirot poussa une exclamation de satisfaction. Il reposa ses ciseaux, jeta les petits morceaux de carton dans sa corbeille, et revint vers moi.

— Ne regardez pas. Gardez toujours les yeux tournés, s'il vous plaît, pendant que j'accroche quelque chose au revers de votre veston.

Je jouai le jeu. Poirot termina à sa grande satisfaction ce qu'il avait commencé, puis il me fit me lever et me conduisit par le bras jusque dans la chambre attenante.

— Maintenant, Hastings, examinez-vous dans ce miroir. Vous portez, n'est-ce pas, une broche à la mode avec vos initiales – sauf que, bien entendu, cette broche n'est ni en chrome, ni en acier inoxydable, ni en or, ni en platine, mais en simple carton !

Je me regardai et je souris. Poirot est extraordinairement adroit de ses mains. J'arborais une réplique très honnête du bijou de Theresa Arundell. Un rond découpé dans un carton dans lequel se trouvaient mes initiales : A.H.

— Eh bien ? dit Poirot. Vous êtes content ? Vous avez là, n'est-ce pas, une superbe broche avec vos initiales ?

— Un bijou des plus magnifiques, en effet.

— Bien sûr, elle ne brille pas, pas plus qu'elle ne reflète la lumière, mais vous admettrez tout de même qu'on peut la voir correctement d'assez loin ?

— Je n'en ai jamais douté.

— En effet. Le doute n'est pas votre point fort. Ce qui vous caractérise, c'est plutôt la foi du charbonnier. A présent, Hastings, soyez assez gentil pour ôter votre veste.

Bien qu'un peu surpris, je m'exécutai. Poirot l'enfila après avoir ôté la sienne, tout en pivotant un peu.

— Et maintenant, dit-il, voyez comment la broche – la broche avec vos initiales – me va.

Il se retourna vivement. Je le regardai – d'abord sans comprendre. Et puis je vis où il voulait en venir.

— Quel bougre d'imbécile je suis, moi aussi ! Bien sûr. On lit H.A. sur le bijou et non A.H. !

Poirot m'adressa un grand sourire, récupéra son vêtement et me rendit le mien.

— Exactement. Et à présent vous comprenez ce qui n'allait pas dans l'histoire de miss Lawson. Elle a prétendu avoir nettement déchiffré les initiales de Theresa Arundell sur sa broche. Mais elle a vu Theresa *dans le miroir*. Et donc, *si tant est qu'elle les ait vraiment vues*, elle a dû voir leur *image inversée*.

— Ma foi, argumentai-je, peut-être s'est-elle rendu compte qu'elle était inversée ?

— Vous en êtes-vous aperçu tout de suite, mon tout bon ? Vous êtes-vous écrié : « Saperlipopette ! Poirot, vous vous trompez, en fait c'est H.A. et pas A.H. » Non, bien sûr que non. Et pourtant, vous êtes beaucoup plus intelligent, je vous le concède, que miss Lawson. Ne me racontez pas qu'une tête de linotte comme elle, réveillée en sursaut, encore à moitié endormie, peut comprendre que A.T. est en réalité T.A. ! Non, ça ne correspond pas du tout à la mentalité de miss Lawson.

— Elle voulait absolument que ce soit Theresa, dis-je doucement.

— Vous brûlez, mon bon ami. Souvenez-vous, quand je lui ai suggéré qu'elle ne pouvait pas vraiment voir le visage de quelqu'un dans les escaliers, qu'a-t-elle fait aussitôt ?

— Elle s'est souvenue de la broche de Theresa et des initiales, sans se douter que le simple fait de dire l'avoir vue dans le miroir démentait toute son histoire.

Le téléphone sonna. Poirot alla répondre.

Il resta très évasif.

— Oui ? Oui… bien entendu. Oui, sans problème. L'après-midi, si vous voulez bien. Oui, à 14 heures, ce sera parfait.

Il raccrocha et se tourna vers moi, le sourire aux lèvres.

— Le Dr Donaldson brûle d'avoir une conversation avec moi. Il viendra demain après-midi, à 2 heures. Nous progressons, mon bon ami, nous progressons.

26

Mrs Tanios refuse de parler

Quand j'arrivai le lendemain après le petit déjeuner, je trouvai Poirot à sa table de travail.

Il me salua d'un signe de la main et poursuivit sa tâche. Bientôt, il rassembla les feuillets qu'il venait d'écrire et les mit dans une enveloppe qu'il referma avec soin.

— Eh bien, mon vieux, qu'est-ce que vous fabriquez ? demandai-je, facétieux. Vous rédigez un compte rendu de l'affaire, que vous allez placer en sûreté pour le cas où quelqu'un viendrait à vous liquider au cours de la journée ?

— Savez-vous, Hastings, que vous n'êtes pas si loin de la vérité ? répondit-il avec le plus grand sérieux.

— Notre meurtrier deviendrait-il vraiment dangereux ?

— Un meurtrier est toujours dangereux, dit Poirot d'un ton grave. Il est étonnant que l'on ait tendance à l'oublier si souvent !

— Quelles nouvelles ?

— Le Dr Tanios a appelé.

— Toujours aucune trace de sa femme ?

— Non.

— Alors, c'est parfait.

— Je me le demande.

— Que diable, Poirot, vous ne pensez tout de même pas qu'elle a été assassinée ?

Poirot secoua la tête, sceptique.

— J'avoue, murmura-t-il, que j'aimerais bien savoir où elle se trouve.

— Bah ! elle finira bien par pointer le bout de son nez.

— Votre optimisme béat m'enchantera toujours, Hastings !

— Sacrebleu ! Poirot, on ne va quand même pas la recevoir en petits morceaux par paquet poste ni la retrouver hachée menu dans une malle en fer-blanc !

— L'inquiétude du Dr Tanios me paraît quelque peu excessive mais pas plus que ça, répondit doucement Poirot. La première chose à faire, maintenant, c'est d'avoir une conversation avec miss Lawson.

— Vous allez lui parler de sa petite erreur à propos de la broche ?

— Certainement pas. Je garde cette carte dans ma manche jusqu'au moment propice.

— Qu'allez-vous lui dire, alors ?

— Cela, mon ami, vous le saurez en temps utile.

— D'autres mensonges, je suppose ?

— Vous êtes parfois blessant, Hastings. A vous entendre, on croirait que je passe le plus clair de mon existence à mentir.

— J'aurais tendance à penser que oui. En fait, j'en suis sûr.

— C'est vrai qu'il m'arrive de me féliciter de mon ingéniosité, confessa Poirot non sans candeur.

Je ne pus m'empêcher d'éclater de rire. Poirot me lança un regard de reproche, et nous partîmes pour Clanroyden Mansions.

On nous introduisit dans le même salon encombré, où miss Lawson entra en coup de vent, plus incohérente que jamais.

— Oh, mon Dieu, monsieur Poirot, bonjour. Je ne sais plus où donner de la tête !… La maison n'est pas présentable, vous m'en voyez confuse. Mais, que voulez-vous, tout va à hue et à dia, ce matin. Depuis que Bella est arrivée…

— Que dites-vous ? Bella ?

— Oui, Bella Tanios. Elle a débarqué ici il y a une demi-heure – avec les enfants. A bout de forces, la pauvre petite ! Vraiment, je ne sais quel parti prendre. Voyez-vous, elle a quitté son mari.

— Quitté ?

— C'est ce qu'elle dit. Bien sûr, il ne fait aucun, doute pour moi qu'elle a mille fois *raison*, la malheureuse !

— Elle s'est confiée à vous ?

— Euh… pas *exactement*. En réalité, elle ne veut rien dire du tout. Elle se contente de répéter qu'elle l'a quitté et qu'elle ne retournera avec lui sous aucun prétexte !

— C'est une très grave décision, non ?

— Bien sûr que c'est très grave ! En fait, s'il avait été anglais, je l'aurais sermonnée… seulement voilà, il n'est pas anglais… Et elle a l'air si bizarre, la pauvre petite, si… comment dire ? si *effrayée*.

Qu'a-t-il bien pu lui faire ? Il paraît que les Turcs sont parfois d'une atroce cruauté...

— Le Dr Tanios est grec.

— Oui, bien sûr, alors c'est le contraire... Je veux dire, ce sont eux, en général, qui se font massacrer par les Turcs... A moins que je ne confonde avec les Arméniens ? De toute façon, ce mariage ne me plaît guère. Je ne crois pas qu'elle doive retourner avec lui, pas vous, monsieur Poirot ? En tout cas, ce qu'il y a de sûr, c'est qu'elle décrète qu'elle ne veut pas le faire... Elle ne veut même pas qu'il sache où elle est.

— Ça va si mal que ça ?

— Oui, vous comprenez, c'est à cause des *enfants*. Elle a tellement peur qu'il les ramène à Smyrne ! Pauvre chérie, elle est vraiment dans une situation terrible. Voyez-vous, elle n'a pas d'argent – pas un sou. Elle ne sait pas où aller, ni ce qu'elle doit faire. Elle a envie de gagner sa vie, mais vous savez comme moi, monsieur Poirot, que ce n'est pas aussi facile que ça en a l'air. Je connais ça. Ce n'est pas comme si elle avait une *formation* particulière.

— Quand a-t-elle quitté son mari ?

— Hier. Elle a passé la nuit dans un petit hôtel, près de Paddington. Elle est venue ici parce qu'elle n'avait personne d'autre chez qui aller, la malheureuse.

— Et vous allez l'aider ? C'est très généreux de votre part.

— Voyez-vous, monsieur Poirot, je suis vraiment persuadée que c'est mon *devoir*. Mais, bien sûr, tout cela pose des tas de problèmes. Cet appartement est très petit, et je manque de place et…

— Vous pourriez la loger à Littlegreen House ?

— Oui, bien entendu… Mais, voyez-vous, son mari risque de penser à ça. Pour l'instant, je lui ai réservé deux chambres au *Wellington Hotel*, dans Queen's Road. Elle y est descendue sous le nom de Mrs Peters.

— Je comprends, dit Poirot.

Il s'interrompit un instant, puis ajouta :

— J'aimerais voir Mrs Tanios. Elle est passée chez moi hier, mais j'étais sorti.

— Ah bon ? Elle ne m'en a rien dit. Je vais lui transmettre le message, si vous le voulez bien ?

— Ce serait très aimable à vous.

Miss Lawson se précipita hors du salon. Nous entendîmes sa voix :

— Bella… Bella… Ma chère petite, voulez-vous venir voir Mr Poirot ?

La réponse de Bella Tanios ne nous parvint pas – mais quelques instants plus tard, celle-ci pénétra dans la pièce.

Je fus pétrifié par son aspect physique. Elle avait de profonds cernes sous les yeux, et ses joues avaient perdu toute couleur – mais ce qui me frappa le plus fut son air terrifié. Sursautant au moindre prétexte, elle semblait à l'affût du plus léger bruit.

Poirot l'accueillit avec toute la gentillesse dont il était capable ; il lui approcha un fauteuil et lui donna un coussin. Cette femme pâle et effrayée, il la traita comme si elle était une reine.

— Et maintenant, madame, bavardons un peu. Vous êtes passée me voir hier, je crois ?

Elle acquiesça d'un signe de tête.

— Je suis navré de n'avoir pas été chez moi.

— Oui, oui… j'aurais aimé vous y trouver.

— Vous m'avez rendu visite parce que vous aviez quelque chose à me dire ?

— Oui, je… Je voulais…

— Maintenant, je suis là, à votre service.

Mrs Tanios resta silencieuse. Immobile, elle semblait vouloir faire tourner sans fin sa bague autour de son doigt.

— Eh bien, madame ?

Lentement, presque à contrecœur elle secoua la tête.

— Non, dit-elle, je n'ose pas.

— Vous n'*osez pas*, madame ?

— Non… Je… S'il l'apprenait… il… Oh ! il m'arriverait quelque chose !

— Allons, allons, madame, c'est absurde.

— Oh ! mais non, ce n'est pas absurde… pas absurde du tout… Vous ne le connaissez pas…

— Par *le*, vous entendez votre mari, chère madame ?

— Oui, bien sûr.

Poirot resta silencieux un instant, puis il dit :

— Votre époux est venu me voir hier, madame…

Un spasme d'inquiétude lui déforma brusquement le visage.

— Oh, non ! Vous ne lui avez pas dit… mais bien sûr que vous n'avez pas pu lui dire ! Vous ne pouviez pas ! Vous ne saviez pas où j'étais. Est-ce qu'il vous… est-ce qu'il vous a dit que j'étais *folle* ?

Poirot fit preuve de prudence.

— Il m'a expliqué que vous étiez… extrêmement nerveuse.

Mais elle secoua de nouveau la tête, visiblement sans illusions.

— Non, il vous a dit que j'étais folle, ou que j'étais en train de devenir folle ! Il veut me faire enfermer pour que je ne puisse plus le raconter à personne.

— Raconter quoi, madame ?

Mais elle recommença à secouer la tête. Se tordant nerveusement les doigts, elle murmura :

— J'ai peur.

— Chère madame, une fois que vous m'aurez tout raconté, vous serez en sécurité. Vous m'aurez révélé votre secret, et cela vous protégera automatiquement.

Sans se départir de son mutisme, elle recommença à faire tourner sa bague.

— Ça, vous devez le comprendre sans peine, madame, ajouta Poirot gentiment.

Elle haleta.

— Comment pourrais-je le comprendre ? Oh, mon Dieu, c'est terrible ! Il est si *convaincant* ! Et il est médecin ! Les gens le croiront lui, et pas moi. J'en suis sûre. J'en ferais autant à leur place. Personne ne me croira. Comment serait-ce possible ?

— Vous ne me donnerez même pas une chance ?

Elle lui lança un regard inquiet.

— Comment saurai-je ? Vous êtes peut-être de son côté ?

— Je ne suis d'aucun côté, madame. Je suis du côté de la vérité – toujours.

— Je n'en sais rien, gémit Mrs Tanios, désespérée. Oh, je n'en sais rien !

Puis sa voix s'amplifia, et les mots se bousculèrent sur ses lèvres.

— C'est tellement horrible – et ça dure depuis des années. J'ai vu ces choses arriver… toutes ces choses… Et je ne pouvais rien dire ni rien faire. Il y avait les enfants. Ça a été comme un long cauchemar. Et maintenant, ça… ça ! Jamais je ne retournerai avec lui. Et je ne le laisserai pas me prendre mes enfants ! J'irai quelque part où il ne me trouvera pas. Minnie Lawson m'aidera. Elle a été si gentille avec moi – si merveilleusement gentille. Personne n'aurait pu être plus gentil.

Elle s'interrompit, jeta un rapide coup d'œil à Poirot et demanda soudain :

— Qu'est-ce qu'il vous a raconté sur mon compte ? Est-ce qu'il vous a dit que je souffrais de la manie de la persécution ?

— Il m'a dit, madame, que vous aviez… changé d'attitude envers lui.

Elle hocha la tête.

— Et que j'avais des hallucinations. Il vous l'a *dit*, n'est-ce pas ?

— Franchement, oui, madame.

— Et voilà. Vous voyez ? C'est ça ce que tout le monde va croire. Et je n'ai pas de preuve contre lui – pas de véritable preuve.

Poirot se cala dans son fauteuil. Lorsqu'il parla. de nouveau, ce fut sur un ton radicalement différent – d'une voix neutre, avec aussi peu d'émotion que s'il était en train de discuter d'une quelconque opération commerciale.

— Vous soupçonnez votre mari d'avoir supprimé miss Emily Arundell ?

Sa réponse fut immédiate – et spontanée.

— Je ne soupçonne pas… Je sais.

— Dans ce cas, madame, il est de votre devoir de parler.

— Ah ! mais ce n'est pas aussi facile que ça… non, pas aussi facile.

— Comment l'a-t-il tuée ?

— Je ne sais pas exactement… mais ce qu'il y a de sûr c'est qu'il l'a tuée.

— Mais vous n'avez aucune idée de la méthode qu'il a employée ?

— Non. C'est quelque chose… quelque chose qu'il a fait le dernier dimanche.

— Le dimanche où il est allé la voir ?

— Oui.

— Mais vous ignorez ce que c'est.

— Oui.

— Alors comment – excusez-moi, madame – pouvez-vous être si sûre de ce que vous avancez ?

— Parce qu'il… (Elle se tut un bref instant, puis :) J'en *suis sûre* !

— Pardon, madame, mais il y a un élément que vous gardez pour vous. Un élément que vous ne m'avez pas encore communiqué.

— Oui.

— Alors décidez-vous.

Bella Tanios se leva brusquement.

— Non. Non. Je ne peux pas faire ça. Les enfants. Leur père. Je ne peux pas. Je ne peux tout bonnement pas…

— Mais, madame…

— Je vous dis que je ne peux pas.

Elle avait presque crié. La porte s'ouvrit et miss Lawson, la tête inclinée de côté, pénétra dans la pièce avec des mines de conspirateur.

— Puis-je entrer ? Vous avez bavardé comme vous le vouliez ? Bella, ma chère petite, vous ne pensez pas que vous devriez boire une tasse de thé, ou de bouillon, ou même un petit cognac ?

Mrs Tanios secoua la tête.

— Je me sens très bien, lui répondit-elle avec un faible sourire. Il faut que je retourne auprès des enfants. Je les ai laissés en train de défaire les bagages.

Les chers petits ! roucoula miss Lawson. J'aime tant les enfants.

Mrs Tanios se tourna vivement vers elle.

— Je ne sais pas ce que j'aurais fait sans vous. Vous… vous avez été d'une telle gentillesse !

— Allons, allons, ma chère petite, ne pleurez pas. Tout ira bien. Je vous emmènerai voir mon avocat – un homme adorable, tellement compréhensif – et il vous conseillera sur la meilleure façon d'obtenir le divorce. Divorcer est si facile, de nos jours, n'est-ce pas ? C'est ce que tout le monde prétend. Oh ! mon Dieu, on sonne. Je me demande bien qui c'est.

Elle quitta le salon en coup de vent. On entendit

un murmure de voix dans le vestibule. Miss Lawson réapparut. Elle entra sur la pointe des pieds et referma soigneusement la porte derrière elle. Elle annonça alors dans un chuchotement exalté, en remuant exagérément les lèvres.

— Oh ! Bella, ma chère, c'est votre mari. Je ne sais absolument pas...

Mrs Tanios bondit vers la seconde porte, à l'autre bout de la pièce. Miss Lawson hocha la tête avec énergie.

— Vous avez raison, ma chère petite, passez là-dedans, et vous pourrez vous éclipser quand je l'aurai fait entrer ici.

— Ne lui dites pas que je suis venue, chuchota Mrs Tanios. Ne lui dites pas que vous m'avez vue.

— Non, non, bien sûr que non.

Bella Tanios se faufila dans la pièce voisine ; Poirot et moi la suivîmes en hâte. Nous nous retrouvâmes dans une petite salle à manger.

Poirot entrouvrit la porte qui donnait sur le vestibule et tendit l'oreille. Puis il nous fit signe.

— La voie est libre. Miss Lawson l'a conduit au salon.

Nous traversâmes sans bruit le vestibule et franchîmes la porte d'entrée, que Poirot referma aussi silencieusement que possible derrière lui.

Trébuchant et s'accrochant à la rampe, Mrs Tanios commença à descendre les escaliers en courant. Poirot l'attrappa par le bras pour l'aider.

— Du calme... Du calme, tout va bien.

Nous arrivâmes dans le hall.

— Ne me laissez pas seule ! supplia Mrs Tanios.

Elle semblait au bord de l'évanouissement.

— Mais bien sûr que non, la rassura Poirot.

Nous traversâmes la rue, tournâmes le coin et nous retrouvâmes dans Queen's Road. Le *Welling-ton* était un petit hôtel discret, du genre pension de famille.

Dès que nous y fûmes rendus, Mrs Tanios se laissa tomber sur un canapé en peluche. Elle avait porté sa main à son cœur, qui battait la chamade.

Poirot lui tapota l'épaule pour la réconforter.

— Nous l'avons échappé belle – ça oui. Maintenant madame, vous allez m'écouter très attentivement.

— Je ne peux vous en dire plus, monsieur Poirot. Ce ne serait pas *bien*. Vous… vous savez ce que je pense… ce que je crois. Vous… vous devrez vous en contenter.

— Je vous ai demandé de m'écouter, madame. Supposons – et ce n'est qu'une supposition – que je *connaisse déjà toute l'affaire*. Supposons que ce que vous pourriez me dire, *je l'ai déjà deviné*. Cela ferait une différence, n'est-ce pas ?

Elle l'observa, l'air dubitatif. Son regard avait une intensité douloureuse.

— Croyez-moi, madame, je n'essaie pas de vous tendre un piège pour vous obliger à me dire ce que vous ne voulez pas me dire. Mais cela ferait une différence, n'êtes-vous pas d'accord ?

— Je… Je suppose que si.

— Bien. Laissez-moi vous dire ceci. *Moi, Hercule Poirot, je connais la vérité*. Je ne vais pas vous demander de me croire sur parole. Prenez ceci. (Il lui tendit une grosse enveloppe qu'il avait cacheté devant moi le matin même.) Tous les faits sont consignés là-dedans. Une fois que vous aurez lu mon récit, si vous êtes satisfaite, appelez-moi. Mon numéro est sur mon papier à lettre.

Elle accepta l'enveloppe presque à contrecœur.

Poirot poursuivit vivement :

— Autre chose, à présent. Vous devez quitter cet hôtel tout de suite.

— Mais pourquoi ?

— Vous irez au *Coniston Hotel*, près d'Euston. Ne dites à personne où vous êtes.

— Mais sûrement qu'ici… Minnie Lawson ne racontera pas à mon mari où je suis.

— Vous pensez que non ?

— Bien entendu. Elle est totalement de mon côté.

— Oui, mais votre époux, madame, est un homme très intelligent. Il ne lui sera guère difficile d'embobiner une personne de cet âge. Il est essentiel – *essentiel*, comprenez-vous – qu'il ignore où vous vous trouvez.

Elle acquiesça d'un signe de tête, sans mot dire.

Poirot lui tendit une feuille de papier.

— Voici l'adresse. Bouclez vos valises et faites-vous conduire là-bas avec vos enfants dès que possible. Vous avez compris ?

Elle hocha de nouveau la tête.

— J'ai compris.

— C'est à vos enfants que vous devez penser, madame. Pas à vous. Vous les aimez, vos enfants.

Il avait touché le point sensible.

Les joues de Mrs Tanios retrouvèrent quelques

couleurs, sa tête se redressa. Elle n'avait plus rien d'une pauvre femme effrayée et écrasée par la vie – la mine soudain fière, elle était presque belle.

— Tout est réglé, alors, conclut Poirot.

Nous lui serrâmes la main et nous éclipsâmes. Mais sans aller bien loin. Invisibles dans un bar voisin, nous surveillâmes l'entrée de l'hôtel en sirotant, un café. Environ cinq minutes plus tard, nous aperçûmes le Dr Tanios qui descendait la rue. Il ne jeta même pas un regard au *Wellington*. Il avançait la tête basse, perdu dans ses pensées, et disparut bientôt dans une bouche de métro.

Dix minutes plus tard, Mrs Tanios et ses enfants montèrent dans un taxi avec leurs bagages.

— Parfait, dit Poirot en se levant, la note à la main. Nous avons rempli notre rôle. Maintenant, à la grâce de Dieu !

27

Donaldson arriva à 2 heures pile. Il était aussi calme et pondéré qu'à l'accoutumée.

Sa personnalité commençait à m'intriguer. Au début, je l'avais considéré comme un garçon plutôt insignifiant. Je m'étais demandé ce qu'une créature aussi pétulante que Theresa pouvait bien lui trouver. Mais j'étais en train de me rendre compte que Donaldson n'avait rien d'une mauviette. Derrière ses manières un tantinet pédantes, on devinait une force de caractère peu commune.

Après les salutations d'usage, Donaldson expliqua :

— Voici la raison de ma visite. Je suis dans l'incapacité absolue de comprendre quelle est au juste votre position dans cette affaire, monsieur Poirot.

— Vous connaissez ma profession, je suppose ? répondit prudemment mon ami.

— Certainement. Je vous avouerai que je me suis donné la peine de me renseigner à votre sujet.

— Vous êtes un homme circonspect, docteur.

— J'aime savoir où je mets les pieds, répliqua-t-il sèchement.

— Bravo pour votre esprit scientifique !

— Je dois reconnaître également que toutes les informations que j'ai obtenues sur vous sont similaires : vous êtes manifestement un homme remarquable dans votre domaine. Vous avez en outre la réputation de quelqu'un de scrupuleux et d'honnête.

— Vous êtes trop flatteur, murmura Poirot.

— C'est bien pourquoi je ne comprends pas ce que vous venez faire dans cette histoire.

— C'est pourtant si simple !

— Pas du tout. Vous commencez d'abord par vous présenter comme biographe.

— Petite supercherie bien excusable, ne trouvez-vous pas ? On ne peut tout de même pas crier sur tous les toits qu'on est détective – bien que cela ait également parfois son utilité.

— Je l'imagine volontiers, dit Donaldson, toujours aussi sèchement. A la suite de quoi vous allez voir miss Theresa Arundell et vous lui laissez entendre que le testament de sa tante pourrait être annulé.

Poirot se contenta d'acquiescer d'un signe de tête.

— Ce qui, bien sûr, était grotesque. (Sa voix s'était faite plus aiguë.) Vous saviez parfaitement que ce document était valide aux yeux de la loi et que personne n'y pouvait rien changer.

— C'est votre avis sur la question ?

— Je ne suis pas un imbécile, monsieur Poirot.

— Oh ! non, docteur, vous n'êtes certainement pas un imbécile.

— Je m'y connais un peu en droit – oh ! pas

beaucoup, mais suffisamment. Ce testament est intangible. Pourquoi avez-vous prétendu le contraire ? A l'évidence, vous aviez vos raisons, des raisons qui, sur le moment, ont échappé à miss Theresa Arundell.

— Vous semblez vraiment certain de ses réactions.

Un léger sourire passa sur le visage du jeune homme.

—J'en sais bien plus sur Theresa qu'elle ne le soupçonne, répondit-il de manière assez inattendue. Charles et elle sont persuadés de s'être assurés votre aide pour une affaire pas très recommandable, Charles est presque totalement dénué de sens moral. Theresa a une lourde hérédité et son éducation a été très négligée.

— Est-ce ainsi que vous parlez de votre fiancée ? Comme si c'était un cobaye ?

Donaldson le dévisagea à travers son pince-nez.

— Je ne vois pas pourquoi je ne regarderais pas la vérité en face. J'aime Theresa et je l'aime pour ce qu'elle est, non pour des qualités imaginaires.

— Vous rendez-vous compte que Theresa vous adore et que sa fringale d'argent vient surtout de son désir de voir vos ambitions se réaliser ?

— Bien sûr que je m'en rends compte. Je vous ai déjà dit que je n'étais pas un imbécile. Mais je ne laisserai pas Theresa se compromettre dans une histoire louche à cause de moi. Par bien des côtés, Theresa est encore une enfant. Je suis parfaitement capable de réussir ma carrière par mes propres moyens. Je ne dis pas que j'aurais refusé un héritage substantiel – au contraire il aurait été fort bienvenu. Mais il m'aurait simplement permis de gagner un peu de temps.

— Vous avez, en fait, une totale confiance en vos capacités ?

— Au risque de manquer de modestie, je dirais oui, répondit imperturbablement Donaldson.

— Poursuivons, en ce cas. J'admets avoir gagné la confiance de miss Theresa grâce à cette supercherie. Je lui ai laissé croire que je pouvais me montrer, mettons… raisonnablement malhonnête, pour de l'argent. Elle m'a cru sans la moindre difficulté.

— Pour Theresa, tout le monde est capable de tout pour de l'argent, dit le jeune médecin du ton neutre que l'on emploie pour énoncer une évidence.

— Exact. C'est sa façon d'envisager le genre humain, semble-t-il. Et celle de son frère aussi.

— Charles ferait probablement n'importe quoi pour de l'argent.

— Vous n'avez aucune illusion, à ce que je vois, sur votre futur beau-frère ?

— Non. Je trouve même que c'est un sujet d'étude, très intéressant. Il a, je crois, une névrose très profonde – mais voilà que je parle boutique. Pour revenir à ce que nous disions, je me suis demandé *pourquoi* vous aviez agi de cette façon, et je n'ai trouvé qu'une réponse. Il est clair que vous soupçonnez soit Charles, soit Theresa, d'être impliqué dans la mort de miss Arundell. Non, ne vous fatiguez pas à dire le contraire, je vous en prie ! Vous n'avez évoqué, je pense, une éventuelle exhumation que pour voir quelle réaction vous pourriez déclencher.

Avez-vous, à ce stade, pris des dispositions pour avoir un accord des autorités ?

— Je serai franc avec vous. Pas encore, pour l'instant.

Donaldson hocha la tête.

— C'est bien ce que je pensais. Je suppose que vous avez envisagé la possibilité que la mort de miss Arundell puisse se révéler parfaitement naturelle ?

— J'ai envisagé cette possibilité, en effet.

— Mais votre siège est déjà fait ?

— Parfaitement. Si vous rencontrez un cas de…, disons, de tuberculose, qui ressemble à la tuberculose et qui présente les symptômes de la tuberculose et des résultats sanguins positifs – eh bien, vous considérez qu'il s'agit de la tuberculose, n'est-ce pas ?

— C'est ainsi que vous voyez les choses ? Alors qu'attendez-vous au juste ?

— J'attends la preuve finale.

Le téléphone sonna. D'un geste, Poirot me fit signe de répondre ; je me levai donc et décrochai. Je reconnus la voix.

— Capitaine Hastings ? Mrs Tanios à l'appareil. Veuillez dire à monsieur Poirot qu'il a parfaitement raison. S'il vient ici demain matin à 10 heures, je lui donnerai les informations qu'il souhaite.

— A 10 heures, demain ?

— Oui.

— Parfait, je le lui dirai.

Poirot me jeta un regard interrogateur. J'acquiesçai d'un signe de tête.

Il se tourna de nouveau vers Donaldson. Son

attitude s'était modifiée. Il était soudain brusque
– sûr de lui.

— Soyons clair, dit-il. J'ai diagnostiqué ici un cas
de meurtre. Cela ressemblait à un meurtre et cela
en présentait toutes les réactions caractéristiques
– en fait, *c'était* un meurtre ! Il n'y a pas le moindre
doute.

— De quoi doute-t-on encore, alors ? Car je vois
bien qu'il y a encore du doute quelque part.

— *L'identité du meurtrier*. Mais je la connais,
désormais.

— Vraiment ? Vous la connaissez ?

— Disons que j'aurai demain la preuve définitive entre les mains.

Donaldson leva les sourcils, l'air légèrement ironique.

— Ah ! demain ! s'exclama-t-il. Parfois, monsieur
Poirot, demain peut être très loin.

— Au contraire, répondit Poirot, j'ai toujours
trouvé que demain succédait à aujourd'hui avec
une régularité somme toute bien monotone.

Donaldson sourit. Il se leva.

— J'ai bien peur de vous avoir fait perdre votre
temps, monsieur Poirot.

— Pas du tout. Il vaut toujours mieux réussir à
se comprendre.

Sur une petite courbette, le Dr Donaldson quitta
la pièce.

28

— Voilà un homme intelligent, dit Poirot, songeur.

— Il n'est pas facile de deviner où il veut en venir.

— Oui, il a quelque chose d'inhumain. Mais il ne manque pas de perspicacité.

— C'était un coup de téléphone de Mrs Tanios, dis-je.

— J'avais compris.

Je lui transmis son message. Poirot approuva d'un signe de tête.

— Bon, murmura-t-il. Tout marche comme sur des roulettes. Encore vingt-quatre heures, Hastings, et je pense que nous saurons exactement où nous en sommes.

— Je suis toujours un peu dans le brouillard. Qui soupçonnons-nous au juste ?

— Je ne sais pas qui *vous* soupçonnez, Hastings. Tout le monde à tour de rôle, j'imagine.

— J'ai parfois l'impression que ça vous amuse de me mettre dans cet état !

— Non, non, il ne me viendrait jamais à l'idée de jouer à ce petit jeu.

— Ça ne m'étonnerait pourtant pas de vous.

Poirot secoua la tête, l'air un peu absent. Je le dévisageai un instant et demandai :

— Qu'est-ce qu'il y a ?

— Mon ami, je suis toujours inquiet, vers la fin d'une enquête. Si quelque chose se passait mal…

— Est-ce que quelque chose pourrait mal se passer ?

— Je ne pense pas. (Il se tut, sourcils froncés.) Je crois avoir paré à toute éventualité.

— Alors, que diriez-vous si nous oubliions ce crime et allions voir un spectacle ?

— Ma parole Hastings, que voilà une bonne idée !

Nous passâmes une fort agréable soirée, et pourtant j'avais commis l'impair d'emmener Poirot voir une pièce policière. Voici un conseil que j'offre à tous mes lecteurs : n'accompagnez jamais un soldat à une pièce sur l'armée, un marin à une pièce sur la marine, un Ecossais à une pièce écossaise, un détective à une pièce policière – et un acteur à n'importe quelle pièce ! Vous subirez, dans tous ces cas de figure, une avalanche de critiques dévastatrices. Pas un instant Poirot ne cessa de se plaindre des erreurs psychologiques, et le manque d'ordre et de méthode du détective héros de l'histoire faillit le rendre hystérique. Lorsque nous nous quittâmes, ce soir-là, Poirot m'expliquait encore que toute l'affaire aurait dû être résolue dès la première moitié du premier acte.

— Mais dans ce cas, Poirot, il n'y aurait pas eu de pièce, lui fis-je remarquer.

Poirot fut forcé d'admettre que ce n'était pas faux.

Il était 9 heures passées de quelques minutes lorsque je pénétrai au salon, le lendemain matin. Comme d'habitude, Poirot prenait son petit déjeuner en ouvrant son courrier avec des soins maniaques.

Le téléphone sonna. Je répondis.

— C'est monsieur Poirot ? demanda une femme, haletante. Oh ! c'est vous, capitaine Hastings…

J'entendis une espèce de hoquet et un sanglot.

— C'est vous, miss Lawson ? demandai-je.

— Oui, oui. Il est arrivé quelque chose de si affreux !

Je serrai le combiné de toutes mes forces.

— Que se passe-t-il ?

— Elle a quitté le *Wellington,* vous savez – Bella, je veux dire. J'y suis allée hier, en fin d'après-midi, et ils m'ont expliqué qu'elle était partie. Sans même me laisser un mot ! C'est une chose. Je me suis dit qu'après tout le Dr Tanios avait peut-être raison. Il m'a parlé d'elle si gen-ti-ment, et il semblait si af-fli-gé, et maintenant il semble vraiment qu'il avait raison, après tout.

— Mais qu'est-il arrivé, miss Lawson ? C'est juste que Mrs Tanios a quitté son hôtel sans vous prévenir ?

— Oh, non, ce n'est pas *ça* ! Oh, mon Dieu, non ! Si ce n'était que cela, ce ne serait rien. Bien que je pense effectivement que c'était bi-zar-re, vous savez. Le Dr Tanios disait qu'il craignait qu'elle ne soit pas complètement… pas com-plè-te-ment… enfin vous voyez ce que je veux dire. Il a appelé ça la manie de la persécution.

— Oui. (Satanée bonne femme !) Mais qu'est-il *arrivé* ?

— Oh, mon Dieu… c'est terrible ! Morte dans son sommeil. Elle a pris trop de somnifères. Et ces mal-heu-reux enfants ! Tout cela est d'une si affreuse tris-tes-se ! Je n'ai pas arrêté de pleurer depuis que je connais la nouvelle.

— Comment avez-vous été informée ? Dites-moi tout.

— Du coin de l'œil, je notai que Poirot avait cessé d'ouvrir son courrier. Il écoutait ce que je disais. Je n'avais aucune envie de lui laisser la place : si je le faisais, il semblait très probable que miss Lawson recommencerait à se lamenter.

— Ils m'ont téléphoné. De l'hôtel. Un hôtel qui s'appelle le *Coniston*. Il semble qu'ils aient trouvé mon nom et mon adresse dans son sac. Oh ! mon Dieu, monsieur Poirot… euh, je veux dire, capitaine Hastings… est-ce-que-ce-n'est-pas-hor-ri-ble ? Ces pauvres enfants qui se retrouvent sans mère.

— Ecoutez, dis-je. Etes-vous sûre que c'est un accident ? Ils n'ont pas envisagé le suicide ?

— Oh ! quelle idée a-bo-mi-na-ble, capitaine Hastings ! Oh ! mon Dieu, je ne sais pas. Vous pensez que c'est possible ? Ce serait a-bo-mi-na-ble. Bien entendu, elle semblait vrai-ment très dépri-mée. Mais elle n'avait pas à s'inquiéter. Je veux dire, il n'y aurait eu aucun problème pour-ce-qui-est-del'ar-gent. J'allais par-ta-ger avec elle – je vous assure que j'allais partager. Cette chère miss Arundell l'aurait souhaité. J'en suis certaine. Ça paraît si monstrueux d'imaginer qu'elle a pu mettre fin à ses jours... Mais peut-être qu'elle ne l'a pas fait. Les gens de l'hôtel pensent que c'était un accident.

— Qu'est-ce quelle a avalé ?

— Un de ces machins pour dormir. Du véronal. je crois. Non, du chloral... oui, c'est ça. Du chloral. Oh ! mon Dieu, capitaine Hastings, est-ce que vous ne pensez pas que...

Je lui raccrochai au nez sans plus de manières, et je me tournai vers Poirot.

— Mrs Tanios...

Il leva une main.

— Oui, oui, je sais ce que vous allez dire. Elle est morte, n'est-ce pas ?

— Oui. Trop de somnifères. Du chloral.

Poirot se leva.

— Venez, Hastings, dit-il. Il faut aller là-bas tout de suite.

— Est-ce que c'est ça dont vous aviez peur, hier soir ? Quand vous disiez que vous étiez toujours inquiet à la fin d'une enquête ?

— Je craignais qu'il y eût une nouvelle mort, oui.

Le visage de Poirot était grave. Nous parlâmes très peu tandis que nous roulions vers Euston. A une ou deux reprises Poirot secoua la tête.

— Pensez-vous que... que ce soit un accident ? demandai-je timidement.

— Non, Hastings... non. Ce n'est pas un accident.

— Comment diable a-t-il bien pu découvrir où elle se trouvait ?

Poirot ne répondit pas. Il se contenta de secouer de nouveau la tête.

Le *Coniston* était un établissement de piètre apparence, situé non loin de la gare d'Euston. Montrant sa carte et faisant preuve soudain de manières brutales, Poirot se fit introduire rapidement dans le bureau du directeur.

Les faits étaient très simples.

Une certaine Mrs Peters et ses deux enfants étaient arrivés vers midi et demi. Ils avaient déjeuné à 13 heures.

A 4 heures de l'après-midi, un homme était venu porter un message à Mrs Peters. On le lui avait transmis, et quelques minutes plus tard elle était descendue avec ses enfants et une valise. Les enfants étaient repartis avec le visiteur, tandis que Mrs Peters allait à la réception pour dire que, finalement, elle n'aurait besoin que d'une seule chambre.

Elle n'avait pas l'air spécialement nerveuse ni troublée – plutôt calme et concentrée, au contraire. Elle avait dîné vers 19 h 30 et était remontée dans sa chambre aussitôt après.

C'était la femme de ménage qui l'avait retrouvée morte ce matin.

Le médecin, immédiatement appelé, avait déclaré que le décès datait de plusieurs heures. Il y avait un verre vide sur la table de nuit. Il était évident qu'elle avait pris un somnifère et que, par erreur, elle en avait avalé une trop forte dose. L'hydrate de chloral, avait dit le médecin, était un produit capricieux et sujet à caution. Rien ne pouvait faire penser à un suicide. D'ordinaire, on trouve une lettre. Là, il n'y en avait pas. On avait cherché dans ses affaires pour prévenir la famille, et on était tombé sur le nom de miss Lawson – à laquelle on avait téléphoné.

Poirot demanda si l'on avait retrouvé des papiers ou des documents quelconques. Par exemple le mot de l'homme qui était venu chercher les enfants.

Rien, lui répondit-on. Rien, sauf une liasse de feuillets calcinés dans la cheminée.

Poirot hocha la tête d'un air pensif.

Pour autant que l'on puisse savoir, Mrs Peters n'avait reçu aucun visiteur – à l'exception du fameux messager qu'elle était descendue voir dans le hall de l'hôtel.

Je demandai au portier de me le décrire, mais il resta très vague. Un homme de taille moyenne… aux cheveux blonds, pensait-il… d'allure militaire… sans signe particulier. Non, il pouvait certifier que l'individu en question ne portait pas la barbe.

— Ce n'était pas Tanios, murmurai-je à Poirot.

— Mon cher Hastings ! Vous croyez vraiment que Mrs Tanios, après tout le mal qu'elle s'était donné pour éloigner ses enfants de leur père, les lui aurait rendus simplement, sans la moindre protestation ? Ah, mais bien sûr que non !

— Alors, qui est cet homme ?

— A l'évidence, quelqu'un en qui Mrs Tanios avait confiance, ou plutôt quelqu'un envoyé par une tierce personne en laquelle elle avait confiance.

— Un individu de taille moyenne…, fis-je, songeur.

— Inutile de vous préoccuper de son signalement, Hastings. Je suis certain qu'il s'agit d'un personnage sans importance. L'acteur principal est resté dans les coulisses !

— Et le message venait de cette troisième personne ?

— Oui.

— Quelqu'un en qui Mrs Tanios avait confiance ?

— Evidemment.

— Et le message a été brûlé ?

— Oui, on lui a demandé de le faire.

— Et, votre résumé des faits ?

Le visage de Poirot était d'une sévérité inhabituelle.

— Ça aussi, ça a été brûlé, mais c'est sans importance !

— Ah bon ?

— Oui, car voyez-vous… tout est dans la tête d'Hercule Poirot.

Il me prit par le bras.

— Venez, Hastings, allons-nous-en d'ici. Nous devons nous occuper des vivants et non des morts. Oui, c'est avec les vivants que j'ai à faire !

29

RECONSTITUTION A LITTLEGREEN HOUSE

Il était 11 heures du matin, le lendemain.

Sept personnes se trouvaient rassemblées à Littlegreen House.

Hercule Poirot se tenait près de la cheminée. Charles et Theresa avaient opté pour le canapé ; Charles, assis sur l'accoudoir, tenait sa sœur par l'épaule. Le Dr Tanios était affalé dans un fauteuil à oreillettes. Il avait les yeux rouges et portait un brassard noir.

La maîtresse de maison, miss Lawson, était piquée sur un siège à dossier droit que jouxtait une table ronde. Elle aussi avait les yeux rouges et ses cheveux étaient encore plus en désordre que d'habitude. Le Dr Donaldson était juste en face de Poirot. Son visage était totalement dénué d'expression.

C'est avec un intérêt grandissant que j'observai chacun d'eux à tour de rôle.

Tout au long de mon association avec Poirot, j'avais assisté à bien des scènes semblables. Un petit groupe de gens aux traits dissimulés sous des masques de bon aloi. Puis Poirot arrachait son masque à l'un d'entre eux et révélait ce qu'il y avait dessous – *le visage d'un assassin !*

Oui, cela ne faisait aucun doute. *L'une des personnes présentes était un meurtrier !* Mais laquelle ? Je n'étais toujours certain de rien.

Poirot se racla la gorge – avec un peu de solennité, selon son habitude – et prit la parole :

— Nous sommes réunis ici, mesdames et messieurs, pour nous poser des questions sur la mort d'Emily Arundell, survenue le 1er mai dernier. Il y a quatre possibilités : que le décès soit naturel, qu'il s'agisse d'un accident, qu'elle se soit suicidée, ou encore qu'elle ait été tuée par une personne connue ou inconnue.

» Aucune enquête n'a été ouverte au moment de son décès, car il était alors admis qu'elle était morte de causes naturelles ; un permis d'inhumer avait d'ailleurs été délivré par le Dr Grainger.

» Lorsque des doutes surgissent après un enterrement, il est d'usage de procéder à une exhumation. J'ai évité, pour plusieurs raisons, de demander cette procédure. La principale étant que cela aurait déplu à ma cliente.

Le Dr Donaldson l'interrompit.

— Votre cliente ?

Poirot se tourna vers lui.

— Ma cliente, miss Emily Arundell. C'est pour son compte que j'agis. Son vœu le plus cher était d'éviter tout scandale.

Je passerai sur les dix minutes suivantes, qui entraîneraient nombre de répétitions inutiles. Poirot évoqua la lettre qu'il avait reçue, il la montra et la lut à haute voix. Il dit ensuite comment il avait décidé de se rendre à Market Basing, et comment il avait découvert le piège à l'origine de l'accident.

Puis il se tut, s'éclaircit de nouveau la gorge avant de poursuivre :

— Je vais à présent vous exposer le cheminement qui m'a conduit à la vérité, et vous donner le détail de ce que je crois être l'exacte reconstitution des faits.

» Et pour commencer, il est indispensable que je vous décrive ce qui s'est passé dans l'esprit de miss Arundell. C'est, je pense, assez facile. Elle fait une chute, occasionnée, lui dit-on, par la balle du chien, mais miss Arundell *sait que c'est faux.* Cette femme, vive et intelligente, qui doit rester alitée un moment, a le temps de réfléchir aux circonstances de son accident. Elle en vient à la conclusion que quelqu'un a volontairement essayé de la blesser, voire de la tuer.

» Partant de là, elle se demande de qui il peut bien s'agir. Il y avait *sept* personnes dans la maison – quatre invités, sa dame de compagnie et ses deux bonnes. De ces sept personnes, une seule peut être mise hors de cause car elle ne tire aucun avantage de sa mort. Elle ne soupçonne pas sérieusement non plus les domestiques – qui la servent depuis de nombreuses années et lui sont très dévouées, elle le sait. Il reste donc *quatre* personnes, trois membres de sa famille et un parent par alliance. *Chacune de ces quatre personnes profite de sa disparition, trois directement et une indirectement.*

» Elle se retrouve alors dans une position bien

délicate, car elle possède un sens de la famille très développé. Fondamentalement, elle n'est pas du genre à laver son linge sale sur la place publique, selon la formule consacrée. Mais elle n'est pas non plus de celles qui restent sans réaction devant une tentative de meurtre !

» Elle prend donc une décision. Elle m'écrit une lettre. Mais elle entreprend aussi une autre démarche, et cela, selon moi, pour deux raisons. L'une, je pense, était qu'elle éprouvait une profonde rancune vis-à-vis de sa famille. Elle les soupçonnait tous sans exception et elle était bien décidée à leur river leur clou. L'autre, plus logique, était qu'elle voulait se protéger et qu'elle avait trouvé là un moyen de le faire. Comme vous le savez, elle a écrit à son notaire, Mr Purvis, et lui a demandé de rédiger un testament en faveur de la seule personne de la maison qui, elle en était convaincue, ne pouvait être impliquée dans son accident.

» Je suis aujourd'hui en mesure d'affirmer que, d'après la lettre qu'elle m'a envoyée et aussi d'après ses décisions ultérieures, miss Arundell est passée de *vagues* soupçons à l'encontre de quatre personnes à une *quasi-certitude* concernant l'une d'elles. Sa lettre insistait tout particulièrement sur le fait que cette histoire devait rester confidentielle, puisqu'il en allait de l'honneur de sa famille.

» D'un point de vue victorien – ou grand siècle si vous préférez –, cela signifie, me semble-t-il, qu'il s'agissait d'une personne *portant son nom* – et de préférence *d'un homme*.

» Si elle avait soupçonné Mrs Tanios, elle se serait

préoccupée de la même façon de sa sécurité, mais elle aurait été moins inquiète pour l'honneur des siens. En revanche, elle aurait sans doute montré les mêmes craintes s'il s'était agi de Theresa, mais avec moins de violence que pour Charles.

» Charles était un *Arundell*. Il portait le nom de la *famille* ! Ses raisons de le soupçonner sont très claires. Pour commencer, elle ne se faisait aucune illusion sur son compte. Il avait déjà failli salir leur nom une fois. C'est-à-dire qu'elle le considérait non comme un délinquant *en puissance* – mais comme un délinquant *avéré*. Il avait déjà imité sa signature sur un chèque. De l'escroquerie au meurtre, il n'y a qu'un pas.

» Elle avait en outre eu avec lui une conversation pour le moins édifiante deux jours à peine avant son accident. Alors qu'elle venait de lui refuser de l'argent, il lui avait fait remarquer – oh ! sur le mode léger – que c'était là le meilleur moyen de se faire "liquider". Ce à quoi elle avait rétorqué qu'elle était parfaitement capable de se défendre ! Son neveu avait alors renchéri – cela nous a été rapporté – "N'en soyez pas si sûre." *Et deux jours plus tard se produit le sinistre accident.*

» Il n'est guère étonnant que miss Arundell, allongée sur son lit et ressassant les circonstances de sa chute, en soit venue à la conclusion que c'était *Charles Arundell* qui avait attenté à ses jours.

» La succession des événements est parfaitement claire, elle aussi. La conversation avec Charles. L'accident. La lettre qu'elle m'écrit, en proie à la plus vive détresse. La lettre au notaire. Le mardi suivant, le 21, Mr Purvis apporte le nouveau testament et elle le signe.

» Charles et Theresa viennent le week-end d'après et miss Arundell, immédiatement, fait en sorte d'assurer sa sécurité. *Elle parle du testament à son neveu.* Et elle ne se contente pas de lui *annoncer* la chose, elle lui montre l'original ! Cela, à mon sens, est *parfaitement concluant. Elle veut qu'il soit bien clair dans l'esprit d'un meurtrier potentiel qu'il n'a rien à gagner à la tuer !*

» Sans doute pensait-elle que Charles transmettrait l'information à sa sœur. Mais tel n'a pas été le cas. Pourquoi ? J'imagine qu'il avait une très bonne raison à cela – il se sentait coupable ! Il estimait que c'était à cause de lui qu'elle avait modifié son testament. Mais pourquoi se sentait-il coupable ? Parce qu'il avait vraiment tenté de l'assassiner ? Ou simplement parce qu'il lui avait volé quelques billets ? Tentative de meurtre ou simple larcin peuvent l'un comme l'autre expliquer son silence. Il n'a parlé de rien, espérant que sa tante se calmerait et reviendrait sur sa décision.

» Ainsi, en ce qui concernait l'état d'esprit de miss Arundell, j'avais l'impression d'avoir assez correctement reconstitué la succession des événements. Il me restait alors à décider si ses soupçons étaient fondés.

» Tout comme elle, je considérais que mes recherches devaient se limiter à un petit cercle de personnes – sept, pour être exact. Charles et Theresa Arundell, le Dr Tanios et sa femme, les deux bonnes et miss Lawson. Il me fallait prendre en compte une huitième personne, à savoir le Dr Donaldson, qui a dîné à Littlegreen House ce soir-là, mais je n'ai été informé de sa présence que plus tard.

» On pouvait classer facilement ces sept personnes en deux catégories. Six d'entre elles tiraient profit à un degré plus ou moins important de la mort de miss Arundell. Si l'une d'elles était coupable, le mobile du crime ne pouvait être que *l'argent*. Dans la seconde catégorie, il n'y avait qu'une seule personne – miss Lawson. Miss Lawson n'avait rien à gagner à la disparition de miss Arundell, mais, *conséquence de l'accident*, c'est elle qui devait en tirer *plus tard* de considérables bénéfices !

» Cela signifiait que si miss Lawson avait manigancé ce prétendu accident…

— Je n'ai jamais rien fait de tel ! le coupa cette dernière. C'est honteux ! Venir dire de telles horreurs !

— Un peu de patience, mademoiselle. Et soyez assez gentille de ne pas m'interrompre, dit Poirot.

Miss Lawson rejeta la tête en arrière avec colère.

— J'ai le droit de protester ! Honteux, voilà ce que c'est ! Honteux !

Mais Poirot l'ignora et poursuivit.

— Je disais donc que *si* c'était miss Lawson qui avait manigancé cet accident, elle l'avait fait pour une raison totalement *différente* – c'est-à-dire qu'elle s'était arrangée pour que miss Arundell *en vînt tout naturellement à soupçonner sa famille et s'en éloignât*. C'était une possibilité ! Et en cherchant à confirmer ou à infirmer cette hypothèse, j'ai découvert un détail très précis. Si miss Lawson avait voulu faire peser des soupçons sur la famille de sa maîtresse, elle aurait insisté sur le fait que Bob, le chien, avait passé la nuit *dehors*. Mais au contraire, elle avait tout fait pour *éviter* que cela ne parvînt aux oreilles de miss Arundell. Je me suis donc dit que miss Lawson *devait* être innocente.

— Je l'espère bien ! s'exclama cette dernière d'une voix tranchante.

— J'ai réfléchi ensuite au problème de la disparition de miss Arundell. Une première tentative de meurtre qui échoue est souvent suivie d'une seconde. Que miss Arundell soit morte moins de deux semaines après l'accident m'a paru fort significatif. J'ai donc commencé à enquêter.

» Le Dr Grainger ne pensait pas que le décès de sa patiente présentait un caractère anormal – ce qui n'était pas pour conforter ma théorie. Mais en me renseignant sur les événements de la soirée où miss Arundell était tombée malade, je découvris, là encore, un fait très significatif. Miss Isabel Tripp me parla d'un halo de lumière apparaissant autour de la tête de miss Arundell, et sa sœur confirma ses dires. Evidemment, elles pouvaient très bien toutes les deux inventer cette histoire – dans un esprit romanesque –, mais je ne les croyais pas capables d'imaginer toutes seules un incident de ce genre. Lorsque j'en parlai à miss Lawson, celle-ci me donna elle aussi une information intéressante : elle évoqua un ruban lumineux sortant de la bouche de miss Arundell et formant un halo autour de sa tête.

» A l'évidence, et bien que décrit de façon quelque peu différente par les trois témoins, le phénomène demeurait le même. Ce qui, loin de toute explication spirite, revient à dire ceci : *cette nuit-là, la respiration de miss Arundell était phosphorescente !*

Le Dr Donaldson fit un léger mouvement dans son fauteuil.

Poirot lui adressa un signe de tête :

— Oui, vous commencez à comprendre. Il n'existe que très peu de substances phosphorescentes. La plus commune m'a apporté précisément la réponse que j'attendais. Je vais vous lire un bref extrait d'un article sur l'empoisonnement par le phosphore.

» *L'haleine du sujet peut devenir phosphorescente avant l'apparition des premiers malaises.* C'est cela que virent miss Lawson et les sœurs Tripp : l'haleine de miss Arundell, phosphorescente "comme un brouillard lumineux". Je continue. *Une fois la jaunisse complètement déclarée, l'organisme peut être considéré sous l'influence de l'action toxique du phosphore, mais il subit aussi les effets de la rétention de la sécrétion biliaire dans le sang, et à partir de ce moment-là, il n'y a plus aucune différence particulière entre un empoisonnement au phosphore et certaines affections du foie – l'atrophie aiguë, par exemple.*

» Vous voyez l'ingéniosité du procédé ? Puisque miss Arundell souffrait depuis des années de problèmes hépatiques, les symptômes d'un empoisonnement au phosphore feraient penser à *une nouvelle attaque de la même maladie*. Il n'y aurait rien de différent, rien d'anormal.

» Oh, c'était bien imaginé ! Des allumettes étrangères, un produit contre les nuisibles ? Il n'est pas très difficile de se procurer du phosphore qui est mortel à très petite dose, entre six millièmes et deux centièmes de milligramme.

» Et voilà ! Comme toute l'affaire devient claire, merveilleusement claire, soudain ! Naturellement, le Dr Grainger s'y laisse prendre – et d'autant mieux qu'il n'a plus d'odorat, comme je l'ai appris en discutant avec lui, alors que l'un des symptômes de l'empoisonnement au phosphore, c'est justement une haleine sentant l'ail. Il n'a aucun soupçon. Pourquoi en aurait-il eu ? Les circonstances du décès n'étaient pas suspectes ; quant au seul détail qui aurait pu lui mettre la puce à l'oreille, il n'en a pas eu connaissance ; dans le cas contraire, d'ailleurs, il l'aurait sans doute mis au compte des sottises du spiritisme.

» J'étais désormais certain (grâce aux témoignages des sœurs Tripp et de miss Lawson) qu'un meurtre avait été commis. Mais par qui ? J'éliminai les domestiques, dont la mentalité ne s'accordait évidemment pas avec un tel crime, ainsi que miss Lawson qui n'aurait sans doute jamais raconté son histoire d'ectoplasme lumineux si elle avait eu quelque chose à voir dans cette affaire. Et j'éliminai Charles Arundell puisqu'*il savait, ayant vu le testament, qu'il n'avait plus rien à gagner de la mort de sa tante.*

» Restaient donc Theresa, le Dr Tanios, Mrs Tanios et le Dr Donaldson, dont j'appris qu'il était venu dîner à Littlegreen House le soir de l'incident de la balle du chien.

» A ce point de mon enquête, je n'avais pas

grand-chose pour m'aider. J'ai dû me rabattre sur l'aspect psychologique de ce meurtre et la *personnalité* de l'assassin ! Les deux crimes avaient, en gros, *le même profil*. Ils étaient *simples* tous les deux, habiles, menés avec efficacité. Ils nécessitaient un certain nombre de connaissances, mais pas énormément. Il est facile de trouver des informations sur l'empoisonnement au phosphore, et l'on se procure aisément cette substance, comme je l'ai dit, surtout à l'étranger.

» J'ai d'abord songé aux deux hommes. Ils étaient tous deux médecins, et intelligents. Chacun d'eux aurait pu voir que le phosphore était parfaitement adapté à la situation. Mais l'incident de la balle du chien ne me parut pas correspondre à la mentalité masculine. Cela me paraissait une idée typiquement féminine.

» J'ai pensé à Theresa Arundell. Elle faisait un suspect très plausible. Elle était audacieuse et n'avait ni pitié ni scrupules. Elle était égoïste et dévorait la vie à pleines dents. Elle avait toujours eu ce qu'elle désirait et en était arrivée à un point où elle avait désespérément besoin d'argent – pour elle et pour l'homme qu'elle aimait. En outre, on voyait bien à son comportement qu'elle savait que sa tante avait été assassinée.

» Puis il y a eu cette intéressante petite scène entre son frère, et elle. Cela m'a fait penser que chacun *soupçonnait l'autre de ce crime*. Charles a essayé de lui faire dire qu'*elle était au courant de la modification du testament*. Pourquoi ? C'est facile à comprendre : si elle l'était, on ne pouvait pas la soupçonner de meurtre. Elle, d'un autre côté, ne croyait pas Charles lorsqu'il disait que miss Arundell lui avait montré le document. Elle considérait cela comme une façon singulièrement maladroite de détourner les soupçons.

» Il y avait un autre détail important : la répugnance de Charles à prononcer le mot "arsenic". J'ai appris plus tard qu'il avait longuement interrogé le vieux jardinier sur l'efficacité d'un certain désherbant. Ce qu'il avait derrière la tête était évident.

Charles Arundell changea légèrement de position.

— C'est vrai, j'y ai pensé, dit-il. Mais… Eh bien, j'imagine que je n'en ai pas eu le courage.

Poirot lui fit un signe de tête.

— Précisément. *Cela ne correspond pas à votre psychologie.* Vos crimes seront toujours des crimes de faible. Voler, falsifier – oui, c'est une solution de facilité –, mais le meurtre, *non !* Tuer demande une nature obsessionnelle.

Poirot reprit son monologue, sur un ton de conférencier.

— Theresa Arundell, décidai-je, avait la force de caractère nécessaire pour accomplir un tel geste, mais il fallait considérer d'autres facteurs. Elle avait toujours fait ce qu'elle avait voulu ; elle avait vécu pleinement, uniquement préoccupée d'elle-même – mais ce genre de personne ne tue pas, sauf, peut-être, à l'occasion d'une brusque crise de fureur. Et pourtant… j'étais certain que c'était elle qui avait volé le désherbant dans la boîte du jardinier.

— Je vais vous dire la vérité, déclara soudain Theresa. J'ai effectivement pris du désherbant à Littlegreen House. Mais je n'ai pas pu faire ça ! J'aime trop la vie… J'aime trop être vivante… pour faire ça à quelqu'un… lui enlever la vie… Je suis peut-être mauvaise et égoïste, mais il y a des choses dont je suis incapable ! Je ne pouvais pas tuer une créature vivante, palpitante !

Poirot hocha de nouveau la tête.

— C'est vrai, et vous n'êtes pas aussi mauvaise que vous le dites, chère mademoiselle. Vous êtes simplement jeune et insouciante.

» Restait donc Mrs Tanios, reprit Poirot. Dès que je l'ai rencontrée, j'ai su qu'elle avait peur. Elle s'en est rendu compte et elle a su tirer avantage de ce moment de faiblesse où elle s'était trahie. Elle a joué, de façon très convaincante la femme qui *craint pour son mari*. Un peu plus tard, elle a changé de tactique. C'était très adroitement fait, mais je n'ai pas été dupe. Une femme peut avoir peur pour son mari, ou de son mari, mais rarement *les deux à la fois*. Mrs Tanios a opté pour la seconde solution, et elle a été parfaite dans ce rôle, allant même jusqu'à venir me retrouver dans le hall de l'hôtel comme pour me dire quelque chose en cachette du docteur. Quand celui-ci est arrivé – comme elle l'avait prévu –, elle a fait semblant de ne pas pouvoir parler devant lui.

» J'ai immédiatement compris qu'elle ne craignait pas son mari, mais plutôt qu'elle le haïssait. Et en récapitulant ce que je savais de l'affaire, j'ai été convaincu d'avoir trouvé le personnage que je cherchais. J'avais là une femme qui n'était pas du genre à profiter pleinement de la vie. Une femme frustrée. Une fille banale, menant une existence monotone, incapable de séduire les hommes qui lui plaisaient, et préférant finalement épouser quelqu'un qu'elle n'aimait pas plutôt que de rester vieille fille. Je la voyais accumuler les insatisfactions dans sa vie, je voyais sa vie à Smyrne, exilée loin de tout ce qu'elle aimait. Puis ses enfants étaient nés, auxquels elle s'était passionnément attachée.

» Son mari l'aimait, mais elle, en secret, le détestait de plus en plus. Il avait spéculé avec son argent, et il l'avait perdu – un grief de plus contre lui.

» Il n'y avait vraiment qu'une seule chose qui illuminait sa triste existence – l'attente de la mort d'Emily. A ce moment-là, elle serait riche, indépendante, et elle aurait les moyens d'élever ses enfants comme elle le désirait – n'oublions pas l'importance qu'elle attachait à l'éducation : elle était fille de professeur !

» Peut-être avait-elle déjà préparé son crime, ou en avait-elle eu l'idée, avant d'arriver en Angleterre. Elle possédait certaines connaissances en chimie, car elle avait aidé son père dans son laboratoire. Elle connaissait le mal dont souffrait Emily Arundell et elle savait que le phosphore serait parfait pour ses desseins.

» Puis, en arrivant à Littlegreen House, une méthode plus simple se présenta à elle. La balle du chien, un fil tendu en travers de l'escalier. Une idée féminine, simple et ingénieuse.

» Elle fit une tentative – qui échoua. Elle ne s'est

pas rendu compte, je crois, que sa tante avait compris ce qui s'était passé. Miss Arundell ne soupçonnait que Charles. Je doute que son attitude envers Bella ait changé. Alors, cette femme refoulée, malheureuse et ambitieuse, mit son plan original à exécution, avec calme et détermination. Elle trouva un excellent moyen d'administrer le poison – dans les cachets que miss Arundell prenait après ses repas. Ouvrir un cachet, le remplir de phosphore, le refermer, était un jeu d'enfant.

» Ce cachet, elle le remit ensuite avec les autres. Miss Arundell l'avalerait tôt ou tard. On ne penserait pas à un empoisonnement. Et si, par le plus grand des hasards, c'était le cas, elle serait bien loin de Market Basing à ce moment-là.

» Elle prit pourtant une précaution supplémentaire. Elle se procura une double dose d'hydrate de chloral chez le pharmacien, en imitant la signature de son mari sur l'ordonnance. Je devine dans quelle intention : pour l'avoir avec elle au cas où quelque chose tournerait mal.

» Comme je l'ai dit, j'ai su au premier coup d'œil que Mrs Tanios était la personne que je cherchais, mais je n'avais absolument aucune *preuve*. Je devais me montrer prudent. Je craignais de la voir commettre un autre crime si elle avait la moindre idée que je la soupçonnais. De plus, j'avais l'impression qu'elle y avait déjà songé : son seul désir, c'était de se débarrasser de son mari.

» Son premier meurtre avait été pour elle une amère déception. L'argent, tout cet argent merveilleux qui l'obsédait, était allé à miss Lawson !

C'était un rude coup, mais elle se remit fort intelligemment à la tâche. Elle commença à culpabiliser miss Lawson qui, je crois, n'était déjà pas très à l'aise.

On entendit soudain des sanglots. Miss Lawson sortit son mouchoir et le trempa de ses larmes.

— Ça a été affreux ! gémit-elle. Je me suis mal conduite ! Très mal conduite ! Voyez-vous, j'étais vraiment curieuse, pour ce testament – je veux dire, je voulais savoir pourquoi miss Arundell en avait rédigé un autre. Et un jour, pendant qu'elle se reposait, j'ai réussi à ouvrir le tiroir du bureau. Et j'ai découvert qu'elle me laissait tout – qu'elle-me-laissait-tout-à-moi ! Bien sûr, je n'avais jamais imaginé qu'il s'agissait *d'autant*. Quelques milliers de livres, pensais-je, pas davantage. Et pourquoi pas ? Après tout, sa propre famille ne-se-sou-ci-ait pas vraiment d'elle ! Et puis, alors qu'elle était si malade, elle a voulu que je lui apporte le testament. J'ai compris – j'en étais sûre… – qu'elle allait le détruire… Et c'est là que je me suis si mal conduite. Je lui ai dit qu'elle l'avait renvoyé à Mr Purvis. La pauvre. La pauvre chère miss Arundell, elle était si tête en l'air ! Elle ne se souvenait jamais de l'endroit où elle mettait les choses. Elle m'a crue. Elle m'a demandé d'écrire au notaire pour le réclamer et je lui ai répondu que j'allais le faire.

» Oh, mon Dieu ! Oh, mon Dieu ! Ensuite son état a empiré, et elle a été totalement incapable de penser encore à quelque chose. Et puis elle est morte. Et lorsqu'on a lu le testament, et que j'ai

entendu le montant de l'héritage, j'ai-vrai-ment-eu
-honte ! Trois cent soixante-quinze mille livres ! Je
n'aurais jamais pensé qu'il s'agissait d'une somme
pareille, ou alors je n'aurais pas agi ainsi.

» J'ai eu l'impression d'avoir dé-tour-né cet
argent – mais je ne savais pas quoi faire. L'autre
jour, quand Bella est venue me voir, je lui ai annoncé
qu'elle pourrait en avoir la moitié. J'étais sûre que
je me sentirais mieux, après ça.

— Vous voyez ? dit Poirot, Mrs Tanios parvenait à ses fins. C'est pourquoi elle était si opposée
à toute contestation du testament. Elle avait son
plan et elle ne voulait surtout pas contrarier miss
Lawson. Bien sûr, elle a fait semblant de respecter le
souhait de son mari, mais elle s'est arrangée pour
bien faire comprendre ce qu'elle pensait.

» Elle avait, à ce moment-là, deux objectifs : se
libérer, elle et ses enfants, du Dr Tanios, et obtenir sa part de l'héritage. Elle aurait alors ce qu'elle
désirait : une existence heureuse et fortunée en
Angleterre, avec ses enfants.

» Plus le temps passait, plus elle avait du mal à
dissimuler son aversion pour son mari. En fait, elle
n'essayait même plus. Le pauvre homme en était
bouleversé : le comportement de son épouse devait
lui sembler incompréhensible. Et pourtant, il était
assez logique. Elle jouait le rôle de la femme terro-
risée. Si j'avais des soupçons – et elle était persuadée que c'était le cas –, elle voulait me faire croire
que c'était son mari le coupable. Et elle pouvait
commettre à tout moment ce second meurtre que,
j'en étais sûr, elle avait déjà planifié dans sa tête.

Je savais qu'elle était en possession d'une dose mortelle de chloral. J'avais peur de la voir organiser un faux suicide du docteur ; accompagné d'aveux de sa part.

» Et je n'avais toujours pas de preuves contre elle ! J'étais au bord du désespoir quand j'appris enfin quelque chose. Miss Lawson me déclara avoir vu Theresa Arundell agenouillée dans les escaliers, dans la nuit du lundi de Pâques. Je découvris bientôt que miss Lawson ne pouvait pas avoir aperçu Theresa clairement – pas assez, en tout cas, pour reconnaître *son visage*. Et pourtant, elle était certaine de son identification. Elle a fini par me dire qu'elle avait vu une broche portant les initiales de Theresa – T.A.

» A ma requête, Theresa Arundell m'a montré le bijou en question, tout en niant formellement s'être trouvée dans l'escalier cette nuit-là. J'ai d'abord cru que quelqu'un avait emprunté la broche, mais lorsque je l'ai regardée dans le miroir, la vérité m'a sauté aux yeux. Miss Lawson, qui venait juste de se réveiller, avait vu une vague silhouette et les initiales T.A. réfléchissant la faible lumière du couloir. Elle en avait conclu qu'il s'agissait de Theresa.

» Mais si elle avait lu dans le miroir les initiales T.A. – alors, les vraies initiales devaient être A.T. puisqu'un miroir inverse les images.

» Bien sûr ! La mère de miss Tanios se nommait Arabella Arundell. Bella n'est qu'un diminutif. A.T. signifiait Arabella Tanios. Il n'y avait rien de bizarre à ce que Mrs Tanios possédât une broche semblable à celle de Theresa. Ce bijou était très peu courant à

Noël dernier, mais dès le printemps tout le monde portait le même, et j'avais déjà constaté que Bella Tanios imitait les chapeaux et les vêtements de sa cousine Theresa, autant que lui permettaient ses faibles moyens.

» Je détenais la clé de l'énigme.

» Seulement, que faire ? Demander aux autorités un permis d'exhumer le corps ? C'était possible, sans doute. Je *pouvais* démontrer que miss Arundell avait été empoisonnée avec du phosphore – mais il y avait tout de même un petit risque. Le corps était enterré depuis deux mois, et je savais qu'il y avait des cas d'empoisonnement de ce genre où l'on ne trouve aucune lésion et où l'aspect post-mortem est très peu concluant. Et puis, comment prouver que Mrs Tanios avait été en possession de phosphore ? Difficile, puisqu'elle se l'était probablement procuré à l'étranger.

» C'est à ce moment-là que Mrs Tanios a fait quelque chose de décisif. Elle a quitté son mari, en s'en remettant à la pitié de miss Lawson. Et elle a formellement accusé le médecin de meurtre.

» J'étais persuadé que si je ne faisais rien, il serait la prochaine victime. Je m'arrangeai pour les tenir éloignés l'un de l'autre sous le prétexte que c'était pour assurer sa sécurité à elle. Elle ne pouvait pas vraiment s'y opposer. En fait, c'était à sa sécurité *à lui* que je pensais. Ensuite… Ensuite…

Il se tut – un long moment. Son visage avait pâli.

— Mais ce n'était qu'une mesure provisoire. Je devais m'assurer que le tueur ne tuerait plus. Je devais protéger les innocents.

» Alors, j'ai rédigé un compte rendu de mon enquête et je l'ai remis à Mrs Tanios.

Il y eut un long silence.

Puis le Dr Tanios s'écria :

— Oh, mon Dieu ! Voilà pourquoi elle s'est suicidée !

— N'était-ce pas la meilleure solution ? dit doucement Poirot. C'est en tout cas ce qu'elle a pensé. Il fallait songer aux enfants, voyez-vous.

Le Dr Tanios enfouit sa tête entre ses mains.

Poirot s'approcha de lui et lui tapota l'épaule.

— Il fallait le faire. Croyez-moi, c'était nécessaire. Il y aurait eu d'autres crimes. Vous, pour commencer. Puis, peut-être, en fonction des circonstances, miss Lawson. Et ainsi de suite.

Il se tut.

Le Dr Tanios dit alors, d'une voix brisée :

— Elle a voulu... me faire prendre un somnifère, un soir. Mais il y avait... une expression sur son visage – je l'ai jeté. C'est à ce moment-là que j'ai commencé à croire qu'elle perdait la tête.

— Essayez de voir les choses de cette façon. C'est en partie vrai, en effet. Mais pas au sens légal du terme. Elle savait ce qu'elle faisait...

Le Dr Tanios murmura d'une voix triste :

— Elle a été beaucoup trop bonne pour moi – toujours.

Etrange épitaphe pour une meurtrière qui avait avoué son crime.

30

LE DERNIER MOT

Il ne reste plus grand-chose à dire.

Theresa épousa son médecin quelque temps plus tard. Je les connais assez bien tous les deux, à présent, et j'ai appris à apprécier le Dr Donaldson – la clarté de ses vues, sa force intérieure et sa profonde humanité. Ses manières, je l'avoue, sont toujours aussi guindées, et Theresa les imite souvent pour le taquiner. Elle est très heureuse, je crois, et entièrement dévouée à la carrière de son mari, qui s'est déjà fait un nom en endocrinologie.

Il a fallu empêcher miss Lawson, en crise de conscience aiguë, de redistribuer jusqu'à son dernier sou. Mr Purvis a réglé la question à la satisfaction générale, en partageant à parts égales la fortune de miss Arundell entre miss Lawson, Charles et Theresa et les enfants Tanios.

Charles a tout dépensé en un peu plus d'un an. A présent, il vit, me suis-je laissé dire, en Colombie britannique.

Juste deux ultimes anecdotes.

— Vous êtes un petit roublard, vous, hein ? dit miss Peabody en nous abordant un jour que nous sortions de Littlegreen House. Un malin ! Vous avez réussi à tout arranger ! Pas d'exhumation. Pas de scandale. Une situation réglée comme du papier à musique.

— Il ne fait semble-t-il aucun doute que miss Arundell soit morte d'une atrophie aiguë du foie, répondit doucement Poirot.

— C'est très satisfaisant, dit miss Peabody. Et quant à Bella Tanios, elle a succombé à une trop forte dose de somnifères, à ce qu'il parait ?

— Oui, c'est très triste.

— C'était une malheureuse – une de ces femmes qui ont toujours envie de ce qu'elles n'ont pas. Ça rend les gens un peu bizarres, parfois. J'ai eu une fille de cuisine qui était comme ça. Mocharde. Et incapable de s'en consoler. Elle s'est mise à écrire des lettres anonymes. Les gens deviennent parfois cinglés. Enfin là, ma foi, je dirais que tout est pour le mieux.

— Espérons-le, bien chère mademoiselle, espérons-le.

— En tout cas, conclut miss Peabody en se préparant à nous quitter, laissez-moi vous le dire – vous vous êtes bien dépatouillé. Très bien, même.

Elle s'éloigna.

Nous entendîmes un « ouaf » plaintif derrière nous.

Je me retournai et ouvris le portail.

— Allez viens, mon vieux.

Bob bondit. Il avait une balle dans la gueule.

— Non, tu ne peux pas l'emporter en promenade.

Bob soupira et, l'âme en peine, abandonna sa

balle dans le jardin. Il lui jeta un coup d'œil inquiet, puis nous rejoignit.

Il me regarda.

« Si c'est toi qui le dis, oh ! mon seigneur et maître, je veux bien croire que tu as raison. »

Je pris une profonde inspiration.

— Ma parole, Poirot, c'est bon d'avoir de nouveau un chien !

— Butin de guerre, répondit Poirot. Mais j'aimerais vous rappeler, mon bon ami, que c'est à *moi* et non pas à *vous* que miss Lawson a offert Bob !

— C'est possible répliquai-je, mais vous ne savez absolument pas vous y prendre avec les chiens, Poirot. Vous ne pigez rien à la psychologie canine ! Alors qu'entre Bob et moi la compréhension est totale, n'est-ce pas, mon vieux Bob ?

— Ouaf ! approuva Bob avec énergie.

La Dernière énigme

1

Une maison

Sitôt posé le pied sur le quai, Gwenda Reed eut un petit frisson.

Les docks, les bâtiments de la douane et tout ce qu'elle pouvait voir de l'Angleterre continuaient à tanguer doucement.

C'est alors quelle prit sa décision – décision qui allait l'amener à vivre des événements inoubliables. Elle ne prendrait pas le train pour Londres à la gare maritime comme elle l'avait prévu.

Après tout, pourquoi l'aurait-elle dû ? Personne ne l'attendait. Elle venait tout juste de descendre de ce bateau qui n'avait cessé d'être chahuté par les flots et de craquer de toutes parts – il y avait eu trois jours particulièrement pénibles à partir du golfe de Gascogne et tout au long de la remontée vers Plymouth et elle n'avait pas du tout envie d'être de nouveau ballottée, fût-ce dans un train. Elle allait prendre une chambre dans un hôtel, un bon hôtel, bien ancré sur la terre ferme. Et elle se glisserait dans un bon lit bien stable, qui ne tanguerait pas et ne grincerait pas. Elle dormirait tout son content et le lendemain matin… pourquoi ne pas ?… mais bien sûr… quelle idée formidable ! Elle allait louer une voiture et, tranquillement, sans se presser, sillonner le sud de l'Angleterre pour y chercher une maison, une belle maison, la maison que Giles l'avait chargée de dénicher. Oui, c'était une excellente idée.

De cette manière, elle verrait un peu de l'Angleterre… de cette Angleterre dont Giles lui avait tant parlé et qu'elle ne connaissait pas, même si, comme la plupart des habitants de Nouvelle-Zélande, elle l'appelait « mon pays ». Pour le moment, elle ne trouvait cependant pas l'Angleterre particulièrement attrayante. Le ciel était gris, annonciateur de pluie, et un vent irritant soufflait avec force. « Plymouth, pensa Gwenda, tandis qu'elle faisait docilement la queue au service des passeports et à la douane, n'est probablement pas ce qu'il y a de mieux en Angleterre. »

Le lendemain matin, en revanche, son impression fut toute différente. Le soleil brillait. La vue qui s'offrait de sa fenêtre était agréable. Et l'univers dans son ensemble n'ondulait ni n'oscillait plus. Il s'était stabilisé. A l'issue d'un long voyage, elle était enfin arrivée en Angleterre, elle, Gwenda Reed, jeune épousée de 21 ans. La date du retour de Giles n'était pas encore fixée. Il devait venir la rejoindre dans quelques semaines. Cela pouvait aussi bien être dans six mois. Il avait proposé à Gwenda de partir pour l'Angleterre avant lui afin d'y chercher une maison à leur convenance. Tous deux pensaient qu'il serait agréable d'avoir, quelque part, un point d'ancrage. De par son travail, Giles allait être amené à faire un certain nombre de déplacements. Parfois Gwenda l'accompagnerait, mais ce ne serait pas toujours possible. L'un et l'autre avaient envie de posséder un toit – un lieu bien à eux. Giles avait récemment hérité quelques meubles d'une de ses tantes, ainsi, tout se combinait parfaitement pour que leurs désirs deviennent réalité.

Gwenda et Giles étant relativement aisés, la concrétisation de leurs projets ne présentait guère de difficultés.

Gwenda avait d'abord émis quelques objections sur le fait d'avoir à choisir seule une maison. « Il serait préférable que nous soyons ensemble », avait-elle protesté. Mais Giles avait répondu en riant : « Je ne suis pas grand expert en maisons. Si tu en vois une qui te plaît à toi, elle me plaira à moi aussi. Il faudra qu'elle ait un bout de jardin, bien sûr, et que ce ne soit pas un de ces horribles pavillons flambant neufs… qu'elle ne soit pas trop grande non plus. Ce que j'ai dans l'idée, ce serait une bicoque sur la côte sud. En tout cas, pas trop à l'intérieur des terres. »

« Y a-t-il un secteur que tu préfères ? » avait demandé Gwenda. Mais Giles avait répondu par la négative. Il avait perdu ses parents alors qu'il était très jeune (ils étaient tous deux orphelins) et avait été envoyé en vacances chez divers membres de sa famille, aussi n'était-il attaché à aucun lieu particulier. Ce serait donc la maison de Gwenda. Quant à attendre de pouvoir la choisir ensemble, à supposer qu'il soit retenu encore pendant six mois, qu'aurait bien pu faire Gwenda pendant tout ce temps ? Se morfondre dans un hôtel après l'autre ? Non, elle allait trouver une maison et s'y installer.

« Ce qui revient à dire, avait fait remarquer Gwenda, me charger de tout le travail ! »

Mais l'idée de trouver une maison et de l'aménager afin que Giles la découvre confortable et accueillante quand il reviendrait lui plaisait.

Ils étaient mariés depuis trois mois à peine, et elle l'aimait infiniment.

Après s'être fait apporter le petit déjeuner au lit, Gwenda se leva et élabora un plan d'action. Elle passa la journée à visiter Plymouth et y prit du plaisir. Le lendemain, elle loua une confortable Daimler avec chauffeur et entreprit sa première expédition en Angleterre.

Le temps était au beau et elle apprécia la randonnée. Elle visita plusieurs propriétés qui auraient pu lui convenir dans le comté du Devon, mais aucune d'elles ne semblait correspondre exactement à ce qu'elle désirait. Comme elle n'était pas pressée, elle allait continuer à chercher. Elle apprit à lire entre les lignes des descriptions mirobolantes des agents immobiliers et ainsi s'épargna un certain nombre de visites sans intérêt.

Ce fut un mardi soir, environ une semaine plus tard, alors que la voiture descendait lentement la route serpentant au flanc de la colline en direction de Dillmouth et traversait les faubourgs de cette charmante station balnéaire, qu'elle repéra en passant un panneau A VENDRE et, aperçut à travers les arbres une petite villa victorienne blanche.

Aussitôt Gwenda sentit son cœur battre : cette

villa lui plaisait et il lui semblait la reconnaître. C'était là *sa* maison ! Elle en était déjà sûre. Elle se représentait le jardin, les grandes fenêtres… et elle était certaine que l'intérieur correspondait exactement à ce qu'elle désirait.

Comme la journée touchait à sa fin, elle prit une chambre au *Royal Clarence Hotel*. Le lendemain matin, elle se rendit chez l'agent immobilier dont elle avait relevé le nom sur le panneau.

Munie d'un permis de visiter, elle se retrouva bientôt dans un long salon à l'ancienne mode dont les deux portes-fenêtres ouvraient sur une terrasse dallée, bordée d'une espèce de rocaille où s'entremêlaient des arbustes à fleurs, puis qui tombait abruptement sur une belle étendue de pelouse. Entre les arbres, dans le bas du jardin, on entrevoyait la mer.

« Voilà ma maison, pensa Gwenda. Je m'y sens chez moi et j'ai l'impression d'en connaître déjà tous les recoins. »

La porte s'ouvrit et une grande femme à l'air mélancolique, souffrant visiblement d'un rhume de cerveau, parut sur le seuil en reniflant.

— Mrs Hengrave ? L'agence Galbraith & Pederley m'a remis un permis de visiter. Je crains qu'il ne soit encore un peu tôt, mais…

Mrs Hengrave se moucha et répondit d'un ton lugubre que cela n'avait aucune importance. Puis la visite de la maison commença.

Oui, c'était tout à fait ça. Pas trop grande. Un peu vieillotte, mais avec Giles elle y ferait installer une ou deux salles de bains. La cuisine pourrait être modernisée. Par chance, elle était déjà pourvue d'une grosse cuisinière assurant le chauffage central. Avec un nouvel évier et un équipement moderne…

Toute à ses projets et à ses préoccupations, Gwenda percevait comme un bourdonnement la voix de Mrs Hengrave qui lui racontait sur un ton monocorde les détails concernant la dernière maladie de feu le major Hengrave. Une moitié de Gwenda se chargea d'émettre les sons nécessaires pour exprimer condoléances, sympathie et compassion. Toute la famille de Mrs Hengrave habitait le Kent et elle était impatiente d'aller s'installer auprès d'eux… Le major aimait beaucoup Dillmouth, il avait été pendant de nombreuses années secrétaire du club de golf, mais elle…

— Oui… bien sûr… Quelle épreuve pour vous… C'est bien naturel… En effet, les cliniques sont toutes comme ça… Evidemment… Vous devez être…

Et dans le même temps l'autre moitié de Gwenda laissait libre cours à ses pensées : ici, le placard à linge, je pense… Oui. La double pièce… belle vue sur la mer… cela plaira à Giles. Là, un petit réduit très utile… Giles pourra en faire un vestiaire… La salle de bains… l'entourage de la baignoire doit être en acajou… Oh ! oui, c'est ça ! C'est superbe… et placée au milieu de la pièce !

Je n'y toucherai pas : c'est une véritable pièce de musée !

Quelle énorme baignoire !

On pourrait mettre une frise avec des pommes.

Et peindre des bateaux à voile… des petits canards.
On aurait l'impression d'être sur la mer… Je sais :
de cette chambre d'amis très sombre, nous allons
faire deux salles de bains très modernes, dans les
tons de vert, avec des chromes… la tuyauterie
devrait se trouver juste au-dessus de la cuisine…
et garder ça tel quel.

— Une pleurésie, était en train d'expliquer
Mrs Hengrave. Qui s'est transformée en double
pneumonie le troisième jour.

— C'est épouvantable, compatit Gwenda. N'y
a-t-il pas une autre chambre au bout de ce couloir ?

Il y en avait une… et c'était exactement le genre
de pièce qu'elle s'attendait à y trouver : presque
ronde, avec une grande fenêtre en saillie. Il faudrait la rénover, bien sûr. Elle était en très bon état,
mais pourquoi les Mrs Hengrave et leurs pareilles
aimaient-elles tant peindre les murs dans ces tons
moutarde et beigeâtre ?

Elles reprirent le couloir en sens inverse. Gwenda
se remémora consciencieusement : « Six, non, sept
chambres en comptant la petite et la mansarde. »

Le plancher craquait faiblement sous leurs pieds.
Déjà, elle avait l'impression que c'était elle et pas
Mrs Hengrave qui habitait là.

Mrs Hengrave était une intruse, une créature qui
avait repeint les pièces de couleurs moutarde et beigeâtre, et qui avait mis une frise représentant une
glycine dans son salon. Gwenda baissa les yeux sur
le papier dactylographié qu'elle tenait à la main,
où figuraient le descriptif de la propriété et le prix
demandé.

En quelques jours, elle avait eu le temps de se mettre au courant de la valeur des maisons. La somme demandée n'était pas très importante. Bien sûr, il fallait compter le coût des travaux de modernisation, mais même en l'ajoutant... Elle nota cependant ces mots : « prix à débattre ». Mrs Hengrave devait être très pressée d'aller habiter le Kent auprès des siens.

Elles commençaient à descendre les escaliers quand tout à coup Gwenda sentit une vague de terreur irrationnelle la submerger. Ce fut une sensation d'angoisse, qui passa presque aussi rapidement qu'elle était venue. Cependant elle fit naître soudain une inquiétude.

— La maison n'est pas... hantée, n'est-ce pas ? demanda Gwenda.

Mrs Hengrave, qui se tenait une marche plus bas et en était arrivée au moment de son récit où le major Hengrave s'était brusquement affaibli, leva les yeux vers Gwenda d'un air offensé :

— Pas à ma connaissance, Mrs Reed. Pourquoi ? Quelqu'un vous aurait-il confié ce genre de sornettes ?

— Vous n'avez jamais personnellement remarqué ou senti, une... une présence ? Personne n'est *mort* ici ?

« Voilà une question plutôt malvenue, pensat-elle une fraction de seconde trop tard, parce que probablement le major Hengrave... »

— Mon mari est décédé à la clinique St. Monica, précisa Mrs Hengrave avec raideur.

— Oh ! bien sûr. Vous me l'aviez dit.

Mrs Hengrave poursuivit du même ton glacial :

— Dans une maison qui a vraisemblablement été construite il y a une centaine d'années, il est plus que probable qu'il soit au fil du temps survenu un certain nombre de décès. Cependant miss Elworthy, à qui mon cher époux a acheté la maison voilà sept ans, était en excellente santé et, pour tout vous dire, partait pour l'étranger afin d'y faire œuvre de missionnaire. Elle n'a fait mention d'aucune mort récente au sein de sa parentèle.

Gwenda s'empressa d'apaiser la mélancolie de Mrs Hengrave. Elles étaient maintenant revenues dans le salon. C'était une pièce charmante, avec exactement le genre d'atmosphère que Gwenda recherchait. Sa frayeur passagère paraissait désormais totalement incompréhensible. Que lui était-il arrivé ? Il n'y avait rien d'anormal dans cette maison.

Après avoir demandé à Mrs Hengrave si elle pouvait jeter un coup d'œil sur le jardin, elle sortit sur la terrasse par l'une des portes-fenêtres.

« Là, il devrait y avoir des marches pour descendre sur la pelouse », pensa Gwenda.

Mais à la place il y avait un gros massif de forsythia, qui se plaisait tant à cet endroit qu'il s'était développé au point d'occulter la vue sur la mer.

Gwenda hocha la tête et se dit qu'elle allait modifier tout ça.

A la suite de Mrs Hengrave, elle longea la terrasse et descendit les quelques marches qui menaient à la pelouse. Elle nota que la rocaille, mal tenue, était envahie par les mauvaises herbes, et que la plupart des arbustes à fleurs avaient besoin d'être taillés.

Mrs Hengrave murmura sur un ton d'excuse que le jardin avait été quelque peu négligé. Elle n'avait pas été en mesure de prendre un jardinier plus de deux fois par semaine. Et il ne retournait pratiquement jamais la terre.

Elles passèrent près du potager, petit mais suffisant, et regagnèrent la maison. Gwenda expliqua qu'elle avait d'autres propriétés à voir et que, bien que Hillside – quel nom banal ! – lui plaise beaucoup, elle ne pouvait prendre de décision tout de suite.

Mrs Hengrave la laissa partir avec, dans le regard, un vague regret et un dernier long reniflement.

Gwenda retourna à l'agence, fit une offre d'achat sous réserve du rapport d'expert et passa le reste de la matinée à se promener dans Dillmouth. C'était une jolie petite ville du bord de mer, au charme d'autrefois. A l'extrémité de la plage, dans la partie « moderne », il y avait deux hôtels qui paraissaient tout neufs et quelques bungalows inachevés. Mais la situation géographique de la ville, bornée par la côte et les collines, avait préservé Dillmouth d'une trop grande expansion.

Après le déjeuner, Gwenda reçut un appel téléphonique des agents immobiliers l'informant que Mrs Hengrave acceptait son offre d'achat. Un sourire malicieux aux lèvres, elle se rendit au bureau de poste et envoya un télégramme à Giles :

AI ACHETE MAISON. TENDRESSE. GWENDA.

« Cela va lui faire plaisir et lui montrer que je n'ai pas perdu mon temps », se dit Gwenda.

2

Papier peint

Un mois avait passé et Gwenda avait emménagé à Hillside. Les meubles de la tante de Giles avaient été retirés du garde-meubles et installés dans la maison. C'était un bon vieux mobilier de qualité. Gwenda avait vendu une ou deux armoires qu'elle estimait trop grandes, mais le reste avait bien trouvé sa place et était en harmonie avec la maison. Elle avait mis dans le salon d'amusantes petites tables en papier mâché, incrustées de nacre et décorées de peintures représentant des châteaux et des roses. Il y avait aussi une élégante petite table à ouvrage sous le plateau de laquelle se trouvait accroché un sac froncé en pure soie, et puis un bureau en bois de rose et une table basse en acajou.

Gwenda avait relégué les fauteuils anciens dans les diverses chambres et en avait acheté, pour Giles et elle, deux gros, moelleux, bien confortables, qu'elle avait disposés de part et d'autre de la cheminée. Le grand sofa capitonné était placé près des fenêtres. Pour les rideaux Gwenda avait choisi un chintz de style classique, avec, sur fond bleu pâle, des motifs représentant d'élégantes urnes remplies de roses et des oiseaux jaunes. La pièce lui paraissait maintenant parfaitement aménagée.

Elle n'était cependant pas tout à fait installée, car il y avait encore des ouvriers dans la maison. Ils auraient déjà dû être partis, mais Gwenda estimait à juste titre que, tant qu'elle n'était pas venue y habiter, ils ne devaient pas s'en aller.

Les modifications dans la cuisine étaient terminées, les nouvelles salles de bains presque finies. Pour la décoration des autres pièces, Gwenda allait attendre un peu. Elle voulait se donner le temps de savourer sa nouvelle demeure et de choisir tranquillement les harmonies de couleurs des différentes chambres. La bâtisse était dans un état tout à fait correct et, dans l'immédiat, il n'était pas nécessaire d'entreprendre d'autres travaux.

A la cuisine, régnait désormais une certaine Mrs Cocker. Auguste personne sur son quant-à-soi, elle avait de prime abord très mal pris l'attitude amicale de Gwenda, beaucoup trop démocratique à son gré. Une fois vertement remise à sa place, elle avait néanmoins adopté un comportement plus détendu.

Ce matin-là, Mrs Cocker déposa un plateau de petit déjeuner sur les genoux de Gwenda, qui venait de s'asseoir dans son lit.

— Quand il n'y a pas d'homme à la maison, décréta Mrs Cocker, péremptoire, une femme préfère prendre son petit déjeuner au lit.

Et Gwenda s'était conformée à ce qui semblait être de règle en Angleterre.

— Brouillés, ce matin, annonça Mrs Cocker,

faisant référence aux œufs. Vous aviez parlé de haddock, mais vous n'auriez pas apprécié que je vous en apporte dans votre chambre. Cela laisse une odeur. Je vais vous en servir au dîner, émietté sur des toasts.

— Oh ! merci, Mrs Cocker.

Mrs Cocker sourit aimablement et se prépara à sortir.

Gwenda n'occupait pas la grande chambre. En attendant l'arrivée de Giles, elle avait préféré s'installer dans la pièce du bout, celle aux murs arrondis et à la fenêtre en saillie. Elle s'y sentait parfaitement chez elle et heureuse.

Après avoir promené son regard tout autour d'elle, elle s'exclama :

— J'adore cette pièce !

Mrs Cocker jeta un coup d'œil circulaire, puis déclara avec indulgence :

— Elle ne manque en effet pas de charme, madame, bien que je la trouve un peu exiguë à mon goût. Les barreaux à la fenêtre me font supposer que ce dut jadis être une chambre d'enfant.

— Je n'y avais pas pensé. C'est possible.

— Enfin ce que j'en dis…, conclut Mrs Cocker avec comme un sous-entendu dans la voix avant de se retirer.

« Quand nous aurons ici un homme, semblait-elle songer, qui sait ? Une nurserie sera peut-être nécessaire. »

Gwenda rougit. Elle examina de nouveau la pièce. Oui, cela ferait une jolie nurserie. Et dans sa tête elle commença à l'aménager. Là, contre le mur, une grande maison de poupées. Des placards remplis de jouets. Un feu qui crépite gaiement dans la cheminée et, devant, un haut garde-feu avec du linge qui sèche sur la barre. Mais pas cette horrible couleur moutarde sur les murs. Non, on la tapisserait avec un joli papier peint. Quelque chose de lumineux et de gai. Des petits bouquets de coquelicots alternés avec des bouquets de bleuets... Oui, ce serait ravissant. Elle décida d'essayer de trouver un papier peint comme celui-là. Elle était sûre d'en avoir vu un quelque part.

Il ne serait pas nécessaire d'y mettre beaucoup de meubles. D'autant qu'il y avait déjà deux placards, mais l'un d'eux, celui qui faisait l'angle, était fermé et la clef perdue. On avait peint par-dessus, il n'avait donc dû être ouvert depuis de longues années. Il fallait qu'elle demande aux ouvriers de l'ouvrir avant qu'ils s'en aillent. D'ailleurs, elle manquait de place pour ranger tous ses vêtements.

Elle se sentait chaque jour un peu plus chez elle à Hillside. Par la fenêtre ouverte lui parvint le bruit d'un raclement de gorge et d'une petite toux sèche. Aussi se dépêcha-t-elle de prendre son petit déjeuner. Foster, le jardinier fantasque sur qui on ne pouvait jamais compter, semblait avoir aujourd'hui tenu parole.

Gwenda prit son bain, enfila une jupe de tweed et un pull-over, et se précipita dans le jardin. Foster était au travail devant la fenêtre du salon. La première tâche qu'elle lui avait confiée était d'aménager une allée dans la rocaille à cet endroit-là. Faisant remarquer qu'il faudrait déterrer les forsythias, les weigelias « et tout ce fouillis de lilas », Foster s'était d'abord montré récalcitrant. Mais elle avait tenu bon, et il semblait avoir maintenant pris l'ouvrage à cœur. Il accueillit Gwenda avec un petit rire :

— On dirait que vous revenez à comme c'était dans l'ancien temps, miss. (Il persistait à appeler Gwenda « miss ».)

— L'ancien temps ? Comment ça ?

Foster frappa légèrement le sol avec sa bêche :

— J'suis arrivé à des marches… visez-moi un peu ça : c'est là qu'elles étaient… juste à l'endroit où qu'vous avez demandé qu'on en mette. Un jour, y a quelqu'un qui les a recouvertes de terre et qu'a fait des plantations par-dessus.

— Quelle idée ridicule ! s'exclama Gwenda. Il est indispensable d'avoir, de la fenêtre du salon une perspective sur le bas de la pelouse et la mer.

Foster n'avait qu'une vague idée de ce qu'était une perspective, mais il donna son assentiment encore qu'avec circonspection et comme à contrecœur :

— J'veux pas dire, remarquez bien, que ce sera pas plus joli… Ça va vous donner de la vue… et, ces arbustes, y font de l'ombre dans le salon. Mais ils poussaient si bien… J'avais jamais vu un aussi beau massif de forsythia. Les lilas, ça vaut pas grand-chose, mais ces weige-je-ne-sais-trop-quoi, ça coûte pour être transplantés.

— Oh ! je sais. Mais c'est beaucoup, beaucoup plus joli comme ça.

— Bon. (Foster se gratta le sommet du crâne :) Bon. Pt-être bien.

— C'est sûr et certain, trancha Gwenda. Qui habitait cette villa avant les Hengrave ? demanda-t-elle soudain. Ils ne sont pas restés là très longtemps, je crois ?

— Six ans ou quéqu'chose comme ça. Ils étaient pas d'ici. Avant eux ? C'était les demoiselles Elworthy. Des vraies punaises de sacristie. Des fidèles de la Low Church. Et qui ne juraient que par les missions chez les sauvages. Une fois, y a même eu un pasteur – un pasteur *noir* – qui est venu ici, aussi vrai qu'j'vous le dis. Quatre qu'elles étaient, et puis leur frère… mais lui, il pointait quasiment jamais le bout de son nez : vous pensez, avec toutes ces femmes. Avant eux…, attendez voir, c'était Mrs Findeyson… Ah ! elle, c'était une aristocrate, une vraie. Et puis elle était du coin. Elle habitait déjà là avant que je soye né.

— Est-ce qu'elle est morte ici ? demanda Gwenda.

— Elle est morte en Egypte ou quelque part par là-bas. Mais ils l'ont ramenée au pays. Elle est enterrée là-haut, au cimetière. C'est elle qui a planté ce magnolia et ces cytises. Et ces pittosporums. Ah ! pour ce qui est de ça, elle les aimait, les arbres. (Foster continua :) Y avait pas toutes ces maisons neuves, qu'ils ont construites le long de la colline, à cette époque-là. C'était la campagne, ici. Pas de cinéma non plus. Et aucune de ces nouvelles boutiques. Ni cette promenade, là, sur le front de mer !

Son ton exprimait la désapprobation des personnes âgées concernant les innovations en tous genres.

— Des changements, poursuivit-il en reniflant. Rien que des changements.

— Je suis d'avis que toute chose est vouée à changer, rétorqua Gwenda. Et finalement il y a quand même eu pas mal d'améliorations, vous ne trouvez pas ?

— C'est ce qu'ils prétendent. Moi, j'les ai pas remarquées. Des changements !

Il tendit son bras vers la haie de cyprès macro-carpa située sur la gauche, à travers laquelle on apercevait le miroitement d'un immeuble :

— Avant, c'était l'hôpital. Un bel endroit, pratique en plus. Et puis ils sont partis, ils ont construit un grand bâtiment à plus d'un kilomètre et demi de la ville. Vingt minutes de marche qu'il faut faire si on veut aller là-bas rendre une visite… ou alors faut payer 3 pence d'autobus.

Il fit de nouveau des gestes en direction de la haie :

— C'est une école de filles, maintenant. Installée là depuis dix ans. Ça change tout le temps. De nos jours, les gens prennent une maison, ils y vivent dix ou douze ans et puis ils s'en vont. Ils ne tiennent pas en place. Qu'est-ce que ça donne de bon ? Vous pouvez pas faire des plantations sérieuses si vous avez pas des projets à long terme, comme dit l'autre.

Gwenda regarda le magnolia avec tendresse.

— Comme Mrs Findeyson, hasarda-t-elle.

— Ah ! Elle, c'était quelqu'un de bien. Elle était jeune mariée quand c'est qu'elle est arrivée ici. Elle a élevé ses enfants, les a mariés, a enterré son mari... L'été, elle recevait ses petits-enfants... Et au bout du compte elle est partie alors qu'elle avait près de 80 ans.

Le ton de Foster reflétait toute son admiration.

Gwenda retourna dans la maison en souriant. Elle s'entretint un moment avec les ouvriers, après quoi elle retourna au salon, s'assit au bureau et fit un peu de courrier. Parmi les lettres auxquelles il lui fallait répondre, il y en avait une d'un cousin de Giles et de son épouse qui habitaient la capitale. Ils l'invitaient à descendre chez eux dans leur maison de Chelsea quand l'envie lui prendrait d'aller faire un tour à Londres.

Raymond West était un romancier connu – sinon populaire –, et Gwenda avait appris que sa femme, Joan, était peintre. Ce serait amusant d'aller chez eux, bien qu'ils la considérassent probablement comme le plus épouvantable des philistins. « Ni Giles ni moi ne sommes des intellectuels », songea Gwenda.

Un gong sonore provenant du hall retentit cérémonieusement. Ce gong, encerclé par un grand cadre de bois sombre, sculpté et chantourné, avait été l'un des biens les plus précieux de la tante de Giles. Mrs Cocker semblait éprouver un plaisir tout particulier à le faire résonner et y mettait tout son cœur. Gwenda porta les mains à ses oreilles et se leva.

Elle traversa rapidement le salon en direction du mur situé près de la fenêtre du bout, puis s'arrêta net et poussa un soupir d'agacement. C'était la troisième fois qu'elle faisait cela. Elle s'attendait toujours, à pouvoir traverser le mur à cet endroit précis pour pénétrer dans la salle à manger qui était de l'autre côté.

Elle traversa la pièce, sortit dans le hall d'entrée, contourna l'angle du mur du salon et parvint ainsi à la salle à manger. C'était un long détour, qu'il serait particulièrement désagréable d'avoir à faire en hiver, car l'entrée était pleine de courants d'air, et le chauffage central ne chauffait que le salon, la salle à manger et deux chambres au premier étage.

« Je ne vois pas, pensa Gwenda en s'asseyant à la jolie table de salle à manger Sheraton qu'elle venait d'acheter assez cher pour remplacer la massive table carrée en acajou de tante Lavender, je ne vois pas pourquoi je ne ferais pas ouvrir une porte de communication entre le salon et la salle à manger. J'en parlerai à Mr Sims quand il viendra cet après-midi.

Mr Sims, l'entrepreneur et décorateur, était un homme d'âge moyen, à la voix rauque et au ton persuasif, qui ne se séparait jamais de son petit carnet sur lequel il notait toutes les idées dispendieuses qui venaient à l'esprit de ses clients.

Mr Sims, dès que Gwenda l'eut consulté, se montra très approbateur :

— C'est l'opération la plus simple qui soit, Mrs Reed... et ce sera une importante amélioration, si je puis me permettre.

— Est-ce que cela entraînera de gros frais ?

Gwenda commençait à redouter les approbations et l'enthousiasme de Mr Sims. Elle avait eu la mauvaise surprise de voir divers suppléments venir s'ajouter au devis initial de l'entrepreneur.

— Trois fois rien, répondit Mr Sims, de sa voix rauque, complaisante et rassurante.

Gwenda se montra plus dubitative que jamais. C'était des petits riens de Mr Sims qu'elle avait appris à se méfier. Ses devis de départ, il veillait à ce qu'ils fussent d'un prix modéré.

— Ne vous en faites pas, Mrs Reed, reprit Mr Sims sur un ton, enjôleur, je vais demander à Taylor de regarder ça de plus près quand il en aura fini avec le vestiaire cet après-midi, je pourrai alors vous dire exactement ce qu'il en est. Cela va dépendre de comment le mur est fait.

Gwenda acquiesça. Elle partit alors écrire à Joan West, la remercia pour son invitation, mais la prévint qu'elle ne quitterait pas Dillmouth tout de suite, car elle préférait garder un œil sur l'avancement des travaux. Puis elle sortit faire une petite marche sur le front de mer et apprécia les bienfaits de la brise marine. Quand elle revint dans le salon, Taylor, le chef de chantier de Mr Sims, se redressa et l'accueillit avec un sourire.

— Cela ne posera aucun problème, Mrs Reed, affirma-t-il. Il y avait autrefois là une porte. Quelqu'un, ne la voulant plus, l'a simplement fait reboucher au plâtre.

Gwenda fut agréablement surprise. C'est extraordinaire, pensa-t-elle, que j'aie toujours été persuadée qu'il y avait une porte ici. Elle se souvint alors de la manière assurée dont elle s'était dirigée vers elle à l'heure du déjeuner. Et cela la fit soudain frissonner. Il fallait bien avouer que c'était vraiment assez étrange… Pourquoi avait-elle eu ainsi la certitude qu'il y avait une porte à cet endroit et pas à un autre ? Il n'y avait aucun signe visible sur le mur. Comment avait-elle pu deviner – savoir – qu'il y avait eu une porte précisément là ? Bien sûr, il lui paraissait pratique de pouvoir passer directement dans la salle à manger, mais pourquoi s'était-elle toujours dirigée si infailliblement vers ce point particulier ? Cette porte aurait pu se trouver à n'importe quel endroit du mur de séparation, mais elle était toujours allée automatiquement, en pensant à autre chose, droit vers le bon emplacement.

« J'espère, s'inquiéta Gwenda, que ce n'est pas de la voyance ou un truc dans ce goût-là… »

Elle n'avait encore jamais été le jouet de phénomènes paranormaux. Ce n'était pas du tout son genre. Du moins le croyait-elle. Cette allée menant de la terrasse à la pelouse en traversant le massif d'arbustes… Avait-elle eu connaissance, d'une manière ou d'une autre, de son existence antérieure quand elle insistait tant pour qu'elle soit tracée à cet endroit précis ?

« Peut-être que je suis bel et bien un peu médium », pensa Gwenda mal à l'aise. Ou bien est-ce directement lié à la maison ? Pourquoi, le jour où elle avait visité la villa, avait-elle demandé à Mrs Hengrave si elle était hantée ?

Elle n'était pas hantée ! C'était un amour de maison ! Il ne pouvait rien y avoir de mauvais en elle. C'est bien pourquoi Mrs Hengrave avait paru si surprise de cette question.

A moins que… à moins que cette dernière n'ait agi ainsi que par calcul. Ou bien encore qu'elle-même – Gwenda – n'ait vu de la surprise là où il y avait en fait de la circonspection ?

« Juste Ciel, je commence à délirer », frémit-elle.

Elle fit un effort pour revenir à sa discussion avec Taylor.

— Il y a autre chose, ajouta-t-elle. Un des placards dans ma chambre en haut est condamné. Je voudrais qu'on l'ouvre.

Le chef de chantier monta avec elle et examina la porte du placard.

— On a peint par-dessus plus d'une fois, dit-il. Je vais demander à mes hommes de vous l'ouvrir demain si c'est possible.

Gwenda acquiesça et Taylor sortit.

Ce soir-là, Gwenda se sentit fébrile et nerveuse. Assise dans l'un des gros fauteuils du salon, elle essayait de lire, mais elle prêtait attention au moindre craquement de meuble. Une ou deux fois, elle avait regardé par-dessus son épaule et frissonné. Elle se répéta à plusieurs reprises qu'il n'y avait rien d'anormal dans l'incident de la porte et de l'allée. C'étaient de simples coïncidences. Dans les deux cas, il s'agissait d'une question de bon sens.

Sans vouloir l'admettre, elle redoutait d'aller se coucher. Quand enfin elle se leva, éteignit les lumières et ouvrit la porte donnant sur le couloir, elle appréhenda de monter les escaliers. Elle les grimpa quatre à quatre, traversa le couloir à la hâte et ouvrit la porte de sa chambre. Une fois à l'intérieur, elle sentit immédiatement ses craintes diminuer et se trouva apaisée. Elle promena avec plaisir son regard tout autour de la pièce. Elle s'y sentait bien et en sécurité. Oui, maintenant qu'elle était là, elle se sentait en sécurité. « Mais de quoi as-tu peur, espèce d'idiote ? » se gourmanda-t-elle. Elle regarda son pyjama étalé sur le lit et ses pantoufles en dessous.

« Vraiment Gwenda, tu te comportes comme une gamine de 6 ans ! Tu devrais avoir des chaussons décorés avec des petits lapins. »

Elle entra dans son lit avec une sensation de soulagement et s'endormit très vite.

Le lendemain matin, elle avait diverses courses à faire en ville. Quand elle revint, c'était l'heure du déjeuner.

— Les ouvriers ont ouvert le placard dans votre chambre, madame, lui dit Mrs Cocker en lui servant une sole délicatement grillée, accompagnée de purée de pommes de terre et de carottes à la crème.

— Ah ! très bien, s'exclama Gwenda.

Elle avait faim et apprécia son déjeuner. Après avoir pris le café au salon, elle monta dans sa chambre. Elle traversa la pièce et ouvrit la porte du placard d'angle.

Aussitôt, elle poussa un petit cri d'effroi et resta immobile, les yeux écarquillés.

L'intérieur du placard révélait le papier peint dont à l'origine les murs avaient été tapissés et qui partout ailleurs avait été recouvert de peinture jaunâtre. Autrefois, la pièce était décorée d'un joli papier à fleurs, où alternaient des petits bouquets de coquelicots écarlates et des bouquets de bleuets d'un bleu vif…

Gwenda demeura ainsi ébahie un long moment, puis elle se dirigea en chancelant vers son lit et s'y assit.

Elle se trouvait dans une maison où elle n'était jamais allée auparavant, dans un pays où elle n'était jamais venue… et il y a tout juste deux jours, couchée là, dans son lit, elle pensait à un papier peint pour cette pièce, et elle en avait imaginé un qui correspondait exactement au papier qui avait jadis recouvert les murs de cette chambre.

Toutes sortes d'explications extravagantes tourbillonnèrent dans sa tête. Elle pensa à Dunne et à son *Expérience avec le Temps*, qui voyait l'avenir là où il n'y avait que le passé…

Pour l'allée du jardin et la porte de communication, il pouvait s'agir de coïncidences – mais pas là. Il n'est pas concevable de pouvoir imaginer un papier peint avec un dessin aussi précis et ensuite trouver exactement le même quelque part… Non, elle ne pouvait se l'expliquer et cela… oui, cela l'effrayait. Il lui arrivait donc de temps en temps non pas d'imaginer l'avenir, mais de remonter dans le passé… et de voir la maison telle qu'elle était autrefois. A tout moment, il pouvait lui arriver de voir quelque chose d'autre… quelque chose qu'elle n'aurait pas voulu voir… La maison lui fit peur… Mais était ce de la maison qu'elle avait peur ou bien d'*elle-même* ? Elle ne redoutait rien tant que d'être une de ces personnes qui ont un don de voyance…

Elle poussa un long soupir, mit son manteau et son chapeau, et sortit en hâte de la maison. Arrivée à la poste, elle rédigea le télégramme suivant :

WEST, 19, ADDWAY SQUARE CHELSEA LONDON, PUIS-JE CHANGER D'AVIS ET VENIR VOUS VOIR DEMAIN ? GWENDA.

Elle l'envoya réponse payée.

3

Raymond West et sa femme firent tout ce qu'ils purent pour que la jeune épouse de Giles se sente bien accueillie. Ce n'était pas leur faute si Gwenda les trouvait en son for intérieur un peu inquiétants. Raymond, avec son allure étrange, son air de corbeau fondant sur sa proie, son mouvement de tête circulaire pour rejeter ses cheveux en arrière et ses soudains crescendo de paroles totalement incompréhensibles laissèrent Gwenda stupéfaite et nerveuse. Elle ne s'était encore jamais trouvée plongée dans un milieu d'intellectuels, et la plupart des expressions qu'ils employaient lui étaient inconnues.

— Nous avons projeté de vous emmener voir un ou deux spectacles, dit Raymond pendant que Gwenda buvait un gin alors qu'elle aurait préféré, après son voyage, qu'on lui offrît une tasse de thé.

Gwenda se détendit aussitôt.

— Ce soir, un ballet au Sadler's Wells ; demain, pour la soirée d'anniversaire de mon inénarrable tante Jane, *La Duchesse d'Amalfi*, avec Gielgud ; et, vendredi, il est impératif que vous veniez voir

Ils marchaient sans pieds. Une pièce traduite du russe – sans doute la plus signifiante des vingt dernières années. C'est au petit théâtre Witmore.

Gwenda les remercia d'avoir fait tous ces projets de sorties pour elle. De toute façon, quand Giles serait rentré, ils iraient voir ensemble des comédies musicales et autres spectacles légers. Elle frémissait quelque peu à la perspective d'assister à *Ils marchaient sans pieds*, mais se dit qu'elle apprécierait sans doute – encore que ce qualificatif de « signifiante » à propos d'une pièce lui fit craindre le pire.

— Vous allez adorer ma tante Jane, enchaîna Raymond. Elle est ce que j'appellerais un parfait monument historique, un meuble d'époque « préservé dans son jus ». Victorienne jusqu'à la moelle. Toutes ses tables de toilette ont les pieds enveloppés de chintz. Elle habite un village, le genre de village où il ne se passe jamais rien, exactement comme une mare d'eau stagnante.

— Il s'y est pourtant bien, jadis, passé quelque chose, lui fit remarquer sa femme, très pince-sans-rire.

— Un banal drame passionnel… primaire… dénué de toute subtilité.

— Qui t'a néanmoins terriblement amusé à l'époque, lui rappela Joan avec un petit clin d'œil.

— J'aime parfois me laisser aller à jouer au cricket de village, répliqua Raymond avec dignité.

— Quoi qu'il en soit, tante Jane s'est distinguée lors de ce meurtre.

— Oh ! mais c'est qu'elle a oublié d'être sotte. Elle adore les problèmes.

— Les problèmes ? répéta Gwenda, pour qui ce mot évoquait l'arithmétique.

Raymond eut un geste ample de la main :

— Les problèmes en tout genre. Pourquoi la femme de l'épicier a pris son parapluie pour se rendre à la réunion paroissiale alors que la soirée était belle. Pourquoi on a retrouvé 100 g de crevettes au vinaigre à tel endroit où lesdites crevettes n'avaient rien à faire. Ce qui a bien pu arriver au surplus du pasteur. Tout grain est bon à moudre pour le moulin de tante Jane. Si vous avez un quelconque problème dans l'existence, confiez-le-lui, Gwenda. Elle vous le résoudra en trois coups de cuillère à pot.

Il se mit à rire et Gwenda rit également, mais pas d'aussi bon cœur que lui.

Elle fut présentée à tante Jane, autrement dit miss Marple, le lendemain. Miss Marple était une charmante vieille demoiselle aux joues roses, aux yeux d'un bleu de porcelaine et aux manières douces et raffinées. Souvent son regard s'animait de légers pétillements.

Après un dîner pris de bonne heure au cours duquel ils avaient bu à la santé de tante Jane, ils partirent tous pour le théâtre. Deux autres messieurs, un artiste d'un certain âge et un jeune avocat, étaient de la partie. L'artiste d'un certain âge se dévoua à Gwenda, et le jeune avocat partagea ses attentions entre Joan et miss Marple, dont les remarques semblèrent beaucoup l'amuser. Au théâtre, cependant, cet arrangement s'inversa.

Gwenda s'assit au milieu du rang entre Raymond et l'avocat.

Les lumières s'éteignirent et le spectacle commença.

Les acteurs étaient excellents et Gwenda apprécia beaucoup. Elle n'avait guère eu l'occasion jusqu'ici d'assister à des spectacles dramatiques de cette qualité.

La pièce touchait à sa fin, on en arrivait au moment d'horreur suprême. La voix de l'acteur passa la rampe, empreinte des accents tragiques d'un esprit corrompu et pervers :

« *Couvrez-lui le visage !*
Elle est morte jeune et mes yeux sont aveuglés… »

Gwenda poussa un cri.

Elle se leva d'un bond, passa devant les autres sans les voir, atteignit l'allée centrale, gagna la sortie et se retrouva dans la rue. Même arrivée là, elle ne s'arrêta pas et, moitié marchant, moitié courant, dans un état de panique incontrôlé, elle remonta Haymarket.

Ce n'est qu'après avoir atteint Piccadilly qu'elle remarqua un taxi en maraude, le héla, s'y engouffra et donna l'adresse de la maison de Chelsea. Les doigts tremblants, elle sortit de l'argent de son sac, paya la course et escalada les marches du perron. La domestique qui lui ouvrit la porte la dévisagea d'un air surpris :

— Vous êtes revenue très tôt, miss. Vous ne vous sentiez pas bien ?

— Je… non, oui… je… Je me sens faible.

— Voulez-vous quelque chose, miss ? Un peu de cognac ?

— Non, rien. Je vais directement me coucher.

— Elle monta l'escalier en courant pour éviter d'avoir à répondre à de nouvelles questions.

Elle ôta ses vêtements, les laissa par terre en bouchon et entra dans le lit. Elle resta là étendue, tremblante, le cœur battant très fort, les yeux fixés au plafond.

Elle n'entendit pas le bruit que fit en bas l'arrivée des autres, mais au bout d'environ cinq minutes la porte s'ouvrit et miss Marple entra. Elle avait deux bouillottes coincées sous un bras et une tasse à la main.

Gwenda s'assit dans son lit et tenta de mettre fin à ses tremblements :

— Oh ! miss Marple, je suis absolument navrée. Je ne sais pas ce qui… c'est épouvantable de ma part. Sont-ils très fâchés contre moi ?

— Allons, ne vous inquiétez pas, ma chère enfant, déclara miss Marple. Tenez-vous au chaud avec ces bouillottes.

— Je n'ai pas vraiment besoin de bouillotte.

— Mais si. Cela vous fera du bien. Et maintenant, buvez cette tasse de thé…

Il était chaud, fort et beaucoup trop sucré, mais Gwenda le but docilement. Elle tremblait moins, à présent.

— Maintenant, allongez-vous et dormez, ordonna miss Marple. Vous avez subi un choc.

Nous en parlerons demain matin. Ne vous inquiétez plus de rien. Il vous faut simplement dormir

Elle lui remonta ses couvertures, lui fit un sourire, lui caressa la joue et sortit.

En bas, Raymond fulminait :

— Que diable a-t-il pris à cette gourde ? Elle est malade, ou quoi.

— Mon cher Raymond, je n'en sais rien, elle s'est contentée de pousser un hurlement. Je suppose que la pièce était un peu trop macabre pour elle.

— Bon, d'accord, Webster est un tantinet sinistre. Mais je n'aurais jamais été imaginer… (il s'interrompit en voyant miss Marple entrer dans la pièce :) Elle va mieux ?

— Oui, il me semble. Elle a subi un choc, vous savez.

— Un choc ? En voyant un drame élisabéthain !

— M'est avis qu'il n'y a pas que cela, dit miss Marple, pensive.

Le petit déjeuner de Gwenda lui fut apporté au lit. Elle but un peu de café et grignota un petit morceau de toast. Quand elle se leva et descendit au salon, Joan était partie dans son atelier, Raymond s'était cloîtré dans son bureau, et il n'y avait que miss Marple, occupée à tricoter près de la fenêtre, par laquelle on apercevait la Tamise.

Elle leva les yeux et regarda Gwenda entrer avec un sourire serein :

— Bonjour, ma chère enfant. J'espère que vous vous sentez mieux.

— Oh ! oui, je vais tout à fait bien. Comment ai-je pu me comporter aussi stupidement hier soir, je ne comprends pas. Est-ce qu'ils m'en veulent... est-ce qu'ils m'en veulent beaucoup ?

— Pas le moins du monde, ma chère petite. Ils comprennent parfaitement.

— Ils comprennent quoi ?

Miss Marple lui lança un coup d'œil par-dessus son tricot :

— Que vous avez subi un terrible choc hier soir. Ne feriez-vous d'ailleurs pas mieux de tout me dire à ce propos ? ajouta-t-elle gentiment.

Gwenda se mit à marcher de long en large :

— Le mieux serait que j'aille consulter un psy-chiatre ou quelqu'un comme ça.

— Londres regorge évidemment d'excellents spécialistes en psychiatrie. Mais êtes-vous bien sûre que cela soit nécessaire ?

— C'est que... je crois que je suis en train de devenir folle... Je dois bel et bien être en train de devenir folle.

Une vieille femme de chambre entra dans le salon avec, sur un plateau, un télégramme qu'elle tendit à Gwenda :

— Le facteur demande s'il doit attendre une réponse, madame.

Gwenda déchira le télégramme pour l'ouvrir. Il avait été retélégraphié de Dillmouth. Elle le regarda fixement quelques instants sans comprendre, puis le froissa et le roula en boule.

— Il n'y a pas de réponse, répondit-elle machi-nalement.

La femme de chambre quitta la pièce.

— J'espère que ce ne sont pas de mauvaises nouvelles, ma chère enfant ?

— C'est Giles, mon mari. Il rentre par avion. Il sera là dans une semaine.

Sa voix était hésitante et exprimait tout le désespoir du monde.

Miss Marple toussota doucement :

— Eh bien… voilà qui doit vous… vous faire plaisir, non ?

— Plaisir ? Quand je me demande si je ne suis pas folle ? Si tel est bien le cas, je n'aurais jamais dû épouser Giles. Et puis il y a la maison et tout le reste. Et je ne peux pas retourner là-bas. Oh ! mon Dieu, je ne sais pas quoi faire.

Miss Marple tapota le sofa à côté d'elle :

— Et si vous vous asseyiez ici, ma chère petite, et que vous me racontiez ce qui se passe ?

C'est avec une sensation de soulagement que Gwenda accepta cette proposition. Elle débita toute son histoire, en commençant par la première fois qu'elle avait vu Hillside et en continuant avec les divers incidents qui l'avaient d'abord troublée puis carrément inquiétée.

— J'ai fini par prendre peur, avoua-t-elle. Et j'ai pensé que, en venant à Londres, j'allais… j'allais me débarrasser de toutes ces histoires. Seulement, voyez-vous, ce n'est pas ce qui s'est passé. Elles m'ont poursuivie. Et, hier soir…

Elle ferma les yeux et déglutit en se remémorant la scène.

— Hier, soir ? l'incita à poursuivre miss Marple.

— Vous n'allez certainement pas me croire, dit

Gwenda avec précipitation. Vous allez penser que je suis hystérique, complètement dérangée ou Dieu sait quoi. C'est arrivé tout soudain, juste à la fin. Je prenais plaisir à voir cette pièce. Je n'avais pas pensé une seule fois à la maison. Et alors c'est arrivé… de façon tout à fait inattendue… quand il a prononcé ces mots…

Elle répéta lentement, d'une voix tremblante :

« Couvrez-lui le visage !
Elle est morte jeune et mes yeux sont aveuglés… »

« Alors je me suis brusquement retrouvée là-bas… en haut des marches, à regarder en bas, dans le hall, à travers la rambarde de l'escalier, et je l'ai vue, étendue là. Etendue de tout son long… morte. Ses cheveux tout blonds et son visage tout… tout *bleu* ! Elle était morte, étranglée, et quelqu'un prononçait ces mots avec la même jubilation atroce… et j'ai vu ses mains à lui… grises, parcheminées… pas des mains… des pattes comme celles d'un singe. C'était horrible, je vous assure. Elle était morte…

Miss Marple demanda d'une voix douce :

— *Qui* était morte ?

La réponse se fit immédiate et automatique

— Helen…

4

HELEN ?

Pendant quelques instants, Gwenda regarda fixement miss Marple, puis elle repoussa les cheveux qui lui tombaient sur le front.

— Pourquoi ai-je répondu cela ? s'étonnat-elle. Pourquoi ai-je dit Helen ? Je ne connais pas d'Helen !

Elle laissa tomber ses mains dans un geste de désespoir :

— Vous voyez bien. Je suis folle ! J'imagine des choses ! J'en arrive à voir des choses qui n'existent pas. Ça n'a d'abord été que du papier peint… mais maintenant c'est un cadavre. C'est de pis en pis.

— Allons, n'en tirez pas des conclusions aussi hâtives, ma chère enfant…

— Ou bien alors c'est la maison. La maison qui est hantée… ou ensorcelée ou je ne sais quoi. Je vois des choses qui s'y sont passées… ou qui vont s'y passer… et ce serait pis encore. Peut-être qu'une Helen va y être assassinée. Le problème, c'est que, si la maison était hantée pourquoi aurais-je vu ces choses horribles alors que je n'y étais pas ? Je pense donc que, en réalité, c'est moi qui dois perdre la raison. Et je ferais mieux d'aller consulter un psychiatre... dès ce matin.

— Oui, bien sûr, ma chère Gwenda, vous pourrez toujours vous résoudre à cela quand vous aurez épuisé toutes les autres manières d'aborder le problème. Mais je pense qu'il serait préférable de commencer par étudier d'abord les explications les plus simples et les plus banales. Laissez-moi exposer clairement les faits. Trois incidents précis vous ont bouleversée. Une allée dans le jardin qui avait été supprimée, où l'on avait planté des arbustes et dont vous avez deviné la présence, *idem* pour une porte qui avait été murée et un papier peint qui s'est révélé exactement tel que vous l'aviez imaginé, dans le détail et sans jamais l'avoir vu ? C'est bien cela ?

— Oui.

— Bon, l'explication la plus simple, la plus naturelle, serait que vous ayez bel et bien déjà vu ces trois choses.

— Dans une autre vie, vous voulez dire ?

— Non, pas du tout. Dans celle-ci. Je veux dire qu'il pourrait tout bonnement s'agir de souvenirs bien réels.

— Mais, jusqu'à il y a un mois, je n'avais jamais mis le pied en Angleterre, miss Marple !

— En êtes-vous tout à fait sûre, ma chère petite ?

— J'en suis absolument certaine. Toute ma vie, je l'ai passée près de Christchurch, en Nouvelle-Zélande.

— Est-ce que vous y êtes née ?

— Non, je suis née en Inde. Mon père était officier de l'armée britannique. Ma mère est morte un ou deux ans après ma naissance. Mon père m'a alors envoyé en Nouvelle-Zélande, dans ma famille maternelle qui m'a élevée. Puis il est mort quelques années plus tard.

— Vous ne vous souvenez pas de votre voyage entre l'Inde et la Nouvelle-Zélande ?

— Pas vraiment. Je me souviens, très, très vaguement, que j'étais sur un bateau. Et aussi d'une fenêtre ronde : un hublot, je suppose. Et d'un homme en uniforme blanc, avec le visage rouge, les yeux bleus et une marque au menton : une cicatrice, j'imagine. Il me faisait sauter en l'air et je me rappelle que d'un côté cela m'effrayait et que d'un autre j'aimais ça. Mais c'est très fragmentaire.

— Vous souvenez-vous d'une nurse… ou d'une aya – une bonne d'enfant indienne ?

— Pas une aya… de Nannie. Je me souviens de Nannie parce qu'elle est restée avec moi pendant longtemps… jusqu'à ce que j'aie 5 ans. Elle découpait des canards en papier. Oui, elle était sur le bateau. Elle me grondait quand je pleurais parce que le capitaine m'embrassait et que je n'aimais pas sa barbe.

— Voilà qui est très intéressant, ma chère petite, car à l'évidence vous mélangez deux voyages. Dans l'un, le capitaine a une barbe et dans l'autre il a un visage rouge et une cicatrice au menton.

— Oui, admit Gwenda, vous avez sans doute raison.

— Il me paraît probable, déclara miss Marple,

que, lorsque votre mère est morte, votre père vous a d'abord emmenée avec lui en Angleterre, et que vous avez alors habité cette maison, Hillside. Vous m'avez dit, souvenez-vous, que, dès que vous y êtes entrée, vous vous y êtes sentie comme chez vous. Et la pièce où vous avez choisi de dormir était probablement votre ancienne chambre d'enfant...

— Elle a effectivement été chambre d'enfant. Il y a des barreaux aux fenêtres.

— Vous voyez bien. Elle était tapissée de ce joli papier avec des bleuets et des coquelicots. Les enfants se souviennent très bien des murs de leur chambre. J'ai toujours gardé le souvenir des iris mauves qui ornaient les murs de la mienne et pourtant je n'avais que 3 ans, je crois, lorsque le papier peint a été changé.

— Et c'est pourquoi j'ai tout de suite pensé aux jouets, à la maison de poupées et aux placards à jouets ?

— Oui. Et la salle de bains. La baignoire avec l'entourage en acajou. Vous m'avez dit que vous aviez pensé à des canards qui voguaient dedans dès que vous l'avez vue.

Gwenda répondit pensivement :

— Il est vrai que j'ai eu l'impression de savoir exactement où tout se trouvait... la cuisine et le placard à linge. Et que j'ai toujours pensé qu'il y avait une porte de communication entre le salon et la salle à manger. Mais il est tout à fait impossible que j'arrive en Angleterre et que j'achète précisément la maison où j'aurais jadis habité ?

— Cela n'a rien d'impossible, ma chère enfant.

Ce n'est qu'une coïncidence extraordinaire... et les coïncidences extraordinaires, ça existe. Votre mari voulait une maison sur la côte sud, vous en recherchiez donc une, et vous êtes passée devant une maison qui a éveillé en vous des souvenirs et vous a attirée. Sa taille vous convenait et son prix était raisonnable, aussi l'avez-vous achetée. Non, ce n'est pas aussi invraisemblable que cela. Si la maison avait été simplement ce que l'on appelle – peut-être à juste titre – une maison hantée, vous auriez réagi différemment, je pense. Mais vous n'avez pas eu de sensation de violence ou de répulsion sauf, m'avez-vous dit, à un moment très précis, lorsque vous avez commencé à descendre l'escalier et que vous avez regardé en bas, dans le hall.

Une légère expression de frayeur réapparut dans les yeux de Gwenda et elle bredouilla :

— Vous voulez dire que... que Helen... que *ça aussi* c'est vrai ?

Miss Marple répondit d'une voix très douce :

— Eh bien, c'est ce que je pense, ma chère enfant... Je crois que vous devez admettre que, si les autres choses sont des souvenirs, celle-là en est un également.

— Que j'ai réellement vu une personne qui avait été tuée... étranglée... et qui était étendue, là, morte ?

— Je ne crois pas que vous ayez eu jadis conscience qu'elle avait été étranglée, c'est sans doute la pièce d'hier soir qui vous y a fait penser et c'est ce que suggère à un adulte la vue d'un visage bleu convulsionné. J'imagine qu'une très jeune enfant, descendant tout doucement un escalier, peut ressentir la violence, la mort, le mal et les associer à une certaine succession de mots... car je pense que le meurtrier a très certainement prononcé ces mots. Cela ne pouvait que provoquer chez elle un choc très violent. Les enfants sont de drôles de petits êtres. Lorsque quelque chose leur a fait très peur, et particulièrement quand ils ne comprennent pas ce que c'est, ils n'en parlent pas. Ils le refoulent. Apparemment, ils l'oublient. Mais le souvenir est encore là ancré au plus profond d'eux-mêmes.

Gwenda poussa un grand soupir :

— Et vous pensez que c'est ce qui m'est arrivé ? Mais pourquoi alors est-ce que je ne me souviens pas de tout *maintenant* ?

— Les souvenirs ne remontent pas à la surface sur commande. Et, dans la majorité des cas, plus on essaie de les faire resurgir plus ils vous échappent. Mais il y a un ou deux détails qui me font croire que c'est bien ce qui s'est passé. Par exemple, quand vous m'avez raconté tout à l'heure ce qui vous est arrivé au théâtre hier soir, vous avez utilisé une expression très révélatrice. Vous m'avez dit que vous aviez eu l'impression d'être en train de regarder « à travers la rambarde de l'escalier » – alors que, normalement, voyez-vous, on ne regarde pas dans un hall situé à l'étage du dessous *à travers* la rambarde mais *par-dessus*. Seuls les enfants regardent *à travers*.

— Vous êtes vraiment très perspicace, reconnut Gwenda, admirative.

— Ces petits détails sont très significatifs.

— Mais qui était Helen ? demanda Gwenda dont le visage exprimait la perplexité.

— Précisez-le moi, ma chère petite : êtes-vous toujours aussi sûre qu'il s'agissait bien d'une « Helen » ?

— Oui… Et ce qui est vraiment très bizarre, c'est que je ne sais pas qui pourrait être cette « Helen » – mais en même temps je le sais… je veux dire que je sais que c'était bel et bien « Helen » qui était étendue là… Mon Dieu, comment s'y prendre pour en savoir plus ?

— Eh bien, j'estime que votre première démarche devrait consister à découvrir si vous êtes réellement allée en Angleterre quand vous étiez enfant, voire s'il se peut que vous y soyez allée. Votre famille…

Gwenda l'interrompit :

— Tante Alison ! Elle doit être au courant, j'en suis sûre.

— Alors, si j'étais vous, je lui enverrais un mot par avion. Dites-lui que certaines circonstances font qu'il vous est impératif de savoir si vous êtes déjà allée en Angleterre. Vous devriez recevoir une réponse par retour du courrier avant l'arrivée de votre mari.

— Oh ! merci, miss Marple. Vous avez été vraiment très gentille avec moi. Et j'espère de tout cœur que ce que vous avez suggéré est vrai. Parce que, si tel est le cas, tout ira bien. Je veux dire : ce sera la preuve qu'il n'y avait rien de surnaturel dans tout ça.

Miss Marple sourit :

— Je souhaite que la réalité soit conforme à mes

pronostics. Je pars après-demain voir quelques vieux amis dans le nord de l'Angleterre. Je repasserai par Londres dans une dizaine de jours. Si votre mari et vous êtes là, et si vous avez reçu une réponse à votre lettre, je serai infiniment curieuse de savoir ce qu'il en est.

— *Bien sûr*, chère miss Marple… De toute façon, je meurs d'envie que vous fassiez la connaissance de Giles. C'est un amour. Et nous pourrons alors discuter ensemble de toute cette affaire.

Gwenda avait maintenant recouvré tous ses esprits.

Miss Marple, en revanche, semblait plongée dans ses pensées.

5

Une dizaine de jours plus tard, miss Marple entra dans un petit hôtel de Mayfair et y fut chaleureusement accueillie par les jeunes Mr et Mrs Reed :

— Je vous présente mon mari, miss Marple. Giles, tu ne peux pas savoir comme miss Marple a été gentille avec moi.

— Je suis ravi de faire votre connaissance, miss Marple. Gwenda m'a raconté qu'elle avait failli atterrir dans un asile psychiatrique.

Les doux yeux bleus de miss Marple jaugèrent favorablement Giles Reed. Un jeune homme très sympathique, grand et beau, avec une façon désarmante de cligner de temps en temps des paupières, révélatrice d'une certaine timidité naturelle. Elle nota cependant que son menton et sa mâchoire étaient ceux de quelqu'un de déterminé.

— Nous allons prendre le thé dans le petit salon, dit Gwenda. Personne n'y va jamais. Nous pourrons alors montrer à miss Marple la lettre de tante Alison.

« Oui, ajouta-t-elle en voyant miss Marple lever

soudain les yeux. Elle est arrivée, et c'est presque exactement ce que vous aviez imaginé.

Le thé une fois bu, on déplia la lettre de miss Danby et on la lut :

Ma chère Gwenda,

J'ai été bien ennuyée d'apprendre que tu avais traversé une épreuve pénible. Pour te dire la vérité, il m'était complètement sorti de la mémoire que tu avais vécu pendant une courte période en Angleterre, quand tu étais petite.

Ta mère, ma sœur Megan, a rencontré ton père, le major Halliday, alors qu'elle rendait visite à des amis qui étaient à ce moment-là en poste en Inde. Ils se sont mariés et tu es née là-bas. Environ deux ans après ta naissance, ta mère est morte. Cela nous causa une peine immense et nous avons écrit à ton père, avec qui nous avions correspondu mais que nous n'avions en fait jamais vu, pour lui demander de nous confier ta garde, lui disant que nous serions très heureux de t'avoir près de nous, et que cela devait être difficile pour un militaire de se retrouver seul avec une jeune enfant. Mais ton père a refusé, il nous a annoncé qu'il démissionnait de l'armée et te ramenait avec lui en Angleterre. Il nous a dit qu'il espérait que nous viendrions un jour lui rendre visite là-bas.

A ce que j'ai compris, au cours de son voyage de retour dans son pays ton père a rencontré une jeune femme, il s'est fiancé et l'a épousée aussitôt arrivé en Angleterre. Ce ne fut pas un mariage heureux, je présume, car ils se sont séparés environ un an plus tard. C'est alors que ton père nous a écrit et nous a demandé si nous étions toujours prêts à t'accueillir. Inutile de te dire, ma chérie, comme nous avons accepté avec joie. Tu nous a été envoyée, confiée à la garde d'une nurse anglaise. Dans le même temps, ton père t'a légué la majeure partie de ses biens et a proposé que tu puisses légalement adopter notre nom. Cela, je dois dire, nous a paru un peu curieux, mais nous avons pensé que c'était par pure bonté – pour que tu te sentes plus encore membre de notre famille – cependant nous ne l'avons pas fait. Environ un an plus tard, ton père est mort dans une clinique. Je présume qu'il se savait déjà très malade au moment où il a décidé de t'envoyer vivre auprès de nous.

Je suis désolée, je ne peux pas te dire où tu habitais quand tu étais avec ton père en Angleterre. Naturellement, il y avait l'adresse sur la lettre, mais cela fait maintenant dix-huit ans et je ne vois pas qui pourrait se souvenir de tels détails. Je sais que c'était dans le sud de l'Angleterre… et il est fort possible qu'il s'agisse de Dillmouth. J'avais vaguement dans l'idée que c'était Dartmouth, mais les deux noms ne sont pas bien différents. Je crois que ta belle-mère s'est remariée, mais je ne me rappelle pas son nom, pas même son nom de jeune fille, bien que ton père l'ait mentionné dans sa première lettre, celle où il nous annonçait son remariage. Nous lui en voulions un peu, je pense, de s'être remarié si vite, mais on sait bien que, à bord d'un bateau, on se lie facilement avec ses compagnons de voyage – et il se peut qu'il ait pensé que ce serait une bonne chose pour toi.

Cela te paraîtra stupide de ma part de ne pas t'avoir parlé de ton séjour en Angleterre, même si tu ne t'en souvenais pas, mais, comme je te l'ai dit, tout ça m'était sorti de la mémoire. La mort de ta mère en Inde et, plus *tard, ton arrivée parmi nous ont toujours été pour nous les faits essentiels.*

J'espère que tout est clair pour toi maintenant.

Giles pourra sans doute venir bientôt te rejoindre. Ce doit être dur pour vous deux d'être séparés si peu de temps après votre mariage.

Je te donnerai de mes nouvelles dans ma prochaine lettre, car je me dépêche d'envoyer celle-ci en réponse à ton mot.

Ta tante qui t'aime,

Alison Danby

PS. Tu ne m'as pas dit en quoi avait consisté cette épreuve pénible ?

— Vous voyez, commenta Gwenda. C'est quasiment tel que vous l'aviez imaginé.

Miss Marple lissa la mince feuille de papier :

— Oui... oui, en effet. L'explication de bon sens. J'ai souvent remarqué, voyez-vous, que c'est dans la majorité des cas la bonne.

— Eh bien, je vous suis très reconnaissant, miss Marple, dit Giles. Ma pauvre Gwenda était complètement tourneboulée, et je dois avouer que j'aurais été moi-même plutôt inquiet de penser que Gwenda était une voyante ou un médium ou je ne sais quoi du même acabit.

— C'est certainement ennuyeux d'avoir une femme dotée d'un tel don, sourit Gwenda. A moins de mener une vie parfaitement irréprochable.

— Ce qui est d'ailleurs mon cas, répliqua Giles.

— Et la maison ? Que pensez-vous de la maison ? demanda miss Marple.

— Oh ! tout est parfait. Nous y descendons demain. Giles meurt d'envie de la voir.

— Je ne sais pas si vous vous rendez compte, miss Marple, dit Giles, mais cela signifie que nous voilà face à une superbe énigme criminelle. A notre porte… ou plus exactement dans notre hall d'entrée.

— Je n'ai pas manqué d'y songer, oui, répondit lentement miss Marple.

— Et il se trouve que Giles adore les romans policiers, ajouta Gwenda.

— Eh oui, il s'agit bel et bien là d'une énigme policière. Un cadavre dans le hall. Celui d'une jolie femme proprement étranglée. On ne connaît rien d'elle hormis son prénom. Bien sûr, cela s'est passé il y a près de vingt ans. Il ne doit plus, y avoir d'indices après tout ce temps, mais on peut au moins chercher, et tenter de dénouer certains fils. Oh ! je me doute bien qu'on ne parviendra pas à résoudre ce mystère, mais…

— Je suis persuadée que vous le pourriez, rétorqua miss Marple. Même après dix-huit ans. Oui, j'en suis absolument persuadée.

— En tout cas, s'exclama Giles, le visage rayonnant, personne ne risque jamais rien à essayer !

Miss Marple s'agita sur son siège. Son visage était grave, presque inquiet.

— Au contraire, vous y risqueriez beaucoup, se rembrunit-elle. Je vous conseille… oh ! oui, je vous conseille vivement de… de ne pas vous mêler de toute cette affaire.

— Comment ? Ne pas chercher à résoudre notre

meurtre mystérieux – si tant est qu'il y ait bien eu meurtre !

— Qu'il y ait eu meurtre, j'en suis certaine. Et c'est justement pour cette raison qu'à votre place je ne m'y frotterais pas. Le meurtre n'est pas – vraiment pas – une chose où il est bon d'aller fourrer inconsidérément son nez.

— Mais, miss Marple, si tout le monde raisonnait comme ça…, protesta Giles.

Elle l'interrompit :

— Oh ! je sais. Il est des circonstances où l'on se *doit* d'intervenir : quand un innocent est accusé, quand la suspicion s'égare, quand reste en liberté un dangereux criminel qui peut recommencer à frapper… Mais n'oubliez pas que ce meurtre a été commis dans un passé très lointain. Vraisemblablement, personne n'a su qu'il s'agissait d'un meurtre, sinon vous en auriez assez vite entendu parler, par votre vieux jardinier ou par une autre personne du pays : un crime, même s'il est ancien, est toujours un événement dont on parle. Non, le corps a dû disparaître par je ne sais quel moyen, et on ne s'est jamais douté de rien. Etes-vous tous deux sûrs, vraiment sûrs, qu'il soit raisonnable de vouloir exhumer toute cette affaire ?

— Seriez-vous réellement inquiète, miss Marple ? s'étonna Gwenda.

— Je le suis, ma chère petite. Vous êtes tous les deux bien mignons et bien sympathiques, si vous permettez à une vieille personne comme moi de s'exprimer ainsi. Vous venez de vous marier et vous êtes heureux d'être ensemble. Je vous en prie,

ne cherchez pas à découvrir des choses qui pourraient… comment dire ?… qui pourraient vous
bouleverser et vous plonger dans l'affliction.

Gwenda la regarda fixement :

— Vous pensez à quelque chose, en particulier…
à quelque chose… Que voulez-vous insinuer au
juste ?

— Je n'insinue rien, ma chère petite. Je veux simplement vous donner un conseil, parce que j'ai vécu
longtemps et appris à quel point la nature humaine
pouvait être déconcertante. Et, mon conseil, c'est
de ne pas vous mêler à ça.

— Mais ce n'est pas possible… (La voix de Giles
avait pris un ton différent, plus grave :) Hillside est
notre maison, à Gwenda et à moi, et quelqu'un y a
été assassiné, du moins c'est ce que nous croyons.
Je ne vais pas tolérer qu'un meurtre ait été commis
dans ma maison et ne rien faire par rapport à cela,
même si c'est une histoire vieille de dix-huit ans !

Miss Marple soupira :

— Je suis désolée. J'imagine que la plupart des
garçons ayant du caractère réagiraient ainsi. Je
vous comprends et même, j'apprécie votre attitude.
Mais j'aurais préféré – sincèrement – que vous ne
vous mêliez pas de ça.

Le lendemain, la nouvelle du retour de miss
Marple fit le tour du village de St Mary Mead. On
l'avait vue dans la Grand-Rue à 11 heures. Elle était
allée au presbytère à 11 h 50. L'après-midi, trois
commères du village lui avaient rendu visite, histoire de lui demander ses impressions sur la joyeuse
capitale, puis, leur devoir de politesse accompli,

elles s'étaient lancées dans le récit détaillé d'une querelle imminente à propos du stand des ouvrages de dames à la kermesse paroissiale et de l'emplacement de la tente pour le thé.

Plus tard dans la soirée, on put voir miss Marple, comme à son habitude, dans son jardin, mais, pour une fois, plus occupée à se débarrasser des mauvaises herbes qu'à surveiller les activités de ses voisins. Au cours de son frugal repas du soir elle se montra distraite et écouta à peine ce que lui raconta avec animation sa petite bonne Evelyn à propos des frasques du pharmacien du village. Le lendemain, elle se montra encore plus distraite si faire se pouvait, et quelques éminentes personnes, dont la femme du pasteur, en firent haut et fort la remarque. Ce soir-là, miss Marple déclara qu'elle ne se sentait pas très bien et se mit au lit. Le lendemain matin, elle envoya chercher le Dr Haydock.

Le Dr Haydock était le médecin attitré de miss Marple, son ami et son allié depuis de nombreuses années. Il l'écouta décrire ses symptômes, l'examina, puis regagna son fauteuil.

— Pour une femme de votre âge et en dépit de cette trompeuse apparence de fragilité dont vous avez le secret, vous êtes dans une forme remarquable, lui dit-il en agitant son stéthoscope.

— Je veux bien croire que mon état général est bon, admit benoîtement miss Marple. Mais je vous avouerai que je me sens un peu à plat… un peu surmenée.

— Vous venez de mener une vie de patachon. On se couche tard, à Londres.

— Ça, c'est sûr. Je trouve effectivement la vie londonienne éreintante de nos jours. Et puis l'air y est si… pollué. Cela ne vaut pas le bon air frais du bord de mer.

— L'air de St Mary Mead est agréable et frais.

— Mais souvent humide et un peu mou. Pas vraiment *tonifiant*, voyez-vous.

Le Dr Haydock la dévisagea avec un intérêt redoublé.

— Je vais vous prescrire un fortifiant, dit-il obligeamment.

— Merci, docteur. Le sirop d'Easton m'a toujours fait grand bien.

— Il n'est pas indispensable que vous fassiez l'ordonnance à ma place, femme ! bougonna l'homme de l'art.

— Je me demandais en outre si, peut-être, un changement d'air… ?

Miss Marple l'avait regardé avec, dans ses candides yeux bleus, un air interrogateur.

— Vous venez de partir trois semaines.

— Je sais. Mais pour me rendre à Londres où, comme vous le dites si bien, la vie est éprouvante pour les nerfs. Et puis là-haut, dans le Nord… une région industrielle. Rien à voir avec le grand bol d'air vivifiant de la mer.

Le Dr Haydock rangea ses affaires dans sa sacoche. Puis il se retourna vers elle avec un sourire en coin :

— Expliquez-moi donc pourquoi vous m'avez fait venir. Racontez-moi ce que vous souhaitez m'entendre dire et je le répéterai après vous. Vous voulez que ce soit le médecin qui vous prescrive d'aller respirer l'air de la mer…

— Je savais que vous me comprendriez, déclara miss Marple avec reconnaissance.

— L'air de la mer, c'est excellent. Vous feriez bien de partir tout de suite pour Eastbourne, sinon votre santé risque d'en pâtir gravement.

— Il fait un peu frisquet à Eastbourne. Les Downs, vous savez…

— Optons pour Bournemouth, en ce cas. Ou pour l'île de Wight.

Miss Marple lui fit un clin d'œil :

— J'ai toujours été d'avis que les petites stations balnéaires sont beaucoup plus agréables.

Le Dr Haydock se rassit :

— Vous m'intriguez. Quelle petite ville du bord de mer suggérez-vous ?

— Eh bien, j'avais pensé à Dillmouth.

— Un joli petit coin. Encore qu'un peu tristounet. Pourquoi Dillmouth, ?

Durant quelques instants miss Marple resta silencieuse. Son regard était redevenu inquiet. Puis elle se lança :

— Supposons qu'un jour, par hasard, vous découvriez un fait semblant indiquer que, plusieurs années auparavant – dix-neuf ou vingt ans –, un meurtre ait été commis. Ce fait n'est connu que de vous seul, rien n'a jamais été suspecté ni porté à la connaissance de la police. Qu'entreprendriez-vous ?

— L'étude rétrospective du meurtre en question ?

— C'est exactement cela.

Haydock réfléchit un moment :

— Il n'y a pas eu d'erreur judiciaire ? Personne n'a eu à en souffrir ?

— Pour autant qu'on le sache, non.

— Hum ! un meurtre lointain… *Un meurtre en sommeil*. Eh bien, je vais vous dire. Je le laisserais dormir – voilà ce que je ferais. Fourrer son nez dans une histoire de meurtre peut être dangereux. Très dangereux.

— C'est bien ce qui me fait peur.

— On dit qu'un meurtrier répète toujours ses crimes. Ce n'est pas vrai. Il y a ceux qui commettent un meurtre, qui se débrouillent pour ne jamais être soupçonnés et prennent ensuite grand soin de ne jamais attirer l'attention sur eux. Je ne dirais pas que dès lors ils vivent heureux – je ne crois pas que ce soit vrai : il existe toutes sortes de châtiments. Mais apparemment du moins, tout va bien. C'est peut-être ce qui s'est passé pour Madeleine Smith ou Lizzie Borden. Dans le cas de Madeleine Smith, rien n'a pu être prouvé ; quant à Lizzie, elle a été acquittée. Mais beaucoup de gens restent persuadés que ces deux femmes étaient coupables. Je pourrais vous citer d'autres criminels notoires, ils n'ont jamais répété leur crime : un seul leur avait fourni ce qu'ils voulaient, et l'expérience leur avait suffi. Mais supposons qu'ils se soient sentis menacés. Admettons que votre assassin, quel qu'il soit, lui ou elle, appartienne à cette catégorie. Ni vu ni connu, il a commis un crime, et personne ne l'a soupçonné. Mais imaginons que quelqu'un vienne fourrer son nez dans ses affaires, se mêle de fouiller partout, de retourner les pierres, d'inspecter les allées et finisse par atteindre son but. Quel va être alors le comportement de votre assassin ? Attendre sans broncher qu'on vienne lui passer la corde au cou ? Non, vraiment, si vous n'êtes poussée par aucune obligation morale, ne vous mêlez pas de cette vieille affaire. *Laissez ce meurtre en sommeil continuer bien tranquillement à dormir.* (Il ajouta d'un ton ferme :) Et ce sont là les termes de mon ordonnance. Ne vous mêlez pas de ça.

— Mais ce n'est pas moi qui suis concernée. Ce sont deux charmants jeunes gens. Je vais vous expliquer.

Elle lui raconta toute l'histoire et Haydock l'écouta.

— Incroyable ! s'exclama-t-il quand elle eut fini. Quelle coïncidence inouïe ! Il s'agit là d'une affaire tout à fait extraordinaire. Je suppose que vous imaginez quelles en sont les implications ?

— Oh ! bien sûr. Mais je ne suis pas persuadée que *eux*, en revanche, en aient la moindre idée.

— Cela leur causera bien du chagrin et ils regretteront de s'être mêlés de cette affaire. Il ne faut jamais chercher à percer les secrets de famille. Cependant, voyez-vous, je comprends tout à fait le point de vue du jeune Giles. Et à vrai dire, si j'étais à sa place, j'aurais du mal à rester passif. Même n'ayant rien à y voir, je suis bien curieux de…. (Il s'interrompit et lança un regard sévère en direction de miss Marple :) Je comprends maintenant pourquoi vous me demandez de vous envoyer à

Dillmouth. Vous voulez vous mêler d'une affaire qui ne vous regarde en rien.

— Pas le moins du monde, Dr Haydock. Mais je me fais du souci pour ce petit couple. Ils sont si jeunes et si inexpérimentés, et beaucoup trop confiants et crédules. Je me sens le devoir de veiller sur eux.

— Ainsi, c'est pour cela que vous y allez… Pour veiller sur eux ! Ne pourrez-vous donc *jamais* vous désintéresser d'un meurtre ? Même d'un meurtre qui appartient au passé ?

Miss Marple lui adressa un petit sourire pincé :

— Mais vous êtes bien d'accord – n'est-ce pas ? –, qu'un séjour de quelques semaines à Dillmouth serait bénéfique pour ma santé ?

— Je serais plutôt porté à dire qu'il pourrait vous être fatal, répondit le Dr Haydock. Mais vous ne m'écouteriez pas !

Alors qu'elle s'en allait rendre visite à ses amis le colonel et Mrs Bantry, miss Marple rencontra le colonel dans la rue, son fusil à la main et son épagneul sur les talons. Il la salua cordialement :

— Content de vous voir de retour. Comment était Londres ?

Miss Marple lui répondit que Londres se portait comme un charme. Et que, quant à elle, son neveu l'avait emmenée voir plusieurs pièces de théâtre.

— Des machins pour intellectuels, je parie. Moi, il n'y a que la comédie musicale qui m'intéresse.

Miss Marple raconta qu'elle était allée voir une

pièce russe très intéressante, bien que peut-être un tantinet longuette.

— Les Russes ! explosa le colonel Bantry.

On lui avait une fois, alors quil était en clinique, donné à lire une nouvelle de Dostoïevski.

Il ajouta que miss Marple trouverait Dolly dans son jardin.

On trouvait presque toujours Mrs Bantry dans son jardin. Le jardinage était sa passion. Sa littérature favorite se résumait aux catalogues de bulbes, et sa conversation portait sur les primevères, les bulbes, les arbustes à fleurs et les nouveautés concernant les plantes alpines. Ce que miss Marple vit d'elle en premier lieu fut un imposant postérieur revêtu d'une jupe de tweed qui avait connu des jours meilleurs.

En entendant des pas qui s'approchaient, Mrs Bantry entreprit de regagner la position verticale, non sans quelques craquements et grimaces de douleur, son passe-temps favori n'ayant pas arrangé ses rhumatismes. D'une main terreuse, elle essuya la sueur qui perlait sur son front et accueillit son amie :

— J'avais eu vent de votre retour, Jane. Est-ce que mes nouveaux delphiniums ne font pas merveille ? Qu'est-ce que vous dites de mes nouvelles gentianes naines ? Elles m'ont donné bien du tintouin, mais je pense qu'elles sont tout à fait installées maintenant. Ce qu'il nous faudrait, c'est de la pluie. Il a fait terriblement sec. (Puis elle enchaîna :) Esther m'a raconté que vous étiez couchée, malade. (Esther était la cuisinière de Mrs Bantry et son officier de liaison avec le village.) Je suis contente de voir que ce n'est pas vrai.

— Je suis tout juste assez à plat, précisa miss Marple. Le Dr Haydock pense que j'ai besoin d'aller respirer un peu l'air de la mer. Je me sens molle comme une chiffe.

— Oh ! mais vous ne pouvez pas partir maintenant ! s'offusqua Mrs Bantry. C'est le meilleur moment de l'année dans le jardin. Votre plate-bande doit commencer à fleurir.

— Le Dr Haydock me le recommande quand même fortement.

— Il est vrai que Haydock est moins bête que le sont certains médecins, admit Mrs Bantry à contrecœur.

— Je me demandais, Dolly, ce qu'était devenue votre cuisinière.

— Quelle cuisinière ? Vous cherchez une cuisinière ? Vous ne voulez pas parler de celle qui boit, non ?

— Non, non, non. Je veux parler de celle qui faisait de la si délicieuse pâtisserie. Dont le mari était majordome.

— Ah ! Vous voulez parler de la Tête de veau ! s'écria Mrs Bantry, voyant soudain à qui son amie faisait allusion. Une créature à la voix grave et lugubre, et qui semblait toujours sur le point d'éclater en sanglots. C'était en effet une bonne cuisinière. Son mari était un gros plein de soupe qui n'en fichait pas une rame. Arthur disait toujours qu'il mettait de l'eau dans le whisky. Je ne sais pas si c'était exact. C'est ça, le chiendent : dans un couple il y en a toujours un qui est moins bien que l'autre. Ils ont touché un petit héritage d'un ancien employeur et sont du coup partis ouvrir une pension de famille sur la côte sud.

— C'est bien ce que je pensais. Est-ce que ce ne serait pas à Dillmouth par hasard ?

— C'est ça même. 14, promenade du Front de mer, Dillmouth.

— J'ai pensé à eux quand le Dr Haydock m'a conseillé d'aller au bord de la mer... Ils ne s'appelaient pas quelque chose comme Saunders ?

— Si, exactement. C'est une excellente idée, Jane. Vous ne pourriez pas trouver mieux. Mrs Saunders va être aux petits soins pour vous, et comme c'est hors saison elle sera ravie de l'aubaine et ne vous prendra pas trop cher. Avec de la bonne cuisine et l'air de la mer, vous serez vite requinquée.

— Merci, Dolly, s'émut miss Marple. J'y compte bien.

6

Travaux d'investigation

— Le cadavre se trouvait où, d'après toi ? Par ici ? demanda Giles.

Gwenda et lui s'activaient dans le hall d'entrée de Hillside. Ils étaient arrivés la veille au soir, et Giles avait tout de suite entamé son enquête. Il avait l'air aussi content qu'un garçonnet qui vient de recevoir un nouveau jouet.

— A peu près là, répondit Gwenda.

Elle regagna le haut de l'escalier et regarda vers le bas d'un œil critique :

— Oui… je pense que c'était à peu près là.

— Accroupis-toi, lui recommanda Giles. Tu n'avais que 3 ans, rappelle-toi.

Docilement, Gwenda obtempéra.

— Tu ne voyais pas du tout l'homme qui prononçait cette fameuse phrase ?

— Je ne me souviens pas de l'avoir vu. Il devait être un peu en arrière… oui, là. Je n'ai vu que ses pattes.

— Ses *pattes* ? répéta Giles en fronçant les sourcils.

— C'étaient bel et bien des pattes. Des pattes grises… pas humaines.

— Mais voyons, Gwenda. Il ne s'agit pas d'une réédition de L'*Assassinat de la rue Morgue*. Un homme n'a pas de pattes.

— Eh bien, *lui*, il en avait.

Giles la regarda, dubitatif :

— Tu as dû imaginer ça après coup.

— Tu ne crois pas plutôt que c'est toute cette histoire que j'ai pu imaginer ? dit lentement Gwenda. Tu sais, Giles, j'y ai réfléchi. Il me paraît beaucoup plus probable que tout cela n'ait été qu'un rêve. C'est possible, un enfant peut faire ce genre de rêve, en être terriblement marqué et en garder le souvenir. Tu ne crois pas que ce soit la seule explication valable ? Parce que, après tout, personne à Dillmouth ne semble soupçonner qu'il y ait eu un meurtre ou une mort soudaine ou une disparition ni qu'il se soit passé quoi que ce soit d'étrange dans cette maison.

Giles prit alors une autre expression enfantine : celle du garçonnet à qui on vient de confisquer son nouveau jouet.

— Il se peut qu'il s'agisse d'un cauchemar, admit-il à contre-cœur. (Puis son visage s'éclaira soudain :) Non. Je ne le crois pas. Tu peux avoir rêvé de pattes de singe et de quelqu'un qui était mort… mais comment diable aurais-tu pu rêver de cette citation de *La Duchesse d'Amalfi* ?

— Quelqu'un aurait pu la faire devant moi et j'en aurais rêvé par la suite.

— Je ne pense pas qu'un enfant en soit capable. Pas sans avoir entendu ces paroles dans un grand état de choc – et, si tel est bien le cas, nous nous retrouvons là où nous en étions. Attends, j'ai trouvé. Tu as rêvé de pattes. Mais tu as réellement vu le corps gisant – sur le sol et entendu les mots qui ont été prononcés, tu as été terriblement effrayée et après tu as fait un cauchemar dans lequel il y avait aussi des pattes de singe qui s'agitaient… probablement parce que tu avais peur des singes étant gosse.

Un temps dubitative, Gwenda finit par articuler lentement :

— Peut-être… Peut-être que c'est en effet comme ça que ça s'est passé…

— Je donnerais cher pour que tu puisses te souvenir un peu mieux… Redescends dans le hall. Ferme les yeux. Réfléchis bien… Rien d'autre ne te revient à la mémoire ?

— Non, rien, Giles… Plus j'y réfléchis et plus ça s'efface… C'est au point que je commence maintenant à douter de ce que je dis avoir vu. Peut-être que l'autre soir, au théâtre, j'ai eu un simple moment d'égarement.

— Non, il s'est vraiment passé quelque chose. Miss Marple le pense aussi. Et cette « Helen » ? Tu dois certainement pouvoir te souvenir de quelque chose concernant Helen ?

— Je ne me souviens de rien du tout. Pour moi, c'est juste un prénom.

— Et peut-être même n'est-ce pas le prénom exact.

— Si. Il s'agissait bien d'Helen.

Gwenda en paraissait absolument convaincue.

— Alors si tu es si sûre qu'il s'agissait bien

d'Helen, tu dois savoir quelque chose sur son compte, en déduisit Giles. Est-ce que tu la connaissais bien ? Est-ce qu'elle habitait ici ? Ou bien est-ce qu'elle était juste de passage ?

— Je te l'ai déjà dit : je-ne-sais-rien.

Gwenda commençait à en avoir assez et à s'énerver.

Giles essaya une autre tactique :

— De qui d'autre te souviens-tu ? De ton père ?

— Non, pas à proprement parler. Il y avait sa photo chez tante Alison, et régulièrement elle me disait : « C'est ton père. » Mais je ne me souviens pas de lui ici, dans cette maison…

— Tu ne te rappelles pas non plus une domestique, une nurse, je ne sais pas, moi… ?

— Non… non. Plus je fais appel à ma mémoire, plus c'est le trou noir. Les choses que je connais, elles sont enfouies au plus profond de moi… comme cette porte vers laquelle je me dirige automatiquement. Je ne me *rappelle* pas qu'il y avait une porte ici. Peut-être que si tu ne me tourmentais pas autant, Giles, les souvenirs remonteraient plus facilement à la surface. De toute façon, vouloir découvrir la vérité concernant cette affaire est sans espoir. Tout ça remonte à il y a bien trop longtemps.

— Mais non, ce n'est pas sans espoir… même la vieille miss Marple en a convenu.

— Mais elle ne nous a pas aidés en nous disant comment procéder, fit remarquer Gwenda. Cependant, il m'a semblé voir à certaine lueur dans ses yeux qu'elle avait des idées sur la question. Je me demande ce qu'elle ferait à notre place.

— J'imagine qu'elle ne saurait vraisemblablement pas mieux s'y prendre que nous, déclara
Giles avec assurance. Nous devons cesser de nous
perdre en conjectures, Gwenda, et agir avec plus de
méthode. Nous avons déjà commencé : j'ai consulté
les registres de décès de la paroisse. Il n'y figure
pas d'Helen de l'âge concerné. Il me semble même
qu'aucune Helen ne soit décédée au cours de la
période que j'ai étudiée : Ellen Pugg, 94 ans, voilà
ce que j'ai trouvé de plus approchant. Maintenant,
il nous faut réfléchir à ce que sera notre prochaine
démarche. Si ton père, et vraisemblablement ta belle-
mère ont habité cette maison, ils doivent l'avoir
soit achetée, soit louée.

— Selon Foster, le jardinier, les propriétaires,
avant les Hengrave, s'appelaient Elworthy, et
avant eux c'était Mrs Findeyson. Il n'a cité personne d'autre.

— Ton père peut l'avoir achetée et n'y avoir vécu
que très peu de temps… puis l'avoir revendue. Mais
je pense qu'il est beaucoup plus probable qu'il l'ait
louée… sans doute même l'ont-ils louée meublée.
Si tel est le cas, ce que nous avons de mieux à faire,
c'est d'aller poser la question à tous les agents
immobiliers du secteur.

Faire le tour des agences immobilières ne leur
prit pas beaucoup de temps. Il n'y en avait que
deux à Dillmouth. Wilkinson & Wilkinson étaient
assez nouvellement installés. Leur cabinet n'existait
que depuis onze ans. Ils traitaient surtout des
affaires concernant les petits bungalows et les
maisons neuves des faubourgs de la ville. Les

autres agents, Galbraith & Penderley, étaient ceux par l'intermédiaire de qui Gwenda avait acheté la maison. Giles alla les voir et débita sa petite histoire. Sa femme et lui étaient enchantés et par Hillside, et par la ville. Mrs Reed venait de découvrir qu'elle avait vécu à Dillmouth quand elle était toute petite. Il ne lui restait que de très vagues souvenirs, cependant il lui semblait que Hillside était en fait la maison où elle avait habité, mais elle ne pouvait en être tout à fait certaine. N'y aurait-il pas quelque document attestant que cette maison avait été louée à un certain major Halliday ? Il y avait de cela environ dix-huit ou dix-neuf ans…

Mr Penderley leva les mains d'un air navré :

— Je crains qu'il ne me soit pas possible de vous renseigner, Mr Reed. Nos archives ne remontent pas si loin… du moins celles qui concernent les locations en meublé ou pour de courtes périodes. Je suis vraiment désolé de ne pouvoir vous aider, Mr Reed. Si notre vieux commis principal, Mr Narracott, était encore en vie, il aurait certainement été en mesure de vous apporter son concours… mais il est mort l'hiver dernier. Il avait une mémoire remarquable, vraiment tout à fait remarquable. Il a fait partie du personnel de cette maison pendant près de trente ans.

— Vous ne connaissez personne d'autre qui pourrait éventuellement se souvenir ?

— Notre équipe est dans l'ensemble relativement jeune. Bien sûr, il y a le vieux Mr Galbraith. Il est à la retraite depuis quelques années déjà.

— Peut-être pourrais-je lui poser la question ? suggéra Gwenda.

— Eh bien, je ne sais quoi vous répondre…

Mr Penderley semblait l'image même de la perplexité :

— Il a eu une attaque l'année dernière. Et ses facultés sont, hélas ! bien diminuées. Il a plus de 80 ans, vous savez.

— Il réside toujours à Dillmouth ?

— Oh ! oui. A Calcutta Lodge. Une très jolie petite propriété sur la route de Seaton. Mais vraiment, je serais surpris que…

— L'espoir est plutôt mince, confia Giles à Gwenda. Mais sait-on jamais ? Je ne pense cependant pas qu'il faille écrire à ce type. Mieux vaut que nous nous rendions ensemble sur place et que nous mettions en pratique nos facultés de persuasion.

Calcutta Lodge était entourée d'un jardin tiré au cordeau et bien entretenu. Le salon dans lequel ils furent introduits était tout aussi tiré au cordeau quoiqu'un peu surchargé. Il fleurait bon la cire d'abeille. Les cuivres brillaient. Les fenêtres étaient lourdement habillées de rideaux à festons.

Une femme mince, entre deux âges et à l'œil suspicieux entra dans la pièce.

Giles s'expliqua rapidement, et l'expression de la personne qui s'attend à ce qu'on essaie de lui vendre un aspirateur quitta le visage de miss Galbraith.

— Je suis désolée, dit-elle néanmoins, mais je ne pense vraiment pas pouvoir vous aider. C'était il y a si longtemps, n'est-ce pas ?

— Il arrive que certains souvenirs soient tenaces, insista Gwenda.

— En ce qui me concerne, le cas est un peu différent, parce que je ne me suis jamais occupée des affaires de mon père. Le major Halliday, dites-vous ? Non, je ne pense pas avoir connu, à Dillmouth, quelqu'un qui aurait porté ce nom.

— Votre père pourrait peut-être se souvenir, suggéra Gwenda.

— Lui ?

Miss Galbraith secoua la tête :

— Il vit désormais dans un monde bien à lui, et sa mémoire est plus que défaillante.

Les yeux de Gwenda s'étaient posés, pensifs, sur une table en cuivre de Bénarès et ils se déplacèrent sur une série d'éléphants en bois d'ébène qui marchaient en procession sur le manteau de la cheminée :

— Je me dis qu'il pourrait se souvenir de lui pour la bonne raison que mon père revenait à ce moment-là des Indes. Votre maison s'appelle bien Calcutta Lodge, n'est-ce pas ?

Elle s'arrêta, l'air interrogateur.

— Oui, acquiesça miss Galbraith. Mon père a vécu quelque temps à Calcutta. Il avait des affaires là-bas. Puis la guerre est arrivée et, en 1920, il est revenu ici s'occuper de l'agence. Il a toujours dit qu'il aurait aimé y retourner, mais ma mère ne se sentait pas attirée par les colonies... et de plus, on ne peut pas dire que le climat y soit vraiment sain. Eh bien, je ne sais pas mais... peut-être souhaiteriez-vous quand même le voir. J'ignore s'il est ou non dans un de ses bons jours…

Elle les conduisit dans un petit bureau sombre. Là, un vieil homme au visage légèrement tiré de côté et à la moustache blanche tombante était assis dans un gros fauteuil de cuir usé. Il regarda Gwenda avec une approbation évidente quand sa fille fit les présentations.

— Ma mémoire n'est plus ce qu'elle était, murmura-t-il d'une voix à peine audible. Halliday, dites-vous ? Non, je ne me souviens pas de ce nom. J'ai connu un garçon, à l'école, dans le Yorkshire… mais il y a de cela un peu plus de soixante-dix ans.

— Nous pensons qu'il avait loué Hillside, lança Giles.

— Hillside ? Est-ce que ça s'appelait Hillside, à l'époque ?

La paupière mobile de Mr Galbraith se ferma puis s'ouvrit :

— Findeyson habitait là. Une belle femme.

— Cette maison, il se peut que mon père l'ait louée meublée. Il venait juste de rentrer des Indes.

— Des Indes, dites-vous. Je me souviens d'un type… un militaire. Il connaissait cette vieille canaille de Mohammed Hassan qui m'avait escroqué en me vendant quelques tapis. Il avait une jeune femme… et un bébé… une petite fille.

— C'était moi, déclara Gwenda d'une voix assurée.

— Ah ! bon… vous ne me l'aviez pas dit ! Eh bien, comme le temps passe… Voyons, quel était son nom ? Il voulait une maison meublée… oui…

Mrs Findeyson avait été envoyée en Egypte, ou quelque chose comme ça, pour y passer l'hiver… une belle bêtise. Mais voyons, quel était donc son nom ?

— Halliday, répéta Gwenda.

— C'est ça, ma chère petite… Halliday. Le major Halliday. Un type sympathique. Et une très belle femme… toute jeune… blonde comme les blés, elle voulait se rapprocher de sa famille, il me semble. Oui, très jolie.

— Qui était sa famille ?

— Je ne sais pas. Non, je n'en ai aucune idée. Vous ne lui ressemblez pas.

« Ce n'était que ma belle-mère », faillit dire Gwenda. Mais elle se garda de le faire afin de ne pas compliquer le problème.

— Comment était-elle ? préféra-t-elle demander.

— Elle paraissait inquiète, répondit Mr Galbraith de façon inattendue. C'est ça, oui, elle paraissait toujours sur le qui-vive. Un garçon gentil comme tout, ce major. Il a été très intéressé d'apprendre que j'avais vécu à Calcutta. Pas comme ces abrutis qui n'ont jamais quitté l'Angleterre. Bornés… voilà ce qu'ils sont. Moi qui vous parle, je l'ai vu, le monde. Et comment ! Quel était le nom de ce militaire… qui voulait une maison meublée ?

Il était comme un très vieux gramophone sur lequel aurait repassé un disque usé.

— Sainte-Catherine. C'est ça. Il a loué Sainte-Catherine – 6 guinées la semaine – pendant que Mrs Findeyson était en Egypte. Elle est morte là-bas, la pauvre. La maison a été vendue aux enchères… qui a bien pu l'acheter, à ce moment-là ? Les

Elworthy... c'est ça... une armada de femelles
– des sœurs. Elles ont changé le nom : d'après elles,
Sainte-Catherine, ça faisait papiste. Elles tiraient
à boulets rouges sur tout ce qui faisait papiste...
Toujours à vous fourrer des tracts sous le nez. Des
laiderons, toutes autant qu'elles étaient. Ne s'intéressaient qu'aux nègres. Elles leur envoyaient des
bibles... et des pantalons. N'avaient en tête que la
conversion des sauvages. (Soudain il soupira et se
renversa dans son fauteuil.) Il y a longtemps, arti-
cula-t-il avec tristesse. Je n'arrive plus à me souvenir des noms. Ce type qui revenait des Indes... un
garçon sympathique... Je suis fatigué, Gladys. Je
voudrais mon thé.

Giles et Gwenda le remercièrent, remercièrent sa
fille et s'en allèrent.

— Ainsi, nous en avons la preuve, déclara Gwenda.
Mon père et moi avons bel et bien vécu un temps à
Hillside. Qu'est-ce qu'on fait, maintenant ?

— Quel imbécile je suis ! s'exclama Giles.
Somerset House, bien sûr.

— Qu'est-ce que c'est que Somerset House ?
demanda Gwenda.

— C'est le bureau des archives où l'on peut consulter le registre des mariages. Je vais y rechercher
l'acte de mariage de ton père. D'après ta tante, ton
père a épousé sa seconde femme dès son arrivée
en Angleterre. C'est idiot, Gwenda, nous aurions
dû y penser plus tôt. Il est parfaitement possible
qu'« Helen » ait été un parent de ta belle-mère...
une jeune sœur peut-être. De toute façon, une fois
que nous connaîtrons son nom de famille, ce sera

bien le diable si nous ne parvenons pas à trouver quelqu'un qui ait eu vent de sa présence à Hillside. Souviens-toi, le vieux a dit qu'ils voulaient une maison à Dillmouth pour être près de la famille de Mrs Halliday. Si sa famille habite les parages, nous devons pouvoir obtenir des renseignements.

— Giles, s'épanouit Gwenda, je te trouve merveilleux.

Après réflexion, Giles ne jugea pas nécessaire d'aller à Londres. Bien que son tempérament énergique le poussât toujours à foncer dans toutes les directions et à essayer de tout faire par lui-même, il reconnut bien volontiers que, pour se procurer un simple document administratif, il pouvait déléguer quelqu'un.

Il téléphona donc à son bureau.

— Je l'ai ! s'exclama-t-il avec enthousiasme quand la réponse attendue arriva.

De l'enveloppe, il sortit la copie certifiée d'un acte de mariage :

— Nous y voilà, Gwenda. *Vendredi, 7 août – Bureau de l'état civil de Kensington. Kelvin James Halliday et Helen Spenlove Kennedy.*

— Helen ! s'exclama Gwenda.

Ils s'entre-regardèrent.

— Mais… mais… ça ne peut pas être elle, dit lentement Giles. Puisqu'ils… puisqu'ils se sont séparés, qu'elle s'est remariée… et qu'elle est partie.

— Qu'elle soit partie, fit remarquer Gwenda, ça, nous n'en savons rien…

Elle regarda de nouveau le nom distinctement écrit : Helen Spenlove Kennedy.

Helen…

7

LE DR KENNEDY

Quelques jours plus tard, Gwenda arpentait l'esplanade par grand vent quand elle s'arrêta soudain près d'un des abris vitrés que la municipalité avait eu la bonne idée d'y installer à l'usage des promeneurs.

— Miss Marple ! s'exclama-t-elle, au comble de la surprise.

Car c'était bel et bien miss Marple, emmitouflée dans un épais manteau de laine et trois couches d'écharpes autour des épaules.

— Vous devez être stupéfaite, j'imagine, de me trouver là, dit gaiement miss Marple. Mais mon médecin m'a prescrit l'air de la mer, et la manière dont vous m'aviez décrit Dillmouth m'a donné envie d'y venir – d'autant que l'ancienne cuisinière et l'ancien majordome d'une de mes amies tiennent ici une pension de famille.

— Mais pourquoi n'êtes-vous pas descendue chez nous ? demanda Gwenda.

— Les vieilles personnes peuvent parfois se montrer assommantes, ma chère petite. Et puis, il n'est jamais bon de troubler l'intimité des jeunes

461

mariés. (Elle répondit par un sourire à la protestation de Gwenda :) Mais si, je suis sûre que vous m'auriez très bien accueillie. Et comment allez-vous tous les deux ? Est-ce que vous progressez dans la résolution de votre énigme ?

— Nous sommes sur la bonne voie, dit Gwenda en s'asseyant près d'elle. (Elle raconta dans le détail les diverses recherches entreprises jusqu'à ce jour.) Et maintenant, termina-t-elle, nous avons mis une annonce dans des tas de journaux : les feuilles de chou locales, et puis le *Times* et quelques autres grands quotidiens. Nous demandons simplement que, si une personne connaît Helen Spenlove Halliday, née Kennedy, elle veuille bien se mettre en contact avec nous. Nous allons forcément avoir des réponses, vous ne croyez pas ?

— Sans doute, ma chère enfant... oui, sans doute.

Le ton de miss Marple était placide, comme toujours, mais ses yeux reflétaient un certain trouble. Elle jeta un rapide regard inquisiteur sur la jeune femme assise à côté d'elle. Ce ton résolument enthousiaste ne sonnait pas tout à fait juste. Miss Marple trouva que Gwenda semblait inquiète. Ce que le Dr Haydock avait appelé « les implications » commençait peut-être à se faire jour dans son esprit. Oui, mais il était maintenant trop tard pour revenir en arrière...

— J'avoue que toute cette histoire m'intéresse beaucoup, murmura miss Marple d'une voix douce et sur un ton d'excuse. Ma vie, vous vous en doutez bien, est un peu monotone. J'espère que vous ne me trouverez pas *trop* curieuse si je vous demande de me tenir au courant des résultats de vos investigations.

— Il va de soi que nous vous tiendrons au courant, promit Gwenda avec chaleur. Vous saurez tout. Parce que, sans vous, j'en serais encore à supplier les médecins pour qu'ils m'enferment dans un asile. Donnez-moi votre adresse ici, et jurez-moi que vous viendrez prendre un verre… je veux dire, prendre une tasse de thé avec nous, et visiter la maison. Il est indispensable que vous jetiez un œil sur la scène du crime, non ?

Elle rit, mais il y avait dans son rire un soupçon de nervosité.

Quand elle reprit sa route, miss Marple hochait doucement la tête et fronçait les sourcils.

Chaque matin, Giles et Gwenda s'empressaient d'éplucher leur courrier, mais leurs espoirs furent tout d'abord déçus. Tout ce qu'ils reçurent d'entrée de jeu fut deux lettres de détectives privés prétendument qualifiés et qui se déclaraient disposés à effectuer les recherches nécessaires.

— Il sera toujours temps de faire appel à eux plus tard, fulmina Giles. Et s'il nous faut avoir recours à une agence, nous en choisirons une qui soit réputée, pas une qui racole ses clients par correspondance. Mais je ne vois vraiment pas ce qu'ils pourraient faire que nous ne serions pas capables de faire nous-mêmes.

Son optimisme – ou sa confiance en lui – se trouva justifié quelques jours plus tard. Une lettre arriva dont l'écriture ferme mais quasi illisible trahissait le représentant du corps médical :

Galls Hill
Woodleigh Bolton
Cher monsieur,
En réponse à votre annonce dans le Times, *je vous informe qu'Helen Spenlove Kennedy est ma sœur. J'ai perdu contact avec elle depuis de nombreuses années et serais heureux d'avoir de ses nouvelles. Recevez l'expression de mes sentiments distingués.*

Dr James Kennedy

— Woodleigh Bolton, dit Giles. Ce n'est pas très loin d'ici. Woodleigh Camp est l'endroit où les gens vont pique-niquer là-haut sur la lande. A une cinquantaine de kilomètres. Nous allons écrire au Dr Kennedy et lui demander si nous pouvons lui rendre visite ou s'il préfère venir chez nous.

Une réponse leur parvint : le Dr Kennedy serait prêt à les recevoir le mercredi suivant. Et au jour dit, ils s'y rendirent.

Le village de Woodleigh Bolton s'étendait au flanc d'une colline. Perchée au sommet de l'éminence, Galls Hill en était la maison dominante, avec une vue sur Woodleigh Camp et les landes descendant vers la mer.

— C'est un endroit lugubre, déclara Gwenda en frissonnant.

La maison elle-même était lugubre, et le Dr Kennedy méprisait manifestement les inventions modernes telles que le chauffage central. La femme qui leur ouvrit la porte était sinistre et peu avenante. Elle leur fit traverser un hall dépouillé à l'extrême et pénétrer dans un bureau où le Dr Kennedy se leva pour les recevoir. C'était une pièce longue, assez haute de plafond, aux murs tapissés de bibliothèques bourrées de livres.

Le Dr Kennedy était un vieil homme aux cheveux gris et aux yeux pénétrants sous des sourcils en broussaille. Son regard alla vivement de l'un à l'autre :

— Mr et Mrs Reed ? Asseyez-vous ici, Mrs Reed, ce fauteuil est probablement le plus confortable. Eh bien, qu'en est-il ?

Giles raconta avec aisance la petite histoire qu'ils avaient préparée. Sa femme et lui s'étaient récemment mariés en Nouvelle-Zélande. Ils étaient venus en Angleterre, où sa femme avait vécu un court moment quand elle était enfant, et elle essayait de retrouver de vieux amis de sa famille et des parents éloignés.

D'emblée le Dr Kennedy fit preuve de froideur. Tout en demeurant courtois, il n'en manifestait pas moins un certain agacement face à l'insistance toute coloniale de Gwenda sur le côté sentimental des liens familiaux.

— Et vous pensez que ma sœur – ma demi-sœur, en fait – et peut-être moi-même pouvons avoir un lien familial avec vous ? lui demanda-t-il, certes poliment, mais non sans une légère hostilité.

— C'était ma belle-mère, dit Gwenda. La seconde femme de mon père. Je ne me souviens pas réellement d'elle, évidemment. J'étais si petite. Mon nom de jeune fille est Halliday.

Il la regarda fixement, puis un sourire illumina soudain son visage. Cessant de se montrer distant, il changea du tout au tout.

— Mon Dieu ! s'exclama-t-il. Ne me dites pas que vous êtes Gwennie !

Gwenda hocha vivement la tête. Le diminutif, depuis longtemps oublié, résonna à ses oreilles avec une familiarité rassurante.

— Si, répondit-elle. Je suis Gwennie.

— Dieu vous bénisse. Devenue adulte et mariée. Comme le temps passe ! Cela doit faire… voyons… quinze ans… mais non, bien sûr, plus que ça. Vous ne vous souvenez pas de moi, je suppose ?

Gwenda secoua la tête :

— Je ne me souviens pas même de mon père. Je n'en ai qu'une image très floue.

— Mais oui… la première femme de Halliday était originaire de Nouvelle-Zélande : je me rappelle, il me l'avait dit. Un beau pays, j'imagine.

— C'est le plus beau pays du monde… mais j'aime aussi beaucoup l'Angleterre.

— Vous êtes de passage, ou installés ici ? (Il agita une sonnette :) Nous allons prendre le thé.

Lorsque la femme qui leur avait ouvert la porte arriva, il lui demanda :

— Du thé, s'il vous plait – et… euh… des toasts chauds beurrés, ou… ou du cake, des gâteaux…

Le regard de la redoutable gouvernante se fit venimeux, mais elle répondit « oui, monsieur » et quitta la pièce.

— Je n'ai pas l'habitude de prendre le thé, confia le Dr Kennedy, mais il faut fêter cela.

— C'est très aimable à vous, repartit Gwenda. Non, nous ne sommes pas de passage. Nous avons acheté une maison. (Elle s'interrompit, puis ajouta :) Hillside.

— Ah ! oui, fit le Dr Kennedy d'un air détaché. A Dillmouth. C'est de là que vous m'avez écrit.

— C'est vraiment la plus extraordinaire des coïncidences ! s'exclama Gwenda. N'est-ce pas Giles ?

— Oui, c'est exact, confirma Giles. C'est absolument incroyable.

— Elle était à vendre, figurez-vous, dit Gwenda. (Et, devant l'incompréhension manifeste du Dr Kennedy, elle ajouta :) C'est la maison où j'ai jadis habité.

Le Dr Kennedy fronça les sourcils :

— Hillside ? J'aurais pourtant juré que... Oh ! mais oui : j'avais entendu dire qu'elle avait changé de nom. Elle s'appelait Sainte-Quelque chose, si c'est bien à cette maison que je pense – sur Leahampton Road, à main droite quand on descend vers la ville ?

— Oui.

— Elle s'appelait... C'est drôle comme les noms peuvent vous échapper. Attendez une minute. Sainte-Catherine : voilà comment elle s'appelait.

— Et j'ai habité là, n'est-ce pas ? s'enquit Gwenda.

— Mais oui, bien sûr. (Il la regarda d'un air amusé :) Pourquoi souhaitiez-vous revenir ici ? Vous ne devez certainement pas vous en souvenir beaucoup ?

— Non, cependant, d'une certaine manière... je m'y suis tout de suite sentie comme chez moi.

— Comme chez vous, répéta le médecin.

Il avait prononcé ces mots sans intonation particulière, mais Giles se demanda à quoi il pensait.

— Aussi, voyez-vous, reprit Gwenda, j'ai pensé que vous alliez pouvoir me parler de tout cela... de mon père... d'Helen et... (Elle acheva faiblement :)... et de tout.

Il la regarda, pensif :

— Je suppose qu'ils n'étaient pas très au courant... là-bas, – en Nouvelle-Zélande. Comment auraient-ils pu l'être ? Eh bien, il n'y a pas grand-chose à raconter. Helen – ma sœur – est revenue des Indes sur le même bateau que votre père. Il était veuf, avec une fillette. Helen l'a pris en pitié ou en est tombée amoureuse. Difficile de savoir comment les choses se sont passées au juste. Ils se sont mariés à Londres, dès leur arrivée, et sont venus me voir à Dillmouth. J'exerçais là-bas, à l'époque. Kelvin Halliday semblait un garçon sympathique, encore qu'un peu nerveux et très fatigué, peut-être... mais ils avaient l'air assez heureux ensemble... à ce moment-là. (Il garda le silence quelques instants avant d'ajouter :) Cependant, moins d'un an plus tard, elle est partie avec un autre. Vous le savez probablement ?

— Avec qui est-elle partie ? demanda Gwenda.

Il posa sur elle son regard pénétrant :

— Elle ne me l'a pas dit. Je n'ai pas eu droit à ses confidences. J'avais vu – comment ne pas le voir ? – qu'il y avait un certain désaccord entre

Kelvin et elle. Mais j'en ignorais la cause. J'ai toujours été quelqu'un de prude… partisan de la fidélité conjugale. Helen n'a sans doute pas voulu que je sache ce qui se passait. J'ai entendu des rumeurs – on en entend toujours –, mais il n'a jamais été fait, mention d'un nom en particulier. Ils avaient souvent des invités qui venaient les voir de Londres ou d'ailleurs. J'imagine que c'est avec l'un d'eux qu'elle est partie.

— Ils n'ont pas divorcé ?

— Helen ne voulait pas divorcer. Kelvin me l'a dit. C'est pourquoi j'ai imaginé, peut-être à tort, qu'il s'agissait d'un homme marié. Quelqu'un dont la femme était peut-être catholique.

— Et mon père ?

— Il ne voulait pas de divorce, non plus.

Le Dr Kennedy s'exprimait de façon concise.

— Parlez-moi de mon père, demanda Gwenda. Pourquoi a-t-il soudain décidé de m'envoyer en Nouvelle-Zélande ?

Kennedy resta silencieux un moment avant de répondre :

— J'ai cru comprendre que votre famille, là-bas, le lui avait demandé avec insistance. Après la rupture de son second mariage, il a probablement pensé que c'était ce qu'il y avait de mieux pour vous.

— Pourquoi ne m'a-t-il pas emmenée là-bas lui-même ?

Le Dr Kennedy balaya du regard le manteau de la cheminée pour y chercher un cure-pipe :

— Bah ! je ne sais pas. Il était en assez mauvaise santé.

— Qu'avait-il ? De quoi est-il mort ?

La porte s'ouvrit, et la gouvernante, toujours aussi revêche, apparut avec un plateau.

Il y avait des toasts beurrés et un peu de confiture, mais pas de cake. D'un geste discret, le Dr Kennedy fit signe à Gwenda de servir le thé. Ce à quoi elle s'employa. Quand les tasses furent remplies, offertes à chacun et que Gwenda eut pris un toast, le Dr Kennedy dit avec un enjouement quelque peu forcé :

— Racontez-moi les travaux que vous avez effectués dans cette maison. Je ne crois pas que je la reconnaîtrai quand vous aurez terminé de l'aménager.

— Nous nous sommes un peu donné du bon temps avec les salles de bains, reconnut Giles.

Gwenda, les yeux fixés sur le médecin, s'enquit une nouvelle fois :

— De quoi mon père est-il mort ?

— Je ne le sais pas précisément, ma chère petite. Comme je vous l'ai dit, il avait depuis un moment des problèmes de santé, et il a fini par aller dans une sorte de clinique ou de maison de repos, quelque part sur la côte est. Il est mort environ deux ans plus tard.

— Où au juste se trouvait cette maison de repos ?

— Je suis désolé. Je ne m'en souviens plus. Comme je viens de vous le dire, il me semble que c'était sur la côte est.

A l'évidence, il s'exprimait maintenant de

manière évasive. Giles et Gwenda échangèrent un bref regard.

— Je veux croire, insista Giles, que vous pourrez au moins nous dire, monsieur, où il a été enterré. Gwenda est – tout naturellement – très désireuse de se rendre sur la tombe de son père.

Penché au-dessus de l'âtre, le Dr Kennedy cura le fourneau de sa pipe avec un canif.

— Voyez-vous, dit-il en mangeant à demi ses mots, je ne pense pas devoir trop m'étendre sur le passé. Ce culte des ancêtres, c'est une erreur. Ce qui importe, c'est le futur. Vous êtes, tous les deux, jeunes et en bonne santé, avec l'avenir devant vous. Regardez vers l'avant. Il ne sert à rien d'aller déposer des fleurs sur la tombe de quelqu'un que, tout compte fait, vous avez à peine connu.

— Je tiens à voir la tombe de mon père ! s'insurgea Gwenda.

— Je suis désolé, je ne peux pas vous aider. (Le ton du Dr Kennedy était aimable mais froid :) Beaucoup de temps a passé et ma mémoire n'est plus ce qu'elle était. J'ai perdu contact avec votre père après son départ de Dillmouth. Je crois qu'il m'a une fois écrit de la maison de repos et, comme je vous l'ai dit, il me semble qu'elle était sur la côte est – mais je ne pourrais vous l'assurer. Et je n'ai aucune idée de l'endroit où il est enterré.

— Comme c'est étrange ! s'étonna Giles.

— Pas vraiment. Le lien entre nous, voyez-vous, c'était Helen. J'ai toujours beaucoup aimé Helen. C'est ma demi-sœur, elle est beaucoup plus jeune que moi, et j'ai essayé de l'élever du mieux que j'ai pu. Les bonnes écoles et tout ce qui s'ensuit. Mais il me faut reconnaître qu'Helen… eh bien, elle n'a jamais eu un caractère très équilibré. Alors qu'elle était encore très jeune, elle a eu un problème avec un jeune homme peu fréquentable. Je l'ai sortie de là sans dommage. Puis elle a décidé de partir pour l'Inde afin d'y épouser Walter Fane. C'était quelqu'un de très bien, un gentil garçon, fils du principal notaire de Dillmouth, mais franchement ennuyeux comme la pluie. Il avait toujours été amoureux d'elle, mais elle n'avait jamais répondu à ses avances. Cependant, elle a changé d'avis et elle a filé aux Indes pour l'épouser. Dès qu'elle l'a revu, ç'a été terminé. Elle m'a envoyé un télégramme pour me dire qu'elle rentrait et que je lui envoie de l'argent pour sa traversée. Je le lui ai envoyé. Sur le chemin du retour, elle a rencontré Kelvin. Ils se sont mariés sans même que j'en sois averti. J'ai toujours éprouvé – comment dire ? – de l'indulgence envers ma sœur. Cela vous explique pourquoi Kelvin et moi ne sommes pas restés en relation après son départ. (Il ajouta soudain :) Où est Helen, maintenant ? Pouvez-vous me le dire ? J'aimerais pouvoir renouer le contact avec elle.

— Mais nous ne le savons pas, répondit Gwenda. Nous ne le savons pas du tout.

— Ah ! J'aurais pourtant cru… d'après votre annonce… (Il les regarda avec une curiosité soudaine :) Mais alors, pourquoi avez-vous passé cette annonce ?

— Nous voulions, expliqua Gwenda, nous mettre en relation avec…

Puis elle s'interrompit.

— Avec quelqu'un dont vous pouvez à peine vous souvenir ? parut s'étonner le Dr Kennedy.

— Je m'imaginais que... que, si je parvenais à la revoir, elle... elle me parlerait... de mon père, balbutia Gwenda.

— Oui... oui... je comprends. Désolé, je ne peux pas vous être utile. Ma mémoire n'est plus ce qu'elle était. Et tant d'années se sont écoulées...

— Au moins, intervint Giles, vous devez savoir de quel type de maison de repos il s'agissait. C'était un sanatorium ? Pour les tuberculeux ?

Le visage du Dr Kennedy se referma soudain :

— Oui... oui, il me semble.

— Alors nous devrions pouvoir le retrouver très facilement, déclara Giles. Je vous remercie beaucoup, monsieur, pour tout ce que vous nous avez appris.

Il se leva et Gwenda en fit autant.

— Merci beaucoup, dit-elle. Venez nous voir à Hillside.

Ils sortirent de la pièce et Gwenda, regardant par-dessus son épaule, jeta un dernier coup d'œil sur le Dr Kennedy. Debout près de la cheminée, la mine troublée, il tiraillait sa moustache grisonnante.

— Il sait quelque chose qu'il ne veut pas nous dire, décréta Gwenda en montant dans la voiture. Il y a *quelque chose*... Oh, Giles ! Je voudrais... je voudrais n'avoir jamais commencé.

Ils se regardèrent et, sans qu'ils se le disent, la même crainte s'insinua dans leur esprit.

— Miss Marple avait raison, soupira Gwenda. Nous n'aurions pas dû vouloir réveiller le passé.

— Nous ne sommes pas obligés d'aller plus loin, suggéra timidement Giles. Je crois, Gwenda chérie, que nous ferions peut-être mieux d'arrêter là.

Gwenda secoua la tête :

— Non, Giles, ce n'est pas possible. Nous ne cesserions de nous poser des questions et d'imaginer des réponses. Non, il faut continuer… Par gentillesse, le Dr Kennedy n'a pas voulu nous en dire davantage, mais ce genre d'affaire ne laisse présager rien de bon. Nous devons découvrir ce qui s'est réellement passé. Même si… même si c'est pour arriver à la conclusion… que c'est mon père qui…

Mais, incapable d'aller plus loin, elle laissa sa phrase en suspens.

8

LES HALLUCINATIONS DE KELVIN HALLIDAY

Le lendemain matin, ils étaient dans le jardin quand Mrs Cocker sortit pour annoncer :

— Excusez-moi, monsieur. J'ai un Dr Kennedy au téléphone.

Laissant Gwenda en grande discussion avec le vieux Foster, Giles regagna la maison et empoigna le combiné :

— Giles Reed à l'appareil.

— C'est le Dr Kennedy. J'ai réfléchi à notre conversation d'hier, Mr Reed. Il y a certains faits, me semble-t-il, dont votre femme et vous devriez sans doute être informés. Serez-vous chez vous cet après-midi ?

— Oui, certainement. A quelle heure ?

— Quinze heures ?

— C'est parfait.

Dans le jardin, le vieux Foster demanda à Gwenda :

— C'est le Dr Kennedy qui habitait là-haut, à West Cliff ?

— Je crois que oui. Vous le connaissiez ?

— Il y en a qui vous diront que c'était le meilleur

toubib du coin. C'est pas que le Dr Lazenby était pas plus populaire, notez bien. Il avait toujours le mot pour rire et pour vous remettre d'aplomb, le Dr Lazenby. Le Dr Kennedy, lui, il était comme qui dirait économe de ses discours et plutôt du genre sec comme un coup de trique… mais pour ce qui est de connaître son affaire, il n'y a pas, il connaissait son affaire.

— Quand a-t-il cessé d'exercer ?

— Ça fait un bail, maintenant. Peut-être bien quinze ans ou quéqu'chose comme ça. Sa santé se serait détraquée, à ce qu'on a dit.

Giles sortit par la porte-fenêtre et répondit à la question non formulée de Gwenda :

— Il vient cet après-midi.

— Ah ! (Elle se tourna de nouveau vers Foster :) La sœur du Dr Kennedy, vous l'avez connue ?

— Sa sœur ? Pas que je m'en souvienne. C'était encore qu'une gamine, à l'époque. Elle était à l'école, en pension je ne sais où, et puis après elle est partie à l'étranger. J'ai entendu dire qu'elle était revenue ici un petit moment après s'être mariée, mais je crois qu'elle est repartie avec un type… elle a toujours été un peu foldingue, à ce qu'y paraîtrait. J'sais même pas si je l'ai jamais entraperçue. J'ai travaillé pendant un bon bout de temps là-haut, à Plymouth, vous savez.

— Pourquoi vient-il ? demanda Gwenda à Giles tandis qu'ils longeaient la terrasse.

— Nous le saurons à 15 heures.

Le Dr Kennedy arriva à l'heure convenue.

— Cela me fait drôle de me retrouver ici,

commenta-t-il après avoir parcouru le salon du regard. (Puis il en vint directement au fait :) J'ai cru comprendre que vous étiez tous deux bien décidés à retrouver la maison de repos où Kelvin Halliday est mort et à apprendre tous les détails possibles concernant sa maladie et son décès, je ne me trompe pas ?

— Non, c'est exact, répondit Gwenda.

— Il va de soi que vous y parviendrez sans grande difficulté. Et j'ai finalement pensé que le choc serait moins grand pour vous si c'était moi qui vous révélais ce qui s'est passé. Je suis désolé d'avoir à vous l'apprendre, car cela n'a rien d'agréable pour personne et va probablement vous causer à vous, Gwennie, beaucoup de peine. Mais voilà : votre père ne souffrait pas de tuberculose et la maison de santé en question était une clinique psychiatrique.

— Une clinique psychiatrique ? Il avait perdu la tête ?

Le visage de Gwenda était devenu blême.

— Il n'a jamais été déclaré atteint d'aliénation mentale. Et, à mon avis, il n'était pas aliéné au sens général du terme. Il avait eu une très grave dépression nerveuse et souffrait d'hallucinations obsessionnelles. Il est entré dans cette clinique psychiatrique à sa demande et de son plein gré, et pouvait, bien sûr, en partir quand il le voulait. Cependant, son état ne s'est pas amélioré et il est mort là-bas.

— Des hallucinations obsessionnelles ? répéta Giles. Quel genre d'hallucinations obsessionnelles ?

Le ton du Dr Kennedy se fit sec :

— Il était persuadé qu'il avait étranglé sa femme.

Gwenda poussa un cri étouffé. Giles prit aussitôt la main glacée de son épouse dans les siennes.

— Et... il l'avait fait ? demanda le jeune homme.

— Pardon ? (Le Dr Kennedy le regarda fixement :) Non, bien sûr que non. Il n'a jamais été question d'une monstruosité pareille.

— Mais... mais comment pouvez-vous en être sûr ? demanda timidement Gwenda.

— Ma chère enfant ! Je vous le répète, il n'a jamais été question d'une telle monstruosité. Helen l'a quitté pour partir avec un autre. Cela faisait déjà quelque temps qu'il était dans un état de trouble, avec des rêves angoissés et des idées noires. Le choc final lui a fait complètement perdre pied. Je ne suis pas psychiatre. Les psychiatres ont des explications pour ce genre de cas. Si un homme préfère voir sa femme morte plutôt qu'infidèle, il peut en venir à croire qu'elle est morte... voire qu'il l'a tuée de ses mains.

Discrètement, Giles et Gwenda échangèrent un regard inquiet.

— Vous êtes donc tout à fait sûr, articula Giles avec un calme méritoire, tout à fait sûr qu'il n'a pas pu commettre le meurtre dont il s'accusait ?

— Oh ! sûr et certain. J'ai reçu deux lettres d'Helen. La première, postée en France, une semaine environ après son départ – et une autre quelque six mois plus tard. Oh ! non, ce n'était que pure et simple hallucination.

Gwenda poussa un profond soupir.

— S'il vous plaît, implora-t-elle. Est-ce que vous voulez bien me raconter tout cela ?

— Je vous dirai tout ce que je peux, ma chère petite. Pour commencer, depuis un certain temps, Kelvin était dans un état de névrose assez singulier. Il est venu me consulter et m'a alors confié qu'il faisait des rêves troublants. Ces rêves, disait-il, étaient toujours les mêmes, et se terminaient toujours de la même façon : il était en train d'étrangler Helen. J'ai essayé d'aller à la racine du problème… ce devait, je pense, avoir un rapport avec quelque conflit vécu dans la petite enfance. Son père et sa mère n'avaient apparemment pas formé un couple heureux… Bon, je ne vais pas rentrer dans tous ces détails. Cela n'a d'intérêt que pour un médecin. J'ai suggéré à Kelvin d'aller consulter un psychiatre, il y en avait de très réputés… mais il n'a pas voulu en entendre parler : il considérait ce genre de médecine comme de la foutaise.

« J'avais dans l'idée qu'il ne s'entendait pas très bien avec Helen, mais il ne m'en a jamais parlé, et je n'ai pas voulu poser de questions. Son état a atteint un paroxysme quand il est arrivé chez moi un soir. C'était un vendredi, je m'en souviens, je venais juste de rentrer de l'hôpital, et je l'ai trouvé dans le cabinet de consultation, où il m'attendait depuis environ un quart d'heure. Dès qu'il m'a vu entrer, il a levé les yeux vers moi et m'a dit : "J'ai tué Helen."

« Sur le moment, je n'ai pas su quoi penser. Il était si calme et si détaché. Je lui ai demandé : "Vous voulez dire… que vous avez fait un nouveau rêve ?" Il m'a répondu : "Non, cette fois, ce n'est pas un rêve. C'est la réalité. Elle est étendue là, étranglée. Je l'ai étranglée."

« Puis il a ajouté, de façon calme et raisonnée : "Vous feriez mieux de revenir avec moi à la maison. Ensuite, de là, vous pourrez appeler la police." Je ne savais que penser. J'ai ressorti la voiture et nous y sommes allés. La maison était silencieuse et sombre. Nous sommes montés dans la chambre à coucher…

— *La chambre à coucher ?* l'interrompit Gwenda dont la voix reflétait l'ahurissement le plus complet.

Le Dr Kennedy parut légèrement surpris :

— Oui, oui, c'est là que cela s'était passé. Evidemment, quand nous sommes arrivés là-haut… il n'y avait rien du tout ! Pas de cadavre étendu en travers du lit. Rien de dérangé… le couvre-pieds n'était pas même froissé. Tout cela n'était que le fruit d'une hallucination.

— Mais qu'a dit mon père ?

— Oh ! il s'est bien évidemment obstiné à ressasser la même histoire. Il y croyait dur comme fer, voyez-vous. J'ai réussi à lui faire prendre un sédatif et à ce qu'il se couche dans la petite chambre. Puis j'ai regardé partout. J'ai trouvé au salon, en boule dans la corbeille à papier, un mot laissé par Helen. C'était tout à fait clair. Elle avait écrit quelque chose comme : *Adieu. Je suis désolée, mais notre mariage a été une erreur dès le départ. Je m'en vais avec le seul homme que j'aie jamais aimé. Pardonnez-moi si vous le pouvez, Helen.*

« A l'évidence Kelvin était rentré chez lui, avait

lu ce mot, était monté au premier étage, et l'émotion lui avait causé une sorte de transport au cerveau. Il était ensuite venu me trouver, persuadé qu'il avait tué Helen.

« Puis j'ai questionné la femme de chambre. C'était son soir de sortie et elle était rentrée tard. Je l'ai emmenée dans la chambre d'Helen et elle a jeté un coup d'œil sur les vêtements de sa patronne. Le doute n'était pas permis : Helen avait rempli une valise et un sac, et les avait emportés avec elle. J'ai fouillé dans toute la maison, mais il n'y avait aucune trace de quoi que ce soit d'anormal… en tout cas aucune trace de femme étranglée.

« Le lendemain matin, il me fut difficile de convaincre Kelvin, mais il a fini par admettre qu'il avait eu une hallucination… ou du moins il l'a affirmé et il a consenti à entrer dans une clinique psychiatrique pour s'y faire soigner.

« Une semaine plus tard j'ai reçu, comme je vous l'ai dit, une lettre d'Helen. Elle était postée de Biarritz, mais ma sœur m'y annonçait qu'elle partait pour l'Espagne. Elle me chargeait de faire savoir à Kelvin qu'elle ne voulait pas divorcer et qu'elle lui souhaitait de l'oublier le plus vite possible.

« J'ai montré la lettre à Kelvin. Il n'a pas dit grand-chose. Il a continué à prendre ses dispositions, il a envoyé un télégramme à la famille de sa première femme en Nouvelle-Zélande pour leur demander de bien vouloir accueillir l'enfant. Il a réglé ses affaires, puis il est entré dans une très bonne clinique psychiatrique privée et a consenti à y recevoir un traitement approprié. Ce traitement, cependant, s'est révélé inefficace. Il est mort là-bas deux ans plus tard. Je peux vous donner l'adresse de la clinique. C'est dans le Norfolk. L'actuel directeur y était jeune interne à l'époque, et il sera probablement à même de vous fournir tous les détails que vous pourrez souhaiter concernant les derniers jours de votre père.

— Et vous avez reçu une autre lettre de votre sœur... après ? insista Gwenda.

— Oui, environ six mois plus tard. Elle m'a écrit de Florence, elle me donnait une adresse poste restante au nom de « Miss Kennedy ». Elle disait qu'elle avait conscience qu'il était peut-être déloyal de sa part d'empêcher Kelvin d'obtenir le divorce – et ce sous le seul prétexte qu'elle ne le souhaitait pas elle-même. S'il tenait à ce qu'un divorce soit prononcé, je devais le lui faire savoir, elle s'arrangerait alors pour lui fournir les preuves nécessaires. J'ai apporté la lettre à Kelvin. Il a tout de suite déclaré qu'il ne voulait pas divorcer. J'ai écrit à ma sœur et l'en ai informée. Depuis lors, je suis sans aucune nouvelle d'elle. Je ne sais pas où elle vit, ni même si elle est vivante ou morte. C'est pourquoi j'ai été vivement intéressé par votre annonce. J'espérais pouvoir obtenir ainsi de ses nouvelles. (Il ajouta avec douceur :) Je suis vraiment désolé, Gwennie. Mais il fallait que vous le sachiez. J'aurais préféré que vous ne veniez pas remuer tout cela...

9

Un element inconnu ?

Quand Giles revint après avoir raccompagné le Dr Kennedy, il trouva Gwenda assise là où il l'avait laissée. Elle avait les pommettes rouges et les yeux brillants de fièvre. Quand elle parla, ce fut d'une voix rauque et saccadée :

— Elle dit quoi, au juste, cette vieille rengaine ? *La folie ou la mort, vous avez le choix*, c'est ça ? Voilà où nous en sommes… encore que, dans notre cas, ce serait plutôt la folie et la mort.

— Gwenda… ma chérie.

Giles alla vers elle, la prit dans ses bras. Elle était toute crispée.

— Pourquoi nous sommes-nous mêlés de remuer tout ça ? Pourquoi ? C'est mon père qui l'a étranglée. Et c'est la voix de mon propre père que j'ai entendue prononcer ces mots. Ce n'est pas étonnant que cela me soit revenu à la mémoire… pas étonnant que j'aie été à ce point effrayée. Mon propre père…

— Attends, Gwenda… attends. Nous n'en avons pas la certitude…

— Bien sûr que si ! Il a bien dit au Dr Kennedy qu'il avait tué sa femme, non ?

— Mais Kennedy est convaincu qu'il ne l'a pas fait…

— Parce qu'il n'a pas trouvé le corps. Mais il y avait un corps… il y avait un cadavre… et je l'ai vu, de mes yeux vu.

— Tu l'as vu dans le hall… pas dans la chambre.

— Et quelle différence cela fait-il ?

— Eh bien, c'est à tout le moins bizarre, tu ne trouves pas ? Pourquoi Halliday aurait-il dit qu'il avait étranglé sa femme dans la chambre à coucher s'il l'avait en fait étranglée dans le hall ?

— Oh ! je ne sais pas. Et puis ce n'est qu'un détail.

— Je n'en suis pas si sûr. Reprends-toi, ma chérie. Il y a plusieurs points très curieux dans cette affaire. Admettons, si tu veux bien, que ton père ait effectivement étranglé Helen. Dans le hall. Que s'est-il passé après ?

— Il est allé trouver le Dr Kennedy.

— Et il lui a dit qu'il avait étranglé sa femme dans la chambre à coucher, il est revenu avec lui et il n'y avait pas de cadavre dans le hall… *ni* dans la chambre à coucher. Nom d'une pipe, il ne peut pas y avoir de meurtre sans cadavre. Qu'avait-il fait du cadavre ?

— Peut-être qu'il y en avait un et que le Dr Kennedy l'a aidé à étouffer l'affaire… mais ça, évidemment, il ne pourrait pas nous l'avouer.

Giles secoua la tête :

— Non, Gwenda… je ne vois pas Kennedy agir

de cette façon. C'est un Ecossais pragmatique, sagace et peu émotif. Et, en se faisant complice de ton père – fût-ce *a posteriori* –, il se serait mis dans de sales draps. Je ne crois pas qu'il aurait réagi comme ça. Il aurait pu faire de son mieux pour disculper Halliday en faisant valoir son état mental… ça, oui. Mais Pourquoi aurait-il pris des risques pour étouffer l'affaire ? Kelvin Halliday n'était pas un parent proche ni un ami intime. Qui plus est, c'était sa propre sœur qui avait été assassinée et, à l'évidence, il l'aimait beaucoup – même s'il a montré une désapprobation toute victorienne concernant ses manières désinvoltes. Ce n'est pas non plus comme si, toi, tu avais été l'enfant de sa sœur. Non, Kennedy n'aurait jamais accepté d'aider à dissimuler un meurtre. S'il l'avait fait, cela n'aurait pu être qu'en délivrant délibérément un certificat de décès attestant qu'elle était morte d'une syncope ou de Dieu sait quoi. Ça, j'imagine qu'il *aurait pu* le faire – mais nous savons avec certitude qu'il ne l'a *pas* fait. Pour la bonne raison qu'on ne trouve aucun acte de décès dans les registres paroissiaux. De plus, s'il avait effectivement agi ainsi, il nous aurait dit que sa sœur était morte. Abandonne donc cette idée et explique-moi, si tu le peux, ce qu'il est advenu du cadavre.

— Peut-être mon père l'a-t-il enterré quelque part… dans le jardin ?

— Après quoi il serait aller trouver Kennedy pour lui signaler qu'il avait assassiné sa femme ? Dans quel but ? Pourquoi ne pas s'en tenir à la version selon laquelle « elle l'avait quitté » ?

Gwenda releva les cheveux qui recouvraient son front. Elle était moins tendue à présent, et les rougeurs sur ses pommettes s'atténuaient.

— Je ne sais pas, admit-elle. Vu sous cet angle, cela paraît franchement bizarre, je te l'accorde. Tu crois que le Dr Kennedy nous a dit la vérité ?

— Oh ! oui… j'en suis à peu près sûr. De son point de vue, c'est une histoire parfaitement plausible. Des rêves, des hallucinations… et enfin une hallucination majeure. Pour lui, il ne faisait aucun doute qu'il s'agissait d'une hallucination, puisque, comme nous venons d'en convenir, il ne peut pas y avoir meurtre s'il n'y a pas cadavre. Or, c'est précisément là où nos convictions divergent. Car nous, nous *savons* qu'il y en avait un. (Il se tut un moment, puis il reprit :) De son point de vue, encore une fois, tout se tient. Les vêtements et la valise qui manquent, le mot d'adieu. Et plus tard, deux lettres de sa sœur.

Gwenda s'agita :

— Ces lettres… Comment pouvons-nous les expliquer ?

— Nous en sommes pour l'instant bien en peine… mais l'explication, nous allons la trouver. Si nous admettons que Kennedy nous a dit la vérité – et, je le répète, j'en suis à peu près sûr –, nous allons trouver comment expliquer ces lettres.

— Je suppose qu'elles étaient bien de l'écriture de sa sœur ? Il l'a forcément reconnue ?

— Tu sais, Gwenda, je ne crois pas que la question se soit posée. Ce n'est pas comme s'il s'agissait d'une signature au bas d'un chèque suspect. Si ces lettres étaient écrites d'une écriture ressemblant à celle de sa sœur, il n'a sans doute pas songé à douter de leur authenticité. D'autant plus qu'il était persuadé qu'elle était partie avec quelqu'un. Les lettres n'ont fait qu'en apporter la confirmation. S'il n'avait plus jamais entendu parler d'elle, il aurait pu être pris de doutes. Néanmoins, il y a certains points curieux à propos de ces lettres qui ne l'ont peut-être pas choqué, mais qui moi me frappent. Elles sont curieusement anonymes. Pas d'adresse, sauf une poste restante. Pas d'indication sur l'homme avec qui elle était partie. Une évidente volonté de rompre tous les liens avec le passé. Ce qui pour moi est significatif : c'est exactement le genre de lettre qu'écrirait un meurtrier s'il voulait dissiper les soupçons que pourrait avoir la famille de sa victime. Cela me fait penser à l'histoire de la vieille Crippen. Faire poster les lettres de l'étranger n'aurait guère posé de problèmes.

— Tu crois que mon père…

— *Non*… justement… je *ne* le crois *pas*. Prenons le cas d'un homme qui est bien décidé à se débarrasser de sa femme. Il répand des rumeurs relatives à son infidélité. Il met en scène son départ : le mot laissé en partant, les vêtements emportés. Il reçoit des lettres d'elle à des intervalles soigneusement étudiés d'un quelconque pays étranger. En réalité, il l'a tranquillement assassinée et l'a enterrée, disons, dans la cave. C'est le meurtre classique – et fréquemment commis. Mais s'il y a une chose que ce genre de meurtrier ne fait pas, c'est de se précipiter chez son beau-frère pour lui dire qu'il a assassiné sa femme et que le beau-frère en question serait fort avisé d'avertir la police. D'un autre côté, si ton père était du genre meurtrier impulsif, s'il était terriblement amoureux de sa femme et l'avait étranglée dans un accès de folle jalousie – à la manière d'Othello, ce qui concorderait avec les mots que tu as entendus –, il n'aurait certainement pas fait disparaître une valise de vêtements et ne se serait pas arrangé pour faire parvenir des lettres avant d'aller avouer son crime à un homme qui n'est pas du genre à étouffer l'affaire. Ça ne tient pas la route, Gwenda. Ça ne la tient pas du tout.

— Alors, où veux-tu en venir, Giles ?

— Je n'en sais rien… mais ce qui ressort de tout ça, c'est qu'il semble y avoir un élément inconnu… appelons-le X. Quelqu'un qui n'est pas encore entré en scène, mais sur la technique duquel nous possédons quelques aperçus.

— X, répéta Gwenda songeuse. (Puis ses yeux s'assombrirent :) Tu inventes ça pour me réconforter, Giles.

— Je te jure que non. Reconnais que toi-même tu ne trouves pas d'explication satisfaisante pour assembler tous les faits. Nous savons qu'Helen Halliday a été étranglée pour l'indiscutable raison que tu l'as vue… (Il s'arrêta.) Mon Dieu ! Mais que je suis bête. Je comprends, maintenant. Cela explique tout. Tu as raison. Et Kennedy a raison aussi. Ecoute, Gwenda : Helen se prépare à partir avec un amant… qui est-il ? nous n'en savons rien.

— X ?

Giles balaya la question de Gwenda avec un geste d'impatience :

— Elle écrit un mot à son mari... mais sur ces entrefaites, il entre, fit ce qu'elle a écrit et perd la tête. Il prend le papier, en fait une boule qu'il lance dans la corbeille et se jette sur elle. Terrifiée, elle se précipite dans le hall, il la rattrape, la saisit à la gorge... elle s'affaisse et il la laisse choir sur le sol. C'est alors que, se tenant un peu à l'écart, il cite ces vers de *La Duchesse d'Amalfi* au moment précis où l'enfant, en haut de l'escalier, regarde à travers la rambarde.

— Et après ?

— En fait, elle n'est pas morte. Il a cru qu'elle était morte... mais elle n'était qu'évanouie. Peut-être son amant survient-il... tandis que le mari, devenu fou, s'est précipité chez le médecin, à l'autre bout de la ville. Ou alors elle reprend conscience toute seule. En tout cas, sitôt revenue à elle, elle s'enfuit. Elle fiche le camp à toute vitesse. Et cela explique tout. Le fait que Kelvin soit convaincu d'avoir tué Helen. La disparition des vêtements, mis dans une valise et emportés plus tôt dans la journée. Et les lettres qui sont *parfaitement authentiques*. Voilà... cela explique tout.

— Cela n'explique pas, dit lentement Gwenda, pourquoi Kelvin prétend l'avoir étranglée dans la chambre.

— Il avait tellement perdu la tête qu'il ne s'est pas souvenu de l'endroit où ça s'était passé.

— J'aimerais te croire, murmura Gwenda. Je *veux* te croire... Mais je continue à être sûre

– absolument sûre – que, lorsque je l'ai vue en bas, elle était morte.. on ne peut plus morte.

— Mais comment peux-tu l'affirmer ? Tu avais 3 ans à peine. Elle le regarda d'un air étrange :

— Je suis persuadée qu'on peut le savoir à cet âge… mieux que ne saura le faire un adulte. C'est comme les chiens : ils sentent la mort, ils rejettent alors la tête en arrière et se mettent à hurler. Je suis convaincue que, pour les enfants, c'est pareil, ils sentent la mort…

— C'est insensé… ça ne tient pas debout. (La sonnerie de la porte d'entrée l'interrompit.) Qui est-ce que ça peut bien être ? grommela-t-il.

La consternation se peignit sur le visage de Gwenda :

— Ça m'était complètement sorti de la tête. C'est miss Marple. Je l'ai invitée à prendre le thé aujourd'hui. Surtout pas un mot : ne lui parlons de rien.

Si Gwenda avait craint que l'entrevue présente des difficultés insurmontables, miss Marple sembla fort heureusement ne pas remarquer que son hôtesse parlait trop vite et trop fébrilement, et que sa gaieté était quelque peu forcée. La vieille demoiselle, quant à elle, bavardait à tout-va : son séjour à Dillmouth était si agréable et – n'était-ce pas merveilleux ? – des amis d'amis avaient écrit à leurs amis de Dillmouth, ce qui lui avait valu maintes invitations émanant de charmantes notabilités du cru :

— On se sent beaucoup moins « étranger », si

vous voyez ce que je veux dire, ma chère petite, quand l'occasion vous est donnée de faire la connaissance de personnes qui vivent là depuis des années. Je vais, par exemple, prendre le thé avec Mrs Fane… c'est la veuve du plus ancien associé de la meilleure étude notariale de la région. Une étude familiale très traditionnelle. C'est son fils qui a pris la succession. (Le doux babillage continua. Sa logeuse était si gentille, et la mettait tellement à son aise :) Et quelle cuisine délicieuse ! Elle a été, quelques années durant, au service de ma vieille amie Mrs Bantry. Avant elle, sa tante s'était établie ici, et elle venait avec son mari passer tous les ans ses vacances chez la brave femme. Ce qui fait que, bien que n'étant en rien originaire d'ici, elle n'en est pas moins au courant des petites histoires locales. A propos, êtes-vous satisfaits de votre jardinier ? J'ai ouï dire qu'il est considéré dans le pays comme un peu « tire-au-flanc » – plus enclin à parler qu'à travailler.

— Parler et boire du thé sont ses spécialités, répondit Giles. Il en prend environ cinq tasses par jour. Mais il travaille parfaitement quand il sait que nous l'avons à l'œil.

— Venez voir le jardin, proposa Gwenda.

Ils lui firent visiter la maison et le jardin, et miss Marple fit les observations appropriées. Gwenda avait craint que la perspicacité de la vieille demoiselle lui fasse découvrir que quelque chose n'allait pas, mais elle s'était trompée. Car miss Marple ne paraissait rien remarquer d'anormal.

Cependant, assez curieusement, ce fut Gwenda

qui se comporta de manière imprévisible. Elle interrompit miss Marple au milieu d'une petite anecdote à propos d'un enfant et d'un coquillage pour souffler précipitamment à Giles :

— Oh ! et puis tant pis : je vais tout lui raconter.

Son attention soudain éveillée, miss Marple tourna la tête. Quant à Giles qui se préparait à intervenir, il se mordit les lèvres avant de finalement acquiescer :

— Comme tu voudras, Gwenda.

Et Gwenda raconta tout. Leur visite au Dr Kennedy, celle qu'il leur avait faite et ce qu'il leur avait révélé.

— C'est ce que vous vouliez déjà me faire comprendre à Londres, n'est-ce pas ? souligna Gwenda, inquiète. Vous pensiez déjà que... que mon père pouvait être impliqué ?

— Cela m'était apparu comme une possibilité... oui, avoua miss Marple d'une voix douce. « Helen » pouvait très bien être pour vous une jeune belle-mère... et dans les cas de... euh... strangulation d'une épouse, il est, hélas ! si fréquent que le mari en soit l'auteur.

Miss Marple s'exprimait comme quelqu'un qui observe un phénomène naturel, sans surprise ni émotion aucune.

— Je comprends pourquoi vous nous aviez conseillé de ne pas approfondir la question, dit Gwenda. Oh ! comme je voudrais maintenant avoir suivi votre conseil. Mais on ne peut pas revenir en arrière.

— Non, reconnut miss Marple, on ne peut jamais revenir en arrière.

— Quoi qu'il en soit, je vous propose d'écouter Giles. Il a formulé diverses objections et aussi quelques suggestions.

— Tout ce que je prétends, déclara Giles, c'est qu'il y a quelque chose qui cloche.

Très lucide et avec infiniment de clarté, il revint sur tous les points qu'il avait précédemment examinés avec Gwenda. Puis il exposa sa théorie finale avant de conclure :

— Si vous pouviez seulement, chère mademoiselle, convaincre Gwenda que c'est la seule façon dont cela a pu se passer.

Miss Marple regarda Gwenda puis de nouveau Giles.

— C'est là une hypothèse parfaitement raisonnable, voulut-elle bien admettre. Mais il n'en demeure pas moins qu'il nous faut prendre en compte, comme vous l'avez fait remarquer vous-même, Mr Reed, l'éventualité de la présence d'un élément X.

— Un élément X ! répéta encore une fois Gwenda.

— L'élément inconnu, précisa miss Marple. Quelqu'un, dirons-nous, qui n'est pas encore apparu – mais dont, à la lumière des faits, on peut déduire l'existence.

— Nous allons rendre visite à cette maison de santé du Norfolk où mon père est mort, déclara Gwenda. Peut-être découvrirons-nous quelque chose là-bas.

10

DOSSIER MÉDICAL

Saltmarsh House était agréablement située à une dizaine de kilomètres de la côte. Un bon service de train assurait la liaison entre Londres et la ville de South Benham, distante de 8 km de l'établissement.

Gwenda et Giles furent priés d'attendre dans un grand salon bien aéré, garni de fauteuils recouverts de cretonne à fleurs. Une adorable vieille dame aux cheveux blancs entra dans la pièce, un verre de lait à la main. Elle leur adressa un petit signe de tête et alla s'installer près de la cheminée. Ses yeux se posèrent pensivement sur Gwenda, puis elle ne tarda pas à se pencher vers elle et à lui demander d'une voix proche du murmure :

— S'agit-il de votre malheureuse enfant, ma chère ?

Quelque peu décontenancée, Gwenda hésita puis répondit :

— Non... non... Il ne s'agit pas de mon enfant.

— Ah ! je me le demandais. (La vieille dame dodelina de la tête et but son lait à petites gorgées. Puis, sur le ton de la conversation, elle enchaîna :)

10 h 30… c'est l'heure. C'est toujours à 10 h 30. Tout à fait remarquable. (Elle se pencha de nouveau en avant et baissa encore la voix.) Derrière la cheminée, souffla-t-elle. Mais n'allez pas répéter que je vous ai prévenue.

A ce moment précis, une jeune femme en uniforme blanc entra dans la pièce et pria Giles et Gwenda de bien vouloir la suivre.

Ils furent introduits dans le bureau du Dr Penrose, qui se leva pour les accueillir.

Le médecin, ne put s'empêcher de penser Gwenda, avait lui-même l'air un peu fou. Beaucoup plus, par exemple, que la gentille vieille dame dans le salon… mais peut-être les psychiatres avaient-ils toujours l'air un peu fou.

— J'ai reçu votre lettre, ainsi que celle du Dr Kennedy, dit le Dr Penrose. Et j'ai relu le dossier de votre père, Mrs Reed. Je me souvenais très bien de lui, évidemment, mais je voulais me rafraîchir la mémoire afin d'être à même de répondre à toutes vos questions. Si j'ai bien compris, vous n'avez eu que récemment connaissance des faits ?

Gwenda expliqua qu'elle avait été élevée en Nouvelle-Zélande par la famille de sa mère et que tout ce qu'elle avait pu apprendre concernant son père, c'est qu'il était mort dans une clinique en Angleterre.

Le Dr Penrose hocha la tête :

— C'est cela. Le cas de votre père, Mrs Reed, présentait certaines caractéristiques assez singulières.

— Lesquelles ? demanda Giles.

— Eh bien, son obsession, ses hallucinations, si vous préférez, étaient d'une intensité rare. Bien que souffrant d'une névrose manifeste, le major Halliday affirmait de la manière la plus catégorique et péremptoire qu'il avait étranglé sa seconde femme sous l'emprise d'une crise de jalousie. La plupart des signes afférents à ce genre de cas étaient absents et je dois vous avouer, Mrs Reed, que, si le Dr Kennedy ne m'avait pas assuré que Mrs Halliday était en vie, j'aurais été tenté, à ce moment-là, de prendre pour vraies les assertions de votre père.

— Vous avez eu l'impression qu'il l'avait réellement tuée ? demanda Giles.

— Je dis bien « à ce moment-là ». Par la suite, quand le caractère et le psychisme du major Halliday me sont devenus plus familiers, j'ai été amené à réviser mon jugement. Votre père, Mrs Reed, n'était pas du tout paranoïaque. Il n'était pas atteint de délire de persécution et n'avait pas de pulsions violentes. C'était un individu doux, aimable et équilibré. Il n'était ni ce que l'on appelle un fou ni quelqu'un de dangereux pour la société. Mais il avait cette obsession tenace concernant la mort de Mrs Halliday et je suis tout à fait convaincu qu'il nous faut, pour en expliquer l'origine, remonter dans son lointain passé – remonter à une expérience vécue dans son enfance. J'admets qu'aucune méthode d'analyse ne nous a permis de fournir une explication. Vaincre la résistance d'un patient à l'analyse demande parfois un très long travail. Cela peut prendre plusieurs années. Dans le cas de votre père, le temps nous a manqué. (Il s'interrompit, puis il leva soudain les yeux et dit :) Vous savez, je présume, que le major Halliday s'est suicidé.

— Oh *non* ! s'écria Gwenda.

— Je suis désolé, Mrs Reed. Je pensais que vous en aviez été avertie. Vous seriez en droit, peut-être, de nous en tenir pour responsables. J'admets qu'avec plus de vigilance ce malheur aurait pu être évité. Mais franchement, je n'avais noté aucun signe indiquant que le major Halliday était de type suicidaire. Il n'avait montré aucune tendance à la mélancolie, aux idées noires ou au découragement. Il se plaignait d'insomnie, et ma collègue lui accordait une certaine quantité de cachets pour dormir. Il a prétendu les prendre, mais les a en fait gardés jusqu'à en accumuler une quantité suffisante pour…

Il ouvrit les mains.

— Etait-il si affreusement malheureux ?

— Non. Je ne le pense pas. C'était davantage, à mon avis, un sentiment de culpabilité, l'exigence d'un châtiment. Il avait dès le début insisté – cela, vous devez le savoir – pour qu'on avertisse la police mais, bien qu'on l'en ait dissuadé et qu'on lui ait assuré qu'il n'avait en réalité commis aucun crime, il était demeuré impossible de l'en convaincre. Dieu sait pourtant si son innocence lui avait été prouvée maintes fois, et s'il lui avait bien fallu admettre qu'il n'avait aucun souvenir réel d'avoir commis cet acte.

Le Dr Penrose fouilla dans les papiers posés devant lui :

— Son récit de la soirée fatidique n'a jamais varié. Il est entré dans la maison. Il y faisait noir. Les domestiques étaient sortis. Il est allé dans la salle à manger, comme il le faisait toujours, s'est versé lui-même un verre et l'a bu, puis il est passé par la porte de communication et est entré dans le salon. Après cela, il ne se souvenait plus de rien… de rien du tout, jusqu'à ce qu'il soit dans sa chambre et qu'il voie sa femme morte… étranglée. Mais rien non plus, dès lors, n'a jamais pu lui ôter de l'idée que c'était lui qui l'avait tuée.

Giles l'interrompit :

— Excusez-moi, Dr Penrose, mais pourquoi était-il à ce point persuadé de l'avoir tuée ?

— Il n'y avait aucun doute dans son esprit. Depuis quelques mois déjà, il entretenait des suspicions extravagantes et mélodramatiques. Il m'a dit, par exemple, qu'il était alors convaincu que sa femme le droguait. Il avait vécu en Inde, et là-bas les tribunaux ont souvent à juger des femmes qui ont rendu leurs maris fous en les empoisonnant avec de la datura. Il avait été sujet à de nombreuses hallucinations, avec confusion de temps et de lieu. Il a formellement nié avoir suspecté sa femme d'infidélité, néanmoins je pense que c'est ce qui a motivé son comportement. Il semble que ce qui s'est produit en réalité, c'est qu'il est entré dans le salon, qu'il a lu le mot laissé par sa femme lui disant qu'elle le quittait, et que sa manière d'échapper à cet état de fait a été de préférer la « tuer », symboliquement. D'où cette hallucination.

— Vous voulez dire qu'il tenait beaucoup à elle ? demanda Gwenda.

— Manifestement, Mrs Reed.

— Et il n'a jamais voulu admettre que c'était une hallucination ?

— Il lui a bien fallu reconnaître que c'en était forcément une – mais il l'a fait tout en restant intimement convaincu du contraire. L'obsession était trop forte pour céder le pas à la raison. Si nous avions pu découvrir la fixation infantile sous-jacente…

Les fixations infantiles n'intéressaient pas Gwenda. Elle l'interrompit :

— Mais vous êtes tout à fait certain, dites-vous, qu'il… qu'il ne l'a pas tuée ?

— Oh ! si c'est ce qui vous préoccupe, Mrs Reed, vous pouvez tout de suite vous ôter cette idée de l'esprit. Kelvin Halliday, si jaloux qu'il ait pu être de sa femme, n'avait rien d'un assassin. (Le Dr Penrose toussota et prit un petit carnet noir tout écorné :) Si vous le voulez, Mrs Reed, c'est à vous qu'il revient. Votre père y a consigné ses réflexions durant le temps qu'il a passé ici. Quand nous avons remis ses biens personnels à son exécuteur testamentaire – en fait, une étude notariale –, le Dr McGuire, qui était alors directeur de cet établissement, a gardé ce carnet et l'a joint au dossier médical. Le cas de votre père, je dois vous le préciser, apparaît dans un ouvrage scientifique rédigé par le Dr McGuire – mais uniquement sous ses initiales, bien entendu : Mr K.H. Si vous désirez que je vous remette ce journal intime…

Gwenda tendit la main avec empressement.

— Merci, dit-elle. Je serai en effet très heureuse de l'avoir.

Dans le train qui les ramenait à Londres, Gwenda sortit le petit carnet noir écorné, l'ouvrit au hasard et commença à lire.

Kelvin Halliday avait écrit :

J'imagine que ces médecins connaissent leur affaire... Cela paraît un tel ramassis d'inepties. Est-ce que j'étais amoureux de ma mère ? Est-ce que je détestais mon père ? Je ne crois pas un mot de toutes ces sottises... Je ne peux m'empêcher de penser que c'est une affaire qui concerne la police – la cour d'assises – et qui n'a rien à voir avec ces absurdes histoires de cinglés. Et pourtant... certaines des personnes qui sont ici ont des comportements si raisonnables, si naturels, qu'elles ont l'air d'être comme tout le monde – sauf quand vous mettez soudain le doigt sur l'anomalie... sur la fêlure qui les ronge. Très bien, alors, il n'est pas à exclure que je sois moi aussi victime d'une fêlure...

J'ai écrit à James... je l'ai prié de prendre contact avec Helen... pour qu'elle vienne me voir, en chair et en os, si elle est vivante... Il prétend qu'il ne sait pas où elle est... c'est parce qu'il sait qu'elle est morte et que je l'ai tuée... c'est un brave type, mais je ne suis pas dupe... Helen est morte...

Quand ai-je commencé à la soupçonner ? Il y a long-temps... Peu après notre arrivée à Dillmouth... Son comportement a changé.. Elle cachait quelque chose... Je me suis mis à la surveiller... Oui, et elle aussi s'est mise à me surveiller...

A-t-elle mis des drogues dans ma nourriture ? Ces cauchemars affreux. Pas des rêves ordinaires… de véritables cauchemars… Je sais que c'était dû à des drogues. Il n'y a qu'elle… il n'y a qu'elle qui ait pu faire ça… Pourquoi ?... Il y a un homme… Un homme dont elle avait peur…

Soyons honnête. J'ai soupçonné, c'est vrai, qu'elle avait un amant. Il y avait quelqu'un… je savais qu'il y avait quelqu'un. Elle m'en avait parlé sur le bateau… Quelqu'un qu'elle aimait et ne pouvait épouser… C'était la même chose pour nous deux… Moi, je ne pouvais pas oublier Megan… C'est extraordinaire comme la petite Gwennie peut ressembler à Megan. Helen jouait si gentiment avec Gwennie, sur le bateau… Helen… Tu es si belle, Helen…

Se peut-il qu'Helen soit vivante ? Ou bien ai-je mis mes mains autour de son cou et l'ai-je étranglée jusqu'à ce que mort s'ensuive ? Je suis entré dans le salon, et j'ai vu le mot, posé sur le bureau, et après… et après… c'est le trou noir… le noir total. Mais il n'a pas de doute là-dessus… Je l'ai tuée… Dieu merci, Gwennie est bien en Nouvelle-Zélande. Ce sont de braves gens. Ils vont l'aimer en mémoire de Megan. Megan… Megan, comme j'aimerais que tu sois là…

C'est la meilleure solution… Pas de scandale. La meilleure solution pour l'enfant. Je ne peux pas continuer comme ça. Je ne peux pas voir s'égrener ainsi année après année. Il faut que je prenne le plus court chemin vers la sortie. Gwennie ne saura jamais rien de tout cela. Elle ne saura jamais que son père était un assassin…

Des larmes embuèrent les yeux de Gwenda. Elle regarda Giles, assis en face d'elle. Mais Giles regardait fixement dans l'angle opposé.

Sentant le regard de Gwenda posé sur lui, il lui fit un petit signe de tête.

Leur compagnon de voyage lisait un journal du soir. En première page s'étalait sous leurs yeux ce sous-titre mélodramatique : QUELS ETAIENT LES HOMMES DANS SA VIE ?

Gwenda hocha doucement la tête, puis baissa de nouveau les yeux sur le journal intime.

Il y avait quelqu'un… Je sais qu'il y avait quelqu'un…

11

Miss Marple traversa l'avenue du Front de mer, s'engagea dans Fore Street et tourna en direction de la colline en passant par l'Arcade. Les boutiques y étaient à l'ancienne mode. Une mercerie, une pâtisserie-confiserie, un magasin de confection pour dames de style victorien et autres commerces du même genre.

Miss Marple regarda, au travers de la vitrine, l'intérieur de la mercerie. Deux jeunes vendeuses étaient occupées à servir des clientes, mais une dame d'un certain âge, au fond de la boutique, était libre.

La vieille demoiselle poussa la porte et entra. Elle se dirigea vers le comptoir, et la vendeuse, charmante personne aux cheveux gris, lui demanda :

— Que puis-je pour vous, madame ?

Miss Marple voulait un peu de laine bleu pâle pour tricoter une brassière. Elle prit tout son temps, discuta des divers modèles, consulta plusieurs catalogues de tricot pour enfant tout en parlant de ses petits-neveux et petites-nièces. Ni la vendeuse ni elle ne semblaient voir le temps s'écouler. La vendeuse servait des clientes comme miss Marple depuis de nombreuses années. Elle préférait ces vieilles dames douces, parlant volontiers de choses et d'autres, aux jeunes mères impatientes, assez impolies, qui ne savaient pas ce qu'elles voulaient et ne s'intéressaient qu'à ce qui était criard et bon marché.

— Oui, dit au bout d'un moment miss Marple. Je pense que ce sera vraiment très joli. Et j'ai toujours été satisfaite de cette marque de laine. Elle ne rétrécit absolument pas. Je pense que je vais en prendre 50 g de plus.

Tout en faisant le paquet, la vendeuse fit remarquer que le vent était très froid aujourd'hui.

— C'est bien vrai, je l'ai constaté en longeant le front de mer. Dillmouth a beaucoup changé. Je n'étais pas venue ici depuis, voyons voir, près de dix-neuf ans.

— Vraiment, madame ? Alors vous allez trouver quantité de changements. Le *Superb* n'était pas encore construit, je suppose, ni le *Southview Hôtel* ?

— Oh ! non, c'était une toute petite ville. J'étais descendue chez des amis… Une maison appelée Sainte-Catherine, peut-être la connaissez-vous ? Sur Leahampton Road.

Mais la vendeuse n'était à Dillmouth que depuis une dizaine d'années.

Miss Marple la remercia, prit le paquet et entra dans le magasin de confection d'à côté. Là encore, elle choisit une vendeuse d'un certain âge. Et tandis qu'elle essayait des vestes d'été, la conversation s'engagea sur le même sujet. Cette fois, la vendeuse répondit tout de suite :

— Ce devait être la maison de Mrs Findeyson.

— Oui… c'est ça. Mais les amis que je connaissais l'avaient louée meublée. Un certain major Halliday, sa femme et une petite fille.

— Ah ! oui, madame. Ils y sont restés pendant environ un an, je crois.

— Oui. Il revenait des Indes. Ils avaient une très bonne cuisinière… elle m'a donné une merveilleuse recette de pudding aux pommes cuit au four… et une de pain d'épice aussi, me semble-t-il. Je me suis souvent demandé ce qu'elle était devenue.

— J'imagine que vous voulez parler d'Edith Pagett, madame. Elle est encore à Dillmouth. Elle est maintenant en service à Windrush Lodge.

— Et puis, il y avait d'autres personnes… les Fane. C'était un notaire, je crois.

— Le vieux Mr Fane est mort il y a quelques années… le jeune Mr Fane, Mr Walter Fane, vit avec sa mère. Mr Walter Fane ne s'est jamais marié. Il est l'associé le plus ancien, maintenant.

— Pas possible ? Je m'étais mis dans l'idée qu'il était parti pour les Indes… dans le but de s'y occuper d'une plantation de thé ou quelque chose comme ça.

— Je crois qu'il y est allé, en effet, madame. Quand il était jeune homme. Mais il est revenu et est entré dans l'étude un ou deux ans plus tard. Ils traitent les plus grosses affaires de la région… ils ont une excellente réputation. Un homme très gentil, très rangé, ce Mr Walter Fane. Il est très aimé.

— Tiens, mais j'y pense ! s'exclama miss Marple. N'était-il pas fiancé à miss Kennedy ? Et puis elle a rompu et s'est mariée avec le major Halliday.

— C'est cela, madame. Elle s'est rendue aux Indes pour y épouser Mr Fane, mais il semble qu'elle ait changé d'avis et qu'elle en ait épousé un autre à la place.

Une légère note de désapprobation était apparue dans la voix de la vendeuse.

Miss Marple se pencha en avant et baissa la voix :

— J'en ai été bien navrée pour le pauvre major Halliday (je connaissais sa mère) et sa petite fille. J'ai appris que sa seconde femme l'avait quitté, qu'elle était partie avec quelqu'un. C'était une créature frivole, sans doute.

— Une véritable écervelée, vous voulez dire. Et son frère, le docteur, qui était un homme si gentil. Il m'a merveilleusement bien soigné mon rhumatisme au genou.

— Avec qui est-elle partie ? Je ne l'ai jamais su.

— Ça, je ne pourrai pas vous le dire, madame. Certains ont prétendu que c'était avec un estivant. Ce que je sais, c'est que le major Halliday en a été complètement brisé. Il est parti d'ici et je crois que sa santé s'est dégradée. Votre monnaie, madame.

Miss Marple prit sa monnaie et son paquet.

— Merci beaucoup, dit-elle. Je me demande si… si Edith Pagett, m'avez-vous dit, n'aurait pas encore cette délicieuse recette de pain d'épice ? Je l'ai perdue, ou plutôt ma bonne, qui est assez négligente, a dû la perdre, mais j'aime tellement le bon pain d'épice…

— J'espère qu'elle l'a toujours, madame. En fait, sa sœur habite la porte à côté, elle est mariée à Mr Mountford, le pâtissier. Edith vient régulièrement chez eux quand c'est son jour de sortie et je suis sûre que Mrs Mountford lui transmettrait volontiers un message.

— C'est une très bonne idée. Merci beaucoup pour tout le mal que vous vous êtes donné.

— Ç'a été avec plaisir, madame.

Miss Marple sortit du magasin.

« Une bonne vieille boutique, se dit-elle. Et ces vestes étaient vraiment très jolies, je n'ai donc pas gaspillé mon argent. »

Elle jeta un coup d'œil à la montre en émail bleu pâle qui était épinglée sur le revers de sa robe :

— Il me reste cinq minutes avant d'aller retrouver ces jeunes gens au *Ginger Cat*. J'espère qu'ils n'ont pas découvert des choses trop bouleversantes dans cette maison de santé.

Giles et Gwenda étaient assis à une table d'angle du *Ginger Cat*. Le petit carnet noir était posé entre eux.

Miss Marple entra et les rejoignit.

— Que prendrez-vous, miss Marple ? Du café ?

— Volontiers, merci… Non, pas de gâteaux, juste un scone et du beurre.

Giles passa la commande, et Gwenda poussa le carnet vers miss Marple :

— Il faut que vous lisiez cela d'abord, ensuite nous pourrons parler. C'est ce que mon père… ce qu'il a écrit quand il était à la clinique. Oh ! mais avant, Giles, sois gentil de répéter exactement ce que nous a dit le Dr Penrose.

Giles s'exécuta. Puis miss Marple ouvrit le petit carnet noir, et la serveuse apporta trois tasses de café léger, un scone avec du beurre et une assiette de gâteaux. Giles et Gwenda gardèrent le silence. Ils observèrent miss Marple pendant qu'elle lisait.

Parvenue au bout de sa lecture, la vieille demoiselle referma le carnet et le posa sur la table. Son expression était difficile à déchiffrer. Gwenda pensa y lire de la colère. Ses lèvres étaient pincées et ses yeux brillaient de façon inhabituelle pour une femme de son âge.

— Je vois, soupira-t-elle. Oui, je vois !

— Vous nous aviez conseillé de ne pas aller plus loin, vous rappelez-vous ? murmura Gwenda. Je commence à comprendre pourquoi. Mais nous avons continué… et voilà où cela nous a menés. Maintenant, nous sommes arrivés à un moment où nous pourrions, là aussi, nous arrêter… pour peu que l'envie nous en prenne. Pensez-vous que ce soit le comportement que nous devrions adopter ?

Miss Marple secoua doucement la tête. Elle semblait préoccupée, perplexe :

— Je ne sais pas. Vraiment, je ne sais pas. Cela vaudrait sans doute mieux, beaucoup mieux. Parce que, après un tel laps de temps, il n'est plus rien que l'on puisse réellement faire… plus rien de constructif, j'entends.

— Vous voulez dire que, après un tel laps de temps, il n'est plus rien que nous puissions découvrir ? demanda Giles.

— Oh ! non, répondit miss Marple. Ce n'est pas *du tout* là ce que j'avais en tête. Dix-neuf ans, ce n'est pas si loin. Il y a sûrement des gens qui se souviennent encore, qui pourraient répondre à des questions – un tas de gens. Les domestiques par exemple. Il devait y avoir dans la maison au moins deux domestiques, à l'époque, plus une nurse, et probablement un jardinier. Retrouver ces personnes et leur parler nous prendra simplement un peu de temps. Entre parenthèses, j'en ai déjà déniché une : la cuisinière. Non, là n'est pas le problème. Je voulais dire, sur un plan pratique, qu'est-ce que la résolution d'une telle énigme peut vous apporter de bon ? Je serais tentée de répondre : rien. Cependant... (Elle s'interrompit, puis :) Car il y a un *cependant*... Je suis certes un peu lente dans mes jugements et pourtant j'ai bien l'impression qu'il y a quelque chose... un élément qui n'est peut-être pas très tangible... mais pour la découverte duquel il vaudrait sans doute la peine de prendre des risques... car il m'apparaît évident que l'opération comporterait des risques... mais il m'est, voyez-vous, assez malaisé de vous dire ce dont il s'agit, car...

— Si vous voulez mon avis..., intervint Giles avant de s'arrêter net.

Miss Marple se tourna vers lui d'un air reconnaissant :

— Les messieurs semblent posséder beaucoup mieux que nous autres faibles femmes l'art et la manière de présenter les situations avec clarté. Je suis sûre que vous avez déjà réfléchi à la question.

— J'y ai en effet réfléchi, acquiesça Giles. Et il m'apparaît qu'il ne peut y avoir que deux solutions. L'une est celle que je vous ai déjà suggérée. A savoir qu'Helen Halliday n'était pas morte quand Gwennie l'a vue étendue dans le hall. Elle est revenue à elle et s'est enfuie avec son amant, quel qu'il ait pu être. Cela permettrait de faire concorder les faits tels que nous les connaissons. Cela expliquerait en outre la conviction profonde de Kelvin Halliday d'avoir tué sa femme, et la disparition de la valise et des vêtements, ainsi que le mot trouvé par le Dr Kennedy. Mais il reste certains points non élucidés. Cela n'explique pas pourquoi Kelvin était persuadé qu'il avait étranglé sa femme *dans la chambre à coucher*. Et cela ne répond pas à une interrogation qui, pour moi, demeure une énigme sidérante : *où peut bien actuellement se trouver Helen Halliday ?* Car enfin il me semble inconcevable qu'on n'ait plus jamais entendu parler d'Helen ni reçu de ses nouvelles. Admettons que les deux lettres qu'elle a envoyées soient authentiques, que s'est-il passé après ? Pourquoi, pendant toutes ces années, n'a-t-elle plus jamais écrit ? Elle était en termes affectueux avec son frère, qui de son côté lui a toujours été profondément attaché. Il a pu désapprouver sa conduite, mais pas au point de la rejeter complètement. Et à mon avis, ce silence l'a visiblement tracassé. Supposons qu'il ait, à l'époque, totalement cru à l'histoire qu'il nous a racontée : au départ d'Helen et à la dépression de Kelvin. Il ne s'attendait certainement pas pour autant à ne plus recevoir de lettres de sa sœur. J'imagine que, les années passant, toujours sans nouvelles et Kelvin Halliday restant persuadé qu'il avait tué sa femme puis finissant par se suicider, un terrible doute a dû commencer à s'insinuer dans l'esprit du médecin. Il a dû se demander si après tout l'histoire de Kelvin n'était pas vraie. Et si ce garçon n'avait pas tué Helen. Bon sang ! il ne recevait aucune nouvelle d'elle… alors que même si elle était morte dans un quelconque pays étranger, il en aurait été avisé. Cela explique sans doute son empressement à répondre à notre annonce. Il espérait pouvoir ainsi apprendre où elle se trouvait et ce qu'elle était devenue. Je suis persuadé qu'il n'est pas normal que quelqu'un puisse disparaître aussi… aussi *complètement* que semble l'avoir fait Helen. Cette disparition est en soi extrêmement suspecte.

— Je suis d'accord avec vous, déclara miss Marple. Et votre autre solution, Mr Reed ?

— J'ai imaginé une autre possibilité, reprit lentement Giles. Elle est un peu tirée par les cheveux, et même assez effrayante. Parce qu'elle implique… comment pourrais-je formuler cela ?... une sorte de *diabolique volonté de nuire*.

— Oui, intervint Gwenda. Une farouche volonté de nuire, c'est tout à fait ça. Peut-être même poussée, pourrait-on dire, jusqu'à la démence.

Elle frissonna.

— Ce n'est certes pas à exclure, reconnut miss Marple. Il se passe de par le monde bien des choses à donner le frisson, et ce, beaucoup plus fréquemment que les gens osent l'imaginer. J'ai été, plus d'une fois, amenée à le constater.

Elle paraissait abîmée dans ses pensées.

— Dans le cas qui nous occupe, dit Giles, il ne peut y avoir d'explication banale ou ordinaire. Je vais maintenant vous présenter l'hypothèse un peu tirée par les cheveux que je viens d'évoquer – hypothèse selon laquelle Kelvin Halliday *n'aurait pas tué* sa femme tout en *croyant* sincèrement l'avoir fait. C'est manifestement la version vers laquelle le Dr Penrose, qui a l'air d'un type sérieux, semble pencher. Sa première impression quant au cas Halliday, c'est qu'il se trouvait face à un homme qui avait effectivement tué sa femme et voulait se rendre à la police. Ensuite, une fois que le Dr Kennedy lui eut prouvé par $a + b$ que la chose n'était pas possible, force lui a été de considérer Halliday comme la victime d'un complexe ou d'une fixation ou Dieu sait quel autre terme de leur jargon. Mais cette solution ne le *satisfaisait* pas vraiment : il avait une expérience de ce genre de malades et Halliday était très différent d'eux. Cependant, à mesure qu'il faisait plus ample connaissance avec son patient, il en vint à se persuader que ce n'était pas le genre d'homme capable d'étrangler une femme, même sous l'emprise de la jalousie. S'il continuait donc à admettre l'hypothèse de la fixation, il ne l'a plus fait qu'en émettant des réserves et en conservant des doutes. Ce qui nous conduit, nous, à la seule théorie qui s'adapte à ce cas : c'est *par une tierce personne* que Halliday a été amené à croire qu'il avait tué sa femme. En d'autres termes, nous en revenons à X.

« Après examen attentif des faits, je dirai que

cette hypothèse a au moins le mérite d'être *plausible*. Selon ses propres dires, Halliday est entré dans la maison ce soir-là, est allé dans la salle à manger, a pris un verre *comme il en avait l'habitude*. En suite de quoi il est passé dans la pièce suivante, a vu un mot sur le bureau et puis… plus rien : la perte de conscience, le noir total…

Giles s'arrêta et miss Marple hocha la tête en signe d'approbation.

— Admettons qu'il ne se soit pas simplement évanoui, poursuivit Giles, mais que l'on ait versé de la drogue dans le whisky. Ce qui s'est passé ensuite est tout à fait clair, non ? X a étranglé Helen dans le hall, puis l'a transportée au premier étage et l'a étendue sur le lit de manière à faire croire qu'elle avait été victime *d'un crime passionnel*. C'est dans cette pièce que se trouve Kelvin quand il revient à lui, et le pauvre diable, qu'elle avait peut-être fait souffrir de jalousie, *croit que c'est lui qui l'a tuée*. Que fait-il alors ? Il part à pied pour se rendre chez son beau-frère, qui habite de l'autre côté de la ville. Cela donne à X le temps de jouer son dernier mauvais tour. Il remplit une valise de vêtements et l'emporte, puis il fait disparaître le cadavre… Entre parenthèses, comment il a bien pu s'y prendre pour ce qui est du cadavre, ce n'est pas à moi qu'il faut le demander, bougonna Giles, mortifié. Ça me dépasse complètement.

— Sur ce dernier point, vous me surprenez, Mr Reed, intervint miss Marple, placide. Ce problème ne devait au contraire présenter, me semble-t-il, que peu de difficultés. Mais continuez, je vous prie.

— QUI ETAIENT LES HOMMES DANS SA VIE ? cita Giles. J'ai lu cette phrase en première page d'un journal alors que nous rentrions par le train. Cela m'a amené à réfléchir, parce que c'est là le nœud de l'affaire, n'est-ce pas ? S'il y a un X, comme nous le croyons, tout ce que nous savons de lui, c'est qu'il devait être fou d'elle... littéralement fou d'elle.

— Aussi détestait-il mon père, dit Gwenda. Et voulait-il le faire souffrir.

— Voilà le mur contre lequel nous nous heurtons, reprit Giles. Nous savons quel genre de fille était Helen...

— Très attirée par le sexe fort, l'interrompit Gwenda.

Miss Marple leva soudain les yeux et parut vouloir intervenir, mais elle se tut.

— ... et nous savons qu'elle était belle, continua Giles. Mais nous n'avons aucun indice concernant les hommes qu'elle avait dans sa vie en plus de son mari. Il se peut qu'il y en ait eu un bon nombre.

Miss Marple secoua la tête :

— Pas tant que ça, à mon avis. Et même fort peu. Elle était très jeune, vous savez. Mais vous vous trompez, Mr Reed. Vous savez à coup sûr quelque chose sur ce que vous appelez « les hommes dans sa vie ». Il y a l'homme qu'elle était partie épouser...

— Ah oui, le notaire ? Comment s'appelait-il ?

— Walter Fane, répondit miss Marple.

— D'accord, mais on ne peut pas le compter. Il

était parti pour la Malaisie ou pour l'Inde ou pour Dieu sait où par là-bas.

— En êtes-vous si sûr ? Il n'est pas resté planteur de thé, vous savez, fit remarquer miss Marple. Il est revenu ici et est entré dans l'étude, où il est maintenant le principal associé.

— Peut-être l'a-t-il suivie quand elle est revenue ici ? s'exclama Gwenda.

— Cela se peut. Nous ne le savons pas.

Giles regarda la vieille demoiselle avec curiosité :

— Comment avez-vous découvert tout ça ?

Miss Marple sourit avec un petit air d'excuse :

— J'ai bavardé un peu. Dans les boutiques… et en attendant les bus. Tout le monde sait que les vieilles personnes sont curieuses. Oui, on peut glaner ainsi bon nombre d'informations locales.

— Walter Fane, répéta pensivement Giles. Helen avait refusé de l'épouser. Il lui en a peut-être beaucoup voulu. Il a fini par se marier ?

— Non, répondit miss Marple. Il vit avec sa mère. Je vais prendre le thé chez eux à la fin de la semaine.

— Nous en connaissons un autre, déclara soudain Gwenda. Vous vous souvenez, elle s'était fiancée, ou avait eu une liaison avec quelqu'un juste après avoir fini ses études… quelqu'un de peu fréquentable, nous a dit le Dr Kennedy. J'aimerais bien savoir *pourquoi* il n'était pas fréquentable…

— Cela fait deux hommes, compta Giles. L'un comme l'autre peuvent lui en avoir gardé rancune. Peut-être que le premier avait des problèmes psychiques.

— Le Dr Kennedy pourrait nous renseigner là-dessus, suggéra Gwenda. Mais il ne va pas être facile de le lui demander. Il peut paraître tout naturel que je cherche à savoir qui était ma belle-mère dont je me souviens à peine. Mais je ne sais pas comment je pourrais justifier ma curiosité concernant ses premières amours. Cela risquerait de paraître excessif de la part de quelqu'un qui l'a à peine connue.

— Il y a probablement d'autres moyens d'y parvenir, intervint miss Marple. Oh ! oui, je gage que, avec le temps et la patience, nous obtiendrons l'information que nous cherchons.

— En tout cas, nous avons deux possibilités, conclut Giles.

— Nous pouvons, je pense, en ajouter une troisième, dit miss Marple. Ce serait, bien sûr, une pure hypothèse, mais justifiée, me semble-t-il, par la tournure qu'ont prise les événements.

Gwenda et Giles la regardèrent avec une légère surprise.

— Il s'agit là d'une simple déduction, poursuivit miss Marple en rosissant quelque peu. Helen Kennedy est partie pour l'Inde afin d'y épouser le jeune Fane. Aux dires de tous, elle n'était pas vraiment amoureuse de lui, mais elle devait le trouver gentil, et elle s'était résignée à partager sa vie. Cependant, sitôt arrivée là-bas, elle a rompu ses fiançailles et télégraphié à son frère pour lui demander de lui envoyer l'argent du retour. Pourquoi donc ?

— Elle aura changé d'avis, je suppose, répondit Giles.

Miss Marple et Gwenda le regardèrent avec un léger mépris.

— Evidemment, elle avait changé d'avis, dit Gwenda. Nous le savons. Ce que miss Marple veut dire, c'est… pourquoi ?

— J'imagine que les filles font ça souvent, hasarda Giles.

— *Dans certaines circonstances*, nuança miss Marple.

Cette petite phrase contenait tous les sous-entendus lourds de sens que les personnes d'un certain âge sont capables de faire.

— Quelque chose dans le comportement de ce type…, suggéra vaguement Giles.

Gwenda l'interrompit brusquement.

— Mais bien sûr ! s'exclama-t-elle. Un autre homme !

Miss Marple et elle se regardèrent avec l'assurance de personnes appartenant à une loge maçonnique d'où l'élément mâle serait exclu.

— Sur le bateau ! ajouta Gwenda d'un air convaincu. En partant !

— La promiscuité, propice aux échanges d'idées et aux rapprochements divers, que vous impose une traversée, évoqua miss Marple.

— Un paquebot, le clair de lune sur le pont des premières classes ! renchérit Gwenda. Les effluves marins, le vent du large. Mais… cela a dû être sérieux… pas un simple flirt.

— Oh ! oui, affirma miss Marple, j'en mettrais ma main au feu.

— Mais alors, pourquoi n'a-t-elle pas épousé ce type ? demanda Giles.

— Peut-être qu'il ne tenait pas vraiment à elle, suggéra Gwenda. (Puis elle secoua la tête :) Non, je pense que, dans ce cas, elle aurait quand même épousé Walter Fane. Oh ! que je suis bête ! Un homme marié, bien sûr.

Elle regarda miss Marple d'un air triomphant.

— Exactement, convint cette dernière. C'est comme cela que je vois les choses. Ils sont tombés amoureux, éperdument amoureux probablement. Mais c'était un homme marié… avec des enfants peut-être… et quelqu'un de loyal, sans aucun doute… alors… la romance en est restée là.

— Seulement voilà, elle ne pouvait plus se résoudre à épouser Walter Fane, reprit Gwenda. Elle a donc télégraphié à son frère et elle est rentrée en Angleterre. Oui, tout se tient. Et sur le bateau, en rentrant, elle a rencontré mon père… (Elle s'arrêta, imaginant la scène, puis poursuivit :) Sans doute, cette fois, ne s'est-elle pas sentie follement amoureuse. Mais elle aura été attirée par lui… et puis il y avait moi. Ils étaient tous les deux malheureux… et ils se seront mutuellement consolés. Mon père lui aura parlé de ma mère, et peut-être lui aura-t-elle de son côté parlé de cet autre homme. Oui… bien sûr…

Elle feuilleta les pages du journal intime :

— *Je savais qu'il y avait quelqu'un… elle m'en avait parlé sur le bateau… quelqu'un qu'elle aimait et ne pouvait épouser.* Oui… c'est ça. Helen et mon père étaient dans des situations similaires… et il fallait s'occuper de moi. Elle a pensé qu'elle pourrait le rendre heureux… et que, peut-être, elle finirait par être heureuse elle aussi. (Elle s'arrêta, fit un signe de tête à miss Marple et lança gaiement :) C'est ça.

Giles paraissait agacé :

— En fait, Gwenda, tu inventes des tas de fadaises et tu prétends que c'est comme ça que les choses se sont réellement passées.

— Ça s'est passé comme ça. Forcément. Et cela nous donne un troisième X.

— Tu veux dire… ?

— L'homme marié. Nous ne savons pas quel genre d'individu c'était. Il n'était peut-être pas gentil du tout. Il se peut qu'il ait été un peu fou. Il pourrait l'avoir suivie ici.

— Tu viens de dire qu'il se rendait aux Indes.

— Eh bien, on peut en revenir, non ? C'est d'ailleurs ce qu'a fait Walter Fane. Environ, un an plus tard. Je n'affirme pas que cet homme est effectivement revenu, mais que c'est une éventualité. Tu ne cesses de demander qui étaient les hommes dans sa vie. Eh bien, nous en avons trois. Walter Fane. Un garçon dont nous ne connaissons pas le nom. Et un homme marié.

— Dont on ne sait même pas s'il existe, souligna Giles.

— Nous allons le découvrir, affirma Gwenda. N'est-ce pas, miss Marple ?

— Avec du temps et de la patience, répondit la vieille demoiselle, nous découvrirons bien des choses. Pour ma part, à la suite d'une petite conversation dans une boutique de confection, j'ai aujourd'hui découvert qu'Edith Pagett, qui était cuisinière à Sainte-Catherine au moment qui nous intéresse, vit encore à Dillmouth. Sa sœur est mariée à un pâtissier-confiseur d'ici. Je pense qu'il serait tout naturel, Gwenda, que vous souhaitiez la rencontrer. Elle pourrait être en mesure de vous fournir pas mal d'informations.

— Formidable ! s'exclama Gwenda. Je viens de penser à autre chose, ajouta-t-elle. Je vais faire un nouveau testament. Ne prends pas cet air dépité, Giles, c'est toujours à toi que je vais léguer ma fortune. Mais je vais demander à Walter Fane de l'établir pour moi.

— Gwenda, je t'en prie, sois prudente, la conjura Giles.

— Faire un testament, répondit Gwenda, est la chose la plus naturelle qui soit. C'est de plus un excellent moyen d'approche. De toute façon, je veux le voir. Je veux voir de quoi il a l'air, et si je le crois capable de…

Elle laissa sa phrase en suspens.

— Ce qui me surprend, intervint Giles, c'est que personne d'autre n'ait répondu à notre annonce… cette Edith Pagett, par exemple.

Miss Marple secoua la tête :

— A la campagne, les gens répugnent à se précipiter dans ce domaine. Ils sont suspicieux. Ils aiment se donner le temps de la réflexion.

12

LILY KIMBLE

Lily Kimble étala de vieux journaux sur la table de la cuisine pour y mettre à égoutter les pommes de terre frites qui grésillaient dans la poêle. Tout en fredonnant – plus ou moins dans la note – une mélodie populaire à la mode, elle se pencha et lut machinalement ce qui était écrit sur la feuille la mieux à portée de vue.

Soudain elle s'arrêta de chantonner et appela :

— Jim… Jim ! Ecoute ça !

Jim Kimble, un homme d'un certain âge, peu loquace, se lavait à l'évier de l'arrière-cuisine. Pour répondre à sa femme, il utilisa sa monosyllabe favorite.

— Bof ! lança Jim Kimble.

— C'est un machin dans le journal. Que toute personne qui connaîtrait Helen Spenlove Halliday, née Kennedy, se mette en rapport avec Reed & Hardy, Southampton Row ! Ils doivent sûrement parler de la Mrs Halliday chez qui j'étais en service à Sainte-Catherine. Ils avaient loué à Mrs Findeyson, elle et son mari. Son prénom à elle, c'était Helen, c'est bien ça… Oui, même que c'était la sœur au

Dr Kennedy, lui qui me disait toujours qu'il faudrait qu'on m'enlève les végétations.

Un silence suivit, le temps que Mrs Kimble dispose les frites d'une main experte. Jim Kimble renifla dans l'essuie-mains en s'épongeant la figure.

— Sûr, c'est un vieux journal, reprit Mrs Kimble. (Elle en étudia la date :) De la semaine dernière au bas mot. Je me demande ce que ça veut dire... Il doit y avoir une histoire de gros sous là-dedans, tu crois pas, Jim ?

— Bof ! dit Mr Kimble avec une prudente réserve.

— C'est p't-être bien une affaire de testament ou qué-qu'chose comme ça, suggéra sa femme. Il y a de ça un sacré bout de temps.

— Bof !

— Ça doit bien faire dans les dix-huit ans... Je me demande pourquoi qu'ils vont rechercher si loin. Tu crois pas que ça pourrait être la *police*, des fois, Jim ?

— Pourquoi ça ? demanda Mr Kimble dans un effort méritoire.

— Eh ben, tu sais ce que j'me suis toujours pensé, répondit Mrs Kimble d'un air mystérieux. J'te l'ai dit, à ce moment-là, quand c'est qu'on sortait ensemble. Il prétendait qu'elle était partie avec un type. C'est toujours ce qu'ils disent, les maris, quand ils liquident leur femme. Tu peux y aller, c'était bien un meurtre. C'est ce que je t'ai dit et ce que j'ai dit à Edie, mais Edie elle voulait rien entendre. Elle a jamais eu d'imagination, Edie. Ces vêtements qu'elle aurait emmenés avec elle... eh ben, c'étaient pas les bons, si tu vois ce que je veux dire. Il manquait une valise et un sac, et assez de vêtements pour les remplir, mais c'étaient pas les bons. C'est pour ça que j'ai dit à Edie : « Tu peux y aller, le patron l'a tuée et il l'a enterrée dans la cave. » Mais c'était pas dans la cave, parce que cette Layonee, la nurse suisse, elle a vu quéqu'chose. Par la fenêtre. Elle était allée au cinéma avec moi, malgré qu'elle aurait pas dû quitter la nurserie... mais j'lui avais dit que la gamine se réveillait jamais... elle était mignonne comme tout, et la nuit, elle ne bougeait jamais de son lit. « En plus, Madame, elle va jamais à la nurserie le soir », que je lui avais dit. « Personne saura que t'es sortie avec moi. » Alors elle est venue. Et quand on est rentrées, c'était le vrai bazar. Le docteur était là, le patron était malade et il dormait dans le cagibi. Le docteur veillait sur lui. Il m'a alors demandé pour les vêtements, et ça m'a paru normal, à ce moment-là. J'ai pensé qu'elle était partie avec ce type dont elle avait tant le béguin – même que lui, il était marié tout comme elle – et Edie a dit qu'elle priait pour qu'on soit pas mêlées à une histoire de divorce. C'était quoi, son nom ? Je me rappelle pas. Ça commençait par un M... ou bien un R ? Mon Dieu, faites que ça me revienne...

Mr Kimble sortit de l'arrière-cuisine, entra dans la pièce et, sans se soucier de toutes ces histoires, demanda si son souper était prêt.

— Je vais égoutter les frites... Attends, je prends un autre papier. Celui-là, vaut mieux le garder. C'est sûrement pas la police... pas après tout ce temps.

Peut-être que c'est des notaires ou des avocats…
et qu'y a de l'argent à la clef. Ils parlent pas d'une
récompense… mais ça veut pas dire qu'y en a pas
une quand même. Si je connaissais quelqu'un à qui
je pourrais demander conseil… Ils disent d'écrire
à une adresse à Londres… mais j'ai pas trop envie
de faire un truc comme ça… pas avec des gens de
Londres. Qu'est-ce que t'en dis, Jim ?

— Bof ! répondit Mr Kimble en regardant avec
avidité le poisson et les frites.

La discussion fut remise à plus tard.

13

WALTER FANE

Gwenda examina Mr Walter Fane assis de l'autre
côté du lourd bureau d'acajou.

Elle vit un homme d'une cinquantaine d'années,
à la mine plutôt lasse, au visage doux mais insipide. Le genre d'homme, pensa Gwenda, qu'on
aurait peine à reconnaître si on n'avait jamais fait
que le croiser... Un homme qui, comme il est de
bon ton de le dire en langage moderne, manquait
de personnalité. Quand il parla, ce fut d'une voix
lente, posée, pas déplaisante. Une voix de notaire,
se dit Gwenda.

Elle parcourut discrètement du regard le bureau
– celui de l'associé principal de l'étude. Il allait bien
avec Walter Fane, décréta-t-elle. Très traditionnel,
avec des meubles usagés, mais de style victorien et
de bonne facture. Sur des étagères, le long des murs,
étaient entassés des dossiers portant les noms de
notabilités du comté : sir John Vavasour-Trench ;
Lady Jessup ; Arthur Foulkes, Esq. – décédé.

Les grandes fenêtres à guillotine, dont les vitres
étaient un peu sales, donnaient sur une arrière-
cour carrée limitée par les murs solides de la

maison attenante, qui devait dater du XVIIᵉ siècle. Il n'y avait rien d'élégant ni de moderne, mais rien de laid non plus. Avec son désordre apparent, ses dossiers entassés, sa table de travail encombrée de papiers et ses alignements d'ouvrages de droit rangés de guingois, c'était en fait le bureau de quelqu'un qui devait savoir avec précision où trouver ce dont il avait besoin.

Le grattement de la plume de Walter Fane cessa. Il fit un sourire, doux et aimable :

— Je pense que tout est parfaitement clair, Mrs Reed. Un testament très simple. Quand voulez-vous revenir le signer ?

Gwenda répondit que cela lui était égal, qu'il n'y avait aucune urgence, puis elle ajouta :

— Nous avons acheté une maison ici, vous savez. Hillside.

Walter Fane jeta un coup d'œil sur ses notes et répondit :

— Oui, vous m'en avez donné l'adresse.

Rien n'était venu altérer la tonalité de sa voix.

— C'est une maison très agréable, reprit Gwenda, nous l'aimons beaucoup.

— Vraiment ? (Walter Fane sourit :) Elle est située en bord de mer ?

— Non, répondit Gwenda. Je crois qu'elle a changé de nom. Elle s'appelait autrefois Sainte-Catherine.

Mr Fane ôta son pince-nez. Les yeux baissés sur son bureau, il en essuya les verres avec un mouchoir de soie.

— Ah ! oui. Sur Leahampton Road ?

Il leva les yeux, et Gwenda songea à quel point les gens qui portent des lunettes paraissent différents quand ils les enlèvent. Ses yeux, d'un gris très pâle, semblaient étrangement éteints et dans le vague. Son visage était devenu soudain comme celui de quelqu'un qui n'est pas réellement là.

Walter Fane remit son pince-nez et, de sa voix ferme d'homme de loi, demanda :

— Ne m'avez-vous pas dit que vous aviez fait un testament au moment de votre mariage ?

— Oui, mais j'y léguais divers biens à certains parents en Nouvelle-Zélande et, comme ils sont morts depuis, j'ai pensé qu'il serait plus simple d'en faire un nouveau, d'autant plus que nous avons l'intention de nous installer définitivement dans cette région.

Walter Fane hocha la tête :

— C'est, en effet, une sage disposition. Eh bien, je pense que tout est parfaitement clair, Mrs Reed. Pourriez-vous revenir après-demain ? 11 heures vous conviendrait-il ?

— Oui, c'est parfait.

Gwenda se leva et Walter Fane en fit autant.

Gwenda dit alors de cette manière légèrement saccadée qu'elle avait préparée avant de venir :

— Si j'ai... si j'ai fait appel... appel à vous, c'est parce que je crois... enfin, je pense... que vous avez jadis connu ma... ma mère.

— Vraiment ? (Walter Fane ajouta une petite note chaleureuse à son attitude :) Quel était son nom ?

— Halliday. Megan Halliday. Je pense... on m'a dit... que vous aviez été fiancée avec elle, non ?

Une pendule sur le mur tictaquait. Une, deux, une deux, une deux.

Gwenda sentit soudain son cœur battre un peu plus vite. Comme le visage de Walter Fane était donc *placide* ! On pouvait imaginer la façade d'une maison comme ça – d'une maison dont tous les stores seraient baissés. Comme il en va de ces maisons où l'on veille un mort. « Quelles idées biscornues tu peux avoir, Gwenda ! »

Walter Fane, d'une voix inchangée, répondit calmement :

— Non, je n'ai pas connu votre mère, Mrs Reed. Mais j'ai jadis été fiancé, pendant une courte période, à Helen Kennedy qui devint plus tard la seconde femme du major Halliday.

— Oh ! je comprends. Que je suis ridicule... J'ai tout confondu. Il s'agissait en fait d'Helen... ma belle-mère. Bien sûr, il y a si longtemps que je ne peux m'en souvenir. J'étais toute petite quand le second mariage de mon père s'est brisé. Mais j'avais entendu dire que vous aviez jadis été fiancé à Mrs Halliday aux Indes... et bien sûr, j'ai cru qu'il s'agissait de ma mère... à cause précisément des Indes, vous voyez... C'est là-bas qu'elle a connu mon père.

— Helen Kennedy est venue en Inde pour m'épouser, dit Walter Fane. Puis elle a changé d'avis. En rentrant, elle a rencontré votre père sur le bateau.

C'était le simple exposé d'un fait, dénué d'émotion. Gwenda eut de nouveau l'impression de se trouver face à une maison aux stores baissés.

— Je suis désolée, s'excusa-t-elle. J'ai vraiment mis les pieds dans le plat.

Walter Fane sourit… de son sourire lent et doux. Les stores étaient relevés :

— Il y a de cela dix-neuf ou vingt ans, Mrs Reed. Après tout ce temps passé, les malheurs et les folies de jeunesse n'ont plus guère d'importance. Ainsi, vous êtes la fille de Halliday. Vous savez, sans doute, que votre père et Helen ont habité à Dillmouth pendant quelque temps ?

— Oh ! oui, répondit Gwenda, c'est en fait pour cette raison que nous sommes venus ici. Je ne peux pas dire que j'en avais gardé le souvenir, bien sûr, mais quand nous avons eu à choisir un endroit où nous installer en Angleterre, j'ai commencé par venir à Dillmouth, pour voir à quoi cela ressemblait. J'ai trouvé la ville si attrayante que j'ai décidé que nous nous installerions ici et nulle part ailleurs. Et est-ce un effet du hasard ? – nous avons acheté la maison où précisément j'avais vécu il y a des années de cela.

— Je me rappelle cette villa, dit Walter Fane. (De nouveau, son visage s'éclaira d'un sourire doux et aimable :) Vous ne pouvez pas vous souvenir de moi, Mrs Reed, mais je vous ai jadis souvent porté sur mes épaules.

Gwenda se mit à rire :

— C'est vrai ? Vous êtes donc un vieil ami, n'est-ce pas ? Moi, je ne peux prétendre me souvenir de vous : je n'avais alors que deux ans et demi ou trois ans, je crois. Vous aviez quitté les Indes pour prendre un peu de vacances peut-être ?

— Non, j'avais quitté définitivement les Indes.
J'y étais allé pour tenter de m'occuper d'une plantation de thé… mais cette vie ne me convenait pas.
J'étais taillé pour suivre les pas de mon père et
être un sombre et banal petit notaire de province.
J'avais passé tous mes examens de droit avant de
partir, aussi n'ai-je eu, quand je suis revenu, qu'à
entrer dans l'étude. (Il s'interrompit un temps, puis
ajouta :) Je suis resté là depuis. (De nouveau il y
eut une pause, après quoi il répéta d'une voix plus
basse :) Oui… j'y suis resté depuis…

Mais dix-huit ans, pensa Gwenda, ce n'est pas
réellement si loin que ça…

Puis, changeant d'attitude, il lui tendit la main
et dit :

— Puisque nous semblons être de vieux amis,
venez donc un jour avec votre mari prendre le thé
chez ma mère. Je vais lui demander de vous écrire.
En attendant, jeudi, 11 heures ?

Gwenda sortit du bureau et descendit l'escalier.
Dans un angle, il y avait une toile d'araignée. Au
milieu de la toile, se trouvait une petite araignée
pâlotte. Gwenda trouva qu'elle avait quelque chose
d'irréel. Ce n'était pas la grosse araignée juteuse qui
attrape les mouches et les mange. C'était plutôt un
fantôme d'araignée. Un peu comme Walter Fane,
en fait.

Giles retrouva sa femme sur le front de mer.

— Eh bien ? demanda-t-il.

— Il était à Dillmouth à ce moment-là, annonça
Gwenda. Revenu des Indes. Parce qu'il m'a portée

sur ses épaules. Mais il ne peut pas avoir assassiné qui que ce soit… ce n'est pas possible. Il est beaucoup trop calme et doux. Vraiment très gentil, mais le genre de personne qui passe totalement inaperçue. De celles qui vont à des soirées, mais dont on ne remarque jamais le départ. Je l'imagine terriblement droit, honnête et tout ça, dévoué à sa mère et bourré de vertus. Mais du point de vue d'une femme, horriblement ennuyeux. Je comprends pourquoi il n'est jamais parvenu à séduire Helen. Tu vois, le gentil garçon que l'on épouse… mais dont on n'est pas réellement amoureuse.

— Pauvre diable ! s'apitoya Giles Et je suppose qu'il était fou d'elle.

— Bah ! je ne sais pas… Je n'en ai pas franchement l'impression. De toute façon, je suis sûre que ce n'est pas notre diabolique meurtrier. Il ne correspond pas du tout à l'idée que je me fais d'un assassin.

— Parce que tu crois vraiment que tu t'y connais en assassins, ma douce ?

— Que veux-tu dire par là ?

— Eh bien… je pensais tout bonnement à l'angélique Lizzie Borden, dont seuls les jurés ont décrété qu'elle n'avait pas fait le coup. Et à Wallace, un homme tranquille condamné pour le meurtre de sa femme mais qui a vu son jugement cassé en appel. Et à Armstrong, dont tout le monde avait dit pendant des années que c'était un garçon sans histoires. Je ne crois pas que les assassins appartiennent à une catégorie bien définie.

— N'empêche ! Je ne peux vraiment pas imaginer que Walter Fane...

Gwenda s'arrêta.

— Qu'est-ce qu'il y a ?

— Rien.

Mais elle se rappelait Walter Fane astiquant son pince-nez et son étrange regard sans vie quand elle avait mentionné pour la première fois Sainte-Catherine.

— Peut-être, dit-elle sans conviction, qu'il était après tout fou d'elle...

14

Le petit salon de Mrs Mountford était une pièce confortable. Au centre, il y avait une table ronde recouverte d'une nappe, entourée de quelques fauteuils à l'ancienne mode et, contre le mur, un canapé d'allure sévère mais dans lequel, contrairement aux apparences, on était bien assis. Sur le manteau de la cheminée trônaient des chiens en porcelaine et quelques autres bibelots. Au mur, un portrait en couleur de la princesse Elizabeth, flanqué de celui de Margaret. Sur un autre, le roi en uniforme de la marine et une photographie de Mr Mountford au milieu d'un groupe de boulangers et pâtissiers-confiseurs. Il y avait aussi un tableau fait avec des coquillages, une aquarelle représentant une mer très verte à Capri et beaucoup d'autres babioles encore dont aucune n'était remarquable pour son luxe ou sa beauté ; mais le résultat final était une pièce gaie, agréable, où les gens qui vivaient là devaient avoir plaisir à se réunir chaque fois qu'ils en avaient le temps.

Courte sur pattes et rondelette, Mrs Mountford, née Pagett, avait des cheveux noirs striés de quelques mèches grises. Sa sœur, Edith Pagett, était grande, brune et mince. Bien qu'approchant la cinquantaine, elle n'avait que très peu de cheveux gris.

— Si jamais j'aurais cru ! était pour l'heure en train de s'exclamer cette dernière. La petite miss Gwennie ! Excusez-moi, madame, de vous appeler comme ça, mais cela nous ramène tant d'années en arrière. Vous veniez souvent me voir à la cuisine, vous étiez mignonne comme tout. « Winnies », vous disiez. « Winnies ». Et pour vous ça voulait dire « raisins ». Pourquoi vous disiez « winnies », alors, là, ne me le demandez pas. Mais c'étaient des raisins que vous vouliez, et je vous en donnais, des raisins de Smyrne, à cause des pépins.

Gwenda regarda avec attention le bon visage, les joues rouges et les yeux noirs, cherchant à se souvenir... se souvenir... mais en vain. La mémoire est chose imprévisible.

— J'aimerais pouvoir me rappeler..., commença-t-elle.

— Je ne vois pas comment ce serait possible. Une toute petite gamine, voilà ce que vous étiez. De nos jours, il semble que personne ne veuille plus servir dans une place où il y a des enfants. Je ne peux pas comprendre ça. Les enfants, moi, je trouve que ça donne de la vie à une maison. C'est vrai que préparer les repas d'un enfant c'est toujours source de problèmes. Mais si vous voulez mon avis, madame, c'est la faute de la nurse, pas de l'enfant. Les nurses font presque toujours des chichis, il leur faut des plateaux, elles font attendre et patati et patata. Est-ce que vous vous souvenez de Layonee, miss Gwennie ? Oh ! excusez-moi, je devrais dire Mrs Reed.

— Léonie ? Est-ce que c'était ma nurse ?

— C'était une jeune fille suisse. Elle ne parlait pas très bien l'anglais, et elle était très susceptible. Si Lily lui disait quelque chose qui la vexait, elle se mettait à pleurer. Lily était la femme de chambre. Lily Abbott. Une fille un brin effrontée et pas très sérieuse. Elle aimait bien jouer avec vous, miss Gwennie. Elle jouait à cache-cache dans l'escalier.

Gwenda fut saisie d'un frisson irrépressible.

L'escalier...

— Je me souviens de Lily. Elle avait mis un ruban au chat.

— Tiens donc ! Vous vous rappelez de ça ! C'était pour votre anniversaire, et Lily voulait absolument mettre un nœud autour du cou de Thomas. Elle avait pris le ruban qui entourait une boîte de chocolats, et Thomas était devenu comme fou avec ce truc-là. Il a couru dans le jardin et s'est frotté dans les buissons jusqu'à ce qu'il en soit débarrassé. Les chats n'aiment pas qu'on les embête.

— Un chat noir et blanc.

— C'est ça même. Pauvre vieux Tommy ! Il n'y en avait pas deux comme lui pour attraper les souris. Un vrai souricier, que c'était, ça oui.

Edith Pagett s'arrêta et toussota discrètement :

— Excusez-moi de vous raconter toutes ces histoires, madame. Mais cela me ramène aux jours anciens. Vous vouliez me demander quelque chose ?

— J'adore vous entendre parler des jours anciens, dit Gwenda. C'est exactement ce que je voulais. Vous voyez, j'ai été élevée par des parents en Nouvelle-Zélande et, évidemment, ils n'ont rien pu me raconter à propos de… de mon père, et de ma belle-mère. Elle… elle était gentille, n'est-ce pas ?

— Elle vous aimait beaucoup, vraiment. Oh ! oui, elle vous emmenait souvent à la plage et jouait avec vous dans le jardin. Elle était très jeune, vous savez. Une vraie gamine. J'ai souvent pensé qu'elle aimait les jeux autant que vous les aimiez. Vous comprenez, elle avait été enfant unique, si on peut dire. Le Dr Kennedy, son frère, était bien plus âgé qu'elle et toujours plongé dans ses livres. Quand elle n'était pas à l'école, elle était toute seule pour s'amuser…

Miss Marple, assise en retrait contre le mur, demanda d'une voix douce :

— Vous avez toujours vécu à Dillmouth, n'est-ce pas ?

— Oh ! oui, madame. Mon père avait la ferme là-haut, derrière la colline. Rylands, ça s'appelait. Il n'avait pas de fils et, après sa mort, ma mère n'a pas pu continuer à s'en occuper, alors elle l'a vendue et a acheté la petite boutique de nouveautés qui se trouve au bout de la Grand-Rue. Oui, j'ai vécu là toute ma vie.

— Et j'imagine que vous savez tout sur tout le monde à Dillmouth ?

— Oh ! c'est forcé. C'était une toute petite ville, dans le temps. Bien que, si loin que je puisse m'en souvenir, il y ait toujours eu beaucoup d'estivants.

Mais des gens gentils et calmes, qui revenaient ici tous les ans, pas tous ces excursionnistes et ces autocars comme on en voit aujourd'hui. De bonnes familles, que c'était, qui revenaient dans les mêmes hôtels ou les mêmes villas d'une année sur l'autre.

— Je suppose, dit Giles, que vous connaissiez Helen Kennedy avant qu'elle devienne Mrs Halliday.

— Eh bien, j'avais entendu parler d'elle, à vrai dire, et je devais la connaître de vue. Mais je ne l'ai vraiment connue que lorsque je suis entrée à son service.

— Et vous l'aimiez bien, conjectura Miss Marple.

Edith Pagett se tourna vers la vieille demoiselle :

— Oui, madame, je l'aimais bien. (Il y avait dans son attitude comme une espèce de défi :) Peu importe ce que les gens en ont dit. Elle a toujours été on ne peut plus gentille avec moi. Je n'aurais jamais été imaginer qu'elle puisse faire ce qu'elle a fait. Ça m'a sidérée, vraiment. Quoique, notez bien, on a raconté que…

Elle s'arrêta subitement et regarda Gwenda, l'air de s'excuser.

Gwenda intervint aussitôt :

— Je veux savoir. Je vous en prie, ne croyez pas que ce que vous alliez dire puisse me gêner. Ce n'était pas ma mère…

— C'est vrai, madame.

— Et, voyez-vous, nous souhaitons vivement… la retrouver. Elle est partie d'ici… et il semble qu'on ait complètement perdu sa trace. Nous ignorons où elle habite maintenant, ou même si elle est encore vivante. Et il y a des motifs…

Elle hésita et Giles continua à sa place :

— Des motifs légaux. Nous ne savons pas s'il faut la considérer comme morte… ou quoi.

— Oh ! je comprends parfaitement, monsieur. Le mari de ma cousine avait disparu – après les bombardements à Ypres – et il y a eu tout un tas de problèmes à propos de son décès présumé et tout ce qui s'ensuit. Elle a été vraiment bien ennuyée. Naturellement, monsieur, si je pouvais vous aider en quoi que ce soit… ce n'est pas comme si vous étiez des étrangers. Miss Gwenda et ses « winnies »… Vous étiez si rigolote quand vous disiez ça.

— C'est très gentil à vous, répondit Giles. Aussi, si cela ne vous dérange pas, je vais continuer à vous poser des questions. Mrs Halliday a quitté la maison très brusquement, si j'ai bien compris ?

— Oui, monsieur, même que ç'a été un grand choc pour nous tous… et en particulier pour le major, bien sûr. Ça l'a complètement anéanti, pauvre homme.

— Très franchement… Avez-vous une quelconque idée de l'homme avec qui elle est partie ?

Edith Pagett secoua la tête :

— C'est la même question que le Dr Kennedy m'avait posée sur le moment… et je n'avais pas pu lui répondre. Lily non plus. Et bien sûr, cette Layonee, comme c'était une étrangère, elle n'était au courant de rien.

— Vous ne *saviez* pas, dit Giles. Mais en aviez-vous une idée ? Maintenant que le temps a passé, cela n'a plus d'importance… même si vous vous êtes trompée. Vous avez certainement dû soupçonner quelqu'un.

— Ça, oui, des soupçons nous en avons eu. Seulement dites-vous bien que ce n'était rien que des suppositions. Et pour ma part, je n'ai jamais rien vu. Mais Lily, qui, je vous le répète, était une dégourdie, elle avait sa petite idée… et depuis longtemps. « Ecoute-moi bien, qu'elle me disait. Ce type, il a le bégin pour elle. Il n'y a qu'à le regarder quand elle sert le thé. Et comme sa femme le foudroie du regard ! »

— Je vois. Et qui était le… euh… l'homme en question ?

— Alors, là, je suis désolée, monsieur, je ne me souviens pas de son nom. Pensez, après toutes ces années ! Un capitaine… Esdale… non, ce n'était pas ça… Emery… non. J'ai comme l'impression que ça commençait par un E. Ou peut-être bien un H. Pas un nom courant. Mais je n'ai jamais repensé à lui depuis seize ans sinon plus. Il descendait avec sa femme au *Royal Clarence.*

— Des estivants ?

— Oui, mais je pense que lui… ou peut-être tous les deux… avaient connu Mrs Halliday avant. Ils venaient très souvent à la maison. En tout cas, d'après Lily, il avait le béguin pour Mrs Halliday.

— Et ça ne plaisait pas à sa femme ?

— Ça non, monsieur… Mais notez bien que, personnellement, je n'ai jamais pensé un instant qu'il y ait eu quelque chose d'incorrect là-dedans. Et je ne sais encore pas quoi en penser.

Gwenda demanda :

— Etaient-ils encore là, au *Royal Clarence*, quand… quand Helen… ma belle-mère est partie ?

— Pour autant que je m'en souvienne, ils sont partis à peu près au même moment, un jour plus tôt ou un jour plus tard… en tout cas, suffisamment près pour que ça fasse jaser. Mais je n'ai jamais rien entendu de précis. Si elle est partie avec lui, c'est resté secret. Vraiment, je vous jure, c'est pas croyable que Mrs Halliday soit partie comme ça, si brusquement. Les gens ont dit et répété qu'elle avait toujours été instable… mais moi, je n'ai jamais rien remarqué de pareil. Si j'avais pensé ça, jamais je n'aurais été d'accord pour partir avec eux dans le Norfolk.

Pendant quelques instants, tous trois la dévisagèrent, éberlués. Puis Giles demanda :

— Le Norfolk ? Vos patrons avaient l'intention de partir pour le Norfolk ?

— Oui, monsieur. Même qu'ils avaient acheté une maison là-bas. Mrs Halliday me l'avait dit trois semaines avant… avant que tout ça arrive. Elle m'avait demandé si j'accepterais de partir avec eux quand ils déménageraient, et j'avais répondu que ça ne me déplairait pas. Après tout, je n'avais jamais quitté Dillmouth, et je me disais que ce serait peut-être une bonne idée de changer un peu… vu surtout que j'aimais bien cette famille.

— Je n'avais jamais entendu dire qu'ils avaient acheté une maison dans le Norfolk, s'étonna Giles.

— Eh bien, c'est amusant que vous puissiez dire ça, monsieur, parce que Mrs Halliday semblait vouloir que ça reste secret. Elle m'avait demandé de n'en parler à personne… ce qui fait que je n'ai jamais rien dit, bien sûr. Mais cela faisait déjà quelque temps qu'elle voulait quitter Dillmouth. Elle insistait auprès du major Halliday pour qu'ils déménagent, mais, lui, il se plaisait ici. Je crois même qu'il avait écrit à Mrs Findeyson, la propriétaire de Sainte-Catherine, pour lui demander si elle n'envisagerait pas de vendre sa maison. Mais Mrs Halliday y était tout à fait opposée. Elle semblait avoir pris Dillmouth en grippe. C'était presque comme si elle avait peur d'y rester.

Ces paroles furent dites avec le plus grand naturel, cependant les trois personnes qui les entendirent furent de nouveau intriguées. Et, encore une fois, ce fut Giles qui demanda :

— Vous ne pensez pas qu'elle voulait aller dans le Norfolk pour être près de… de cet homme dont vous ne vous rappelez pas le nom ?

Le visage d'Edith Pagett s'assombrit :

— Oh ! vraiment, monsieur, je ne peux imaginer ça. Et je ne le crois pas, en plus. Pas du tout. D'ailleurs, il me semble que… Oui, ça me revient, maintenant : cet homme et cette femme, ils venaient de là-haut, quelque part dans le Nord. Du Northumberland, je crois. En tout cas, ils aimaient venir en vacances dans le Sud parce qu'il y faisait bien plus doux.

Gwenda intervint :

— Quelque chose lui faisait peur, n'est-ce pas ? Ou bien quelqu'un ? Je veux parler de ma belle-mère.

— Ça, ça me revient aussi… maintenant que vous le dites…

— Oui ?

— Lily est arrivée un jour dans la cuisine. Elle avait fait le ménage dans l'escalier. Et elle m'a dit : « Ça barde ! » Je vous demande pardon, mais Lily s'exprimait parfois d'une façon un peu vulgaire. Je lui ai alors demandé ce que ça signifiait et elle m'a répondu que la patronne était rentrée du jardin avec le patron, qu'ils étaient allés dans le salon et comme la porte donnant sur le hall était ouverte, Lily avait entendu Mrs Halliday dire : « J'ai peur de toi. » Et, d'après Lily, elle paraissait réellement effrayée. « Ça fait longtemps que j'ai peur de toi. Tu es fou. Tu n'es pas normal. Va-t'en, laisse-moi tranquille. Il faut que tu me laisses tranquille. J'ai peur. Je crois que, au fond, j'ai toujours eu peur de toi. » Enfin, quelque chose dans ce goût-là... je ne peux pas vous répéter maintenant les mots exacts, bien sûr. Mais Lily a pris ça très au sérieux, c'est pourquoi, après tout ce qui est arrivé, elle... (Edith Pagett s'arrêta net. L'inquiétude était visible sur son visage.) Pour sûr que je ne voulais pas dire, commença-t-elle. Excusez-moi, madame, ma langue va toujours plus vite que je le voudrais.

— Dites-nous tout, Edith, insista Giles d'une voix douce. Il est très important que nous sachions, vous comprenez. Cela fait très longtemps maintenant, mais il faut que nous *sachions* ce qui s'est passé.

— Je ne peux rien vous affirmer, se défendit faiblement Edith.

— Qu'est-ce que Lily croyait... ou ne croyait pas ? demanda miss Marple.

— Lily était de celles qui se font toujours des

romans, expliqua Edith Pagett de l'air de s'excuser.
Je n'y faisais jamais attention. Elle allait tout le
temps au cinéma et ça lui mettait dans la tête tout
un tas d'idées mélodramatiques. Elle y était allée,
le soir où ça s'est passé… et en plus elle y avait
entraîné Layonee, et ça, c'était très grave, même
que je le lui avais bien dit. « Oh ! ça va ! qu'elle
m'avait répondu. Ce n'est pas comme si on laissait
la gamine toute seule dans la maison. Tu es en bas
dans la cuisine, et le patron et la patronne vont
rentrer plus tard ; de toute façon cette gamine,
une fois qu'elle est endormie, elle ne se réveille
jamais. » N'empêche que ce n'était pas bien, et
je le lui ai répété, mais que Layonee était quand
même partie avec elle, je ne l'ai su qu'après. Sinon,
j'aurais couru là-haut la voir… vous voir vous, je
veux dire, miss Gwenda… pour vérifier que tout
allait bien. On n'entend rien de la cuisine quand la
porte capitonnée est fermée. (Edith Pagett s'arrêta
quelques instants, puis reprit :) Je faisais du repas-
sage. La soirée avait passé vite, comme d'habitude.
Tout à coup, le Dr Kennedy est entré dans la
cuisine et il m'a demandé où était Lily, et je lui
ai dit que c'était son soir de sortie mais qu'elle
n'allait pas tarder à rentrer, et, effectivement, elle
est arrivée juste à ce moment-là, alors il l'a emmenée
en haut dans la chambre de la patronne. Il voulait
savoir si elle avait emporté des vêtements, et lesquels. Lily a donc regardé et lui a dit quels étaient
ceux qui n'étaient plus là. Puis elle est redescen-
due me voir, très énervée. « Elle a fichu le camp !
qu'elle m'a dit. Elle a mis les voiles avec quelqu'un.

Le patron est dans tous ses états. Il a eu une attaque ou je ne sais quoi. Comme qui dirait que ça lui a fichu un sacré choc. Il aurait pourtant dû s'en douter. « Tu ne devrais pas parler comme ça, que je lui ai fait. Comment tu sais qu'elle est partie avec quelqu'un ? Peut-être qu'elle a reçu un télégramme d'un parent qui est malade. – Un parent malade, je t'en fiche ! » qu'elle m'a répondu, Lily, toujours avec sa manière vulgaire de s'exprimer. Même qu'elle a laissé un mot. « Avec qui qu'elle est partie ? je lui ai demandé.

— Tu parierais sur qui ? a ricané Lily. Quand même pas sur Mr Face-de-carême Fane, malgré les yeux doux qu'il lui fait et sa façon de la suivre comme un toutou. » Alors j'ai dit : « Tu crois que c'est avec le capitaine… » Je ne sais plus son nom. Et elle m'a répondu : « J't'en fiche mon billet. A moins que ce soye avec notre homme mystérieux dans sa voiture tape-à-l'œil. » (C'était une plaisanterie entre nous.) Et j'lui ai dit : « J'y crois pas. Pas Mrs Halliday. Elle n'aurait jamais fait une chose pareille. » Et Lily m'a répliqué : « Pourtant, il semble bien qu'elle s'en soye pas privée. »

« Tout ça, c'était au début, voyez-vous. Mais après, une fois montées dans notre chambre, Lily m'a réveillée. "Tu sais quoi ? elle m'a dit. Ça colle pas. – Qu'est-ce qui ne colle pas ?" je lui ai demandé. Et elle m'a répondu : "La garde-robe".

« "Quoi ? – Ecoute, Edie. J'ai regardé dans ses vêtements, parce que le docteur me l'a demandé. Il y a une valise qui est partie et assez de vêtements pour la remplir… mais c'est pas les bons. – Qu'est-ce que ça signifie ?" je lui ai demandé. Et Lily m'a expliqué : "Elle a pris une robe du soir, sa grise et argent... mais elle n'a pas pris ni la ceinture, ni le bustier ni la combinaison qui vont avec, et elle a pris ses chaussures du soir en broché dorées et pas celles à lanières argentées. Et elle a pris son tweed vert... qu'elle met jamais avant qu'on soit bien avancé dans l'automne, et en plus elle a pas pris de pull-over fantaisie, mais ses corsages en dentelle qu'elle ne porte qu'avec un tailleur de ville. Oh ! et ses dessous, pareil, tous dépareillés. Ecoute bien ce, que je te dis, Edie. Elle est pas partie du tout. C'est le patron qui lui a fait son affaire."

« Eh bien, je peux vous dire que cela a achevé de me réveiller. Je me suis assise dans mon lit et je lui ai demandé ce que diable elle voulait dire. "Exactement comme ce que j'ai lu dans le *News of the World* la semaine dernière, a répondu Lily. Le patron a découvert qu'elle avait eu une liaison avec un type, il l'a tuée, l'a descendue dans la cave et l'y a enterrée. Tu n'as rien entendu parce que la cave se trouve sous le hall d'entrée. Mais c'est ça ce qu'il a fait, et après il a rempli une valise pour faire croire qu'elle était partie. Mais c'est là qu'elle est... sous le sol de la cave. Cette maison, elle l'a pas quittée vivante."

« Je lui ai alors passé un savon pour avoir osé dire des horreurs pareilles. Cependant je dois dire que, le lendemain matin, je suis descendue en douce à la cave. Mais tout y était comme d'habitude, il n'y avait rien de dérangé et on voyait bien que le sol n'avait pas été creusé... Je suis allée dire à Lily qu'elle avait raconté des idioties, mais elle a continué à prétendre que c'était le patron qui lui avait fait son affaire. "Rappelle-toi, elle m'a dit, elle avait une frousse bleue de lui. Je l'ai entendue lui dire. – Et c'est là que tu te trompes, ma fille, que j'ai répliqué, parce que ce n'était pas au patron qu'elle parlait. Après que tu m'as dit ça, ce jour-là, j'ai regardé par la fenêtre et j'ai vu le patron qui descendait la colline avec ses clubs de golf, ce ne pouvait donc pas être lui qui était avec la patronne dans le salon. C'était quelqu'un d'autre."

Ces derniers mots résonnèrent avec un écho particulier dans le petit salon confortable.

— *C'était quelqu'un d'autre...*, répéta Giles à voix basse.

15

UNE ADRESSE

Le *Royal Clarence* était le plus vieil hôtel de la ville. Il avait une façade aux formes arrondies patinée par le temps et une atmosphère d'une autre époque. Il était encore fréquenté par le genre de familles qui viennent chaque année passer un mois au bord de la mer.

Miss Narracott, qui présidait à ses destinées derrière le bureau de la réception, était une femme de 47 ans à la forte poitrine et à la coiffure démodée.

Elle s'était redressée en voyant Giles, que son œil expert avait jugé comme étant « quelqu'un de bien ». Et Giles, qui avait la langue bien pendue et savait se montrer persuasif quand c'était nécessaire, lui avait servi une bonne histoire de son cru. Il avait, selon ses dires, fait avec sa femme un pari au sujet de la marraine d'icelle, prétendant qu'elle était descendue au *Royal Clarence* il y a de cela dix-huit ans. Sa femme lui avait rétorqué qu'ils ne pourraient jamais le vérifier, parce que, bien évidemment, tous les vieux registres auraient depuis ce temps été jetés. A quoi il lui avait juré ses grands dieux qu'elle ne pouvait que se tromper : un

547

établissement de la classe du *Royal Clarence* gardait certainement tous ses registres. Il devait en avoir qui dataient de cent ans.

— Eh bien, pas tout à fait, Mr Reed. Mais assurément nous gardons tous nos vieux livres d'or, comme nous préférons les appeler. Il s'y trouve des noms très intéressants. C'est ainsi que le roi est jadis descendu chez nous alors qu'il était encore prince de Galles, et que la princesse Adlemar of Holstein-Rotz avait coutume de venir chaque hiver avec sa dame d'honneur. Nous avons également hébergé quelques romanciers parmi les plus célèbres, ainsi que Mr Dovey, le portraitiste.

Giles répondit en manifestant, comme il se devait, beaucoup d'intérêt et de respect, et le sacro-saint volume correspondant à l'année en question fut finalement envoyé chercher et posé devant lui.

Après que divers noms illustres lui eurent été signalés, il tourna les pages pour arriver au mois d'août.

Major et Mrs Setoun Erskine, Anstell Manor, Daith, Northumberland, 27 juillet-17 août.

Oui, c'était là assurément l'inscription qu'il cherchait.

— Pourrais-je recopier cela ?

— Bien sûr, Mr Reed. Du papier, de l'encre… Ah ! vous avez votre stylo. Excusez-moi un instant, je dois juste retourner à la réception.

Elle le laissa devant le livre ouvert, et Giles se mit au travail.

De retour à Hillside, il trouva Gwenda dans le

jardin, courbée au-dessus d'une plate-bande d'herbacées.

Elle se redressa et le regarda d'un œil interrogateur :

— Alors ?

— Oui, je crois avoir trouvé.

Gwenda lut à voix lente :

— Anstell Manor, Daith, Northumberland. Oui, Edith Pagett a parlé du Northumberland. Crois-tu qu'ils habitent encore là ?

— Il va falloir que nous allions voir.

— Oui… oui, le mieux sera encore d'y aller… quand, Giles, quand ?

— Aussitôt que possible. Demain ? Nous irons là-bas en voiture. Ça nous permettra de visiter un peu l'Angleterre.

— Suppose qu'ils soient morts… ou qu'ils aient déménagé et que quelqu'un d'autre habite là ?

Giles haussa les épaules :

— Eh bien nous reviendrions et continuerions notre enquête en suivant d'autres pistes. A propos, j'ai écrit à Kennedy pour lui demander s'il voulait bien m'envoyer – s'il les a encore – les lettres qu'Helen lui a écrites après être partie, ainsi qu'un spécimen de son écriture.

— J'espère, dit Gwenda, que nous allons pouvoir contacter l'autre domestique… Lily… celle qui avait mis un nœud au cou de Thomas…

— C'est drôle que tu te sois soudain souvenue de ça, Gwenda.

— Oui, n'est-ce pas ? Je me souviens de Tommy,

aussi. Il était noir avec des taches blanches et il a eu trois adorables chatons.

— Qui ? Thomas ?

— Eh bien, on l'appelait Thomas... mais il s'est avéré que c'était en fait Thomasina. Tu sais comment sont les chats. Mais, pour en revenir à Lily, je me demande ce qu'elle est devenue... Edith Pagett semble l'avoir complètement perdue de vue. Elle n'était pas du coin... et après les événements de Sainte-Catherine, elle a trouvé une place à Torquay. Elle a écrit une ou deux fois, et puis ça s'est arrêté là. Edith nous a dit qu'elle avait appris qu'elle s'était mariée, mais elle ne savait pas avec qui. Si nous pouvions la retrouver, nous en apprendrions sans doute beaucoup plus.

— Et Léonie, la jeune fille suisse ?

— Peut-être... mais c'était une étrangère et elle n'aura certainement pas bien compris ce qui se passait. J'avoue que je ne me souviens pas du tout d'elle. Non, je sens que c'est Lily qui pourrait nous être utile. Lily était maligne... Oh ! je sais, Giles : nous allons mettre une autre annonce... une annonce pour elle... Lily Abbott, elle s'appelait.

— Oui, acquiesça Giles. C'est à tenter. Et demain, nous irons dans le Nord voir ce que nous pouvons trouver concernant les Erskine.

16

FILS A MAMAN

— Couché, Henry ! ordonna Mrs Fane à un épagneul asthmatique dont les yeux limpides brillaient d'avidité. Un autre scone, miss Marple, pendant qu'ils sont chauds ?

— Merci. Ces scones sont délicieux. Vous avez une excellente cuisinière.

— Louisa ne se débrouille pas trop mal, c'est vrai. Un peu étourdie, comme elles le sont toutes. Et elle ne varie guère dans ses puddings. Dites-moi, comment va maintenant la sciatique de Dorothy Yarde ? Elle souffrait le martyre. A mon avis, c'est en grande partie d'origine nerveuse.

Miss Marple s'empressa de donner complaisamment des détails sur les divers maux de leur amie commune. C'était une chance, pensait-elle, que, parmi les nombreuses amies et relations qu'elle avait aux quatre coins de l'Angleterre, elle ait réussi à en trouver une qui connaissait Mrs Fane et avait écrit à celle-ci pour lui dire qu'une certaine miss Marple était actuellement à Dillmouth et prier sa chère Eleanor d'avoir l'amabilité de l'inviter à un petit quelque chose.

Eleanor Fane était une grande femme imposante, aux yeux gris acier, aux cheveux blancs frisottés et au teint de bébé rose qui masquait le fait qu'il n'y avait pas la moindre douceur de bébé en elle.

Elles parlèrent des maladies, réelles ou imaginaires, de Dorothée, puis de la santé de miss Marple, de l'air de Dillmouth et de la mauvaise condition physique générale de la jeune génération.

— On ne nourrit pas les enfants avec des croûtons de pain, déclara Mrs Fane. Ce n'était pas comme ça chez *moi*.

— Vous avez plusieurs enfants ? demanda miss Marple.

— Trois fils. Le plus âgé, Gerald, est à Singapour dans la Banque de l'Extrême-Orient. Robert est dans l'armée.

Mrs Fane renifla.

— Marié à une catholique, ajouta-t-elle avec un air pincé. Vous savez ce que *cela* veut dire ! Tous les enfants sont élevés en catholiques. Des papistes ! Qu'aurait dit le père de Robert ? Je me le demande. Mon mari était anglican, très Low Church. Je n'ai pratiquement plus jamais de nouvelles de Robert à présent. Il n'a pas apprécié les quelques réflexions, uniquement pour son bien, que je me suis sentie tenue de lui faire. Je suis pour la sincérité et pour dire honnêtement ce que l'on pense. Son mariage a été, à mon avis, une grave erreur. Il a beau *prétendre* qu'il est heureux, le pauvre garçon, je sais bien que ce n'est pas vrai.

— Votre plus jeune fils n'est pas marié, je crois ?

Mrs Fane rayonna :

— Non, Walter vit à la maison. Il est de santé un peu délicate, depuis qu'il est enfant, et il m'a toujours fallu veiller attentivement sur lui. Il ne va pas tarder à arriver. Vous ne pouvez savoir quel fils attentionné et dévoué il est pour moi. Je suis vraiment une femme comblée d'avoir un tel fils.

— Et il n'a jamais songé à se marier ? s'enquit miss Marple.

— Walter dit toujours qu'il n'a vraiment pas envie de s'encombrer d'une de ces jeunes femmes modernes. Elles ne l'attirent pas. Lui et moi avons tant de goûts en commun que je crains qu'il ne sorte pas autant qu'il le devrait. Le soir, il me lit du Thackeray, et nous faisons souvent une partie de piquet. Walter est très casanier.

— Comme c'est charmant ! s'extasia miss Marple. A-t-il toujours travaillé à l'étude ? Quelqu'un m'a dit que vous aviez eu un fils qui était parti pour Ceylan, comme planteur de thé, mais cette personne s'est peut-être trompée.

Un léger froncement de sourcils contracta le visage de Mrs Fane. Elle proposa un peu de gâteau à la noix à son invitée, puis lui expliqua :

— C'était alors un tout jeune homme. Une de ces folies de jeunesse. Les garçons ont toujours envie de découvrir le monde. En fait, il y avait une fille derrière ça. Les filles peuvent parfois être si perturbatrices !

— Ah ! oui, c'est bien vrai. Je me souviens de mon neveu…

Ignorant le neveu de miss Marple, Mrs Fane poursuivit sur sa lancée. L'occasion lui était donnée de parler et elle allait en profiter pour raconter ses histoires du passé à la sympathique amie de cette chère Dorothée :

— Une créature on ne peut plus mal assortie à lui… comme il semble que ce soit toujours le cas. Oh ! pas une comédienne ou quelque chose comme ça. C'était en fait la sœur de notre médecin local… qu'il considérait d'ailleurs plutôt comme sa fille, car elle était beaucoup plus jeune que lui… et le pauvre homme n'avait aucune idée de comment s'y prendre pour l'élever. Les hommes sont si faibles, n'est-ce pas ? Elle s'est d'abord entichée d'un garçon qui travaillait à l'étude – un simple clerc – et quelqu'un de pas intéressant. Ils ont d'ailleurs dû s'en défaire. Il avait divulgué une information confidentielle. En tout cas, cette fille, Helen Kennedy, était, il faut croire, très jolie. Personnellement, je n'étais pas de cet avis. J'ai toujours pensé que ses cheveux devaient être décolorés. Mais Walter, le pauvre garçon, est tombé très amoureux d'elle. Comme je vous l'ai dit, elle n'était pas du tout faite pour lui : pas d'argent, aucune espérance, et pas le genre de fille que l'on souhaite avoir pour bru. Mais que vaut l'avis d'une mère ? Walter lui a demandé de l'épouser, elle a refusé et c'est alors qu'il a eu cette idée ridicule de vouloir partir pour les Indes afin d'y être planteur de thé. Mon mari a dit : « Laissons-le partir », bien que ce fût pour lui une grosse déception. Il avait tant espéré que Walter travaillerait à l'étude, d'autant plus que le cher enfant avait réussi tous ses examens de droit.

Mais c'était ainsi. Vraiment, que de ravages peuvent faire ces jeunes femmes !

— Oh ! je sais, mon neveu…

Une fois encore, Mrs Fane ignora le neveu de miss Marple :

— Notre cher fils est donc parti pour l'Assam, ou était-ce Bangalore ? Je ne m'en souviens plus très bien après toutes ces années. Mais cela m'avait beaucoup préoccupée parce que je savais qu'avec sa santé fragile il ne supporterait pas le climat. Il n'y avait pas un an qu'il était installé là-bas où il réussissait très bien – Walter fait toujours tout très bien – que, le croiriez-vous ? cette impertinente gamine a changé d'avis et lui a finalement écrit qu'elle acceptait de l'épouser.

— Pas possible ! s'exclama miss Marple.

— La voilà qui prépare son trousseau, réserve sa place sur le bateau – et que pensez-vous qu'il arriva ?

— Je n'en ai aucune idée, répondit miss Marple en se penchant en avant, l'interrogation faite femme.

— Elle a eu une aventure amoureuse – avec un homme marié, s'il vous plaît. Sur le bateau. Un homme marié et père de trois enfants, je crois. Quoi qu'il en soit, quand elle est arrivée, Walter était sur le quai pour l'accueillir et la première chose qu'elle lui a dite c'est que, tout bien réfléchi, elle ne pouvait pas l'épouser. Vous ne trouvez pas le procédé odieux ?

— Oh, que si ! De quoi faire perdre à votre fils toute confiance dans le genre humain.

— Cela aurait dû la lui montrer sous son vrai

jour. Mais voilà, c'était le type de femme à qui l'on pardonne tout.

— Il ne…, hésita miss Marple, il ne lui en… Il ne lui en a pas *voulu* ? Certains hommes auraient été terriblement en colère.

— Walter a toujours eu une merveilleuse maîtrise de soi. Si bouleversé et furieux que Walter puisse être, il ne le montre jamais.

Miss Marple la regarda attentivement, puis fit timidement une tentative :

— C'est parce qu'il rentre tout au plus profond de lui-même, peut-être ? On est parfois étonné, avec les enfants. Certains vous feront une explosion de violence pour ce qui ne vous semble guère qu'une broutille. D'autres, natures plus sensibles, ne lâcheront la bride à leurs émotions que lorsqu'ils auront atteint les limites extrêmes de ce qu'ils sont capables de supporter.

— Ah ! c'est très curieux que vous me disiez cela, miss Marple. Ça me rappelle une anecdote. Gerald et Robert, voyez-vous, étaient tous deux coléreux et toujours prêts à se battre. Ce qui est bien sûr tout à fait naturel chez des garçons en bonne santé…

— Mille fois oui ! On ne peut plus naturel.

— Et ce cher Walter, qui, lui, était si calme et si imperturbable… Cependant, un beau matin, Robert s'est emparé de la maquette d'avion que le cher petit ange avait mis des jours à construire avec beaucoup de patience et d'habileté… et Robert, qui était un adorable garçon plein d'énergie mais peu soigneux, l'a cassée. Quand je suis arrivée dans la salle d'étude, Robert était par terre, et Walter le frappait avec le tisonnier, il l'avait pratiquement assommé et j'ai eu toutes les peines du monde à lui faire lâcher prise. Il ne cessait de répéter : « Il l'a fait exprès... il l'a fait exprès. Je vais le tuer. » J'ai eu très peur. Ces petits bonshommes réagissent avec une telle violence, n'est-ce pas ?

— Oui, c'est vrai, dit miss Marple, le regard soudain pensif. (Elle retourna au sujet de conversation précédent :) Et ainsi donc les fiançailles ont été définitivement rompues... Qu'est devenue la jeune fille ?

— Elle est rentrée en Angleterre. Et, sur le chemin du retour, elle est tombée amoureuse d'un autre homme, et cette fois elle l'a épousé. Un veuf avec un enfant. Un homme qui vient de perdre sa femme est toujours une proie facile sans défense, pauvre garçon ! Ils se sont mariés et se sont installés dans une maison à l'autre bout de la ville – Sainte-Catherine – juste à côté de l'hôpital. Cela n'a pas duré, bien sûr. Moins d'un an plus tard, elle le quittait. Elle est partie avec un autre.

— Seigneur Dieu ! s'exclama miss Marple en dodelinant de la tête. Votre fils l'a échappé belle !

— C'est ce que je n'ai cessé de lui dire depuis.

— Et s'il a abandonné la plantation de thé, c'est à cause de sa santé ?

Le front de Mrs Fane se contracta légèrement.

— La vie là-bas ne lui plaisait pas, répondit-elle. Il est revenu à la maison six mois après le retour de la fille.

— Cela a dû être un peu embarrassant, hasarda

miss Marple. Si la jeune femme vivait ici, dans la même ville…

— Walter a été merveilleux, s'extasia sa mère. Il s'est comporté exactement comme s'il ne s'était rien passé. Je pensais – et à l'époque je l'ai dit – qu'il aurait été préférable de rompre toutes relations avec elle : les rencontres, me semblait-il, ne pouvaient être qu'embarrassantes pour l'un comme pour l'autre. Mais Walter a tenu à un comportement amical. Il a pris l'habitude d'aller chez eux en toute simplicité, et de jouer avec l'enfant… C'est drôle, à propos, elle est revenue ici. C'est une adulte maintenant, mariée. Elle est allée l'autre jour à l'étude de Walter pour faire son testament. Reed, c'est ainsi qu'elle s'appelle maintenant.

— Mr and Mrs Reed ! Mais je les connais ! Un jeune couple tellement charmant et sans chichi. Vous m'en direz tant… ainsi donc, elle se trouve être la fille…

— L'enfant de la première femme, laquelle est morte en Inde. Pauvre major… j'ai oublié son nom… Hallway… quelque chose comme ça… il a eu le cœur brisé quand cette friponne l'a quitté. Pourquoi les pires femmes attirent-elles toujours les meilleurs hommes ? Voilà ce que je n'arrive pas à comprendre !

— Et ce garçon avec qui elle avait eu une liaison tout au début ? Un clerc, m'avez-vous dit, qui travaillait dans l'étude de votre fils. Qu'est-il devenu ?

— Il a fait son petit bonhomme de chemin dans la vie. Il dirige une affaire d'excursions en autocars.

Les Cars Jonquille. Les Cars Jonquille d'Afflick. Peints en jaune vif. Nous vivons aujourd'hui dans un monde d'une totale vulgarité.

— Afflick ? s'enquit miss Marple.

— Jackie Afflick. Un infâme arriviste. Il ne pense qu'à sa réussite, j'imagine. C'est probablement pour cette raison qu'il a fréquenté Helen Kennedy. Sœur de médecin et tout ce qui s'ensuit... il devait penser que cela améliorerait sa position sociale.

— Et cette Helen, elle n'est jamais revenue à Dillmouth ?

— Non. Bon débarras. Elle a sans doute définitivement mal tourné. J'en ai été désolée pour le Dr Kennedy. Ce n'était pas sa faute. La seconde femme de son père était une petite créature frivole bien plus jeune que lui. Helen a dû hériter son tempérament dissolu, j'imagine. J'ai toujours pensé... (Mrs Fane s'interrompit :) Voilà Walter.

Son oreille maternelle avait reconnu des sons familiers dans le couloir. La porte s'ouvrit et Walter Fane entra.

— Je te présente miss Marple, mon fils. Sonne pour qu'on nous rapporte un peu de thé.

— Ne vous inquiétez pas, mère, j'en ai déjà pris une tasse.

— Mais si, nous allons redemander du thé... et quelques scones, Beatrice, ajouta-t-elle à l'adresse de la bonne qui était venue prendre la théière.

— Bien, madame.

— Ma mère me gâte trop, j'en ai peur, déclara Walter Fane avec un lent sourire aimable.

Tout en émettant à son adresse un commentaire courtois, miss Marple l'observa.

C'était un homme doux, calme, un peu timide et furtif… sans personnalité aucune. Le type même du garçon dévoué qui n'attire pas les femmes, mais qu'elles épousent quand l'élu de leur cœur ne partage pas leur sentiment. Walter, celui qui est Toujours Là. Pauvre Walter, le chéri de sa mère… Le petit Walter Fane qui avait un jour frappé son frère aîné avec un tisonnier et tenté de le tuer…

Miss Marple s'interrogea.

17

RICHARD ERSKINE

Anstell Manor avait un aspect lugubre. C'était une maison blanche, avec pour toile de fond de mornes collines. L'allée y conduisant sinuait entre d'épais massifs d'arbustes.

— Pourquoi sommes-nous venus ? demanda Giles à Gwenda. Qu'allons-nous bien pouvoir dire ?

— Nous avons tout préparé.

— Oui… pour autant que ça marche. Encore heureux que le gendre de la tante de la sœur du cousin de miss Marple ou je ne sais qui habite près d'ici dans le coin… Mais d'ordinaire, lorsqu'on fait une visite de courtoisie à quelqu'un, on ne lui demande pas de raconter ses histoires d'amour passées.

— Oui, mais passées il y a si longtemps. Peut-être… peut-être ne s'en souvient-il même plus.

— Peut-être qu'il ne s'en souvient pas. Et peut-être que cette « histoire d'amour » n'a jamais existé.

— Giles, tu crois que nous nous comportons comme de parfaits idiots ?

— Je n'en sais rien… Parfois, je le pense. Je me

demande en quoi tout cela nous concerne. Qu'est-ce que cela peut nous faire maintenant ?

— Tant d'années après... Oui, je sais... Miss Marple et le Dr Kennedy nous ont en gros conseillé : « Laissez tomber tout ça. » Pourquoi ne l'avons-nous pas fait, Giles ? Qu'est-ce qui nous pousse à continuer ? Est-ce que c'est *elle* ?

— Elle ?

— Helen. Est-ce pour ça que je m'en suis souvenue ? Est-ce que mes souvenirs d'enfant sont le seul lien qu'elle a avec la vie... avec la vérité ? Serait-ce Helen qui se servirait de moi... et de toi... afin que la vérité soit révélée ?

— Tu veux dire parce qu'elle est morte de mort violente... ?

— Oui. On dit... on dit dans les livres... que quelquefois ils ne peuvent trouver le repos...

— Allons, Gwenda, tu deviens irrationnelle.

— Peut-être le suis-je. De toute façon, nous avons encore... le choix. C'est une simple visite de courtoisie. Il n'est pas nécessaire d'en faire autre chose... à moins que nous le souhaitions...

Giles secoua la tête :

— Nous devons continuer. Nous ne pouvons pas faire autrement.

— Oui... tu as raison. Tout de même, Giles, je dois dire que cela me fait un peu peur...

— Alors, comme ça, vous cherchez une maison ? s'enquit le major Erskine.

Il tendit à Gwenda une assiette de sandwiches. Gwenda en prit un, tout en le regardant. Richard Erskine n'était pas très grand, 1,70 m à peu près ; il avait le cheveu gris et le regard las, pensif. Grave et agréable, sa voix n'était pimentée que par un léger accent traînant. Il n'avait en somme rien de remarquable et était loin d'être aussi bel homme que Walter Fane, mais Gwenda ne l'en trouva pas moins séduisant. Car si la plupart des femmes pouvaient passer près de Fane sans le voir, il ne pouvait en être de même avec Erskine. Fane était insipide. Erskine, en dépit de son air réservé, avait de la personnalité. Il parlait de choses ordinaires d'une manière ordinaire, mais il y avait en lui *quelque chose*… ce quelque chose que les femmes reconnaissent d'emblée et auquel leur instinct profond les fait réagir. Presque inconsciemment, Gwenda arrangea sa jupe, remit en place une boucle de cheveux, veilla au pli de ses lèvres. Dix-neuf ans plus tôt, Helen Kennedy avait pu tomber amoureuse de cet homme. Gwenda en était absolument certaine.

Elle leva les yeux, trouva ceux de son hôte posés sur elle et se sentit rougir malgré elle. Mrs Erskine parlait à Giles, mais elle observait Gwenda d'un œil à la fois critique et soupçonneux. Janet Erskine était une grande femme dotée d'une voix grave – presque aussi grave que celle d'un homme. Elle avait une carrure d'athlète et portait un tailleur de tweed bien coupé, garni de grandes poches. Elle paraissait plus âgée que son mari, mais, de l'avis de Gwenda, ne devait pas l'être. On lisait sur son visage une certaine amertume. Une créature qui n'était pas heureuse, jaugea Gwenda. Une insatisfaite.

« Je parie qu'elle lui fait vivre l'enfer », se dit-elle.

Elle reprit alors à haute voix le fil de la conversation.

— La recherche d'une maison a quelque chose de terriblement décourageant, dit-elle. Les descriptions des agents immobiliers sont toujours mirobolantes... mais quand vous allez visiter la « demeure » en question, vous la trouvez absolument innommable.

— Vous avez l'intention de vous installer dans le coin ?

— Eh bien... c'est l'un des secteurs auxquels nous avons pensé. En fait, parce que c'est près du mur d'Hadrien. Giles a toujours été fasciné par le mur d'Hadrien. Voyez-vous... cela peut vous paraître étrange, mais nous n'avons de préférence pour aucune région d'Angleterre. Ma famille est en Nouvelle-Zélande et je n'ai aucun lien ici. Quant à Giles, il passait ses vacances chez une tante puis chez une autre et n'est attaché à aucun lieu particulier. La seule chose que nous ne voulons pas, c'est être près de Londres. Nous recherchons la vraie campagne.

Erskine sourit :

— La vraie campagne, vous êtes sûrs de la trouver ici. C'est complètement isolé. Nos voisins sont peu nombreux et éloignés les uns des autres.

Gwenda crut déceler une certaine tristesse dans sa voix aimable. Elle imagina soudain ce que pouvait être une vie solitaire : des journées d'hiver courtes et sombres, avec le vent qui siffle dans les cheminées, les rideaux tirés, enfermé – enfermé avec cette femme au regard insatisfait, malheureux… et des voisins rares et disséminés.

Puis cette vision s'estompa. C'était l'été de nouveau, avec les portes-fenêtres ouvertes sur le jardin, avec l'odeur des roses et les bruits de l'été qui pénétraient à l'intérieur. Elle dit :

— Votre maison est ancienne, n'est-ce pas ?

Erskine acquiesça :

— Queen Anne. Ma famille habite ici depuis près de trois cents ans.

— C'est une belle maison. Vous devez en être fier.

— Elle est actuellement un peu délabrée. Nous sommes tous tellement écrasés d'impôts, de nos jours, qu'il devient impossible d'entretenir correctement son patrimoine. Cependant, maintenant que les enfants gagnent leur vie, le plus difficile est passé.

— Combien d'enfants avez-vous ?

— Deux garçons. L'un est dans l'armée. L'autre sort tout juste d'Oxford et vient d'entrer dans une maison d'édition.

Ses yeux allèrent se poser sur le manteau de la cheminée et Gwenda suivit son regard. Il y avait là la photo de deux adolescents d'environ 18 et 19 ans, prise quelques années auparavant, pensa-t-elle. Elle lut dans son expression de la fierté et de la tendresse.

— Ce sont de bons garçons, dit-il, bien que je sois mal placé pour en juger.

— Ils ont l'air en effet très gentils, déclara Gwenda.

— Oui, reprit Erskine. Je crois que ça vaut la

peine... vraiment. De faire des sacrifices pour ses enfants, j'entends, ajouta-t-il en réponse au regard interrogateur de Gwenda.

— Je suppose que cela demande souvent beaucoup de renoncement, dit Gwenda.

— Beaucoup, parfois...

De nouveau elle sentit une vague de tristesse déferler, mais Mrs Erskine intervint de sa voix grave et autoritaire :

— Et vous cherchez réellement une maison dans la région ? J'ai bien peur qu'il n'y ait rien de correct à vendre dans le coin.

« Et si tu connaissais quelque chose tu ne me le dirais pas, pensa Gwenda avec une malice soudaine. Cette stupide vieille femme est jalouse. Jalouse parce que je parle à son mari et que je suis jeune et séduisante ! »

— Cela dépend si vous êtes pressés ou non, tempéra Erskine.

— Il n'y a absolument aucune urgence, répondit Giles d'un ton enjoué. Nous voulons prendre le temps de trouver quelque chose qui nous plaise vraiment. Pour le moment nous avons acheté une villa à Dillmouth... sur la côte sud.

Le major Erskine se leva et alla chercher un coffret à cigarettes posé sur une table près de la fenêtre.

— Dillmouth, dit Mrs Erskine d'une voix sans expression, les yeux fixés sur la nuque de son mari.

— Une jolie petite ville, reprit Giles. Vous connaissez ?

Il y eut un moment de silence. Puis, de cette même voix sans expression, Mrs Erskine déclara :

— Nous y avons passé quelques semaines, un été... il y a de très nombreuses années. Cela ne nous a pas plu... nous avons trouvé le climat trop mou.

— Oui, approuva Gwenda. C'est exactement notre avis. Giles et moi préférerions un air plus vivifiant.

Erskine revint avec les cigarettes. Il tendit la boîte à Gwenda.

— Vous trouverez le climat d'ici plus tonique, dit-il, d'une voix empreinte d'une certaine gravité.

Gwenda leva les yeux vers lui quand il lui alluma sa cigarette.

— Est-ce que vous vous souvenez bien de Dillmouth ? demanda-t-elle d'un air ingénu.

Les lèvres d'Erskine se crispèrent dans ce qu'elle devina être un soudain spasme de douleur. Puis, d'une voix contenue, il répondit :

— Parfaitement. Nous séjournions au... voyons... au *Royal George*... non : au *Royal Clarence.*

— Ah ! oui, c'est ce bel hôtel ancien. Notre maison est tout à côté. Hillside, elle s'appelle, mais autrefois elle avait pour nom Sainte... Sainte-Mary, c'est bien ça, Giles ?

— Sainte-Catherine, rectifia Giles.

Cette fois, il n'y eut pas d'erreur quant à sa réaction. Erskine se détourna vivement, et la tasse de Mrs Erskine tinta contre sa soucoupe.

— Peut-être aimeriez-vous voir le jardin ? proposa-t-elle soudain.

— Oh ! oui, avec plaisir.

Ils sortirent par la porte-fenêtre. C'était un jardin bien entretenu et abondamment garni, avec de longs parterres de fleurs et des chemins dallés. A ce que comprit Gwenda, c'était principalement le major Erskine qui s'en occupait. Tandis qu'il lui parlait des roses et des plantes herbacées, le visage sombre et triste d'Erskine s'éclaira. Le jardinage était manifestement son violon d'Ingres.

Quand enfin ils prirent congé et eurent regagné leur voiture, Giles demanda sur un ton hésitant :

— As-tu… l'as-tu laissée tomber ?

Gwenda acquiesça :

— Près du second massif de delphiniums.

Elle baissa les yeux sur sa main et fit glisser son alliance le long de son doigt d'un air absent.

— Et si tu ne la retrouvais pas ?

— Oh ! ce n'est pas ma vraie bague de fiançailles. Je n'aurais pas pris ce risque.

— Je suis heureux de l'entendre.

— Je suis bien trop attachée à cette bague. Tu te rappelles ce que tu m'as dit quand tu l'as glissée à mon doigt ? Une émeraude verte parce que j'étais un mystérieux petit chat aux yeux verts.

— Nul doute, dit Giles d'un air détaché, que notre manière insolite d'exprimer notre tendresse semblerait étrange à quelqu'un de la génération de miss Marple, par exemple.

— Je me demande ce qu'elle est en train de faire, cette chère vieille demoiselle. De se prélasser au soleil sur la promenade, tu crois ?

— De s'agiter plutôt comme une fourmi laborieuse, telle que je la connais ! Fourrant son nez ici, furetant là, ou posant des questions en rafale. J'espère qu'un jour elle n'ira pas trop loin.

— C'est un travers qui paraît tout à fait naturel. Chez les vieilles personnes, j'entends. Ce n'est pas comme si c'était nous qui le faisions.

Le visage de Giles s'assombrit de nouveau :

— C'est pourquoi il ne me plaît pas que... (Il s'interrompit, puis :) que ce soit toi qui ailles là-bas. Je ne peux supporter l'idée de rester à l'abri et de t'envoyer faire le sale boulot.

Gwenda caressa d'un doigt la mâchoire crispée de son mari :

— Je sais, chéri, je sais. Mais reconnais que c'est ingénieux. Il est certes impertinent d'aller questionner un homme sur ses histoires d'amour passées... mais c'est le genre d'impertinence qu'une femme peut se permettre... si elle est habile. Et je pense que je le suis.

— Je ne doute pas de ton habileté. Mais si Erskine est l'homme que nous cherchons...

— Je ne le crois pas, dit Gwenda d'un air méditatif.

— D'après toi, nous suivons une fausse piste ?

— Pas complètement. Je pense qu'il a bien été amoureux d'Helen. Mais il est *gentil*, Giles, terriblement gentil. Ce n'est pas du tout le genre d'homme à étrangler quelqu'un.

— Tu n'as pas une grande expérience des étrangleurs, que je sache ?

— Non, mais j'ai mon instinct féminin.

— C'est sans doute ce que la plupart des victimes d'un étrangleur ont dû dire. Non, Gwenda, blague à part, promets-moi de faire attention, veux-tu ?

— Promis. Je me sens si désolée pour ce pauvre

homme… avec ce dragon femelle. Je parie qu'il a été malheureux toute sa vie.

— C'est une femme étrange… Elle a quelque chose d'assez effrayant.

— Oui, elle est absolument sinistre. As-tu vu comment elle m'a constamment surveillée ?

— J'espère que notre plan va bien fonctionner.

Ledit plan fut mis à exécution le lendemain matin.

Se sentant, selon sa propre expression, dans la peau d'un détective minable au cours d'une non moins minable affaire de divorce, Giles était allé se poster en un point stratégique d'où il avait vue sur le portail d'entrée d'Anstell Manor. Vers 11 h 30, il avait averti Gwenda que tout se déroulait comme prévu. Mrs Erskine venait de partir dans une petite Austin, manifestement pour aller faire ses courses à la ville voisine, située à environ 5 km de là. Le champ était libre.

Gwenda se rendit en voiture jusqu'à la porte d'entrée et sonna la cloche. EIle demanda à voir Mrs Erskine et il lui fut répondu quelle était sortie. Elle demanda alors à voir le major Erskine. Le major était au jardin. Occupé dans une plate-bande, il se redressa en voyant Gwenda approcher.

— Je suis navrée de vous déranger, dit Gwenda. Mais je pense que j'ai dû faire tomber ma bague par ici hier. Je sais que je l'avais quand nous sommes sortis après le thé. Elle est un peu trop grande, mais je ne peux me faire à l'idée de l'avoir perdue, car c'est ma bague de fiançailles.

La recherche commença tout aussitôt. Gwenda revint sur ses pas de la veille, essaya de se rappeler où elle s'était arrêtée et quelles fleurs elle avait touchées. Bientôt la bague fut découverte près d'un grand massif de delphiniums. Gwenda manifesta son soulagement avec enthousiasme.

— Et maintenant puis-je vous offrir un verre, Mrs Reed ? Une bière ? Un verre de sherry ? Ou peut-être préféreriez-vous du café ?

— Je ne veux rien… non, vraiment. Juste une cigarette… merci.

Elle s'assit sur un banc, et Erskine prit place à côté d'elle.

Ils fumèrent pendant quelques minutes en silence. Le cœur de Gwenda battait la chamade. Mais elle n'avait plus le choix, il lui fallait se lancer – ce qu'elle fit :

— Je voudrais vous demander quelque chose. Peut-être trouverez-vous cela très impertinent de ma part. Mais j'ai absolument besoin de savoir… et vous êtes probablement la seule personne qui puisse me renseigner. Je crois que vous avez jadis été amoureux de ma belle-mère.

Il tourna vers elle un visage étonné :

— De votre belle-mère ?

— Oui, Helen Kennedy. Devenue par la suite Helen Halliday.

— Je vois.

L'homme assis à côté d'elle était très calme. Ses yeux fixaient la pelouse ensoleillée sans la voir. La cigarette, entre ses doigts, se consumait lentement. Derrière son calme, Gwenda sentit, au contact de son bras qui touchait le sien, le trouble et la tension nerveuse qui s'étaient emparés de lui.

Comme s'il répondait à une question qu'il s'était posée, Erskine dit :

— Des lettres, je suppose. (Gwenda ne répondit pas.) Je ne lui ai pas beaucoup écrit : deux fois, peut-être trois. Elle m'avait affirmé qu'elle les avait détruites… mais les femmes ne détruisent jamais les lettres, n'est-ce pas ? Et elles sont donc arrivées entre vos mains. Et vous voulez savoir ?

— Je désire en savoir plus sur elle. Je… je l'aimais beaucoup. Bien que je ne fusse qu'une toute petite fille quand… quand elle est partie.

— Parce qu'elle est partie ?

— Vous ne le saviez pas ?

Son regard candide et surpris rencontra celui de Gwenda.

— Je n'ai plus jamais eu de nouvelles d'elle, déclara-t-il, depuis… depuis ce fameux été à Dillmouth.

— Alors vous ne savez pas où elle se trouve maintenant ?

— Comment le saurais-je ? C'était il y a des années… des années. Tout est fini. Oublié.

— Oublié ?

Il eut un petit sourire triste :

— Non, peut-être pas oublié. Vous êtes très perspicace, Mrs Reed. Mais parlez-moi d'elle. Elle n'est pas… morte, n'est-ce pas ?

Un petit vent froid se leva soudain, glaça leurs nuques et s'en fut.

— Je ne sais pas si elle est morte ou pas, dit

Gwenda. Je ne sais rien d'elle. Je pensais que *vous*, peut-être, vous en sauriez plus long. (Comme il secouait la tête, elle poursuivit :) Elle a quitté Dillmouth cet été-là. Un soir, brusquement. Sans rien dire à personne. Et elle n'est jamais revenue.

— Et vous pensiez que j'aurais pu avoir entendu parler d'elle ?

— Oui.

Il secoua encore la tête :

— Non. Jamais. Mais sûrement son frère... un médecin... il habite Dillmouth. Il doit savoir. Ou bien il est mort lui aussi ?

— Non, lui, il est toujours en vie. Mais il ne sait rien non plus. Là-bas, tout le monde a cru qu'elle était partie... avec quelqu'un, vous comprenez.

Il tourna la tête pour la regarder. Ses yeux reflétaient une profonde tristesse :

— Et ils ont pensé qu'elle était partie avec *moi* ?

— Eh bien, c'était une possibilité.

— Etait-ce une possibilité ? Je ne le crois pas. Il n'en a jamais été question. Ou bien est-ce que nous nous sommes comportés comme des idiots... des idiots qui se seraient volontairement privés de bonheur ? (Gwenda garda le silence. De nouveau, Erksine tourna la tête et la regarda :) Peut-être vaut-il mieux que vous sachiez tout. Encore qu'il n'y ait pas en fait grand-chose à savoir. Mais je ne voudrais pas que vous jugiez mal Helen. Nous nous sommes rencontrés à bord d'un paquebot qui se rendait en Inde. L'un de mes enfants avait été malade, et ma femme devait me rejoindre par le bateau suivant. Helen s'en allait épouser un homme qui travaillait dans les Eaux et Forêts ou quelque chose comme ça. Elle n'était pas amoureuse de lui. Mais c'était un vieil ami, gentil et bienveillant, et elle voulait partir de chez elle, car elle n'y était pas heureuse. Nous sommes tombés amoureux. (Il s'interrompit un instant, puis :) Dit comme ça, cela paraît simple. Mais, je tiens à ce que les choses soient tout à fait claires : ça n'a pas été un banal amour de croisière. Ç'a été très sérieux. Nous en avons été tous deux… eh bien… complètement chamboulés. Et il n'y avait pas d'issue possible. Je ne pouvais pas laisser tomber Janet et les enfants. Helen l'a très bien compris. S'il n'y avait eu que Janet… mais il y avait les garçons. C'était absolument sans espoir. Nous sommes convenus de nous dire adieu et de tenter d'oublier. (Il rit, d'un petit rire contraint :) Oublier ? Je n'ai jamais oublié – pas un instant. Ma vie a été un enfer. Je ne pouvais m'empêcher de penser à Helen…

« Elle ne s'est pas mariée avec le garçon qu'elle était venue épouser. Au dernier moment, elle n'a pas pu s'y résigner. Elle est rentrée en Angleterre et, sur le chemin du retour, elle a rencontré cet autre homme… votre père, je suppose. Elle m'a écrit deux mois plus tard pour m'en faire part. Il était très malheureux d'avoir perdu sa femme, disait-elle, et il y avait un enfant. Elle pensait qu'elle pourrait le rendre heureux et que c'était ce qu'elle avait de mieux à faire. Elle avait écrit de Dillmouth. Environ huit mois plus tard, mon père est mort et je suis revenu ici. J'ai ensuite démissionné de l'armée et regagné définitivement l'Angleterre. Comme nous voulions prendre quelques semaines de vacances en attendant de pouvoir nous installer dans cette maison, ma femme a suggéré Dillmouth. L'une de ses amies lui avait dit que c'était un endroit agréable et tranquille. Bien sûr, elle ne savait rien au sujet d'Helen. Imaginez la tentation. La revoir. Voir à quoi ressemblait cet homme qu'elle avait épousé.

Il y eut un court silence, puis Erskine reprit :

— Nous y sommes donc allés et sommes descendus au *Royal Clarence*. C'était une erreur. Revoir Helen fut un enfer pour moi. Elle avait l'air assez heureuse, dans l'ensemble. Je ne savais pas si elle m'aimait encore, ou si elle ne m'aimait plus… Peut-être était-elle parvenue à m'oublier. Je crois que ma femme a soupçonné quelque chose… Elle est extrêmement jalouse… elle l'a toujours été.

Brusquement, il ajouta :

— C'est tout ce qu'il y a à dire. Nous avons quitté Dillmouth…

— Le 17 août, précisa Gwenda.

— Vous croyez ? C'est possible. Je ne m'en souviens pas précisément.

— C'était un samedi, ajouta Gwenda.

— Oui, c'est ça. Je me rappelle, Janet m'avait fait remarquer que c'était un jour où il devrait y avoir beaucoup de monde montant vers le Nord… mais je ne crois pas que ce fut le cas…

— Je vous en prie, essayez de vous souvenir, major Erskine. Ma belle-mère, Helen, quand l'avez-vous vue pour la dernière fois ?

Il eut un sourire doux et las :

— Je n'ai pas besoin de chercher beaucoup. Je l'ai vue le soir qui a précédé notre départ. Sur la plage. J'étais allé m'y promener après le dîner… et elle s'y trouvait. Il n'y avait personne d'autre en vue. J'ai marché auprès d'elle jusqu'à sa villa. Nous avons traversé le jardin…

— A quelle heure ?

— Je ne sais pas… 21 heures, peut-être.

— Et vous vous êtes dit adieu ?

— Et nous nous sommes dit adieu. (De nouveau, il sourit :) Oh ! pas le genre d'adieu auquel vous pensez. Ç'a été très brusque et très sec. Helen m'a dit : « Partez maintenant, je vous en prie. Allez-vous-en vite. Je ne voudrais pas que… » Elle s'est alors interrompue… et je… je suis parti.

— Vous êtes rentré à l'hôtel ?

— Oui, oui, plus tard. J'ai d'abord marché un long moment… dans la campagne alentour.

— Après tant d'années, il n'est pas commode de retrouver les dates exactes, murmura Gwenda. Mais je pense que c'est la nuit où elle est partie… pour ne plus jamais revenir.

— Je vois. Et comme ma femme et moi avons quitté les lieux le lendemain, les gens ont jasé et prétendu qu'elle était partie avec moi. Belle mentalité.

— Quoi qu'il en soit, dit brusquement Gwenda, elle n'est pas partie avec vous ?

— Mon Dieu ! non, il n'a jamais été question d'une telle folie.

— Alors, à votre avis, pourquoi est-elle partie ? demanda Gwenda.

Erskine fronça les sourcils. Son attitude changea, il fit soudain preuve d'intérêt.

— Je vois, répéta-t-il. C'est une affaire compliquée. Elle n'a pas... euh... laissé un mot d'explication ?

Gwenda, après un temps de réflexion, répondit ce qu'elle estimait être la vérité :

— Qu'elle ait laissé le moindre mot, je n'y crois pas. Pensez-vous qu'elle ait pu partir avec quelqu'un d'autre ?

— Non, bien sûr que non.

— Vous paraissez ne pas en douter.

— J'en suis certain.

— Alors pourquoi est-elle partie ?

— Si elle est partie... comme ça... brusquement... je ne vois qu'une raison possible : elle voulait me fuir.

— Vous fuir ?

— Oui. Elle avait peut-être peur que j'essaie de la revoir... que je la harcèle. Elle a dû se rendre compte que j'étais encore... fou d'elle... Oui, ce doit être ça.

— Cela n'explique pas pourquoi elle n'est jamais revenue. Dites-moi, Helen vous a-t-elle confié ses craintes à propos de mon père ? Vous a-t-elle dit qu'il l'inquiétait ? Ou... ou qu'elle avait peur de lui ?

— Peur de lui ? Pourquoi ? Ah ! je comprends, vous pensez qu'il aurait pu être jaloux. Etait-ce un homme jaloux ?

— Je ne sais pas. Il est mort quand j'étais toute petite.

— Ah ! Non… en y repensant, il m'est toujours apparu comme un homme normal et agréable à vivre. Il aimait beaucoup Helen, il était fier d'elle… je ne vois rien d'autre. A vrai dire, c'est *moi* qui étais jaloux de lui.

— Ils vous ont semblé relativement heureux ensemble ?

— Oui, ils en avaient l'air. J'en ai été content pour elle… mais en même temps, cela m'a fait mal… Non, Helen ne m'a jamais parlé de lui. Comme je vous l'ai dit, nous ne nous sommes quasiment jamais trouvés seuls, nous n'avons jamais pu nous faire de confidences. Mais, maintenant que vous me le dites, je me rappelle qu'Hellen paraissait inquiète.

— Inquiète ?

— Oui. Peut-être que c'était à cause de ma femme… (Il s'interrompit, puis :) Non, c'était plus grave que ça. (Il regarda de nouveau Gwenda attentivement :) Avait-elle peur de son mari ? Etait-il jaloux des autres hommes de son entourage ?

— Vous semblez penser que non.

— La jalousie est un sentiment très étrange. Elle peut parfois être si bien cachée que jamais vous ne l'auriez soupçonnée. (Un petit frisson le parcourut :) Mais elle peut être terrifiante… absolument terrifiante…

— Il y a autre chose que j'aimerais savoir…

Gwenda s'interrompit. Une voiture était arrivée en haut du chemin.

— Ah ! dit le major Erskine. Voilà ma femme de retour de ses courses.

En un instant, pourrait-on dire, il devint une personne différente. Son ton resta cordial mais se fit compassé et son visage inexpressif. Seul un léger tremblement trahissait sa nervosité.

Mrs Erskine contourna à grands pas l'angle de la maison. Son mari se dirigea vers elle.

— Mrs Reed avait fait tomber une de ses bagues dans le jardin hier, lui expliqua-t-il.

— Vraiment ? répliqua Mrs Erskine d'un ton sec.

— Bonjour, dit Gwenda. Oui, heureusement, je l'ai retrouvée.

— Vous avez eu de la chance.

— C'est vrai. J'aurais été très peinée de l'avoir perdue. Eh bien, il faut que je vous quitte.

Mrs Erskine ne dit rien. Le major Erskine déclara :

— Je vais vous raccompagner à votre voiture.

Il commença à longer la terrasse en compagnie de Gwenda. La voix de sa femme retentit soudain :

— Richard ! Que Mrs Reed veuille bien t'excuser, on te demande au téléphone !

Gwenda s'empressa de dire :

— Je me débrouillerai très bien. Je vous en prie, ne vous dérangez pas.

Elle parcourut rapidement la terrasse, tourna à l'angle de la maison et atteignit l'allée. Là, elle s'arrêta. Mrs Erskine avait garé sa voiture de telle façon que Gwenda douta que la sienne ait la place de passer pour redescendre l'allée. Elle hésita, puis revint lentement sur ses pas et retourna sur la terrasse.

Arrivée près des portes-fenêtres, elle s'arrêta net. La voix de Mrs Erskine, grave et retentissante, parvint distinctement à ses oreilles :

— Tu peux me raconter tout ce que tu voudras. Tu as combiné ça... tu as combiné ça hier. Tu as proposé à cette fille de venir ici pendant que je serais à Daith. Tu seras donc toujours le même... tu ne pourras jamais voir une jolie fille sans vouloir la... Mais je n'en supporterai pas davantage, je te préviens. Je n'en supporterai pas davantage.

La voix d'Erskine l'interrompit, calme, mais empreinte d'un certain désespoir :

— Quelquefois, Janet, je me demande si tu n'es pas un peu folle.

— Ce n'est pas moi qui suis folle. C'est toi qui es un maniaque et un obsédé. Tu ne peux pas voir une femme sans lui courir après. Tu...

— Tu sais très bien que ce n'est pas vrai, Janet.

— Si, c'est vrai ! Même que... il y a longtemps... dans la ville d'où vient cette fille : Dillmouth. Oserais-tu m'affirmer que tu n'étais pas amoureux de cette Halliday aux cheveux fillasse ?

— Tu ne pourrais pas un peu oublier ? Pourquoi faut-il sans arrêt que tu reviennes sur ce sujet ? Tu te mets dans tous tes états pour rien et...

— C'est toi ! Tu me brises le cœur.... et je n'en supporterai pas davantage, c'est moi qui te le dis ! Je ne le supporterai plus ! Donner des rendez-vous ! Rire de moi derrière mon dos ! Tu te moques bien de moi… t'es toujours moqué de moi. Je vais me tuer ! Je vais me jeter du haut d'une falaise… Je voudrais être morte…

— Janet… Janet…, pour l'amour du ciel…

La voix grave s'était interrompue. De violents sanglots flottèrent dans l'air d'été.

Gwenda s'en fut sur la pointe des pieds et retourna dans l'allée. Elle réfléchit un moment, puis sonna la cloche de la porte d'entrée.

— Y aurait-il quelqu'un qui… euh… voudrait bien déplacer cette voiture ? demanda-t-elle à l'employée qui vint ouvrir. Je ne crois pas pouvoir sortir.

La servante disparut dans le corridor. Bientôt un homme arriva de ce qui avait dû être la cour des écuries. Il porta la main à sa casquette pour saluer Gwenda, se glissa derrière le volant de l'Austin et la rentra dans la cour. Gwenda monta dans sa voiture et regagna au plus vite l'hôtel, où Giles l'attendait.

— Tu en as mis, du temps ! s'exclama-t-il en l'accueillant. Ça a donné quelque chose, au moins ?

— Oui. Je connais maintenant toute l'histoire. C'est vraiment pathétique. Il était terriblement amoureux d'Helen.

Elle lui fit le récit de ce qu'elle avait appris.

— Je pense sincèrement, termina-t-elle, que Mrs Erskine est un peu dérangée. Elle a même l'air complètement folle. Je comprends maintenant ce qu'il voulait dire quand il parlait de jalousie. Ça doit être terrible de vivre comme ça. Quoi qu'il en soit, nous savons maintenant qu'Erskine n'est pas l'homme avec lequel Helen est partie et qu'il ne sait rien concernant sa mort. Elle était vivante ce soir-là quand il l'a quittée.

— Oui, acquiesça Giles. Ou du moins... c'est ce qu'il prétend.

Gwenda le regarda d'un air indigné.

— C'est, répéta Giles d'un ton ferme, ce qu'il *prétend*.

18

LISERON

Miss Marple était courbée au pied de la terrasse, devant la porte-fenêtre, et livrait bataille à un insidieux liseron. Elle n'obtiendrait qu'une victoire de courte durée, car, sous la surface du sol, le liseron resterait en position de force. Mais au moins les delphiniums connaîtraient-ils une délivrance temporaire.

Mrs Cocker apparut à la fenêtre du salon :

— Excusez-moi, mademoiselle, mais le Dr Kennedy est là. Il voudrait savoir pendant combien de temps Mr et Mrs Reed seront absents, et je lui ai répondu que je ne saurais le lui dire avec précision, mais que vous deviez être au courant. Puis-je le faire venir ici ?

— Oh ! Oh, mais oui, s'il vous plaît, Mrs Cocker.

Celle-ci réapparut peu après, accompagnée du Dr Kennedy.

Le cœur palpitant, miss Marple se présenta :

— ... et j'ai proposé à cette chère Gwenda de venir faire un peu de désherbage pendant qu'elle serait absente. J'ai l'impression, voyez-vous, que mes jeunes amis sont abusés par leur jardinier,

Foster. Il vient deux fois par semaine, boit force tasses de thé, passe pas mal de temps à bavarder, et ne fait – autant que je puisse en juger – pas beaucoup de travail.

— Oui, dit le Dr Kennedy d'un air absent. Oui. Ils sont tous comme ça… tous pareils.

Miss Marple l'examina. C'était un homme plus âgé qu'elle l'avait imaginé d'après la description faite par les Reed. Prématurément vieilli, estimat-elle. Il paraissait, en outre, à la fois préoccupé et malheureux.

— Ils sont absents, m'a-t-on appris, fit-il en caressant du bout des doigts la longue ligne de sa mâchoire volontaire. Savez-vous pour combien de temps ?

— Oh ! pas pour longtemps. Ils sont partis faire une petite visite à des amis dans le nord de l'Angleterre. Les jeunes gens semblent ne jamais pouvoir tenir en place, il faut toujours qu'ils soient par monts et par vaux.

— Oui, acquiesça le Dr Kennedy. Oui… c'est bien vrai. (Il se tut quelques instants, puis poursuivit timidement :) Le jeune Giles Reed m'a écrit pour me demander quelques papiers… euh… des lettres, si je pouvais les retrouver…

Il hésita, et miss Marple compléta calmement :

— Les lettres de votre sœur ?

Il la regarda soudain d'un œil pénétrant :

— Ainsi, vous êtes dans leur confidence, n'est-ce pas ? Une parente, peut-être ?

— Rien qu'une amie, répondit miss Marple. Je les ai conseillés du mieux que j'ai pu. Mais les gens vous écoutent rarement. C'est sans doute dommage, mais c'est comme ça.

— Quel conseil leur avez-vous donné ? demanda-t-il avec curiosité.

— De laisser dormir les meurtres en sommeil, déclara miss Marple d'une voix ferme.

Le Dr Kennedy s'assit lourdement sur une inconfortable chaise de jardin :

— Ce n'est pas mal dit. J'aime beaucoup Gwennie. C'était une adorable fillette. Et elle me semble devenue une charmante jeune femme. Je crains qu'elle s'attire des ennuis.

— Il y a tant de sortes d'ennuis, approuva miss Marple.

— Euh ? Oui... oui... c'est bien vrai. (Il soupira, puis poursuivit :) Giles Reed m'a écrit pour me demander si je pouvais lui faire parvenir les lettres de ma sœur, celles qu'elle a écrites après son départ... ainsi qu'un spécimen de son écriture.

Son regard se fit soudain plus vif :

— Vous voyez ce que cela signifie ?

Miss Marple hocha la tête :

— Je crois le voir, en effet.

— Ils en reviennent à l'idée que Kelvin Halliday, quand il affirmait avoir étranglé sa femme, ne disait ni plus ni moins que la vérité. Ils croient que ces lettres de ma sœur Helen n'ont pas été écrites par elle... que ce sont des faux. Ils pensent qu'elle n'a pas quitté cette maison vivante.

Miss Marple demanda d'une voix douce :

— Et vous-même, maintenant, n'en êtes plus si sûr ?

— Je l'étais, à l'époque. (Kennedy regardait de nouveau devant lui :) C'était pour moi parfaitement clair. Il s'agissait d'une pure hallucination de la part de Kelvin. Il n'y avait pas de cadavre, une valise et des vêtements avaient été emportés... que pouvais-je penser d'autre ?

— Et votre sœur avait été... récemment... un peu... hum... (Miss Marple toussota délicatement :)... attirée par... par un certain homme ?

Le Dr Kennedy la regarda. On pouvait lire dans ses yeux l'expression d'une profonde souffrance.

— J'aimais ma sœur, déclara-t-il, mais je dois admettre que, avec Helen, il y avait toujours un homme dans les parages. Certaines femmes sont ainsi faites... elles ne peuvent s'en empêcher.

— Tout vous paraissait donc clair à l'époque, reprit miss Marple. Mais cela ne vous paraît plus aussi clair maintenant. Pourquoi ?

— Parce que, répondit franchement Kennedy, il me semble inconcevable que, si Helen est encore vivante, elle ne m'ait pas donné de ses nouvelles depuis toutes ces années. De même, si elle est morte, il est également étrange que je n'en aie pas été informé. Eh bien... (Il se leva et sortit de sa poche une enveloppe :) C'est là tout ce que je peux faire. La première lettre que j'ai reçue d'Helen, je dois l'avoir détruite, car je n'arrive pas à mettre la main dessus. Mais j'ai gardé la seconde... celle qui donne l'adresse poste restante. Et voici, pour comparer, le seul bout de papier portant l'écriture d'Helen que j'aie pu trouver. C'est une liste de bulbes, pour ses plantations. Le double d'une commande, qu'elle avait conservé. L'écriture sur ce bon de commande et celle de la lettre m'ont tout l'air semblables, mais je ne suis pas expert. Je vais les laisser ici, Giles et Gwenda les trouveront à leur retour. Ce n'est probablement pas la peine de les leur envoyer.

— Oh ! non, je crois qu'ils envisagent de rentrer demain... ou après-demain.

Le médecin hocha la tête. Demeuré un moment immobile, à regarder la terrasse d'un air absent, il déclara soudain :

— Vous savez ce qui me préoccupe ? Si Kelvin Halliday a effectivement tué sa femme, il a bien dû cacher le corps quelque part ou s'en débarrasser d'une manière quelconque... et cela signifie – car je ne vois pas ce que cela pourrait signifier d'autre – que l'histoire qu'il m'a racontée était habilement montée de toutes pièces, qu'il avait déjà caché une valise pleine de vêtements pour rendre vraisemblable la thèse qu'Helen était partie... qu'il s'était même arrangé pour que des lettres me parviennent de l'étranger... Ce qui voudrait dire, en fait, que c'était un meurtre prémédité, commis de sang-froid. La petite Gwennie était une enfant adorable. Cela n'a déjà pas dû lui être facile d'apprendre que son père était paranoïaque, mais ce serait bien pis encore si elle découvrait que ç'avait été un assassin.

Se dirigeant alors vers la porte-fenêtre ouverte, il s'apprêtait à prendre congé, mais miss Marple l'arrêta en lui posant soudain une question :

— De qui votre sœur avait-elle peur, Dr Kennedy ?

Il se tourna vers elle et la regarda fixement :

— Peur ? De personne, pour autant que je le sache.

— Je m'interrogeais tout bonnement... Je vous prie de m'excuser si je pose des questions indiscrètes – mais il y avait un jeune homme, non ? – je veux parler d'une liaison... une liaison qu'elle aurait eue quand elle était très jeune. Avec un dénommé Afflick, je crois.

— Ah ! ça... Une petite aventure ridicule comme en vivent la plupart des jeunes filles. Un garçon infréquentable, malhonnête... et, bien sûr, pas du tout de notre milieu. Par la suite, il s'est fourré ici dans des problèmes.

— Je me demandais simplement s'il pouvait avoir eu... envie de se venger.

Le Dr Kennedy sourit d'un air sceptique :

— Oh ! je ne pense pas que ce soit allé loin entre eux. Quoi qu'il en soit, comme je viens de vous le dire, il a eu ici des problèmes, et il a quitté définitivement la ville.

— Quel genre de problèmes ?

— Oh ! rien de criminel. Juste des indiscrétions. Il a divulgué des renseignements concernant les affaires de son employeur.

— Et son employeur était Mr Walter Fane ?

Le Dr Kennedy parut un peu surpris :

— Oui... oui... maintenant que vous le dites, ça me revient : il travaillait effectivement pour Fane & Watchman. Et... oh ! ce n'était pas un notaire stagiaire, mais rien qu'un simple clerc.

Rien qu'un simple clerc ? s'interrogea miss Marple en se penchant de nouveau sur son liseron après le départ du Dr Kennedy...

19

Mr Kimble parle

— C'est pas j'sais pas, c'est j'en suis sûre, affirma Mrs Kimble comme pour mieux s'en persuader elle-même.

Poussé de son côté à parler par ce qu'il considérait ni plus ni moins comme un outrage, son mari décida d'élever lui aussi la voix. Il repoussa sa tasse.

— Où donc c'est-y que t'as la tête, Lily ? protesta-t-il. *Tu m'as pas mis de sucre !*

Ayant fait amende honorable en réparant illico l'outrage en question, Mrs Kimble continua à disserter sur le sujet qui l'intéressait :

— J'pense à cette annonce. « Lily Abbott », c'est écrit noir sur blanc. « Autrefois femme de chambre à la villa Sainte-Catherine, à Dillmouth. » C'est moi, ça peut être que moi.

— Bof ! admit Mr Kimble.

— Après toutes ces années… Reconnais que c'est bizarre, Jim.

— Bof ! répéta Mr Kimble.

— Et alors, qu'est-ce que je vais faire, Jim ?

— Laisser tomber.

— Et des fois qu'y ait des sous à y gagner ?

On entendit un gargouillis signifiant que Mr Kimble vidait sa tasse de thé afin de prendre des forces avant de fournir l'effort mental nécessaire pour s'embarquer dans un long discours. Il repoussa sa tasse et préluda par un laconique :

« Remets-moi ça. » Puis il se lança :

— A un moment donné, t'arrêtais pas de causer de c'qui s'était passé à Sainte-Catherine. J'y faisais point trop attention, parce que j'pensais que c'étaient surtout des bêtises... des racontars de bonnes femmes. Mais p't-être que c'en était pas. P't-être qu'il y a bien eu du vilain. Si c'est ça, c'est l'affaire de la police et t'as pas à t'en mêler. En plus, c'est de l'histoire ancienne, pas vrai ? T'occupe point de ça, ma poule.

— Facile à dire. C'est peut être de l'argent qui m'a été légué. Peut-être que Mrs Halliday était vivante pendant tout ce temps-là et que maintenant elle est morte et qu'elle m'a laissé quéqu'chose dans son testament.

— Te laisser quéqu'chose dans son testament ? Pourquoi qu'elle aurait fait ça ? Bof ! ajouta Mr Kimble, revenant à sa monosyllabe favorite pour exprimer son mépris.

— Et même que ce serait la police... Tu sais, Jim, ils donnent des fois des grosses récompenses aux gens qui fournissent des renseignements qui permettent d'attraper un assassin.

— Et quoi que c'est-y qu'tu pourrais leur fournir comme renseignements ? Tout c'que tu sais, tu te l'es inventé dans ta tête !

— C'est toi qui le dis. Mais j'y ai réfléchi.

— Bof ! fit Mr Kimble avec dédain.

— Je veux, que j'y ai réfléchi ! j'y ai réfléchi depuis que j'ai vu cette première annonce dans le journal. Et p't-être bien que j'avais compris des trucs de travers. Cette Layonee, elle était un peu bête comme tous les étrangers, elle comprenait pas bien ce qu'on lui disait… et son anglais, il était des fois pas terrible. Elle voulait p't-être pas dire ce que j'ai cru qu'elle voulait dire. J'ai essayé de me rappeler le nom de ce type… Si toutefois c'est bien lui qu'elle avait vu… Tu te rappelles ce film que je t'en ai parlé ? *Amour clandestin.* A en tomber à la renverse, que c'était. Lui, ils ont fini par le retrouver à cause de sa voiture. Cinquante mille dollars, qu'il avait payé le gars du garage pour qu'il oublie qu'il lui avait fait le plein cette nuit-là. J'sais pas ce que ça fait en livres… Et l'autre, il était là aussi, plus le mari, fou de jalousie. Ils étaient tous fous d'elle. Et à la fin…

Mr Kimble recula sa chaise en la faisant crisser sur le carrelage. Il se leva avec la lenteur et la pesanteur de l'autorité. Avant de quitter la cuisine, il adressa un ultimatum – l'ultimatum d'un homme qui, bien que peu habitué à s'exprimer, n'en était pas pour autant dénué de perspicacité.

— Tu laisses tomber ça, ma fille, décréta-t-il. Sinon, tu pourrais bien le regretter.

Il s'en alla dans l'arrière-cuisine, mit ses bottes – Lily était méticuleuse pour ce qui est du sol de sa cuisine – et sortit.

Lily s'assit à table, sa petite cervelle de linotte s'adonnant à des élucubrations. Bien sûr, elle ne pouvait pas aller complètement à l'encontre de ce que lui disait son mari, mais tout de même… Jim était si plein de préjugés, il avait des vues si étriquées. Elle aurait aimé connaître quelqu'un d'autre à qui demander conseil. Quelqu'un qui saurait tout au sujet des récompenses, de la police et de tout ce qui s'ensuit. Ce serait dommage de passer à côté d'une occasion de palper la forte somme.

Ce poste de TSF… changer de logement… ce manteau couleur cerise chez Russell – tellement « classe » – peut-être même un mobilier complet de salon en chêne patiné…

Avide, surexcitée, incapable de voir plus loin que le bout de son nez, elle continua de rêver… Qu'est-ce que Layonee avait dit *au juste*, il y avait de cela des années ?

Puis une idée lui vint. Elle se leva et alla chercher plume, encrier et feuille de papier.

« Je sais, se dit-elle. Je vais écrire au docteur, le frère de Mrs Halliday. Il me dira ce que je dois faire… s'il est encore en vie, évidemment. De toute façon, ça m'est resté sur la conscience de ne jamais lui avoir raconté ce que Layonee nous avait dit… ni de lui avoir parlé de cette voiture… »

Pendant un bon moment, il n'y eut d'autre bruit dans la pièce que le grattement laborieux de la plume de Lily. Il était rarissime qu'elle écrive une lettre, et la rédiger lui demanda un effort considérable.

Elle en vint cependant à bout et la mit dans une enveloppe qu'elle cacheta. Mais elle se sentit moins satisfaite qu'elle l'avait espéré. Elle était prête à parier que le docteur était mort ou avait quitté Dillmouth.

Y avait-il quelqu'un d'autre ?

Quel était le nom de ce type ?

Si seulement elle pouvait se souvenir de *ça*…

20

HELEN JEUNE FILLE

Giles et Gwenda venaient d'achever leur petit déjeuner le lendemain de leur retour du Northumberland quand miss Marple fut annoncée. Elle commença par s'excuser :

— Je crains de venir vous voir un peu trop tôt. Ce n'est pas dans mes habitudes. Mais il y a quelque chose qu'il fallait que je vous dise.

— Nous sommes ravis de vous voir, l'assura Giles en lui avançant une chaise. Vous prendrez bien une tasse de café.

— Oh ! non, non, merci… rien du tout. J'ai pris un petit déjeuner plus que suffisant. Maintenant, laissez-moi vous expliquer. Je suis venue pendant que vous étiez absents, comme vous m'y aviez gentiment autorisée, pour faire un peu de désherbage…

— Vous êtes un ange ! s'exclama Gwenda.

— Et il m'est apparu que, réellement, deux jours par semaine ce n'est pas assez pour entretenir ce jardin. En tout cas, il me semble que Foster abuse de vous. Trop de thé et trop de bavardage. Comme il ne pouvait trouver plus de temps pour venir ici, j'ai pris sur moi d'engager un autre jardinier afin qu'il vienne une fois par semaine – les mercredis – aujourd'hui, donc.

Giles la regarda avec curiosité. Il était un peu surpris. On pouvait considérer que c'était gentil de sa part, mais il y avait comme de l'ingérence dans le comportement de miss Marple. Et cela ne lui ressemblait pas.

— Foster, acquiesça-t-il alors, est beaucoup trop vieux, je le sais, pour pouvoir vraiment travailler comme il faut.

— Je crains, Mr Reed, que Manning soit encore plus âgé. Soixante-quinze ans, m'a-t-il dit. Mais voyez-vous, j'ai pensé que l'employer quelques jours par-ci par-là pourrait comporter quelque avantage, parce qu'il fut, de nombreuses années auparavant, employé chez le Dr Kennedy. A propos, le nom du jeune homme avec lequel Helen a eu une liaison, c'est Afflick.

— Miss Marple, je vous ai calomniée en pensée, avoua Giles, mais vous êtes un génie. Savez-vous que Kennedy m'a fait parvenir les spécimens de l'écriture d'Helen que je lui avais demandés ?

— Je sais. J'étais là quand il les a apportés.

— La semaine dernière, on m'a donné l'adresse d'un bon graphologue. Je vais les lui envoyer par courrier dès aujourd'hui.

— Allons dans le jardin voir Manning, déclara Gwenda.

Manning était un vieil homme voûté, à l'air grincheux, aux yeux chassieux et un brin rusés. L'allure à laquelle il ratissait l'allée s'accéléra notablement quand ses employeurs approchèrent.

— Bonjour, m'sieur. Bonjour, m'dame. La dame m'a dit que vous auriez comme ça besoin d'un petit coup de main supplémentaire le mercredi. Ce serait tant mieux. Il a pas l'air en trop bon état, vot'jardin.

— Je crains qu'il ait été laissé à l'abandon durant quelques années.

— Pour sûr. Je me rappelle quand c'est que j'm'en occupais du vivant de Mrs Findeyson. C'était un vrai bijou, dans c'temps-là. Elle adorait son jardin, Mrs Findeyson.

Giles s'appuya négligemment contre un rouleau. D'un coup de sécateur Gwenda ôta quelques roses fanées. Miss Marple, légèrement en retrait, se mit à arracher des liserons. Le vieux Manning se pencha sur son râteau. Tout le monde était en place pour une discussion matinale détendue à propos du bon vieux temps et du jardinage au cours de cette époque bénie.

— Je suppose que vous connaissez la plupart des jardins des alentours, commença Giles sur un ton encourageant.

— Ben, faut dire que je connais assez bien le coin. Et aussi les petits caprices des gens qui ont habité là. Mrs Yule, là-haut à Niagra, elle avait une haie d'ifs qu'elle faisait tailler en forme d'écureuil. Je trouvais ça idiot. Les paons c'est une chose, les écureuils c'en est une autre. Et puis le colonel Lampard, c'était un spécialiste des bégonias… il avait toujours des parterres de bégonias à en rester baba. Le repiquage, maintenant, c'est plus à la mode. J'peux pas vous dire le nombre de parterres que j'ai eu à garnir dans les jardins de façade, et qu'il m'a fallu engazonner au cours des six dernières années. On dirait que les gens savent plus apprécier les géraniums ou une belle bordure de lobélias.

— Vous avez travaillé chez le Dr Kennedy, non ?

— Ben. Il y a longtemps. Ça devait être dans les années 1920. Il a déménagé, maintenant... il a cédé son cabinet. C'est le jeune Dr Brent qui est là-haut à Crosby Lodge. Il a des drôles d'idées, celui-là... avec ses petits comprimés blancs et puis tout le reste. Des vittapines, qu'il appelle ça.

— Je suppose que vous vous souvenez de miss Helen Kennedy, la sœur du docteur.

— Et comment, que je me souviens de miss Helen... C'était une belle jeune fille, avec ses longs cheveux blonds. Le docteur faisait grand cas d'elle. Elle est revenue ici et elle a habité cette maison, quand elle s'est mariée. A un homme qui avait été dans l'armée des Indes.

— Oui, dit Gwenda, nous le savons.

— Même que j'ai entendu dire – c'était samedi soir – que vous et votre mari vous seriez plus ou moins de sa famille. Elle était jolie comme un cœur, miss Helen, quand elle est revenue de pension, la première fois. Et puis pleine de vie, aussi. Elle voulait tout faire : danser, jouer au tennis et tout ça. Il a fallu que je remette en état le court de tennis... il avait pas été utilisé pendant pas loin de vingt ans, je crois bien. Et les arbustes l'avaient drôlement envahi. J'ai dû sacrément les tailler. Et j'en ai utilisé, du blanc de chaux, pour marquer les lignes... Ça en a fait du travail, tout ça... et finalement elle y a presque pas joué. J'ai toujours pensé que c'était un drôle de truc.

— Qu'est-ce qui était un drôle de truc ? demanda Giles.

— Cette affaire avec le court de tennis. Quelqu'un est venu une nuit… et a mis le filet en lambeaux. En lambeaux, qu'il était le lendemain. On ne peut pas appeler ça autrement que de la méchanceté. C'est ça, ce que c'était… de la pure méchanceté.

— Mais qui avait pu faire une chose pareille ?

— C'est ce que le docteur aurait bien voulu savoir. Il était drôlement en colère… et je le comprends. Il venait juste de l'acheter. Mais aucun de nous a pu lui dire qui avait fait ça. On l'a jamais su. Et il a dit qu'il en remettrait pas un autre… c'est normal, parce que si quelqu'un l'avait fait une fois par méchanceté, ça pouvait aussi bien recommencer. Mais miss Helen, elle était rudement contrariée. Elle avait pas de chance, miss Helen. D'abord l'histoire de ce filet… et ensuite son mal au pied.

— Un mal au pied ? demanda Gwenda.

— Oui…, elle était tombée sur un racloir et elle s'était coupée. Pas profond, ça semblait être juste une écorchure, mais ça voulait pas cicatriser. Le docteur, il était drôlement inquiet. Il avait beau faire des pansements et des soins, ça guérissait pas. Je me rappelle qu'il disait : « J'arrive pas à comprendre, il devait y avoir quelque chose de spectique – ou un mot comme ça – sur ce racloir. Et de toute façon, qu'est-ce que cet outil faisait au milieu de l'allée ? » Parce que c'est là qu'il était quand c'est que miss Helen est tombée dessus, tandis qu'elle rentrait à la

598

maison et qu'il faisait nuit noire. La pauvre demoiselle, elle restait là, assise avec son pied en l'air, et
elle pouvait plus aller danser. On aurait dit qu'elle
était poursuivie par la malchance.

« Le moment est venu », pensa Giles. Il demanda
alors d'un air détaché :

— Est-ce que vous vous souvenez d'un dénommé
Afflick ?

— Ah ! vous voulez parler de Jackie Afflick ?
Celui qu'était à l'étude Fane & Watchman ?

— Oui. N'était-il pas un ami de miss Helen ?

— Ça a jamais rien été qu'une petite gaminerie.
Le docteur y a mis fin et il a eu bien raison là encore.
Il était pas de son milieu, Jackie Afflick. Il était du
genre bien trop malin pour être honnête. Ils finissent
toujours par se griller, ces types-là. Mais il est pas
resté ici longtemps. Il s'est mis dans le pétrin. Bon
débarras. Nous, on veut pas de gars comme lui à
Dillmouth. Il est allé jouer les gros bras ailleurs,
c'est ce qu'il avait de mieux à faire.

— Il était encore là quand le filet de tennis a été
mis en lambeaux ? demanda Gwenda.

— Ah ! je vois à quoi qu'vous pensez. Mais non,
il aurait pas fait une chose aussi bête. Il était malin,
Jackie Afflick. Et puis roublard. Tandis que celui
qui a fait ça, il était méchant un point c'est tout.

— Y avait-il quelqu'un qui en voulait à miss
Helen ? Qui aurait pu avoir de la rancœur envers
elle ?

Le vieux Manning laissa échapper un petit rire :

— D'la rancœur envers elle, comme vous dites, y
a bien des jeunes femmes qui auraient pu en avoir.

Parce que miss Helen, elle était belle des pieds à la tête, ce qui était pas le cas de la plupart des autres. Non, j'ai dit que c'était de la pure méchanceté. L'acte d'un vagabond qui songeait qu'à faire du mal.

— Est-ce qu'Helen a eu du chagrin de ne plus voir Jackie Afflick ? demanda Gwenda.

— Je crois que miss Helen, elle se souciait pas trop de ses petits copains. Elle aimait s'amuser, c'est tout. Il y en a des qui étaient bigrement pincés… le jeune Mr Walter Fane, par exemple. Il la suivait tout le temps partout, comme un toutou.

— Mais elle ne s'intéressait pas à lui ?

— Non, miss Helen, ça la faisait rire… c'est tout ce que ça lui faisait. Il est parti dans un pays étranger, mais il est revenu un peu plus tard. C'est le principal de l'étude, maintenant. Il s'est jamais marié. Je le comprends. Les femmes, c'est la croix et la bannière pour un bonhomme.

— Vous êtes marié ? demanda Gwenda.

— J'en ai enterré deux, répondit le vieux Manning. Et je m'en plains pas. Maintenant, je fume ma pipe en paix, là où c'que je veux.

Un silence suivit cette déclaration et il reprit son râteau.

Giles et Gwenda remontèrent l'allée en direction de la maison, et miss Marple, abandonnant son combat contre les liserons, les rejoignit.

— Miss Marple, s'inquiéta Gwenda, vous ne semblez pas bien. Y a-t-il quelque chose…

— Ce n'est rien, ma chère petite.

La vieille demoiselle s'arrêta un moment avant de déclarer sur un ton curieusement insistant :

— Voyez-vous, cette histoire du filet de tennis ne

me plaît pas du tout. L'avoir mis en lambeaux. Déjà à ce moment-là…

Elle s'arrêta net. Et Giles la regarda avec curiosité.

— Je ne comprends pas…, commença-t-il.

— Vous ne comprenez pas ? Cela me paraît, à moi, si terriblement évident. Mais peut-être vaut-il mieux que vous ne compreniez pas. Et de toute façon… peut-être que je me trompe. Maintenant, racontez-moi comment les choses se sont passées dans le Northumberland.

Ils lui firent un compte rendu de leurs activités, et miss Marple les écouta attentivement.

— C'est vraiment très triste, conclut Gwenda. Tragique, même.

— Oui, certainement. Pauvre créature… pauvre créature.

— C'est ce que j'ai pensé. Comme cet homme doit souffrir !

— Lui ? Oh ! oui. Oui, bien sûr.

— Mais vous vouliez parler de…

— Eh bien, oui… je pensais à *elle*… à sa femme. Probablement était-elle profondément amoureuse de lui, tandis que, de son côté, il l'a épousée parce que c'était un bon parti, ou parce qu'il a eu pitié d'elle, ou pour une de ces bonnes raisons bien raisonnables dont les hommes semblent avoir le secret et qui sont en fait si terriblement déloyales.

Je connais mille et une façons d'aimer
Et chacune d'elles donne à l'aimé d'amers regrets,
récita Giles d'une voix douce.

Miss Marple se tourna vers lui :

— Oui, c'est on ne peut plus exact. La jalousie, vous savez, n'est en général pas affaire de motifs. C'est beaucoup plus… comment dirais-je ?... plus fondamental que cela. Elle est fondée sur la conscience de ne pas être aimé en retour. Et ainsi, on continue à attendre, à guetter, à imaginer… que l'être aimé va se tourner vers quelqu'un d'autre. Ce qui, d'ailleurs, ne manque pas de se produire. Ainsi, cette Mrs Erskine a fait de la vie de son mari un enfer, et lui, sans le vouloir, en a fait autant de la vie de son épouse. Mais je pense que c'est elle qui a le plus souffert. Et, cependant, vous savez, il lui est sans doute réellement attaché.

— Ce n'est pas possible ! s'écria Gwenda.

— Oh ! ma chère petite, vous êtes très jeune. Il n'a jamais quitté sa femme, cela signifie bien quelque chose, vous savez.

— C'est à cause des enfants. Par devoir.

— Pour ce qui est des enfants, peut-être, reprit miss Marple. Mais je dois avouer que les hommes ne me semblent pas avoir un grand sens du devoir en ce qui concerne leur épouse… Le service public, c'est autre chose.

Giles rit :

— Vous êtes incroyablement cynique, miss Marple.

— Oh ! mon Dieu, Mr Reed, j'espère que non. On garde toujours espoir dans le genre humain.

— Je continue à penser que ce ne peut pas avoir été Walter Fane, murmura Gwenda, pensive. Et je suis sûre que ce n'était pas le major Erskine. En fait, je *sais* que ce n'était pas lui.

— Nos intuitions ne sont pas toujours des guides fiables, déclara miss Marple. Des gens que l'on ne soupçonnerait jamais font parfois de ces choses... Ce fut pour nous un choc terrible lorsque nous avons découvert que le trésorier du Club de Noël avait un beau jour misé sur un cheval tout l'argent de la caisse. Il désapprouvait pourtant les courses de chevaux et, en vérité, tout ce qui pouvait toucher aux paris ou aux jeux d'argent. Son père avait été commissaire de piste et s'était très mal conduit envers sa mère – il était donc, intellectuellement parlant, en accord avec lui-même. Mais, passant par hasard un matin près de Newmarket, il a vu des chevaux à l'entraînement. Le virus s'est alors emparé de lui... le sang avait dû parler.

— Les antécédents de Walter Fane comme de Richard Erskine semblent en revanche au-dessus de tout soupçon, dit Giles sur un ton sérieux mais avec un léger sourire en coin. Par conséquent ce meurtre ne peut être qu'un crime d'amateur.

— La chose importante à retenir, poursuivit miss Marple, c'est qu'ils étaient *là*. Sur les lieux. Walter Fane était à Dillmouth. Le major Erskine, de son propre aveu, devait être en compagnie d'Helen Halliday très peu de temps avant la mort de celle-ci... et par-dessus le marché, il n'est rentré à son hôtel que plus tard, dans la nuit.

— Mais il a été très franc à ce sujet. Il...

Gwenda s'interrompit, car miss Marple la regardait fixement.

— Je veux simplement attirer votre attention sur l'importance que revêt le fait d'être *sur les lieux*, insista la vieille demoiselle. (Elle les regarda tour à tour, puis déclara :) Je gage que vous n'aurez guère de problème pour trouver l'adresse de Mr Afflick. Etant donné qu'il est le patron des *Cars Jonquille*, cela ne doit pas être sorcier.

Giles acquiesça :

— Je vais m'en occuper. Son nom est probablement dans l'annuaire du téléphone... Vous pensez que nous devrions aller le voir ?

Miss Marple demeura un instant silencieuse, puis elle répondit enfin :

— Si vous y allez... faites bien attention. Rappelez-vous ce qu'a dit le vieux jardinier : Jackie Afflick est rusé. Je vous en prie... *je vous en conjure*... soyez prudents...

21

J.J. AFFLICK

*J.J. Afflick, les Cars Jonquille, Excursions Devon &
Dorset, etc.*, figurait avec deux numéros dans
l'annuaire du téléphone : l'un correspondant à un
bureau à Exeter et l'autre à une adresse privée dans
les faubourgs de la ville.

Rendez-vous fut pris pour le lendemain.

Giles et Gwenda venaient de monter dans leur
voiture lorsque Mrs Cocker accourut en faisant des
moulinets avec les bras. Giles freina et s'arrêta.

— Le Dr Kennedy vous demande au téléphone,
monsieur.

Giles descendit et retourna en courant jusqu'à la
maison :

— Giles Reed à l'appareil.

— Bonjour. Je viens de recevoir une lettre assez
étrange, d'une femme qui se nomme Lily Kimble.
Je me suis creusé la cervelle pour tenter de me souvenir de qui c'était. J'ai d'abord pensé que ce devait
être une patiente, mais je faisais fausse route. Je
crois qu'il s'agit plutôt d'une fille qui a jadis servi
dans votre maison. Elle était femme de chambre au
moment que vous savez. Je suis presque sûr qu'elle

se prénommait Lily, mais je ne me rappelle pas son nom de famille.

— Il y avait en effet une Lily, Gwenda se souvient d'elle. Elle avait noué un ruban autour du cou du chat.

— Gwennie doit avoir une mémoire remarquable.

— Oh ! ça oui.

— Eh bien, j'aimerais parler avec vous de cette lettre… mais pas au téléphone. Puis-je venir vous voir ?

— Nous partions pour Exeter. Nous pouvons nous arrêter chez vous, si vous préférez, monsieur. C'est sur notre route.

— Eh bien, c'est parfait.

— Je n'aime pas trop parler de tout cela au téléphone, expliqua le médecin quand ils arrivèrent. J'ai toujours l'impression que les communications locales sont écoutées. Voici la lettre de cette femme.

Il posa la lettre sur la table. Elle était écrite d'une main malhabile sur du papier ordinaire ligné :

Cher monsieur,

je vous serais reconnaissante si des fois vous pourriez me donner un conseil au sujet de l'annonce ci-jointe que j'ai découpée dans le journal, je me suis creusé la tête et j'en ai causé avec mr Kimble, mais je sais pas trop ce que je dois faire, d'après vous, y aurait-il pas des sous ou une récompense à la clef, parce que des fois que ça soye ça, je vois bien l'usage que les sous pourraient me faire, mais je voudrais pas que ça soye la police. J'ai souvent repensé

à cette nuit où ce que mrs Halliday elle est partie, et je
crois pas monsieur qu'elle l'ait fait vu que les vêtements,
c'était pas les bons. je me suis d'abord pensé que c'était
le patron qui l'avait tuée, mais maintenant j'en suis plus
si sûre à cause de la voiture que j'ai comme ça vue par la
fenêtre, c'était une voiture chic, même que je l'avais déjà
vue avant, mais je voudrais pas faire ni quoi ni qu'est-ce
sans vous demander d'abord si c'est bien et si c'est pas la
police parce que j'ai jamais eu affaire à elle et mr Kimble,
il aimerait pas ça, je pourrais venir vous voir, monsieur,
si vous voulez bien, jeudi prochain, comme c'est jour de
marché et que mr Kimble sera parti. je serai très contente
si vous pouviez me recevoir.

avec tous mes respects,

Lily Kimble

— Cette lettre était adressée à mon ancien domi-
cile à Dillmouth, précisa Kennedy, et on me l'a fait
suivre ici. La coupure de journal correspond à votre
annonce.

— C'est merveilleux ! s'exclama gaiement
Gwenda. Cette Lily, vous avez vu, elle ne croit pas
que c'est mon père qui l'a tuée !

Le Dr Kennedy posa sur elle un regard las mais
néanmoins bienveillant.

— C'est une bonne nouvelle pour vous, Gwennie,
répondit-il d'une voix douce. J'espère que vous
avez raison. Accepter de la recevoir est, je pense,
ce que nous avons de mieux à faire. Je vais répondre
à sa lettre et lui dire de venir chez moi jeudi. La
liaison de chemin de fer est bonne. En changeant
à Dillmouth Junction, elle peut être ici peu après

16 h 30. Si vous le voulez, venez cet après-midi-là, nous pourrons la questionner ensemble.

— Parfait, acquiesça Giles.

Il jeta un coup d'œil à sa montre :

— Viens, Gwenda, nous devons nous dépêcher. Nous avons un rendez-vous, expliqua-t-il. Avec Mr Afflick, des *Cars Jonquille*. Et, comme il nous l'a d'emblée précisé, c'est un homme très occupé.

— Afflick ? (Kennedy fronça les sourcils :) Ah oui ! Les excursions dans le Devon avec les *Cars Jonquille*, ces horribles mastodontes couleur beurre frais. Mais il me semble connaître ce nom pour une autre raison.

— Helen, souffla Gwenda.

— Mon Dieu ! Ne me dites pas qu'il s'agit de ce type ?

— Si.

— Mais c'était une misérable petite crapule ! Ainsi donc, il a fini par réussir ?

— Puis-je me permettre de vous demander quelque chose, monsieur ? reprit Giles. Vous avez fait mettre un terme à une petite aventure entre Helen et lui. Etait-ce uniquement à cause de... disons : de sa position sociale ?

Le Dr Kennedy lui jeta un regard noir :

— Je suis vieux jeu, jeune homme. Selon l'évangile moderne, un homme en vaut un autre. Sur un plan moral, cela se conçoit très bien. Mais je suis convaincu que l'on appartient de par sa naissance à une certaine classe sociale... et je suis persuadé que c'est en restant à l'intérieur de cette classe qu'on a le plus de chance d'être heureux. En outre, ajouta-t-il, je le tenais pour un garçon malhonnête. Et la suite l'a prouvé.

— Qu'a-t-il fait au juste ?

— Je ne me souviens plus très bien, je crois qu'il avait essayé de monnayer une information qu'il détenait de par son emploi chez Fane. Une affaire confidentielle concernant l'un de leurs clients.

— A-t-il été… furieux d'avoir été renvoyé ?

Kennedy lui lança un regard peu amène.

— Oui, répondit-il sèchement.

— Et vous n'aviez pas d'autre raison de réprouver la relation amicale qu'il avait avec votre sœur ? Vous ne pensiez pas qu'il était… eh bien… un peu bizarre ?

— Puisque vous avez soulevé la question, je vous répondrai franchement. Il m'avait semblé, particulièrement après son renvoi, que Jackie Afflick montrait certains signes d'un tempérament déséquilibré. Un délire de persécution naissant, plus exactement. Mais sa réussite sociale ultérieure prouve qu'il n'en était rien.

— Qui l'avait renvoyé ? Walter Fane ?

— J'ignore si c'est Walter Fane en personne. Il a été congédié par l'étude.

— Et il s'est plaint d'avoir été victime d'une injustice ? (Kennedy acquiesça.) Je vois… Eh bien, il va nous falloir filer comme le vent. A jeudi, monsieur.

Façade contournée et grande débauche de fenêtres, la maison était de construction récente. On leur fit traverser un hall opulent pour les conduire à un bureau dont la moitié était occupée par une vaste table chromée.

Gwenda, un peu crispée, murmura à Giles :

— Vraiment, je ne sais pas ce que nous ferions sans miss Marple. Nous bénéficions chaque fois de son aide. D'abord ses amis dans le Northumberland, et maintenant la femme du pasteur avec l'excursion annuelle de son club de garçons.

Giles leva la main en signe d'avertissement quand la porte s'ouvrit et que J.J. Afflick fit irruption dans la pièce.

C'était un homme corpulent, d'âge moyen, vêtu d'un costume à carreaux assez voyant. Ses yeux étaient noirs et son regard pénétrant, son visage rubicond et jovial. Il ressemblait à l'idée que l'on se fait du bookmaker qui a réussi.

— Mr Reed ? Bonjour. Ravi de vous rencontrer.

Giles lui présenta Gwenda, qui sentit alors sa main prise dans une poigne on ne peut plus vigoureuse.

— Et que puis-je pour vous, Mr Reed ?

Afflick s'assit derrière son énorme bureau. Il offrit des cigarettes rangées dans une boîte en onyx.

Giles aborda le sujet de l'excursion du club de garçons. De vieux amis à lui s'occupaient de ce club. Quant à lui, il souhaitait organiser une excursion de deux jours dans le Devon.

Afflick répondit immédiatement de manière très professionnelle en indiquant des prix et en émettant des suggestions. Mais il semblait légèrement intrigué. Finalement, il dit :

— Eh bien, c'est tout à fait clair, Mr Reed, et je vous enverrai un courrier de confirmation. Mais c'est là une affaire qui ne concerne que mes bureaux, or mon employée m'avait fait savoir que vous désiriez une entrevue privée à mon adresse personnelle.

— En effet, Mr Afflick. Je voulais en fait vous consulter au sujet de deux affaires. Nous avons traité de la première. La seconde est d'ordre privé. Ma femme aimerait beaucoup entrer en contact avec sa belle-mère qu'elle n'a pas vue depuis de nombreuses années, et nous nous demandions s'il vous serait possible de nous aider.

— A vous entendre, j'en déduis que je la connais… alors si vous me disiez le nom de cette personne… ?

— Vous l'avez connue à une certaine époque. Son nom est Helen Halliday et, avant son mariage, elle s'appelait Helen Kennedy.

Se contentant de plisser les paupières et de faire lentement basculer son fauteuil en arrière, Afflick ne manifesta guère d'émotion :

— Helen Halliday… non, je ne me rappelle pas… Quant à Helen Kennedy…

— Elle habitait autrefois Dillmouth, précisa Gwenda.

Les pieds du fauteuil d'Afflick redescendirent brusquement.

— Ça y est ! s'exclama-t-il. Bien sûr ! (Sa face rubiconde rayonna de bonheur :) La petite Helen Kennedy ! Oui, je me souviens d'elle. Mais il y a si longtemps… Ça doit bien faire vingt ans.

— Dix-huit.

— Vraiment ? Le temps s'envole, comme dit l'autre. Mais je suis désolé de vous décevoir, Mrs Reed.

Je n'ai pas revu. Helen depuis cette époque. Et je n'ai même plus jamais entendu parler d'elle.

— Quel dommage ! déplora Gwenda. C'est vraiment très décevant. Nous avions tant espéré que vous pourriez nous aider.

— Quel est le problème ? (Ses yeux allèrent rapidement de l'un à l'autre :) Une brouille ? Elle a quitté la maison ? Une histoire d'argent ?

— Elle a quitté subitement Dillmouth, répondit Gwenda. Il y a dix-huit ans de cela... avec... avec quelqu'un.

Jackie Afflick parut amusé :

— Et vous pensiez qu'elle aurait pu partir avec moi ? Et pourquoi ça ?

Gwenda se lança avec courage :

— Parce que nous avons entendu dire que vous... et elle..., vous aviez autrefois... eu... eh bien, beaucoup de... d'affection l'un pour l'autre.

— Helen et moi ? Oh ! mais il n'y a rien eu de ce genre. Ça n'a été qu'une passade. Ni l'un ni l'autre n'avions pris la chose au sérieux... Nous n'y avions d'ailleurs pas été encouragés, grinça-t-il, mi-figue mi-raisin.

— Vous devez, commença Gwenda, nous trouver terriblement indiscrets...

Mais il l'arrêta :

— Où est le mal ? Je ne suis pas susceptible. Vous souhaitez retrouver quelqu'un et vous pensez que je peux vous y aider. Demandez-moi tout ce que vous voulez... je n'ai rien à cacher. (Il la regarda, pensif :) Ainsi vous êtes la fille de Halliday ?

— Oui. Vous avez connu mon père ?

Il secoua la tête en signe de dénégation :

— J'ai une fois fait un saut pour voir Helen, alors que j'étais à Dillmouth pour affaires. J'avais entendu dire qu'elle était mariée et qu'elle habitait là. Elle s'est montrée assez aimable… mais elle n'a pas été jusqu'à me proposer de rester à dîner. Non, je n'ai jamais rencontré votre père.

Gwenda se demanda s'il n'y avait pas une pointe de rancœur dans ce : « Elle n'a pas été jusqu'à me proposer de rester à dîner. »

— Vous a-t-elle paru heureuse, pour autant que vous vous en souveniez ?

Afflick haussa les épaules :

— Oui, assez heureuse. Notez qu'il y a long-temps de ça. Cependant, si elle avait eu l'air mal-heureuse, je m'en serais souvenu. (Et il ajouta avec ce qui paraissait une curiosité parfaitement natu-relle :) Parce que vous voulez dire que vous n'avez plus jamais eu de ses nouvelles depuis son départ de Dillmouth, il y a dix-huit ans ?

— Aucune.

— Pas… de lettres ?

— Elle a envoyé deux lettres, répondit Giles. Mais nous avons quelques raisons de penser que ce n'est pas elle qui les a écrites.

— Vous pensez que ce n'est pas elle qui les a écrites ? (Afflick parut soudain amusé :) On jurerait une intrigue de cinéma.

— C'est aussi notre impression.

— Et son frère, le toubib, il ne sait pas où elle est ?

— Non.

— Tiens donc ! Un véritable mystère, n'est-ce pas ? Pourquoi ne pas mettre une annonce ?

— C'est ce que nous avons fait.

— Elle est peut-être morte, suggéra Afflick d'un ton dégagé. Vous pourriez ne pas en avoir été avertis. (Gwenda frissonna.) Vous avez froid, Mrs Reed ?

— Non, je pensais à Helen morte. Je n'aime pas penser à elle morte.

— Je vous comprends. Je n'aime pas ça non plus. C'était une fille ravissante.

— Vous la connaissiez, lança impulsivement Gwenda. Vous la connaissiez bien. Je n'ai d'elle qu'un souvenir d'enfant. Comment était-elle ? Qu'est-ce que les gens éprouvaient à son égard ? Et vous, qu'éprouviez-vous pour elle ?

Il la fixa durant quelques instants :

— Je vais être honnête avec vous, Mrs Reed. Croyez-le ou pas, comme vous voudrez. Mais elle me faisait de la peine, cette gamine.

— De la peine ?

Elle le regarda d'un air étonné.

— Oui, exactement. Elle venait tout juste de rentrer de pension et elle n'avait qu'une envie : s'amuser comme toutes les filles de son âge. Et il y avait ce frère, plus âgé, sévère, avec des idées bien arrêtées sur ce qu'une fille doit faire et ne pas faire. Elle n'avait aucune possibilité de se distraire, la malheureuse. Alors, je me suis un peu occupé d'elle... je lui ai fait voir un peu la vie. Je n'étais pas amoureux d'elle et elle n'était pas amoureuse de moi. Ce qui l'amusait surtout, c'était de braver les interdits. Ensuite, bien sûr, les gens ont découvert nos rendez-vous, et son frère y a mis le holà. Je ne lui en ai d'ailleurs pas voulu, je vous jure. D'accord, cette gosse, on l'a empêchée de me voir. Mais il n'y avait jamais eu le moindre engagement entre nous. J'avais l'intention de me marier un jour... mais pas avant d'être un peu plus âgé. Et ce que je voulais, c'était réussir socialement et pour ça trouver une femme qui m'y aiderait. Or, Helen n'avait pas d'argent et, de toute façon, on n'aurait pas formé un couple bien assorti. Nous étions simplement de bons amis qui flirtaient un peu.

— Mais vous avez quand même dû mal prendre l'intervention du docteur, non ? demanda Gwenda.

— Ça m'a fichu en rogne, je l'admets, répondit Afflick. On n'aime pas s'entendre traiter de minable. Mais il ne fait pas bon être trop susceptible, dans la vie.

— Et ensuite, reprit Giles, vous avez perdu votre travail.

Le visage d'Afflick perdit de sa bonhomie :

— J'ai été viré. Fichu dehors de chez Fane & Watchman. Et je crois bien savoir à cause de qui.

— Ah ? fit Giles, interrogateur.

Afflick secoua la tête :

— Mais je resterai bouche cousue. J'ai ma petite idée là-dessus. Ça été un coup monté, ni plus ni moins, et je suis à peu près sûr de savoir quel en est l'auteur. *Et* pourquoi. (Ses joues s'empourprèrent :) Vous parlez d'une saloperie ! Espionner un homme, lui tendre des pièges, raconter des salades sur son compte. Ça, des ennemis, j'en ai eu mon lot. Mais minute : je ne les ai jamais laissés m'abattre. J'ai toujours rendu la pareille. Qui plus est, j'ai la rancune tenace. (Il s'arrêta. Soudain son attitude redevint ce qu'elle était auparavant et il fut de nouveau affable :) Je ne peux donc, hélas ! pas vous aider ! Entre Helen et moi ça n'a rien été qu'une amusette. Ça n'est pas allé plus loin.

Gwenda l'observa attentivement. Son histoire se tenait... mais était-elle vraie ? Elle se le demandait. Quelque chose dans tout ça sonnait faux... elle en avait conscience, sans pour autant savoir ce qui clochait.

— Et pourtant, dit-elle, vous êtes allé la voir plus tard, lors d'un passage à Dillmouth.

Il rit :

— Là, vous m'avez eu, Mrs Reed. Oui, c'est vrai. Que voulez-vous ? Je voulais peut-être lui montrer que bien qu'un homme de loi à la face de carême m'ait chassé de son étude comme un malpropre, je n'étais pas tombé tout en bas de l'échelle et même que j'avais maintenant un bon boulot, une belle voiture et que j'avais réussi comme un chef.

— Vous êtes allé la voir plusieurs fois, non ?

Il hésita un moment, puis :

— Deux fois... peut-être trois. Juste une petite visite à chaque coup. (Il secoua la tête et afficha soudain un air déterminé :) Désolé, je ne peux pas vous aider.

Giles se leva :

— Veuillez nous excuser d'avoir ainsi abusé de votre temps.

— Je vous en prie. Cela m'a changé de parler un peu du passé.

La porte s'ouvrit soudain et une femme jeta un coup d'œil à l'intérieur, puis elle s'excusa promptement :

— Oh ! je suis désolée... je ne savais pas que tu avais quelqu'un.

— Entre, ma chérie, entre. Je vous présente ma femme. Voici Mr et Mrs Reed.

Mrs Afflick leur serra la main. C'était une grande femme mince à l'air mélancolique et qui portait des vêtements mieux coupés qu'on s'y serait attendu.

— Nous parlions du passé, l'informa Mr Afflick. Avant que je te connaisse, Dorothy. (Il se tourna vers eux :) J'ai rencontré ma femme lors d'une croisière. Elle n'est pas originaire d'ici. C'est une cousine de lord Polterham.

Il s'était exprimé avec fierté – et elle rougit.

— C'est très agréable, ces croisières, dit Giles.

— Et très instructif, ajouta Afflick. Pour ce qui est de la culture, je n'étais pas très calé, à l'époque.

— Je répète toujours à mon mari que nous devrions faire une de ces croisières helléniques, hasarda Mrs Afflick.

— Quand le pourrais-je ? Je suis un homme occupé.

— Et nous ne devons pas abuser de votre temps, répéta Giles. Au revoir et merci. Vous m'enverrez donc le devis concernant l'excursion ?

Afflick les raccompagna jusqu'à la porte. Gwenda jeta un petit coup d'œil par-dessus son épaule. Mrs Afflick était debout dans l'embrasure de la porte du bureau. Son regard, fixé sur le dos de son mari, exprimait une crainte surprenante.

Giles et Gwenda dirent un dernier au revoir et se dirigèrent vers leur voiture.

— Zut, j'ai oublié mon foulard ! s'exclama Gwenda.

— Tu oublies toujours quelque chose, se plaignit Giles.

— Ne prends pas cet air de martyr. Je vais le chercher.

Elle retourna dans la maison et, par la porte ouverte du bureau, entendit Afflick demander d'une grosse voix :

— Qu'est-ce qui t'a pris de venir nous déranger ? Tu es cinglée ou quoi ?

— Je suis désolée, Jackie. Je ne savais pas. Qui sont ces gens et pourquoi t'ont-ils mis dans un tel état ?

— Ils ne m'ont mis dans aucun état. Je…

Il s'interrompit en voyant Gwenda à la porte.

— Oh ! pardon, Mr Afflick, est-ce que je n'aurais pas par hasard oublié mon foulard ?

— Votre foulard ? Non, Mrs Reed. Il n'est pas là.

— Que je suis bête ! Il doit être dans la voiture.

Elle ressortit.

Giles était allé faire demi-tour. Le long du trottoir était garée une limousine – une grosse limousine jaune aux chromes étincelants.

— Vise-moi un peu ce mastodonte ! s'exclama Giles.

— « Une voiture tape-à-l'œil », fit remarquer Gwenda. Tu te rappelles, Giles ? Quand Edith Pagett nous a rapporté les paroles de Lily ? Elle avait parié que c'était le capitaine Erskine, pas « notre homme mystérieux dans la voiture tape-à-l'œil ». Tu ne crois pas que cet « homme mystérieux dans la voiture tape-à-l'œil », c'était Jackie Afflick ?

— Si, confirma Giles. Et dans sa lettre au docteur, Lily mentionnait une « voiture chic ».

Ils s'entre-regardèrent.

— Il était là cette nuit-là… « sur les lieux », comme dirait miss Marple. Oh ! Giles, j'ai hâte d'être à jeudi pour entendre ce que Lily va nous dire.

— Suppose qu'elle ait la frousse et qu'elle ne vienne finalement pas ?

— Oh ! elle va venir. Giles, si cette voiture tape-à-l'œil était là cette fameuse nuit…

— Tu crois que c'était un péril jaune comme celle-là ?

— Vous admirez mon char d'assaut ?

La voix affable de Mr Afflick les fit sursauter. Il était penché au-dessus de la haie soigneusement taillée qui se trouvait derrière eux :

— Mon Petit Bouton d'Or, je l'appelle. J'ai toujours aimé les belles carrosseries. Elle en fiche plein la vue, pas vrai ?

— Si, absolument, répondit Giles.

— J'aime les fleurs, reprit Mr Afflick. Les jonquilles, les boutons d'or, les calcéolaires… c'est ma passion. Voilà votre foulard, Mrs Reed. Il avait glissé derrière la table. Au revoir. Heureux de vous avoir rencontrés.

— Tu crois qu'il nous a entendus traiter sa voiture de péril jaune ? demanda Gwenda tandis qu'ils s'en allaient.

— Bah ! ça m'étonnerait. Il s'est montré l'amabilité même, tu n'as pas trouvé ? dit Giles qui n'en semblait pas moins mal à l'aise.

— Ou… i, mais ça ne signifie pas grand-chose… Giles, sa femme… elle a peur de lui, je l'ai vu sur son visage.

— Quoi ? Peur de ce type si jovial et si sympathique ?

— Peut-être qu'il n'est en fait pas aussi jovial et sympathique qu'il en a l'air… Giles, Mr Afflick ne me plaît pas… Je me demande depuis combien de temps il était là, derrière la haie, à écouter ce que nous disions… et que disions-nous au juste ?

— Pas grand-chose, répondit Giles.

Mais il paraissait encore plus mal à l'aise.

22

— Ça, par exemple ! Elle n'est pas mauvaise, celle-là ! s'exclama Giles.

— Il venait de décacheter une lettre arrivée par le courrier de l'après-midi et en examinait le contenu avec stupéfaction.

— Qu'est-ce qui se passe ?

— C'est le rapport des graphologues.

— Et ce n'est *pas* elle qui a écrit cette lettre envoyée de l'étranger ? s'enquit aussitôt Gwenda.

— Eh bien si, justement. *C'est elle.*

Ils se regardèrent, ébahis.

— Ainsi, ces lettres *n'étaient pas* des faux, dit alors Gwenda d'un air incrédule. Elles étaient *authentiques.* Helen est donc bien partie de la maison ce soir-là. Et elle a écrit de l'étranger. Et par conséquent elle n'a pas été étranglée, non ?

— Il semblerait, en effet, répondit lentement Giles. Mais c'est vraiment stupéfiant. Je ne comprends pas. Alors que tout semble indiquer le contraire.

— Peut-être les experts se sont-ils trompés ?

— Ça doit être ça. Ils semblent cependant catégoriques. Gwenda, je n'y comprends vraiment plus

621

rien. Nous sommes-nous conduits comme les plus fieffés des imbéciles ?

— En fondant tout sur mon comportement stupide au théâtre ? Tu ne sais pas, Giles ? Nous allons rendre une petite visite à miss Marple. Nous avons tout le temps de le faire avant d'aller chez le Dr Kennedy à 16 h 30.

Miss Marple réagit d'une manière bien différente de celle qu'ils avaient imaginée. Elle déclara que tout cela était en réalité parfait, voire inespéré.

— Mais, chère miss Marple, s'étonna Gwenda, que voulez-vous dire par là ?

— Que quelqu'un, ma chère enfant, n'a pas été aussi habile qu'il aurait dû l'être.

— Mais comment ? Et en quoi ?

— Il a commis une gaffe, précisa miss Marple en dodelinant de la tête d'un air satisfait.

— Laquelle ?

— Eh bien, cher Mr Reed, je suis sûre que vous voyez à quel point cela réduit le champ des hypothèses.

— Si l'on admet le fait qu'Helen a effectivement écrit les lettres… voulez-vous prétendre qu'il soit encore possible qu'elle ait été assassinée ?

— Le fond de ma pensée, c'est qu'il apparaît que, pour quelqu'un, il est de la plus haute importance que les lettres soient de l'écriture d'Helen.

— Je vois… Ou du moins, je crois entrevoir. Certaines circonstances pourraient avoir amené Helen à écrire ces lettres… Cela limiterait le champ des possibles. Mais quelles circonstances au juste ?

— Voyons ! voyons ! Mr Reed. Vous ne réfléchissez

pas comme il le faudrait. C'est pourtant d'une grande simplicité, je vous l'assure.

Exaspéré, Giles se buta :

— Pour moi, ça n'a rien de simple ni d'évident, je vous le dis tout net.

— Si vous réfléchissiez... ne fût-ce qu'un tout petit peu...

— Allons, Giles, intervint Gwenda. N'oublie pas que nous avons un rendez-vous. Nous allons être en retard.

Ils laissèrent miss Marple souriant toute seule.

— Cette vieille bique a le don de me mettre parfois en boule, grinça Giles en prenant le volant. Je ne vois pas où diable elle veut en venir.

Ils arrivèrent à la maison du Dr Kennedy à l'heure dite.

Le médecin leur ouvrit lui-même la porte.

— J'ai donné congé à ma gouvernante pour l'après-midi, expliqua-t-il. Il m'a semblé que c'était préférable.

Il les conduisit au salon où un plateau pour le thé avait été préparé avec des tasses, des petites assiettes, du pain, du beurre et des gâteaux.

— Ce sera une bonne entrée en matière que j'offre une tasse de thé à Mrs Kimble, vous ne croyez pas ? demanda-t-il à Gwenda d'un air mal assuré. Ça la mettra à l'aise et tout et tout, non ?

— Vous avez mille fois raison, approuva Gwenda.

— Maintenant que faire avec vous deux ? Dois-je vous présenter tout de suite ? Ou pensez-vous que cela pourrait la perturber ?

— Les gens de la campagne sont méfiants. Je crois qu'il serait préférable que vous la receviez seul, suggéra Gwenda.

— C'est aussi mon avis, renchérit Giles.

— Si vous attendez dans la pièce à côté en laissant cette porte de communication légèrement entrouverte, dit alors le Dr Kennedy, vous pourrez entendre tout ce qui se dira. Etant donné les circonstances, je pense que vous êtes en droit de le faire.

— J'imagine que c'est ce qu'on appelle écouter aux portes, mais cela ne me gêne pas du tout, déclara Gwenda.

Le Dr Kennedy lui adressa un petit sourire :

— M'est avis qu'aucun principe moral n'est ici en péril. Je ne compte, en aucun cas, lui promettre le secret. En revanche, je suis prêt à lui donner un conseil si elle me le demande. (Il jeta un coup d'œil à sa montre :) Le train doit arriver à Woodleigh Road à 16 h 35. Il entrera donc en gare dans quelques minutes. Il ne faudra ensuite à Mrs Kimble guère plus de cinq minutes pour monter la colline. (Il se mit à marcher de long en large dans la pièce. Son front ridé était soucieux.) Je ne comprends pas, marmonna-t-il. Je ne comprends pas le moins du monde ce que tout cela signifie. Si Helen n'a pas quitté cette maison, si les lettres qu'elles m'a envoyées étaient des faux... (Gwenda fit soudain un mouvement, mais Giles l'arrêta d'un signe de tête.)... et si Kelvin, le pauvre bougre, ne l'a pas tuée, poursuivit le médecin, alors qu'a-t-il bien pu se passer ?

— C'est quelqu'un d'autre qui l'aura tuée, suggéra Gwenda.

— Mais, ma chère enfant, si quelqu'un d'autre l'a tuée, pourquoi diable Kelvin n'a-t-il cessé de prétendre que c'était lui ?

— Parce qu'il le croyait. Il l'a trouvée morte sur le lit et a cru qu'il l'avait tuée. Cela peut arriver, non ?

Le Dr Kennedy se frotta le nez d'un geste nerveux :

— Comment le saurais-je ? Je ne suis pas psychiatre. Le choc peut-être ? L'état névrotique dans lequel il se trouvait déjà ? Oui, je suppose que c'est possible. Mais qui aurait pu vouloir tuer Helen ?

— Nous pensons à trois personnes, dit Gwenda.

— Trois personnes ? Quelles trois personnes ? Je ne vois pas qui pouvait avoir une quelconque raison d'assassiner Helen… mis à part quelqu'un qui aurait complètement perdu la tête. Elle n'avait pas d'ennemis. Tout le monde l'adorait.

Il alla à son bureau et fouilla dans un tiroir. Il tendit une photo fanée. On y voyait une grande écolière en tenue de gymnastique, les cheveux noués à l'arrière, le visage rayonnant. Kennedy, plus jeune, l'air heureux, se tenait à côté d'elle, un chiot terrier dans les bras.

— J'ai beaucoup pensé à elle ces derniers temps, marmonna-t-il encore. Depuis plusieurs années, je n'y pensais plus du tout… j'avais presque réussi à l'oublier… Mais maintenant elle est constamment présente dans mon esprit. C'est à cause de *vous*, ça.

Ces derniers mots, il les avait prononcés sur un ton quasi accusateur.

— Je crois plutôt que c'est à cause d'*elle*, murmura Gwenda. Il se retourna brusquement :

— Que voulez-vous dire ?

— Rien de plus. Je ne peux pas l'expliquer. Mais ce n'est pas vraiment nous. C'est Helen elle-même.

Le hululement mélancolique d'une locomotive parvint alors à leurs oreilles. Le Dr Kennedy sortit par la porte-fenêtre et ils le suivirent. Une traînée de fumée s'éloignait lentement le long de la vallée.

— Voilà le train, dit Kennedy.

— Il entre en gare ?

— Non, il la quitte. (Puis il ajouta :) Elle sera là d'ici à une minute ou deux.

Mais les minutes passèrent et Lily Kimble ne se montra pas.

Lily Kimble descendit du train à Dillmouth Junction et emprunta la passerelle pour se rendre sur le quai où le tortillard local attendait. Il y avait peu de voyageurs : guère plus d'une demi-douzaine. C'était l'heure creuse de la journée et jour de marché à Helchester.

Bientôt le petit train s'ébranla en exhalant des bouffées de fumée avec un air d'importance. Il y avait trois arrêts, au long de la vallée sinueuse, avant le terminus à Lonsbury Bay : Newton Langford, Matchings Halt (pour Woodleigh Camp) et Woodleigh Bolton.

Lily Kimble regardait par la vitre avec des yeux qui n'apercevaient rien de la luxuriante campagne mais voyaient à la place un salon façon XVIIIe, en chêne patiné et recouvert de tissu vert jade…

Elle fut la seule à descendre à la minuscule gare de Matchings Halt. Elle donna son billet au contrôle et sortit. Un peu plus loin sur la route, un panneau où était écrit « Vers Woodleigh Camp » indiquait un sentier conduisant vers le sommet d'une colline escarpée.

Lily Kimble s'engagea sur le sentier et se mit à marcher d'un bon pas. Le chemin, encaissé, sinuait entre la lisière d'un bois et le flanc de la colline tapissé de bruyère et d'ajonc. Quelqu'un sortit du couvert des arbres, et Lily Kimble sursauta.

— Mon Dieu ! vous m'avez fait peur ! s'exclama-t-elle. Je m'attendais pas à vous rencontrer ici.

— C'est une bonne surprise, non ? Et en fait de surprise, j'en ai une autre pour vous.

Perdu au milieu des arbres, l'endroit était désert. Il n'y avait là personne pour entendre un cri ou un bruit de lutte. Et d'ailleurs il n'y eut pas de cri, et la lutte fut brève.

Seul, un pigeon ramier, dérangé, froissa le feuillage en s'envolant dans un battement d'ailes.

— Qu'est-ce que peut bien fabriquer cette femme ? commença à s'énerver le Dr Kennedy.

Les aiguilles de l'horloge indiquaient 16 h 50.

— Elle s'est peut-être perdue en venant de la gare ?

— Je lui ai donné des instructions tout à fait explicites. De toute manière, ce n'est pas sorcier : on tourne à gauche en sortant de la gare et on prend ensuite la première route sur la droite. Comme je vous l'ai dit, c'est l'affaire de quelques minutes.

— Peut-être qu'elle a changé d'avis, suggéra Giles.

— On dirait bien.

— Ou raté son train, proposa Gwenda.

— Non, dit Kennedy avec lenteur, je pense qu'il est plus probable qu'elle ait finalement décidé de ne pas venir. Peut-être son mari l'en a-t-il empêchée. Tous ces gens de la campagne sont tellement imprévisibles.

Il se remit à arpenter un moment la pièce. Puis il se dirigea vers le téléphone et demanda un numéro :

— Allô ? La gare ? Ici, le Dr Kennedy. J'attendais quelqu'un qui devait venir par le 16 h 35. Une campagnarde d'âge moyen. Est-ce que quelqu'un a demandé son chemin pour monter chez moi ? Ou alors… Qu'est-ce que vous dites ?

Giles et Gwenda étaient suffisamment près de l'appareil pour entendre le doux accent traînant du porteur de Woodleigh Bolton :

— J'pense pas qu'y avait quelqu'un pour vous, docteur. Y avait pas un seul étranger à l'arrivée du 16 h 35. Rien que Mr Narracotts ; de Meadows, Johnnie Lawes et la fille au vieux Benson. C'est tout.

— Elle a donc changé d'avis, déclara le Dr Kennedy. Eh bien, nous allons prendre le thé quand même. La bouilloire est sur le feu. Je vais le préparer. (Il revint avec la théière et ils s'assirent.) Ce n'est qu'un simple contretemps, dit-il sur un ton enjoué. Nous avons son adresse. Nous pourrions aller la voir, peut-être.

Le téléphone sonna et le médecin se leva pour répondre.

— Dr Kennedy ?

— Lui-même.

— Ici l'inspecteur Last, poste de police de Longford. Est-ce que vous attendiez bien une dénommée Lily Kimble… Mrs Lily Kimble… qui venait en principe en visite chez vous cet après-midi ?

— Oui, c'est exact. Pourquoi ? Il y a eu un accident ?

— Ce n'est pas exactement ce que j'appellerais un accident. Elle est morte. Nous avons trouvé sur le corps de la victime une lettre de vous. C'est pourquoi je vous téléphone. Pourriez-vous venir au poste de police de Longford aussitôt que possible ?

— J'arrive tout de suite.

— A présent, tâchons de tirer la situation au clair, décréta l'inspecteur Last.

Son regard alla de Kennedy à Giles et à Gwenda, qui avaient accompagné le médecin. Très pâle, Gwenda avait croisé les mains et les serrait avec force.

— Vous attendiez cette femme par le train qui quitte Dillmouth Junction à 16 h 05 ? Et arrive à Woodleigh Bolton à 16 h 35 ?

Le Dr Kennedy acquiesça d'un signe de tête.

L'inspecteur Last baissa les yeux sur la lettre qu'il avait prise sur le corps de la victime. Elle ne prêtait pas à équivoque :

Chère Mrs Kimble

Je me ferai un plaisir de vous conseiller du mieux que je le pourrai. Comme vous le constaterez à l'en-tête de cette lettre, je n'habite plus Dillmouth. Prenez le train au départ de Coombeleigh à 15 h 30, changez à Dillmouth Junction et rendez-vous à Woodleigh Bolton par le train de Lonsbury Bay. Ma maison n'est qu'à quelques minutes de marche. Tournez à gauche quand vous sortirez de la gare, puis prenez la première route sur la droite. J'habite au bout de cette route, sur la droite. Mon nom est sur la barrière.

Recevez mes sentiments distingués,

James Kennedy

— Il n'était donc pas question qu'elle arrive par le train précédent ?

— Le train précédent ?

Le Dr Kennedy parut étonné.

— Parce que c'est ce qu'elle a fait. Elle a quitté Coombeleigh non pas à 15 h 30 mais à 13 h 30, elle a attrapé le 14 h 05 à Dillmouth Junction et elle est descendue non à Woodleigh Bolton mais à Matchings Halt, la station d'avant.

— Mais c'est incroyable !

— Venait-elle vous consulter professionnellement, docteur ?

— Non. Je n'exerce plus depuis quelques années.

— C'est ce qu'il me semblait. Vous la connaissiez bien ?

Kennedy secoua la tête :

— Je ne l'avais pas vue depuis presque vingt ans.

— Cependant vous... euh... vous venez de la reconnaître au premier coup d'œil ?

Gwenda frissonna. Un médecin, lui, n'est pas impressionné par la vue d'un cadavre.

— Etant donné les circonstances, il m'est difficile de dire si je l'ai reconnue ou pas. Elle a été étranglée, je présume ?

— Oui, elle a été étranglée. Le corps a été trouvé dans un taillis au début du sentier menant de Matchings Halt à Woodleigh Camp. Il a été découvert par un excursionniste qui descendait le chemin à 15 h 50. Notre médecin légiste a situé l'heure de la mort entre 14 h 15 et 15 heures. Elle a probablement été tuée peu après avoir quitté la gare. Aucun autre voyageur n'est descendu à Matchings Halt.

« Maintenant la question est de savoir pourquoi elle est descendue à Matchings Halt. Se serait-elle trompée de gare ? J'ai du mal à le croire. De toute façon, elle était de deux heures en avance pour son rendez-vous avec vous, et, bien qu'elle ait emporté avec elle votre lettre, elle n'est pas venue par le train que vous lui aviez conseillé.

« Pourquoi au juste venait-elle vous voir, docteur ?

Le Dr Kennedy plongea la main dans sa poche et en ressortit la lettre de Lily :

— J'ai apporté ceci avec moi. La coupure jointe est l'annonce que Mr et Mrs Reed, ici présents, ont fait paraître dans le journal local.

L'inspecteur Last lut la lettre de Lily Kimble et l'annonce. Puis il regarda tour à tour le Dr Kennedy, Giles et Gwenda :

— Pourriez-vous m'expliquer ce que tout cela signifie ? C'est une histoire qui remonte à un bout de temps, si je comprends bien.

— Dix-huit ans, dit Gwenda.

Par bribes, avec ajouts et parenthèses, l'affaire fut dévoilée. L'inspecteur Last était un auditeur attentif. Il laissa les trois personnes qui lui faisaient face raconter les choses à leur façon. Kennedy se montra sec et factuel, Gwenda légèrement incohérente, mais son récit eut un certain pouvoir évocateur. Giles offrit peut-être la plus précieuse contribution. Il fut clair et précis, avec moins de réserve que Kennedy et plus de cohérence que Gwenda. Cela prit un long moment.

Au bout du compte, l'inspecteur Last poussa un soupir et résuma les faits :

— Mrs Halliday était la sœur du Dr Kennedy et votre belle-mère, Mrs Reed. Il y a de cela dix-huit ans, elle a disparu de la maison que vous habitez à présent. Lily Kimble (dont le nom de jeune fille est Abbott) était à l'époque domestique (et plus précisément femme de chambre) dans cette maison. Pour une quelconque raison, Lily Kimble privilégie (après que les années ont passé) la thèse du coup fourré. Au moment des faits, il avait été supposé que Mrs Halliday était partie avec un homme (dont l'identité était et demeure inconnue). Le major Halliday est mort dans un établissement psychiatrique il y a quinze ans, toujours victime de cette obsession – de cette hallucination qui lui faisait croire qu'il avait étranglé sa femme, s'il s'agissait toutefois d'une hallucination… (Il s'interrompit un instant avant de reprendre :) Tout cela est bel et bon, mais un certain nombre de faits semblent n'avoir aucun rapport entre eux. Le point crucial me paraît être : est-ce que Mrs Halliday est vivante ou bien au contraire est-elle morte ? Si elle est morte, quand est-elle morte ? Et que savait Lily Kimble ?

« Il semblerait, à première vue, qu'elle devait détenir un renseignement relativement important. Si important qu'on l'a tuée afin de l'empêcher de le révéler.

— Mais qui, hormis nous, aurait pu deviner qu'elle allait parler de cette affaire ? s'écria Gwenda.

L'inspecteur Last tourna vers elle un regard pensif :

— Un point significatif, Mrs Reed, est le fait qu'elle a pris, à Dillmouth Junction, le train de 14 h 05 au lieu de celui de 16 h 05. Il doit y avoir à cela une raison. De même, le fait qu'elle est descendue à la station avant Woodleigh Bolton. Pourquoi ? Il me semble possible qu'*après* avoir écrit au docteur, elle ait écrit à *quelqu'un d'autre,* lui proposant un rendez-vous à Woodleigh Camp, avec l'intention peut-être – si ce rendez-vous ne lui apportait pas satisfaction – de se rendre chez le Dr Kennedy pour lui demander son avis. Il se peut qu'elle ait soupçonné quelqu'un et ait écrit à cette personne en lui disant ce qu'elle savait et en lui proposant un rendez-vous.

— Du chantage ! s'écria soudain Giles.

— Je ne pense pas qu'elle ait vu la chose sous cet angle, dit l'inspecteur Last. Elle devait simplement rêver à la meilleure façon de profiter de la situation, et ne pas très bien se rendre compte de ce qui allait sortir de tout ça. Nous verrons. Le mari pourra peut-être nous en dire plus.

— J'l'avais prévenue, déclara Mr Kimble d'une voix morne. T'occupe pas de ça, que j'lui avais dit. N'empêche qu'elle est partie derrière mon dos. Elle croyait qu'elle savait tout mieux qu'tout l'monde. C'est du Lily tout craché. Elle se croyait moitié trop maligne.

L'interrogatoire révéla que Mr Kimble ne pouvait guère aider la police.

Lily était en service à Sainte-Catherine avant qu'il la rencontrât et commençât à sortir avec elle. Elle aimait le cinéma, et elle lui avait dit qu'il était bien possible que, dans une maison où elle avait travaillé, il y ait eu un meurtre.

— J'y ai point trop prêté attention, vous savez. Je m'disais comme ça qu'elle avait tout inventé dans sa tête. Les choses simples, ça pouvait pas la contenter, Lily. Elle racontait tout l'temps une histoire à dormir debout comme quoi que son patron aurait tué sa patronne et qu'il aurait peut-être bien enterré le corps dans la cave, et quéqu'chose à propos d'une Française qu'aurait regardé par la fenêtre et qu'aurait vu j'sais pas qui ou j'sais pas quoi. « T'occupe point des étrangers, ma fille, que je lui disais toujours, c'est tout menteurs et compagnie. Pas comme nous. » Et quand elle remettait ça sur le tapis, j'écoutais pas parce que, remarquez bien, tout ça c'était basé sur rien. Les crimes, elle aimait bien ça, Lily. Toutes les semaines, fallait qu'elle se paye le *Sunday News* à cause qu'y a des articles sur les Meurtriers célèbres. Elle avait que ça en tête, et si ça l'amusait d'imaginer qu'elle avait été dans une maison où c'est qu'il y avait eu un crime, eh ben, imaginer, ça fait de mal à personne, pas vrai ? Mais quand c'est qu'elle m'a parlé, de répondre à c't'annonce… « Tu laisses tomber, que je lui ai dit. Les ennuis, c'est pas la peine de leur courir après. » Et si elle avait fait ce que je lui avais dit, elle serait en vie aujourd'hui. (Il réfléchit quelques instants avant de conclure :) Bof ! elle serait en vie, à présent. Mais, bof ! Moitié trop maligne, qu'elle se croyait, Lily.

23

LEQUEL D'ENTRE EUX ?

Giles et Gwenda n'étaient pas allés interroger Mr Kimble avec l'inspecteur Last et le Dr Kennedy. Ils rentrèrent chez eux vers 19 heures. Gwenda était pâle et mal en point. « Donnez-lui un peu de cognac et faites-lui manger un morceau, avait prescrit à Giles le Dr Kennedy, ensuite mettez-la au lit. Elle a été très secouée. »

— C'est si affreux, Giles, ne cessait de répéter Gwenda. Si affreux. Cette gourde, qui donne rendez-vous au meurtrier et puis s'en va en toute confiance... se faire tuer... comme une brebis à l'abattoir.

— Allons, n'y pense plus, ma chérie. Après tout, nous savions bien qu'il y avait un assassin.

— Non. Non, nous ne le savions pas. Pas un assassin *maintenant*. Nous pensions qu'il y en avait eu un en *ce temps-là*, il y a dix-huit ans. Et puis de toute façon, nous n'en étions pas sûrs... Nous aurions pu nous tromper.

— Eh bien, cela prouve que nous ne nous sommes pas trompés. Que tu avais raison depuis le début, Gwenda.

Giles fut bien content de trouver miss Marple à Hillside. Mrs Cocker et la vieille demoiselle migno-tèrent Gwenda, qui refusa de prendre un cognac, prétextant que cela lui rappelait les ferry-boats qui traversent la Manche, mais accepta de boire un peu de whisky chaud avec du citron. Ensuite, cédant à l'insistance de Mrs Cocker, elle s'attabla et mangea une omelette.

Giles aurait choisi de parler de toute autre chose, mais miss Marple, avec ce que Giles reconnut être une excellente tactique, discuta du crime sur le mode léger et avec le plus parfait détachement :

— Absolument épouvantable, ma chère petite, je n'en disconviens pas. Et bien sûr, un terrible choc pour vous. Force nous est bien de reconnaître néanmoins que le rebondissement est intéres-sant. Evidemment, je suis si vieille que la mort ne m'impressionne plus autant que vous... seule une maladie qui traîne et fait souffrir comme le cancer m'afflige vraiment. L'essentiel, c'est que cela prouve formellement et sans aucun doute possible que la pauvre Helen Halliday a bien été tuée. Nous le pensions depuis le début, mais maintenant nous en avons la certitude.

— Et, selon vous, nous devrions savoir en outre où se trouve le corps, intervint Giles. A la cave, je suppose.

— Non, non, Mr Reed. Souvenez-vous, Edith Pagett nous a dit que, tracassée par ce que lui avait raconté Lily, elle y était descendue le lendemain matin et n'y avait trouvé aucune trace d'une quelconque excavation. Il y aurait eu des signes visibles, vous savez, surtout pour qui les aurait cherchés.

— Alors que s'est-il passé ? Son corps a été emporté dans une voiture et jeté dans la mer du haut de la falaise ?

— Mais non, voyons, mes chers amis. Quel est le premier détail qui vous a frappés quand vous êtes arrivés ici... je devrais dire qui a frappé Gwenda ? Le fait que, de la porte-fenêtre du salon, vous n'aviez pas vue sur la mer. A l'endroit où vous avez, à juste titre, pensé qu'il devait y avoir des marches conduisant à la pelouse... il y avait des massifs d'arbustes. Les marches, comme vous l'avez découvert par la suite, étaient là à l'origine, mais à un moment donné elles avaient été déplacées à l'extrémité de la terrasse. Pourquoi cette modification ?

Gwenda la regarda attentivement tandis qu'une lueur de compréhension commençait à poindre dans son esprit :

— Vous voulez dire que c'est à cet endroit précis que...

— Pour opérer un changement aussi peu judicieux, il devait y avoir une raison impérative. Parce que, franchement, c'est un endroit stupide pour y installer un escalier menant à la pelouse. En revanche, cet angle de terrasse est un coin très tranquille : on ne le voit pas de la maison, sauf par une fenêtre – celle de la nursery, au premier étage. Maintenant arrêtez-vous un instant sur ce point : enterrer un corps implique un grand déplacement de terre. Et, ce déplacement de terre, il faut bien lui trouver une raison avouable. La raison choisie en l'occurrence, c'est qu'il avait été décidé de déplacer les marches qui se trouvaient devant le salon pour les transporter à l'extrémité de la terrasse. J'ai appris du Dr Kennedy qu'Helen Halliday et son mari, passionnés de jardins, y avaient eux-mêmes entrepris quantité de travaux. Le jardinier qu'ils employaient ne faisait qu'exécuter leurs ordres, et s'il avait un jour trouvé les travaux de l'escalier avancés et quelques dalles déplacées, il aurait simplement pensé que les Halliday avaient commencé en son absence. Le corps, bien sûr, peut avoir été enterré à l'ancien ou au nouvel emplacement, mais nous pouvons être certains, je crois, que c'est à l'extrémité de la terrasse qu'il a été enterré et non devant la fenêtre du salon.

— Comment pouvons-nous en être sûrs ? demanda Gwenda.

— Grâce à ce que la pauvre Lily Kimble avait confié à Edith Pagett : qu'elle avait changé d'avis à propos du corps qu'elle croyait enterré dans la cave, et ce, à cause de ce que Léonie avait vu en regardant par la fenêtre. Cela rend la chose tout à fait claire, vous ne trouvez pas ? La jeune Suissesse a regardé par la fenêtre de la nursery à un certain moment au cours de la nuit et elle a vu que l'on creusait une fosse. Peut-être même a-t-elle vu qui la creusait.

— Et elle n'aurait rien dit à la police ?

— Non, ma chère enfant. Pour l'excellente raison qu'il n'était, à ce moment-là, pas question de crime. Mrs Halliday était partie avec un amant… c'est tout ce que Léonie avait dû comprendre. De toute façon, elle ne devait pas très bien s'exprimer en anglais. Elle a parlé à Lily, peut-être pas sur le coup mais plus tard, d'un curieux spectacle auquel elle avait assisté de sa fenêtre cette nuit-là, et cela aura renforcé la petite femme de chambre dans son idée qu'il s'agissait bien d'un crime. Mais je suis bien sûre qu'Edith Pagett a réprimandé Lily, l'accusant de dire des bêtises, et que la jeune Suissesse a adhéré à son point de vue, ne souhaitant certainement pas avoir affaire à la police. Les étrangers semblent toujours particulièrement redouter la police quand ils ne sont pas chez eux. Elle est rentrée en Suisse et n'a probablement plus jamais pensé à cette histoire.

— Si elle vit toujours, dit alors Giles, on doit pouvoir la retrouver.

Miss Marple hocha la tête :

— Peut-être.

— Comment faut-il s'y prendre ? s'enquit Giles.

— La police sera à même de le faire beaucoup mieux que nous.

— L'inspecteur Last doit venir ici demain matin. Je pense qu'il faudrait lui parler de… des marches.

— Et de ce que j'avais autrefois vu – ou que je crois avoir vu – dans le hall ? demanda timidement Gwenda.

— Oui, ma chère petite. Vous avez été bien avisée de ne pas en parler jusqu'à maintenant. Bien avisée. Mais je pense que le moment est venu.

— Elle a été étranglée dans le hall, déclara Giles. Puis le meurtrier l'a emportée là-haut et l'a déposée sur le lit. Kelvin Halliday est entré, il a tourné de l'œil après avoir bu le whisky drogué et, à son tour, il a été transporté au premier étage, dans la chambre. Quand il est revenu à lui, il a cru qu'il l'avait étranglée. Le meurtrier devait l'observer, caché quelque part, non loin de là. Quand Kelvin s'est rendu chez le Dr Kennedy, le meurtrier en a profité pour emporter le corps, pour le cacher, probablement dans le massif d'arbustes au bout de la terrasse. Ensuite, il aura attendu que tout le monde soit couché – et, selon toute vraisemblance, endormi – avant de creuser la tombe et d'enterrer le cadavre. Ce qui signifie qu'il a dû traîner dans la maison et le jardin une bonne partie de la nuit, non ?

Miss Marple acquiesça :

— Il fallait donc qu'il soit… *sur les lieux*. Vous nous avez fait remarquer, je m'en souviens très bien, que c'était là un point essentiel. Il nous reste à voir lequel de nos trois suspects remplit le mieux les conditions requises. Prenons d'abord Erskine. Il était alors précisément sur les lieux. De son propre aveu, il a raccompagné Helen Kennedy de la plage jusque chez elle aux environs de 21 heures. Puis il lui a dit adieu. Mais lui a-t-il dit adieu ? Supposons qu'au lieu de cela il l'ait étranglée…

— Mais tout était fini entre eux, rétorqua Gwenda. Depuis longtemps. De plus, il nous a affirmé qu'il ne s'était pratiquement jamais trouvé seul avec Helen.

— Mais voyons, Gwenda, il n'est plus question, au point où nous en sommes, de continuer à nous fier à ce que les gens veulent bien nous dire.

— Je suis fort aise d'entendre cela, déclara miss Marple. Parce que je m'inquiétais beaucoup de vous voir toujours prêts à prendre pour fait avéré tout ce qu'on vous raconte. Peut-être suis-je pour ma part de nature un peu trop méfiante, mais – et tout particulièrement lorsqu'il s'agit de *meurtre* –, je me fais une règle absolue de ne rien tenir pour vrai qui n'ait été au préalable *vérifié* ou à tout le moins *corroboré*. C'est ainsi, par exemple, qu'il paraît absolument certain que Lily Kimble a remarqué que les vêtements emportés dans une valise n'étaient pas ceux qu'Helen Halliday aurait choisis, et ce non seulement parce qu'Edith Pagett nous a confié que Lily lui en avait parlé, mais aussi pour l'excellente raison que Lily l'a elle-même mentionné dans sa lettre au Dr Kennedy. C'est donc un *fait*. Le Dr Kennedy nous a dit que Kelvin Halliday croyait que sa femme le droguait, et Kelvin Halliday le confirme dans son journal : voici un autre fait – et un fait très curieux, ne trouvez-vous pas ? Nous n'approfondirons cependant pas tout de suite cette question-là.

« Pour le moment, je voudrais vous faire remarquer que la plupart des hypothèses que vous avez élaborées ont été fondées sur ce qui vous avait été dit – sans doute parce que vos interlocuteurs ont su se montrer très convaincants.

Giles la regarda fixement.

Gwenda, ses couleurs revenues, but son café et s'accouda à la table.

— Vérifions donc maintenant ce que ces trois personnes nous ont dit, déclara Giles. Prenons d'abord Erskine. Il a dit...

— Toi, tu as une dent contre lui, l'interrompit Gwenda. S'appesantir avec toi sur son cas, c'est perdre notre temps. D'autant que, à présent, il est manifestement hors de cause. Il ne peut pas avoir tué Lily Kimble.

Imperturbable, Giles n'en continua pas moins :

— Il prétend qu'il avait rencontré Helen sur le bateau en allant aux Indes et qu'ils étaient tombés amoureux l'un de l'autre mais que, comme il ne pouvait se résoudre à quitter femme et enfants, ils avaient décidé d'un commun accord de se dire adieu. Supposons un instant que cela ne se soit pas du tout passé comme ça. Supposons qu'il soit tombé amoureux fou d'Helen, et que ce soit *elle* qui n'ait pas voulu partir avec lui. Supposons qu'il l'ait menacée de la tuer si elle en épousait un autre.

— Tout à fait improbable, rétorqua Gwenda.

— Ce sont pourtant des choses qui arrivent. Souviens-toi de ce que tu as entendu sa femme lui jeter à la figure. Tu as tout mis sur le compte de la jalousie, mais il se peut que cela ait été le reflet de l'exacte vérité. Il lui en a peut-être fait voir toute sa vie de toutes les couleurs avec son irrépressible penchant pour les femmes. Et qui sait si ce n'est pas réellement un obsédé sexuel ?

— Je n'y crois pas un instant.

— Non, parce que c'est un séducteur qui t'a plu comme il plaît à toutes les femmes. Je pense, quant à moi, qu'il y a quelque chose d'un peu bizarre concernant ce type. Mais continuons d'étudier son cas. Helen rompt son engagement avec Fane, elle rentre en Angleterre, épouse ton père et s'installe ici. Et puis soudain, par un bel été, Erskine débarque ostensiblement. Il vient soi-disant en vacances avec sa femme. C'est quand même un comportement peu banal, non ? D'autant qu'il a en gros admis devant toi qu'il l'avait fait dans le seul but de revoir Helen. Maintenant, supposons qu'*Erskine* soit l'homme qui était dans le salon le jour où Lily a entendu sa patronne dire : « J'ai peur de toi… J'ai toujours eu peur de toi… Je crois que tu es fou. »

« Et ainsi donc, comme elle a peur de lui, elle décide de partir vivre dans le Norfolk, mais garde ce projet secret. Personne ne doit savoir. Personne ne le saura avant que les Erskine aient quitté Dillmouth. Jusque-là, ça se tient. Venons-en maintenant à la nuit fatale. Ce que les Halliday faisaient plus tôt dans la soirée, nous ne le savons pas…

Miss Marple toussota :

— En fait, j'ai revu Edith Pagett. Elle se souvient d'avoir ce soir-là servi le dîner plus tôt, à 19 heures, parce que le major Halliday se rendait à une réunion – du club de golf, croit-elle se souvenir, à moins qu'il ne se soit agi d'une réunion paroissiale. Quant à Mrs Halliday, elle est sortie après le dîner.

— Parfait. Helen rencontre Erskine sur la plage. Peut-être s'y sont-ils donné rendez-vous. Il doit quitter Dillmouth le lendemain. Qui sait s'il ne refuse pas de s'en aller ? Ou s'il ne presse pas au contraire Helen de partir avec lui ? Quoi qu'il en soit, elle rentre à la villa. Et il l'accompagne. Finalement, dans un accès de folie, il l'étrangle. La suite se déroule comme nous l'avons déjà imaginé. Vu qu'il a passablement perdu la tête, il veut faire croire à Kelvin Halliday que c'est *lui*, le mari, qui l'a tuée. Plus tard, Erskine enterre le corps. Souvenez-vous : il a dit à Gwenda qu'il n'était retourné à l'hôtel que beaucoup plus tard parce qu'il était allé marcher « dans la campagne alentour ».

— On se demande, fit remarquer miss Marple, ce que sa femme faisait pendant tout ce temps.

— Elle était probablement folle de jalousie, répondit Gwenda. Et elle lui aura fait une scène à tout casser quand il est rentré.

— Quoi qu'il en soit, voilà ma reconstitution, déclara Giles. Et reconnaissez que cette version se tient.

— N'empêche qu'il ne peut pas avoir tué Lily Kimble, répéta Gwenda. Et ce pour la bonne raison qu'il habite au diable vauvert – dans le Northumberland. Parler de lui n'est donc qu'une perte de temps. Passons à Walter Fane, si tu veux bien.

— D'accord. Walter Fane est du genre coincé et refoulé. Il paraît gentil, doux et facilement mené par le bout du nez. Mais miss Marple nous a rapporté un précieux témoignage. Walter Fane s'est jadis mis dans une telle rage qu'il a failli tuer son frère. D'accord, ce n'était, qu'un gosse à l'époque, mais ça n'en a pas moins été stupéfiant parce qu'il s'était toujours montré de nature particulièrement douce et indulgente. En tout cas, Walter Fane tombe amoureux d'Helen Halliday. Il n'en est d'ailleurs pas simplement amoureux : il est fou d'elle. Elle refuse de l'épouser et il s'exile en Inde. Plus tard, elle lui écrit qu'elle va tout compte fait venir le rejoindre pour qu'ils convolent en justes noces. Elle se met en route. Puis vient la seconde déception. A peine arrivée, elle le laisse choir. Elle lui explique qu'elle a « rencontré quelqu'un sur le bateau ». Elle rentre en Angleterre et épouse Kelvin Halliday. Il est possible que Walter Fane ait cru que Kelvin Halliday était l'homme en question. Il sombre dans la mélancolie, n'en sort que pour tomber dans la plus folle des jalousies, puis revient en Angleterre la haine au cœur. Cachant bien son jeu, il se comporte alors en ami : il est grand, il est généreux, il a pardonné, il vient tous les jours à la maison, il semble en être devenu l'animal de compagnie, le fidèle Médor. Mais peut-être Helen se rend-elle compte que ce n'est qu'apparence. Elle perçoit ce qui couve sous la surface. Peut-être, depuis longtemps, pressent-elle des dispositions inquiétantes chez le calme Walter Fane. Elle le lui dit : « Je crois que, au fond, j'ai toujours eu peur de toi. » Elle fait, en secret, le projet de quitter Dillmouth et d'aller vivre dans le Norfolk. Pourquoi ? Parce qu'elle a peur de Walter Fane.

« Passons maintenant au soir fatal. Là, nous ne sommes pas en terrain très sûr. Nous ne savons pas ce que Walter Fane faisait ce soir-là, et je ne vois aucun moyen de le savoir. Mais il satisfait à la condition de miss Marple d'être « sur les lieux » puisqu'il habite une villa qui n'est qu'à deux ou trois minutes de marche d'ici. Il peut avoir prétendu aller se coucher plus tôt parce qu'il avait la migraine, ou retourner dans son bureau pour y terminer un travail… ou donner n'importe quelle autre explication de son invention. Il lui était alors possible d'accomplir tout ce que, selon nous, le meurtrier a fait. De plus, je pense que, des trois, c'est celui qui avait le plus de chances de se tromper en remplissant la valise. Il ne devait pas être suffisamment au courant de ce que portent les femmes pour pouvoir le faire correctement.

— C'est curieux, intervint Gwenda. Le jour où je me suis trouvée dans son bureau, j'ai eu l'étrange impression que Walter Fane ressemblait à une maison aux stores baissés… j'ai même eu l'idée fantasque que… qu'il y avait un mort à l'intérieur. (Elle regarda miss Marple et lui demanda :) Est-ce que vous trouvez cela stupide ?

— Non, ma chère petite. Je pense même que vous aviez peut-être raison.

— Et maintenant, reprit Gwenda, nous en arrivons à Afflick. Les *Cars Afflick*. Jackie Afflick qui a toujours été un petit roublard. La première chose que l'on peut retenir contre lui, c'est que le Dr Kennedy l'a cru atteint d'un début de délire de persécution. En fait… il n'a peut-être jamais été tout à fait normal. A propos d'Helen et de lui, il nous a dit… Mais, après tout, qu'importe ce qu'il nous a dit. Considérons plutôt d'entrée de jeu que ce n'était qu'un tissu de mensonges. Imaginons donc qu'elle n'était pas à ses yeux, tant s'en faut, une « gentille gosse dont il avait un peu pitié ». Il en était au contraire follement, passionnément amoureux. Mais elle ne l'aimait pas. C'était pour elle – mais pour elle seule ! – un simple amusement.

Comme l'a souligné miss Marple, elle était obsédée par les hommes.

— Non, ma chère petite, je n'ai jamais dit ça, ni quoi que ce soit qui y ressemble.

— Bon, mettons qu'elle était nymphomane, si vous préférez ce terme. De toute façon, elle a eu une aventure avec Jackie Afflick, et puis elle a voulu le laisser choir. Lui, il ne voulait pas qu'elle le plaque. Son frère l'a sortie de ce mauvais pas, mais Jackie Afflick n'a jamais oublié. Jamais pardonné. Il a la rancune tenace, il nous l'a dit lui-même. Et, dans l'affaire, il a perdu son travail… prétendument suite à un coup tordu de Walter Fane. Ce qui est le signe évident d'un délire de persécution.

— Oui, admit Giles. Mais d'un autre côté, si c'était vrai, ce serait un autre point tendant à accuser Fane – un point tout à fait capital.

— Helen part pour l'étranger, poursuivit Gwenda. Et lui, il quitte Dillmouth pour aller chercher fortune ailleurs. Mais il ne l'oublie pas, et quand elle revient à Dillmouth, mariée, il va lui rendre visite. En premier lieu, il nous a dit qu'il y était allé une fois, mais, par la suite, il a admis s'y être rendu à plusieurs reprises. Oh ! Giles, tu ne te rappelles pas ? Edith Pagett a employé cette expression : « notre homme mystérieux dans sa voiture tape-à-l'œil ». Tu vois, il y est allé suffisamment souvent pour que les domestiques en parlent. Mais Helen « n'a pas été jusqu'à lui proposer de rester à dîner »… Et elle ne l'a pas non plus présenté à mon père. Peut-être avait-elle peur de lui. Peut-être…

Giles l'interrompit :

— Ton raisonnement peut être valable pour les deux. Supposons qu'Helen ait encore été amoureuse de lui… qu'Afflick ait été le premier homme dont elle soit tombée amoureuse et qu'elle n'ait jamais cessé de l'aimer. Peut-être ont-ils eu une nouvelle aventure ensemble sans que personne cette fois ne les soupçonne. Il pourrait alors lui avoir demandé de partir avec lui cependant qu'elle, soudain lassée de ses assiduités, aurait refusé, et alors… et alors… il l'aurait tuée et, pour ce qui est du reste, il aurait fait comme ont pu faire les deux autres. Lily disait dans sa lettre au Dr Kennedy qu'il y avait une voiture chic devant la maison, cette nuit-là. C'était la voiture de Jackie Afflick. Ce dernier était « sur les lieux », lui aussi.

« Ce n'est certes qu'une hypothèse, reconnut Giles en poursuivant son exposé. Mais qui me paraît raisonnable. Seulement il y a les lettres d'Helen à introduire dans notre reconstitution. Je me suis trituré les méninges pour imaginer les "circonstances", selon l'expression de miss Marple, qui auraient pu amener Helen à écrire ces lettres. Il me semble que, pour les expliquer, nous devons admettre qu'elle avait un amant, et qu'elle comptait partir avec lui. Passons de nouveau en revue nos trois – suspects. Erskine d'abord. Il a prétendu n'être pas prêt à quitter sa femme et à briser son foyer, mais Helen pourrait avoir accepté de quitter Kelvin Halliday et d'aller dans un lieu où Erskine aurait pu venir la rejoindre de temps en temps. La première chose à faire étant de détourner les soupçons de Mrs Erskine, Helen aurait écrit deux lettres destinées à être envoyées à son frère en temps voulu afin de faire croire qu'elle était partie pour l'étranger avec quelqu'un. Cela expliquerait son attitude mystérieuse concernant l'identité de l'homme en question.

— Mais si elle se préparait à quitter son mari pour lui, pourquoi l'aurait-il tuée ? demanda Gwenda.

— Parce qu'elle aura soudain changé d'avis. Elle se sera peut-être aperçue qu'au bout du compte elle tenait réellement à son mari. Il aura vu rouge et l'aura étranglée. Puis il aura emporté une valise dans laquelle il avait mis des vêtements, ensuite il aura envoyé les lettres qu'Helen avait préparées. C'est une excellente explication et qui recouvre tout.

« Cette explication est également valable pour Walter Fane. J'imagine qu'un scandale peut avoir des conséquences désastreuses pour un notaire de campagne. Helen aurait donc décidé d'aller vivre dans un endroit non loin d'ici, afin que Fane puisse venir facilement lui rendre visite, en faisant croire qu'elle était partie pour l'étranger avec un autre. Les lettres sont prêtes mais, comme dans le cas précédent, elle change d'avis. Walter devient fou et il la tue.

— Qu'en est-il pour Jackie Afflick ?

— Dans son cas à lui, il est plus difficile de trouver une raison à ces lettres. Ce n'est pas le genre d'homme qu'un scandale aurait pu gêner. En l'occurrence, peut-être Helen avait-elle peur, pas de lui, mais de mon père… Elle aura pensé qu'il serait préférable de prétendre être partie pour l'étranger…

ou alors peut-être que la femme d'Afflick détenait l'argent à ce moment-là, et qu'il avait besoin de cet argent pour investir dans son affaire. Oh ! oui, on peut trouver des quantités d'explications possibles pour ces lettres.

— Vous penchez pour lequel, miss Marple ? demanda Gwenda. Pour ma part, je ne pense vraiment pas que cela puisse être Walter Fane… mais enfin…

Mrs Cocker venait d'arriver pour débarrasser la table des tasses à café.

— Pardon, madame, s'excusa-t-elle aussitôt. Ça m'est sorti de la tête. J'ai complètement oublié. Tout ça à cause de cette pauvre femme qui a été assassinée, et vous et Mr Reed qui avez été mêlés à ça, ce qui n'est pas bon pour vous, madame, surtout en ce moment… Enfin bref, Mr Fane est venu cet après-midi demander après vous. Il a patienté une bonne demi-heure avant de s'en aller. Il semblait penser que vous l'attendiez.

— Comme c'est bizarre ! s'exclama Gwenda. A quelle heure ?

— Il devait pas être loin de 16 heures. Et puis, peu après, il y a un autre monsieur qui est arrivé, dans une grosse voiture jaune. Il m'a affirmé que vous l'aviez fait appeler et il n'aurait pas été question de ne pas le laisser entrer. Il a fait les cent pas dans le salon pendant vingt bonnes minutes d'horloge. Je me suis dit comme ça que vous les aviez invités à prendre le thé et puis que vous aviez oublié.

— Non, pas du tout. Comme c'est bizarre ! répéta-t-elle.

— Téléphonons tout de suite à Fane, décréta Giles. Il ne doit pas être encore couché. (Il joignit l'acte à la parole :) Allô, Mr Fane ? Giles Reed à l'appareil. J'ai entendu dire que vous étiez venu nous voir cet après-midi... Quoi ?... Non... non ..., pas du tout, j'en suis sûr... non, je ne comprends pas. Oui, je me le demande moi aussi. (Il reposa le combiné :) Voilà qui est rudement bizarre, comme tu dis. Il a été appelé ce matin à son étude. Et il lui a été laissé un message le priant de bien vouloir passer chez nous sans faute cet après-midi. Pour affaire de la plus haute importance.

Giles et Gwenda s'entre-regardèrent un instant en silence.

— Appelle Afflick, suggéra, enfin Gwenda.

De nouveau Giles alla au téléphone, trouva le numéro et appela. Cela prit un peu plus longtemps, mais il eut bientôt la communication :

— Mr Afflick ? Giles Reed, je...

Un flot de paroles proférées à l'autre bout du fil l'interrompit aussitôt.

Au bout d'un moment il put enfin s'exprimer à son tour :

— Mais nous n'avons pas... non, je vous assure... non, pas du tout... Oui... oui, je sais, vous êtes un homme occupé. Je ne me serais jamais permis... Oui, mais voyons, qui vous a téléphoné ? Un homme ?... Non, non, puisque je vous dis que ce n'était pas moi... Non... non, je vois... En effet, j'en conviens, c'est tout à fait incroyable.

Il raccrocha et revint à la table.

— Eh bien, voilà ! dit-il. Quelqu'un, un individu

qui s'est fait passer pour moi, a téléphoné à Afflick et lui a demandé de venir ici. Il a dit que c'était urgent... qu'il était question d'une grosse somme.

Ils s'entre-regardèrent une nouvelle fois.

— Il se peut que ce soit l'un d'eux, suggéra Gwenda. Tu ne crois pas, Giles ? N'importe lequel des deux *peut avoir tué Lily et être venu ici pour se fournir un alibi.*

— Piètre alibi, ma chère petite, fit remarquer miss Marple.

— C'est-à-dire... pas exactement un alibi, mais un motif pour s'être absenté de leur bureau. Ce qui signifie que l'un d'eux dit la vérité et que l'autre ment. L'un d'eux a téléphoné à l'autre et lui a demandé de se rendre chez nous... pour diriger les soupçons contre lui... mais nous ne savons pas lequel. Fane ou Afflick. Je pencherais plutôt pour Jackie Afflick.

— Et moi pour Walter Fane, répliqua Giles.

Ils regardèrent tous deux miss Marple.

Elle secoua la tête.

— Il y a une autre possibilité, dit-elle.

— Bien sûr : Erskine.

Giles se précipita vers le téléphone.

— Qu'est-ce que tu vas faire ? lui demanda Gwenda.

— Demander une communication pour le Northumberland.

— Oh ! Giles... Ce n'est pas possible... Tu ne crois tout de même pas...

— Il faut qu'on en ait le cœur net. S'il est chez lui, il ne peut pas avoir tué Lily Kimble cet après-midi.

Et je t'accorde que nous ne nous compliquerons pas l'existence avec des histoires d'avion privé ou autre fantaisie dans ce goût-là.

Ils attendirent en silence jusqu'à ce que le téléphone sonne. Giles prit le récepteur.

— Vous avez demandé une communication de personne à personne avec le major Erskine. Allez-y, parlez. Le major Erskine est en ligne.

— Euh… Mr Erskine ? articula Giles après s'être raclé la gorge avec nervosité. Reed à l'appareil… Reed, oui.

Il jeta soudain un regard angoissé à Gwenda qui signifiait aussi clairement que possible « Que diable vais-je bien pouvoir lui dire, maintenant ? »

Gwenda se leva et lui prit le combiné des mains :

— Major Erskine ? Ici, Mrs Reed. Nous avons entendu parler d'une… d'une propriété, Linscott Brake, Est-ce que… est-ce que vous la connaissez ? A mon avis, ce n'est pas très loin de chez vous.

— Linscott Brake ? Non, je ne pense pas en avoir entendu parler. Quelle est l'adresse postale ?

— Ce n'est pas très lisible, répondit Gwenda. Vous savez ce que sont ces affreux textes dactylographiés envoyés par les agents immobiliers. Mais elle est située à 25 km de Daith, aussi avons-nous pensé…

— Je suis désolé, je ne vois pas de quoi il peut s'agir. Qui en sont les propriétaires ?

— Oh ! c'est vide. Mais cela ne fait rien, en réalité nous… nous nous sommes pratiquement décidés pour une autre. Je suis désolée de vous avoir dérangé. J'imagine que vous étiez occupé.

— Mais non, pas du tout. Du moins, je n'étais pris que par des occupations domestiques. Ma femme n'est pas là. Et notre cuisinière est partie voir sa mère, je suis donc en charge du train-train quotidien. Je crains de ne pas être très habile dans ce domaine. Je suis meilleur en jardinage.

— J'ai moi-même toujours préféré jardiner que m'occuper du ménage. J'espère que votre épouse n'est pas souffrante ?

— Elle a été appelée auprès d'une de ses sœurs. Elle sera de retour demain.

— Eh bien, bonne nuit, excusez-moi de vous avoir dérangé. Elle reposa le combiné.

— Erskine est hors du coup, triompha-t-elle. Sa femme s'est absentée et c'est lui qui s'occupe du ménage. Il ne nous reste donc que les deux autres. N'est-ce pas, miss Marple ?

Miss Marple affichait sa mine la plus grave :

— Je ne crois pas, mes chers amis, que vous ayez suffisamment réfléchi à l'affaire. Mon Dieu… je suis réellement très inquiète. Si seulement je savais au juste quoi faire…

24

LES PATTES DE SINGE

Gwenda posa ses coudes sur la table et se prit le menton entre les mains tandis que ses yeux erraient sur les restes d'un déjeuner rapide. Il lui faudrait bientôt s'en occuper, les emporter dans l'arrière-cuisine, faire la vaisselle, tout ranger, voir ce qu'elle pourrait imaginer pour le repas du soir.

Mais il n'y avait pas urgence. Elle sentait qu'elle avait besoin d'un peu de temps pour comprendre ce qui s'était passé. Tout s'était déroulé trop vite.

Les événements du matin, en y repensant, lui paraissaient chaotiques et irréels. Tout s'était produit avec trop de rapidité et d'invraisemblance.

L'inspecteur Last était arrivé tôt – à 9 h 30. L'inspecteur principal Primer l'accompagnait, ainsi que le chef de la police du comté. Ce dernier n'était pas resté longtemps. C'était l'inspecteur Primer qui était désormais en charge du dossier concernant le décès de Lily Kimble et tout ce qui s'y rapportait.

L'inspecteur Primer, voix aimable et manières probablement trop suaves pour être honnêtes, lui avait demandé si cela ne la dérangerait pas trop que ses hommes procèdent à quelques sondages de terrain dans le jardin.

A son ton, on aurait juré qu'il s'agissait de donner un peu d'exercice physique à ses hommes et non de chercher un cadavre enterré là depuis dix-huit ans.

Giles avait alors pris la parole.

— Nous pourrions, lui avait-il signalé, vous aider en vous faisant une ou deux suggestions.

Et il avait raconté à l'inspecteur l'histoire du déplacement des marches descendant vers la pelouse. Puis il l'avait emmené sur la terrasse.

L'inspecteur avait levé la tête vers la fenêtre à barreaux du premier étage, à l'angle de la maison :

— Ce devait être la chambre d'enfant, j'imagine ?

Et Giles lui avait confirmé que, selon toute vraisemblance, cela avait été la nursery.

Puis l'inspecteur et Giles avaient réintégré la maison, et deux hommes munis de pelles étaient sortis dans le jardin. Avant que l'inspecteur commence son interrogatoire, Giles l'avait prévenu :

— J'estime, inspecteur, qu'il serait préférable que ma femme vous fasse part d'une suite de faits troublants qu'elle n'a jusqu'ici racontés à quiconque, sauf à moi-même et… euh… à une tierce personne.

Le regard doux, assez attirant, de l'inspecteur Primer s'était posé sur Gwenda. Il paraissait quelque peu dubitatif. « Je sais ce qu'il est en train de ruminer, avait pensé Gwenda. Il se demande si je suis une femme à qui on peut se fier ou si je ne serais pas plutôt du genre à se faire des romans. »

Et cela, elle l'avait ressenti avec tant d'acuité qu'elle avait préludé sur le mode défensif :

— Il se peut que j'aie tout imaginé. Ça n'a rien d'impossible. Mais le tout m'est apparu comme terriblement réel.

— Quoi qu'il en puisse être, Mrs Reed, racontez-nous cela, avait suggéré l'inspecteur Primer d'une voix douce et sur un ton apaisant.

Et Gwenda avait tout raconté. Elle avait expliqué comment la maison lui avait semblé familière la première fois qu'elle l'avait vue. Comment elle avait par la suite appris qu'elle y avait, en fait, habité lorsqu'elle était enfant. Comment elle s'était souvenue du papier peint de la nursery, et de la porte de communication du salon, et l'impression qu'elle avait eue concernant les marches pour descendre sur la pelouse.

L'inspecteur Primer hochait la tête. Il n'objectait pas que ces souvenirs d'enfance n'étaient pas d'un grand intérêt, mais Gwenda se demandait s'il le pensait.

Puis elle s'arma de courage pour le récit final. Comment elle s'était soudain souvenue, alors qu'elle se trouvait dans un théâtre, avoir regardé à travers la rambarde de l'escalier à Hillside et avoir vu le cadavre d'une femme dans le hall :

— Etranglée, le visage bleuâtre, et les cheveux blonds. Et c'était Helen... Mais c'était complètement ridicule : je n'avais pas la moindre idée de qui pouvait bien être Helen.

— Nous avons pensé que..., avait soudain commencé Giles.

Mais l'inspecteur Primer, avec une autorité inattendue, l'avait arrêté d'un geste de la main :

— Je vous en prie, laissez Mrs Reed me raconter les choses à sa façon.

Gwenda avait bafouillé, le visage empourpré, et l'inspecteur Primer l'avait aidée gentiment, avec une habileté que Gwenda n'avait pas été à même d'apprécier à sa juste valeur.

— Webster ? avait-il pensivement murmuré. Hum ! *La Duchesse d'Amalfi.* Des pattes de singe ?

— Mais c'était certainement un cauchemar, était encore intervenu Giles.

— S'il vous plaît, Mr Reed.

— Il se peut que cela n'ait été qu'un cauchemar, avait reconnu Gwenda.

— Non, je ne suis pas de cet avis, avait tranché l'inspecteur Primer. Il serait très difficile d'expliquer la mort de Lily Kimble sans présumer qu'une femme a bel et bien été autrefois assassinée dans cette maison.

Cette prise de position avait paru à Gwenda si raisonnable et – d'une certaine manière – si réconfortante, qu'elle s'était empressée de poursuivre :

— Mais ce n'était pas mon père qui l'avait assassinée. Non, ce n'était pas lui. Le Dr Penrose a lui-même affirmé que ce n'était pas son genre, et qu'il ne pouvait avoir assassiné quelqu'un. Et le Dr Kennedy était absolument certain qu'il ne l'avait pas tuée mais en avait seulement l'illusion. C'était donc quelqu'un qui voulait *faire croire* que mon père l'avait étranglée, et nous pensions savoir qui… du moins nous avions deux suspects…

— Gwenda, était pour la nième fois intervenu Giles, nous ne pouvons pas…

— Est-ce que cela ne vous dérangerait pas, Mr Reed, avait alors demandé l'inspecteur, d'aller dans le jardin voir comment mes hommes s'en sortent ? Dites-leur que c'est moi qui vous ai envoyé.

Il avait refermé à clef la porte-fenêtre derrière Giles, puis était retourné s'asseoir près de Gwenda :

— Maintenant, dites-moi tout ce à quoi vous avez pensé, Mrs Reed. Et que nous importe si c'est un peu incohérent.

Et Gwenda avait raconté tout ce que Giles et elle avaient formulé comme hypothèses, leurs raisonnements et les démarches qu'ils avaient effectuées pour tenter d'obtenir le plus d'informations possibles concernant les trois hommes qui avaient figuré dans la vie d'Helen Halliday, et les conclusions finales auxquelles ils étaient parvenus… Sans oublier le fait que Walter Fane et J.J. Afflick avaient été appelés au téléphone par quelqu'un qui se faisait passer pour Giles, et avaient été priés de venir à Hillside l'après-midi précédent.

— Mais il semble évident, n'est-ce pas, inspecteur, que… que l'un deux doit mentir ?

A cela, d'une voix douce, un peu lasse, l'inspecteur avait répondu :

— C'est l'une des principales difficultés de mon métier. Tant de gens peuvent mentir. Et tant de gens le font couramment… Mais pas toujours pour les raisons qu'on imagine. En outre, certaines personnes ne se rendent même pas compte qu'elles mentent.

— Pensez-vous que je sois du lot ? s'était inquiétée Gwenda.

Et l'inspecteur avait souri :

— Je pense que vous êtes un témoin tout à fait digne de foi, Mrs Reed.

— Et vous croyez que j'ai raison à propos de la personne qui l'a tuée ?

L'inspecteur avait soupiré :

— Pour nous autres, gens du métier, il ne s'agit pas de croire... ou de ne pas croire. Il s'agit de vérifier où chacun se trouvait, ce qu'il faisait, etc. Nous savons assez exactement – à une vingtaine de minutes près, quand Lily Kimble a été tuée. A savoir : entre 14 h 20 et 14 h 45. N'importe qui peut l'avoir tuée et être ensuite venu ici hier après-midi. Je ne vois pas, moi non plus, de raison à ces appels téléphoniques. Cela ne donne à aucune des personnes que vous mentionnez le moindre alibi pour le moment du meurtre.

— Mais vous allez découvrir ce qu'ils faisaient à cette heure-là, n'est-ce pas ? Entre 14 h 20 et 14 h 45. Vous allez le leur demander.

L'inspecteur Primer avait souri :

— Nous poserons toutes les questions nécessaires, Mrs Reed, vous pouvez en être sûre. En temps voulu. Il n'est pas bon de précipiter le mouvement. Il faut d'abord étudier la direction à prendre.

Et Gwenda avait eu un soudain aperçu de ce qu'était le travail de l'inspecteur : dénué de

sensationnel, exigeant patience et pondération.
Sans précipitation. Impitoyable.

— Je comprends… oui, avait-elle, alors reconnu.
Parce que vous êtes un professionnel. Tandis que
Giles et moi ne sommes que des amateurs. Nous
aurions pu bénéficier d'un coup de chance… mais
nous n'aurions, en fait, pas su en tirer parti.

— C'est à peu près ça, Mrs Reed.

L'inspecteur avait de nouveau souri. Il s'était
levé et avait déverrouillé la porte-fenêtre. Il s'apprêtait à sortir, quand il avait soudain suspendu
son geste. Un peu comme un chien d'arrêt, avait
pensé Gwenda.

— Excusez-moi, Mrs Reed. Cette personne, là-bas,
ne serait-ce pas une certaine miss Jane Marple ?

Gwenda s'était approchée de lui. Au fond du
jardin, miss Marple était encore en train de livrer
une bataille acharnée aux liserons.

— Oui, c'est miss Marple. Elle a l'infinie gentillesse de nous aider un peu au jardin.

— Miss Marple, avait répété l'inspecteur. Tiens,
tiens, je vois…

Et, comme Gwenda le regardait d'un air interrogateur et ajoutait « C'est vraiment un ange », il
avait répliqué :

— C'est une célébrité, cette miss Marple. Elle
a mis les chefs de police d'au moins trois comtés
dans sa poche. Elle n'y a pas encore ajouté le mien,
mais je sens que ça ne saurait tarder. Ainsi donc,
miss Marple a fourré son nez dans l'affaire…

— Elle nous a fait un nombre incroyable de suggestions utiles, avait repris Gwenda.

— Je m'en doute, avait dit l'inspecteur. C'est elle qui vous a suggéré de chercher le corps de la défunte Mrs Halliday à cet endroit ?

— Elle nous a d'abord déclaré, à Giles et à moi, que nous devrions parfaitement savoir où chercher. Et nous nous sommes trouvés bêtes de ne pas y avoir pensé plus tôt.

L'inspecteur lui avait adressé un petit sourire et était descendu pour aller rejoindre miss Marple :

— Je ne crois pas vous avoir été présenté, miss Marple. Mais je vous ai vue une fois, et le colonel Melrose m'a appris qui vous étiez.

Miss Marple s'était redressée, rougissante, une poignée de séneçon à la main :

— Ah ! oui... Ce cher colonel Melrose. Il a toujours été aimable *à un point*... Depuis que...

— Depuis qu'un bedeau a été tué dans le bureau du pasteur. Il y a de cela belle lurette. Mais vous avez ensuite connu d'autres succès. Un petit problème de plume empoisonnée près de Lymstock.

— Vous semblez en savoir long sur mon compte, inspecteur...

— Inspecteur Primer. Et vous n'avez pas ménagé votre peine ici, j'imagine.

— En effet, j'essaie de faire ce que je peux dans le jardin. Il était en piteux état. Ce liseron, par exemple, c'est une plante absolument détestable. Ses racines, avait expliqué miss Marple en fixant l'inspecteur avec le plus grand sérieux, s'enfoncent profondément dans la terre. Très profondément... et, de là, elles vont se ramifiant et courent sous le sol.

— Je suis persuadé que vous avez raison sur ce

point, avait dit l'inspecteur. Loin dans les profondeurs. Loin en arrière... loin dans le temps... Je veux parler de ce meurtre. Dix-huit ans.

— Et peut-être même plus avant, avait insinué miss Marple. Il court et se ramifie sous la surface... Et, d'une façon terriblement pernicieuse, inspecteur, il étouffe les jolies fleurs qui ne demanderaient qu'à pousser...

L'un des policiers s'était dirigé vers eux. Il transpirait et son front était maculé de terre :

— Nous avons trouvé... quelque chose, monsieur. On dirait bien que c'est elle.

Et c'était alors, songea Gwenda, que le caractère proprement cauchemardesque de la journée s'était précisé. Giles était entré, le visage blême, et avait balbutié :

— C'est elle... elle est bien là.

Sur quoi l'un des policiers avait téléphoné, et le médecin légiste, petit bonhomme courtaud et affairé, était arrivé.

Et puis le sort avait voulu qu'à ce moment précis Mrs Cocker, la calme et imperturbable Mrs Cocker, soit sortie dans le jardin... non pas animée, comme on pourrait l'imaginer, par une curiosité malsaine, mais uniquement dans le but d'aller chercher quelques herbes aromatiques destinées au plat qu'elle préparait pour le déjeuner. Et Mrs Cocker, dont la réaction la veille, en apprenant qu'il y avait eu un crime, avait été de se scandaliser et de s'inquiéter pour l'effet que cela pourrait avoir sur la santé de Gwenda – car Mrs Cocker avait décidé

que la nursery là-haut devrait être occupée après
le nombre requis de mois –, s'était dirigée droit sur
la macabre découverte et s'était immédiatement
trouvée mal.

— C'est trop horrible, madame. Les os, c'est une
chose dont je n'ai jamais pu supporter la vue. Les
ossements, faudrait-il dire. Et ici, dans le jardin,
juste à côté de la menthe et tout ça… Et mon cœur
qui bat la chamade, j'ai des palpitations, je n'arrive
pas à retrouver ma respiration. Si j'osais, je vous
demanderais bien juste un doigt de cognac…

Alarmée par les halètements de Mrs Cocker et
son teint couleur de cendre, Gwenda s'était précipitée vers le buffet, avait versé un peu de cognac
dans un verre et l'avait apporté à Mrs Cocker.

Celle-ci avait dit :

— C'est exactement ce dont j'avais besoin,
madame…

Et soudain, sa voix avait faibli, et elle était devenue si effrayante à voir que Gwenda avait poussé
un cri perçant pour appeler Giles, et Giles avait crié
à son tour pour appeler le médecin légiste.

— C'est une chance que je me sois trouvé là, avait
dit ce dernier après coup. En tout cas, elle revient
de loin. Sans la présence d'un médecin, cette femme
serait morte sur-le-champ.

Puis l'inspecteur Primer avait pris la carafe de
cognac et s'était entretenu un moment avec le
médecin légiste. Ensuite il demanda à Gwenda,
quand Giles et elle avaient bu pour la dernière fois
du cognac provenant de la carafe en question.

Gwenda avait répondu que cela devait remonter

à plusieurs jours. Ils s'étaient absentés, histoire de faire un tour dans le Northumberland, et, ces derniers temps, les rares fois où ils avaient pris un verre, ç'avait été du gin.

— Mais j'ai failli prendre un peu de cognac hier, avait ajouté Gwenda. Et puis, comme cela me faisait penser aux ferry-boats qui font la traversée de la Manche, j'ai préféré prendre du whisky et Giles en a ouvert une bouteille neuve.

— C'est une chance pour vous, Mrs Reed. Si vous aviez bu du cognac hier, je doute que vous auriez été vivante aujourd'hui.

— Giles a failli en boire un peu… Mais finalement il a pris du whisky avec moi.

Gwenda frissonna.

Même maintenant, seule dans la maison, car la police était partie et Giles avec eux après avoir pris à la hâte un déjeuner qu'elle avait préparé en ouvrant des boîtes de conserve – puisque Mrs Cocker avait été transportée à l'hôpital –, Gwenda avait peine à croire au tourbillon des événements du matin.

Une chose ressortait clairement : la présence dans la maison hier de Jackie Afflick et de Walter Fane. L'un deux pouvait avoir empoisonné le cognac, et quel pouvait être le but des appels téléphoniques, sinon de fournir à l'un ou l'autre l'occasion de verser du poison dans la carafe de cognac ? Gwenda et Giles s'étaient trop approchés de la vérité. A moins qu'une troisième personne, venant de l'extérieur, soit entrée dans la salle à manger en passant par la fenêtre ouverte, pendant qu'elle était avec Giles dans le salon du Dr Kennedy à attendre que Lily Kimble vienne à son rendez-vous. Une troisième personne qui aurait manigancé ces appels téléphoniques pour que les soupçons se portent sur les deux autres ?

Mais une troisième personne, pensa Gwenda, cela n'a pas de sens. Car une troisième personne n'aurait certainement téléphoné qu'à l'*un* des deux hommes. Une troisième personne n'aurait eu besoin que d'un suspect, pas de deux. Et de toute façon, qui aurait pu être cette troisième personne ? Erskine était manifestement dans le Northumberland. Non, soit Walter Fane avait téléphoné à Afflick et avait ensuite prétendu qu'on lui avait téléphoné. Ou bien Afflick avait téléphoné à Fane, et de même avait fait semblant d'avoir reçu un appel téléphonique. C'était l'un des deux, et la police, qui était plus habile – et avait plus de ressources que Giles et elle, allait trouver duquel il s'agissait. Et pendant ce temps-là, les deux hommes en question seraient surveillés. Ils ne seraient donc pas en mesure de… de réitérer leur tentative.

De nouveau Gwenda frissonna. Il faut du temps pour se faire à l'idée que… que quelqu'un a essayé de vous tuer. « C'est dangereux, très dangereux », avait dit miss Marple tout au début. Mais ni Giles ni elle n'avaient eu conscience de courir un grave danger. Même après le meurtre de Lily Kimble, elle n'avait pas imaginé qu'on pourrait essayer de les tuer, Giles et elle. Uniquement parce qu'ils avaient cerné de trop près la vérité concernant ce qui s'était passé il y a dix-huit ans. Parce qu'ils étaient

à deux doigts de découvrir ce qui avait dû se produire alors... et *qui* au juste avait manigancé toute
l'affaire.

Walter Fane et Jackie Afflick...

Lequel ?

Gwenda ferma les yeux et repensa à eux à la
lumière de son nouveau savoir.

Le calme Walter Fane, assis à son bureau... la
pâle araignée au milieu de sa toile. Si calme, l'air
si inoffensif. Une maison aux stores baissés. Un
mort dans la maison. Ou une morte ? Quelqu'un
qui était mort dix-huit ans auparavant... mais qui
était toujours présent. Comme il lui apparaissait
maintenant sinistre, le paisible Walter Fane. Walter
Fane qui s'était jadis jeté sur son frère pour le tuer.
Walter Fane qu'Helen avait dédaigneusement
refusé d'épouser, la première fois ici, et la seconde
en Inde. Un double refus. Une double ignominie.
Walter Fane, si calme, si impassible, qui ne pouvait
peut-être s'exprimer que dans un soudain accès
de violence meurtrière – comme, probablement, la
paisible Lizzie Borden l'avait fait jadis...

Gwenda ouvrit les yeux. Elle en était maintenant
convaincue : Walter Fane était l'assassin. Ou bien
non ?

Pourquoi ne pas examiner rapidement l'hypothèse Afflick ? Les yeux ouverts, pas fermés.

Son costume à carreaux voyant, son attitude
dominatrice... exactement l'opposé de Walter
Fane : rien de calme ni de réprimé chez Afflick.
Mais peut-être avait-il adopté cette attitude à cause
de son complexe d'infériorité. C'est la réaction

courante, à ce que disent les spécialistes. Quand vous n'êtes pas sûr de vous, vous éprouvez le besoin de vous vanter, de vous imposer et de vous montrer autoritaire. Rejeté par Helen parce qu'il n'était pas assez bien pour elle. La blessure ne s'est pas refermée, elle a continué à suppurer. Il a alors décidé qu'il réussirait dans la vie. Il s'est considéré comme un persécuté, avec tout le monde contre lui. Il a dit qu'il avait été renvoyé suite à une fausse accusation forgée par un « ennemi ». Assurément, cela prouvait qu'Afflick n'était pas normal. Et quel sentiment de puissance aurait procuré à un homme comme lui l'acte d'ôter la vie ! Son visage débonnaire et jovial n'était en fait que le visage masqué de la cruauté. C'était un homme cruel… sa pâle et maigre épouse le savait et elle avait peur de lui. Lily Kimble l'avait menacé et Lily Kimble était morte. Quant à Giles et Gwenda, ils s'étaient immiscés dans ses affaires : ils devaient donc mourir. Et Walter Fane, qui l'avait congédié des années plus tôt, serait mis en cause. Cela concordait très bien.

Gwenda se secoua, mit un terme à ses élucubrations et revint à des préoccupations d'ordre plus pratique. Giles allait rentrer et vouloir son thé. Il fallait qu'elle débarrasse la table et fasse la vaisselle du déjeuner. Elle alla chercher un plateau, le chargea et l'emporta à la cuisine. Tout y était extrêmement bien rangé. Mrs Cocker était une vraie perle.

Sur le bord de l'évier, il y avait une paire de gants de chirurgie en caoutchouc. Mrs Cocker en portait toujours pour faire la vaisselle. Sa nièce, qui

travaillait dans un hôpital, lui en fournissait à prix
réduit.

Gwenda les enfila et commença à laver les plats.
Ainsi, ses mains pourraient rester belles.

Elle lava les assiettes et les rangea dans l'égout-
toir, lava et essuya tout ce qui était encore sale et le
rangea soigneusement.

Ensuite, toujours perdue dans ses pensées, elle
monta au premier étage. Puisqu'elle y était, pensa-
t-elle, elle allait laver ses bas et un pull ou deux.
Elle avait gardé les gants.

Ces petites préoccupations tenaient la première
place dans son esprit, mais au fond d'elle-même
quelque chose la harcelait.

Walter Fane ou Jackie Afflick, avait-elle dit. L'un
ou l'autre. Et elle avait établi de très bons arguments
à l'encontre de chacun d'eux. Peut-être était-ce ce
qui la préoccupait réellement. Parce que, à vrai dire,
il serait beaucoup plus satisfaisant de n'avoir de
bons arguments que contre l'*un* des deux. A l'heure
qu'il était, on aurait dû savoir avec certitude *lequel*
c'était, mais Gwenda n'était toujours sûre de rien.

Si seulement il y avait quelqu'un d'autre… Mais
il ne pouvait y avoir personne d'autre. Parce que
Richard Erskine était dans le Northumberland
quand Lily Kimble avait été assassinée et le cognac
de la carafe empoisonné. Oui, Richard Erskine était
tout à fait hors de cause.

Elle en était contente, parce qu'elle aimait bien
Richard Erskine. Celui-ci était séduisant, très
séduisant. Quelle tristesse qu'il soit marié à ce
dragon de femme, avec ses yeux suspicieux et sa

profonde voix de basse. Exactement comme une voix d'homme…

Comme une voix d'homme…

Un doute étrange s'empara de son esprit.

Une voix d'homme… Se pouvait-il que ç'ait été Mrs Erskine, et non son mari, qui ait répondu au téléphone la veille au soir ?

Non… non, certainement pas. Non, bien sûr que non. Giles et elle l'auraient reconnue. Et puis d'abord, Mrs Erskine n'aurait pas pu deviner qui l'appelait. Non, c'était à coup sûr Erskine qui parlait, et sa femme, comme il l'avait dit, n'était pas là.

Sa femme s'était absentée…

Mais… non, c'était possible… Est-ce que ç'aurait pu être Mrs Erskine ? Mrs Erskine, devenue folle de jalousie ? Mrs Erskine à qui Lily Kimble aurait écrit ? Etait-ce une *femme* que Léonie avait vue dans le jardin cette nuit-là, quand elle avait regardé par la fenêtre ?

Soudain une porte claqua en bas, dans le hall. Quelqu'un venait d'entrer.

Gwenda sortit de la salle de bains, alla sur le palier et regarda par-dessus la rambarde. Elle fut soulagée de voir que c'était le Dr Kennedy.

— Je suis là ! cria-t-elle.

Ses mains étaient tendues devant elle – humides, luisantes, un peu boursouflées, d'un étrange gris rosâtre… Elles lui rappelèrent quelque chose…

Kennedy regarda vers le haut, s'abritant les yeux d'une main :

— C'est vous, Gwennie ? Je ne distingue pas

votre visage… je sors du grand soleil et mes yeux sont aveuglés…

C'est alors que Gwenda, poussa un hurlement.

En regardant ses mains gantées, semblables à des pattes de singe, et en entendant cette voix, en bas dans le hall…

— C'était vous, hoqueta-t-elle. Vous l'avez tuée… Vous avez tué Helen… Je… je le sais, maintenant. C'était vous… tout le temps… Vous…

Il commença à monter l'escalier vers elle. Lentement. En la regardant.

— Pourquoi ne m'avez-vous pas laissé en paix ? lui reprocha-t-il. Pourquoi êtes-vous venue vous mêler de ça ? Pourquoi l'avez-vous fait réapparaître… elle ? Juste au moment où je commençais à oublier… à oublier… Vous l'avez ramenée… Helen… mon Helen. Vous avez tout fait resurgir du passé. Il m'a fallu tuer Lily… et maintenant, c'est vous que je vais devoir tuer. Comme j'ai tué Helen… Oui, comme j'ai tué Helen…

Il était près d'elle maintenant… les mains tendues vers elle… il allait la saisir à la gorge, elle le savait. Ce visage bienveillant, intéressant… ce beau visage d'homme, classique, un peu fatigué par le poids des ans… le même encore, sauf les yeux… ses yeux qui n'étaient pas ceux d'un individu qui aurait toute sa tête…

Gwenda recula, lentement, le cri coincé au fond de la gorge. Elle avait crié une fois. Elle ne pouvait pas crier de nouveau. Et, même si elle y parvenait, personne ne l'entendrait.

Parce qu'il n'y avait personne dans la maison : ni

Giles, ni Mrs Cocker, ni même miss Marple, affairée dans le jardin. Personne. Et la villa la plus proche était trop éloignée cependant pour que l'on puisse y entendre ses cris. De toute façon, elle était incapable de crier... Parce qu'elle était trop effrayée... Effrayée par ces horribles mains qui se tendaient vers elle...

Reculer, elle le pouvait jusqu'à la porte de la nursery... et après... après... ces mains se refermeraient autour de son cou...

Etouffé, pitoyable, un gémissement s'échappa de ses lèvres.

Et puis soudain, le Dr Kennedy s'arrêta et recula en titubant tandis qu'un jet d'eau savonneuse lui atteignait les yeux. Il hoqueta, battit des paupières, porta les mains à son visage.

— Comme cela se trouve ! fit la voix de miss Marple, un peu essoufflée, car elle avait monté les escaliers quatre à quatre. J'étais justement en train de vaporiser vos rosiers contre les pucerons.

25

POST-SCRIPTUM A TORQUAY

— Mais bien sûr que non, ma chère Gwenda !
Jamais je n'aurais songé à m'en aller et à vous
laisser seule dans la maison, se récria miss Marple.
Je savais qu'il y avait un très dangereux personnage en liberté, et je montais discrètement la garde
dans le jardin.

— Vous saviez que... que c'était lui ? Vous le
saviez depuis le début ? demanda Gwenda.

Ils étaient tous les trois, miss Marple, Gwenda
et Giles, installés à la terrasse de l'*Hôtel Impérial*, à
Torquay.

— Un petit changement de décor ferait le plus
grand bien à Gwenda, avait suggéré miss Marple
– et Giles avait été d'accord avec elle.

L'inspecteur Primer avait été du même avis.
Aussi s'étaient-ils tout de suite transportés en voiture à Torquay.

— Que voulez-vous, déclara miss Marple en
réponse à la question de Gwenda, tout semblait
le désigner, ma chère enfant. Malheureusement, il
n'y avait aucun élément permettant de le prouver.
Juste des indices, rien de plus.

Giles la regarda avec curiosité :

— Ces indices, je ne vois même pas ce qu'ils peuvent être.

— Allons, mon cher Giles, réfléchissez. Pour commencer, il était *sur les lieux*.

— Sur les lieux ?

— Mais bien entendu. Quand Kelvin Halliday est allé le trouver cette nuit-là, il *revenait de l'hôpital*. Or, l'hôpital, à cette époque-là, comme plusieurs personnes nous l'ont appris, se trouvait juste à côté de Hillside, ou de Sainte-Catherine comme la villa s'appelait alors. Il était donc, comme vous le voyez, *au bon endroit, au bon moment*. Puis cent autres petits faits significatifs sont venus s'ajouter à celui-là. Helen Halliday avait dit à Richard Erskine qu'elle était partie épouser Walter Fane *parce qu'elle n'était pas heureuse chez elle*. Pas heureuse, donc, lorsqu'elle vivait avec son frère. Cependant son frère, aux dires de tous, lui était très dévoué. Pourquoi n'était-elle pas heureuse ? Mr Afflick vous a dit qu'« elle lui faisait de la peine, cette gamine ». Je crois qu'il était sincère quand il disait cela. Il avait bel et bien pitié d'elle. Pourquoi lui fallait-il rencontrer le jeune Afflick en cachette ? De l'aveu général, elle n'était pas follement amoureuse de lui. Etait-ce donc parce qu'elle ne pouvait pas rencontrer de garçons au grand jour et de façon normale ? Son frère était « strict » et « vieux jeu ». Cela rappelle un peu notre fameux Mr Barrett, de Wimpole Street, vous ne trouvez pas ?

Gwenda frissonna.

— Il était fou ! s'exclama-t-elle. Complètement fou.

— En effet, convint miss Marple. Il n'était pas normal. Il adorait sa demi-sœur, et cette affection est devenue possessive et maladive. Ce genre de dérive des sentiments arrive plus souvent qu'on le pense. Les pères qui ne veulent pas que leurs filles se marient… voire qu'elles rencontrent des garçons. Comme Mr Barnett. J'ai pensé à cela quand j'ai entendu parler du filet de tennis.

— Le filet de tennis ?

— Oui, ce détail m'a paru très significatif. Pensez à cette jeune Helen : elle revient de pension, et elle a soif de tout ce qu'une fille de son âge attend de l'existence, elle a envie de fréquenter des garçons… de flirter avec eux…

— D'autant qu'elle est un peu obsédée par le sexe.

— *Mais absolument pas !* s'emporta miss Marple. Ça, c'est l'un des aspects les plus ignobles de ce crime. Le Dr Kennedy ne l'a pas seulement tuée physiquement. Si vous y réfléchissez bien, vous verrez que la seule personne qui nous ait dit qu'Helen Kennedy en était obsédée au point d'être pratiquement… – quel est le mot que vous avez employé, ma chère Gwenda ?… ah oui : nymphomane –, *c'est le Dr Kennedy lui-même*. Je pense, moi, que c'était une jeune fille parfaitement normale, qui voulait s'amuser, prendre du bon temps et avoir quelques petits flirts, puis se marier avec l'homme de son choix… rien de plus. Et voyez quelles furent les mesures prises par son frère. D'abord, comme il était strict et vieux jeu, il ne lui accordait pas de liberté. Ensuite, quand elle a voulu organiser des parties de tennis – désir des plus normaux et inoffensifs – , il a prétendu accepter et puis, une nuit, il est allé mettre le filet en lambeaux : acte sadique autant que révélateur. Ensuite, comme elle pouvait encore sortir jouer au tennis ailleurs et danser, il a profité de ce qu'elle s'était écorché le pied pour envenimer la blessure et l'empêcher de cicatriser. Oh ! oui, je crois qu'il a fait ça... en fait, j'en jurerais.

« Je pense, remarquez bien, qu'Helen ne s'est rendu compte de rien de tout cela. Elle savait que son frère avait une profonde affection pour elle et elle ne devait pas comprendre *pourquoi* elle se sentait si mal à l'aise et malheureuse chez elle. Mais le fait était là et, en dernier recours, elle a décidé de partir pour l'Inde et d'y épouser le jeune Fane à seule fin de « s'évader ». De s'évader de *quoi* ? Elle ne le savait pas. Elle était trop jeune et trop candide pour le comprendre. Elle est donc partie pour l'Inde et, en route, elle a rencontré Richard Erskine et en est tombée amoureuse. Là encore, elle ne s'est pas comportée comme une obsédée, mais comme une jeune fille correcte et respectable. Elle ne l'a pas incité à quitter sa femme. Au contraire. Mais, quand elle a revu Walter Fane, elle a aussitôt compris qu'elle ne pourrait pas l'épouser. Et, parce qu'elle ne savait pas quoi faire d'autre, elle a envoyé à son frère un télégramme lui demandant de lui envoyer de l'argent pour rentrer.

« Au cours du voyage de retour, elle a rencontré votre père – et un autre moyen de s'évader lui est apparu. Avec, cette fois, une réelle perspective de bonheur.

« Elle n'a pas épousé votre père sous de faux prétextes, Gwenda. Il se remettait de la mort d'une femme tendrement aimée. Elle surmontait le désespoir d'une histoire d'amour avortée. Ils pouvaient s'entraider. Le fait qu'Helen et Kelvin Halliday se soient mariés à Londres et soient ensuite allés à Dillmouth annoncer la nouvelle au Dr Kennedy me paraît également significatif. Elle a dû pressentir, qu'il serait plus avisé d'agir ainsi plutôt que d'aller directement à Dillmouth et de s'y marier, ce qu'ils auraient fait dans des circonstances normales. Je pense qu'elle ne savait toujours pas à quoi elle se heurtait… mais elle était mal à l'aise, et elle aura jugé plus sûr de présenter son mariage à son frère comme un fait accompli.

« Kelvin Halliday sut se montrer très amical et affectueux envers Kennedy. Lequel, de son côté, parut avoir alors changé d'attitude et exprimé sa satisfaction face au mariage de sa sœur. Le couple a donc loué une maison meublée à Dillmouth.

« Et nous en arrivons maintenant à ce fait très révélateur : l'impression qu'avait Kelvin Halliday d'être empoisonné par sa femme. Il n'y a à cela que deux explications possibles, et ce, pour l'excellente raison qu'il n'y a que deux personnes qui pouvaient être à même de se livrer à un tel acte. Soit c'était Helen Halliday qui empoisonnait son mari, et si oui, pourquoi ? Ou bien les drogues ne lui étaient-elles pas plutôt administrées par le Dr Kennedy, lequel était le médecin de Halliday ? Kelvin allait le consulter, il avait confiance en son savoir médical... et c'est Kennedy, encore, qui lui a habilement suggéré que sa femme l'empoisonnait.

— Mais existe-t-il une drogue susceptible de donner à un homme l'illusion qu'il a étranglé sa femme ? demanda Giles. Je n'en connais personnellement pas qui ait cet effet somme toute assez... *spécial*.

— Vous êtes, mon cher Giles, tombé de nouveau dans le piège... celui qui consiste à gober *tout ce qu'on veut bien vous raconter*. Il n'y a que le Dr Kennedy qui nous ait dit que Kelvin Halliday avait toujours eu *ce type* d'hallucinations. Celui-ci ne l'a jamais noté dans son journal. Il avait des hallucinations, certes, mais il n'a jamais mentionné de quelle nature elles étaient. Mais j'imagine que Kennedy lui a parlé d'hommes qui avaient étranglé leur femme après être passés par une phase telle que celle qu'il vivait.

— Le Dr Kennedy était vraiment un être machiavélique, murmura Gwenda.

— Je pense, ajouta miss Marple, que c'est à ce moment-là qu'il a définitivement franchi la frontière entre la raison et la folie. Et Helen, la pauvre fille, a commencé à s'en rendre compte. C'était à son frère qu'elle devait parler quand Lily l'a entendue dire : « Je crois que, au fond, j'ai toujours eu peur de toi. » C'est, de tout ce qu'elle a pu dire, la chose qui m'a toujours paru la plus révélatrice. C'est pourquoi elle a décidé de quitter Dillmouth. Elle a persuadé son mari d'acheter une maison dans le Norfolk, et l'a prié de n'en parler à personne. Le secret dont elle a entouré ce déménagement m'a beaucoup éclairée. Manifestement, elle redoutait que *quelqu'un* l'apprenne… mais ce ne pouvait être ni Walter Fane ni Jackie Afflick… et encore moins Richard Erskine. Non, cela désignait quelqu'un de beaucoup plus proche.

« Finalement, Kelvin Halliday, que ce secret devait sans doute ennuyer et qu'il considérait certainement comme ne rimant à rien, en a parlé à son beau-frère.

« Et c'est ainsi qu'il a scellé son destin et celui de son épouse. Car Kennedy ne pouvait se résoudre à laisser Helen s'en aller vivre heureuse avec son mari. Peut-être son intention première avait-elle simplement été d'altérer la santé de Halliday avec des drogues. Mais quand il apprit que sa victime et Helen allaient lui échapper, il est devenu complètement fou. De l'hôpital il est passé, muni d'une paire de gants chirurgicaux, dans le jardin de Sainte-Catherine. Il a surpris Helen dans le hall, et il l'a étranglée. Personne ne l'a vu, il n'y avait là personne pour le voir – c'est du moins ce qu'il a cru. Et, torturé par l'amour et la folie, il a alors déclamé ces vers tragiques, si appropriés à la situation. (Miss Marple soupira et fit claquer sa langue :) Je me suis montrée stupide… parfaitement stupide. Nous nous sommes tous montrés stupides. Nous aurions dû comprendre tout de suite. Ces vers de *La Duchesse d'Amalfi* étaient vraiment l'indice capital. Ils sont dits, n'est-ce pas, par un *frère* qui vient de faire exécuter sa sœur parce qu'elle avait épousé l'homme qu'elle aimait. Oui, nous nous sommes montrés stupides…

— Et ensuite ? demanda Giles.

— Et ensuite il a mis à exécution son plan démoniaque. Il a emporté le corps au premier étage, il a rempli une valise de vêtements, rédigé un mot qu'il a ensuite jeté dans la corbeille à papier afin de pouvoir convaincre Halliday par la suite.

— J'aurais pourtant pensé, intervint Gwenda, qu'il aurait été préférable pour lui que mon père soit accusé du meurtre.

Miss Marple secoua la tête :

— Oh ! non, il ne pouvait pas prendre ce risque. Tout fou qu'il était, il n'en était pas moins doté d'un robuste bon sens écossais, vous savez. Il avait aussi une sainte frousse de la police. Avant de déclarer un homme coupable d'un meurtre, la police recherche un maximum de preuves. Les policiers auraient pu poser un tas de questions embarrassantes et faire quantité d'investigations sur les heures et les lieux. Non, son plan était plus simple et, je pense, plus démoniaque. Il lui a suffi de convaincre Halliday, premièrement, qu'il avait tué sa femme, deuxièmement, qu'il était fou. Il a incité Halliday à aller dans une clinique psychiatrique, mais je ne crois pas qu'il voulait réellement le convaincre que tout cela n'était qu'une hallucination. Votre père a accepté cette théorie, Gwennie, principalement, j'imagine, dans votre intérêt. Il a continué à croire qu'il avait tué Helen. Il est mort en le croyant.

— C'est atroce ! s'exclama Gwenda. Atroce… atroce… atroce.

— Oui, acquiesça miss Marple. Il n'y a vraiment pas d'autre mot. Et je pense, Gwenda, que c'est pourquoi ce que vous avez vu alors est resté si fortement gravé dans votre mémoire d'enfant. C'est l'Esprit du mal qui flottait dans l'air cette nuit-là.

— Mais les lettres, fit remarquer Giles. Les lettres d'Helen ? Elles étaient de son écriture, ce ne pouvait donc pas être des faux.

— Bien sûr que si, c'étaient des faux ! Mais c'est là qu'il a trop présumé de ses forces. Il était si pressé de vous voir, Giles et vous, cesser vos investigations. Il pouvait probablement imiter l'écriture d'Helen tout à fait correctement… mais cela n'aurait pas trompé un expert. Aussi, le spécimen de l'écriture d'Helen qu'il vous a envoyé avec la lettre n'était pas d'elle non plus. C'est lui qui l'a écrit. Il y avait donc naturellement correspondance parfaite entre les deux écritures.

— Bonté divine ! s'exclama Giles. Je n'aurais jamais pu imaginer une chose pareille.

— Bien évidemment non, répliqua miss Marple. *Vous croyiez tout ce qu'il disait !* C'est réellement très dangereux de croire les gens. Voilà des années que je ne le fais plus.

— Et le cognac ?

— Il a fait ça le jour où il est venu à Hillside pour apporter la lettre d'Helen et où il a parlé avec moi dans le jardin. Il attendait dans la maison pendant que Mrs Cocker était sortie m'annoncer sa visite. Cela n'a dû lui prendre qu'une petite minute.

— Bon Dieu ! s'écria Giles. Et quand je pense que lorsque nous avons quitté le poste de police le jour où Lily Kimble a été assassinée, il m'a recommandé de ramener Gwenda à la maison *et de lui donner un cognac*… Mais cette Lily, au fait, comment s'y est-il pris pour la rencontrer plus tôt ?

— C'est très simple. Dans la *vraie* lettre, celle qu'il lui avait envoyée, il lui proposait de la rencontrer à Woodleigh Camp et, pour ce faire, de venir à Matchings Halt en prenant le train de 14 h 05 à Dillmouth Junction. Il est sorti du couvert des arbres et l'a probablement abordée alors qu'elle montait le chemin… et il l'a étranglée. Ensuite, il n'a eu qu'à substituer la lettre que vous avez tous vue à la lettre qu'elle avait avec elle – et qu'il lui avait demandé d'apporter à cause des indications qu'elle contenait. Puis il est rentré chez lui et s'est préparé à vous recevoir et vous a joué la petite comédie de l'attente de Lily.

— Lily le menaçait-elle réellement ? Ce n'est pas ce qui semblait ressortir de sa lettre. C'est plutôt Afflick qui paraissait suspecté.

— Peut-être, mais Léonie, la jeune fille suisse, avait parlé à Lily, et Léonie était la seule menace pour Kennedy. Parce qu'elle avait regardé par la fenêtre de la nursery et l'avait vu en train de creuser un trou dans le jardin. Le lendemain matin, il lui a carrément dit que le major Halliday avait tué sa femme… que le major Halliday était fou, et que lui, Kennedy, étouffait l'affaire dans l'intérêt de l'enfant. Si néanmoins Léonie estimait de son devoir de prévenir la police, elle pouvait le faire, mais ce serait ennuyeux pour elle… et ainsi de suite.

« Léonie avait immédiatement pris peur dès qu'il avait parlé de la police. Elle vous adorait et avait

une confiance absolue en ce que *Monsieur le docteur*, comme elle disait toujours, considérait comme
étant le mieux pour vous. Kennedy lui a remis une
coquette somme d'argent et l'a renvoyée en Suisse.
Mais avant de s'en aller, elle a peut-être dit quelque
chose à Lily, lui suggérant que c'était votre père qui
avait tué sa femme et qu'elle avait vu qu'on enter-
rait le corps dans le jardin. Comme cela correspondait aux idées que Lily avait à ce moment-là, elle
en a déduit que c'était Kelvin Halliday que Léonie
avait vu creuser une tombe.

— Mais Kennedy ne le savait pas, bien sûr, dit
Gwenda.

— Bien sûr que non. Quand il a reçu la lettre de
Lily, ce qui l'a effrayé, c'est d'apprendre que Léonie
avait parlé à Lily de ce qu'elle avait vu *par la fenêtre*
et la mention de la voiture devant la maison.

— Quelle voiture ? La voiture de Jackie Afflick ?

— Encore une méprise. Lily se souvenait, ou
croyait se souvenir, d'une voiture comme celle de
Jackie Afflick garée dans la rue. Aussitôt son imagination l'avait dirigée sur « l'homme mystérieux »
qui venait voir Mrs Halliday. L'hôpital étant à côté,
il ne fait aucun doute que de nombreuses voitures
devaient stationner le long de cette rue. Mais rappelez-vous, la voiture du *docteur* était en fait garée
devant l'hôpital cette nuit-là… il en a donc probablement conclu qu'elle parlait de sa voiture à lui.
L'adjectif « chic » était dénué de sens pour lui.

— Je vois, dit Giles. Oui, comme il n'avait pas la
conscience tranquille, la lettre de Lily a pu lui faire
croire à une tentative de chantage. Mais comment

savez-vous tout ce que vous nous avez dit concernant Léonie ?

Les lèvres pincées, miss Marple déclara :

— Il a... tout de suite craqué, vous savez. Dès que les hommes que l'inspecteur Primer avait laissés en faction dans le jardin ont fait irruption et se sont emparés de lui, il a tout avoué. Et il a, à moult reprises, raconté le crime... et tout ce qu'il avait fait. Léonie est morte, semble-t-il, très peu de temps après son retour en Suisse. Elle aurait pris trop de somnifères... Oh ! mais c'est que, les risques, il voulait les éliminer tous !

— C'est ainsi qu'il a tenté de l'empoisonner avec du cognac.

— Vous étiez très dangereux pour lui, tous les deux. Heureusement que vous ne lui avez jamais parlé de cette réminiscence d'Helen étendue morte dans le hall. Il n'a ainsi jamais su qu'il avait eu un témoin oculaire.

— Ces coups de téléphone à Fane et à Afflick ? demanda Giles. C'est lui qui les a passés ?

— Oui. Pour le cas où il y aurait eu une enquête afin de découvrir qui avait mis du poison dans le cognac. L'un comme l'autre aurait pu faire un admirable suspect, et si Jackie Afflick était venu seul dans sa voiture, on aurait également pu le soupçonner du meurtre de Lily Kimble. Fane aurait eu plus probablement un alibi.

— Il paraissait pourtant avoir de l'affection pour moi, fit remarquer Gwenda. J'étais sa « petite Gwennie »...

— Il lui fallait jouer son rôle, répondit miss

Marple. Imaginez ce que cela signifiait pour lui. Au bout de dix-huit ans, vous revenez, avec Giles, et vous posez des questions, vous fouillez dans les mémoires et vous ramenez au jour un meurtre qui semblait enfoui dans les brumes du passé mais qui n'était en réalité qu'en sommeil… La rétrospective d'un meurtre… Entreprise dangereuse s'il en fut jamais, mes chers amis. Vous m'avez, à maintes reprises, plongée dans une terrible inquiétude.

— Et cette pauvre Mrs Cocker ! s'attendrit Gwenda. Elle l'a échappé belle. Je suis contente de savoir qu'elle va très bien maintenant. Crois-tu qu'elle va revenir chez nous, Giles ? Après tout ce qui s'est passé ?

— Elle le fera très bientôt, dès qu'il faudra préparer la nursery, répondit Giles d'un ton un tantinet solennel.

Gwenda rougit, et miss Marple s'autorisa un petit sourire, le regard tourné vers la baie.

— Comme c'est étrange, la manière dont cela s'est passé, murmura Gwenda d'un air rêveur. J'avais ces gants de caoutchouc grisâtres aux mains, je les ai regardés, puis il est entré dans le hall et a prononcé ces mots qui m'ont rappelé les autres. « Visage »… et ensuite « Yeux aveuglés »…

Elle frissonna :

— *Couvrez-lui le visage… elle est morte jeune et mes yeux sont aveuglés…* Cela aurait pu être moi… si miss Marple n'avait pas été là. (Elle s'interrompit, puis reprit dune voix douce :)

— Pauvre Helen… Pauvre Helen, si belle et morte

Composition et mise en pages réalisées
par IND - 39100 Brevans

Achevé d'imprimer par GGP Media GmbH, Pößneck
en juillet 2008
pour le compte de France Loisirs,
Paris

N° d'éditeur : 52716
Dépôt légal : mai 2008
Imprimé en Allemagne

si jeune… Tu sais, Giles, elle n'est plus là… dans la maison… dans le hall… Je lai senti hier avant que nous partions. Il n'y a plus que la maison. Et la maison nous aime bien. Nous pouvons y retourner dès que nous le voudrons…